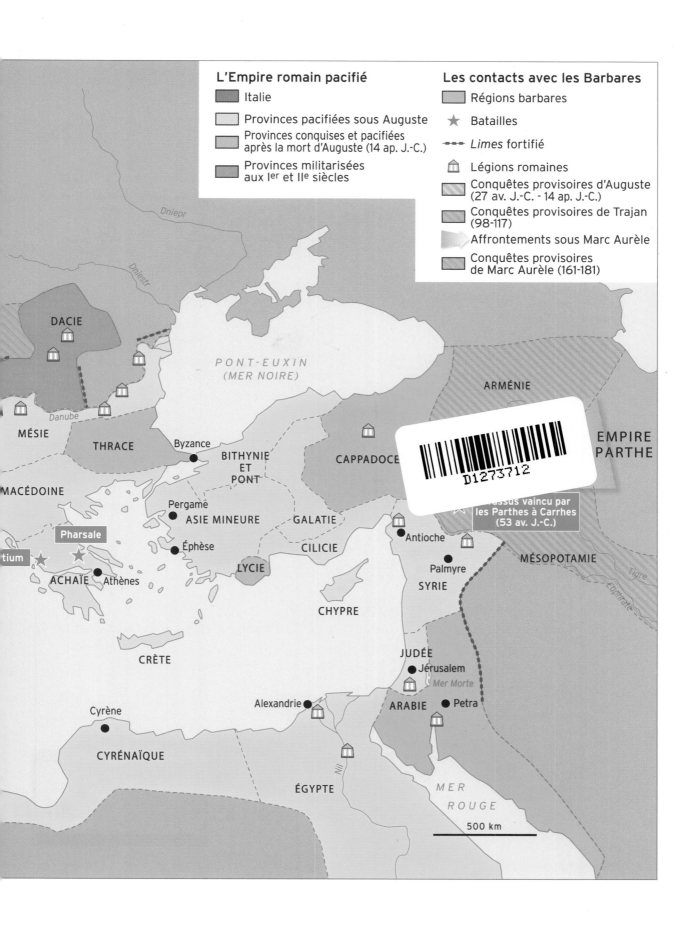

L'Empire romain pacifié
- Italie
- Provinces pacifiées sous Auguste
- Provinces conquises et pacifiées après la mort d'Auguste (14 ap. J.-C.)
- Provinces militarisées aux Ier et IIe siècles

Les contacts avec les Barbares
- Régions barbares
- ★ Batailles
- *Limes* fortifié
- Légions romaines
- Conquêtes provisoires d'Auguste (27 av. J.-C. - 14 ap. J.-C.)
- Conquêtes provisoires de Trajan (98-117)
- Affrontements sous Marc Aurèle
- Conquêtes provisoires de Marc Aurèle (161-181)

Dniepr

Dniestr

DACIE

PONT-EUXIN
(MER NOIRE)

ARMÉNIE

EMPIRE
PARTHE

Danube

MÉSIE

THRACE

Byzance

BITHYNIE
ET
PONT

CAPPADOCE

...ssus vaincu par les Parthes à Carrhes (53 av. J.-C.)

MACÉDOINE

Pergame

ASIE MINEURE

GALATIE

Antioche

MÉSOPOTAMIE

Tigre

Pharsale

Éphèse

CILICIE

Palmyre

...tium

LYCIE

SYRIE

Euphrate

ACHAÏE

Athènes

CHYPRE

CRÈTE

JUDÉE

Jérusalem

Mer Morte

Cyrène

Alexandrie

ARABIE

Petra

CYRÉNAÏQUE

Nil

ÉGYPTE

MER
ROUGE

500 km

LES RESSOURCES DU MANUEL NUMÉRIQUE

Un manuel enrichi pour animer et personnaliser ses séances

VIDÉOS

Vidéo
L'école des gladiateurs de Rome
✈ Manuel numérique

15 vidéos documentaires pour éclairer et enrichir des thèmes de civilisation antique :
- *La fondation de Rome*
- *Le forum romain*
- *L'école des gladiateurs*
- *L'esclavage à Rome*
- *Le port de Carthage*
- *Le culte d'Auguste*
- *La domus aurea*
- *La colonne trajane…*

LECTURES D'IMAGES ANIMÉES

Animation
✈ Manuel numérique

15 lectures animées d'œuvres d'art, de la mosaïque à l'affiche de film, en passant par la fresque, le vase, le bas-relief , la peinture :
- *Mosaïque du poète*
- *Scène de banquet*
- *Laraire*
- *David, Les Sabines*
- *Gérôme, Pollice verso*
- *Affiche du film Cabiria …*

➕ Pour l'enseignant
▶ Pistes pour l'exploitation pédagogique des images animées et des vidéos
▶ Projets EPI en lien avec les parcours du manuel
▶ Livre du professeur

TEXTES LUS

Texte lu
✈ Manuel numérique

20 extraits d'œuvres antiques lus en latin :
Pline, Virgile, Plaute, Sénèque, Martial, Cicéron, Ovide…

INFOS ET DÉMO SUR **www.editions-hatier.fr**

Manuel numérique enseignant GRATUIT sur www.editions-hatier.fr/contenu/manuel-numerique-gratuit

LES RESSOURCES hatier-clic

Des ressources supplémentaires GRATUITES en ligne
(sites web en accès direct pour des recherches ciblées, documents imprimables, infos complémentaires…)

Depuis votre manuel papier

1 Repérer l'adresse Internet sur les pictogrammes dans le manuel
≫

2 Taper l'adresse dans la barre de recherche de votre navigateur
≫

3 Accéder directement à la ressource !

Site web
Le fonctionnement du vélum
hatier-clic.fr/lat08

www.hatier-clic.fr ✕
← → C | www.hatier-clic.fr/lat08

 Depuis votre manuel numérique
Cliquer simplement sur le pictogramme souhaité (connexion Internet requise).

Petit dictionnaire

du

La tin

au collège

COMMENT UTILISER VOTRE Petit dictionnaire

 Avant de chercher un mot dans votre petit dictionnaire, assurez-vous :

▶ que vous ne connaissez pas déjà ce mot ;

▶ qu'il ne s'agit pas d'un mot que l'**étymologie** vous permet de comprendre facilement ;

▶ qu'il ne s'agit pas d'un mot dont la **formation** (préfixe, suffixe) permet de comprendre facilement le sens. Par exemple, **jacio** signifie *jeter*, donc **ejicio** doit signifier *jeter hors de* (préfixe ex-)

Pour tous les **mots variables** (noms, adjectifs, pronoms, verbes), la forme présente dans le texte ne correspond généralement pas exactement à l'entrée du dictionnaire.
Pour trouver la **bonne entrée** suivez le guide !

1 *Formulation de l'hypothèse*

J'analyse le mot = Je fais des hypothèses sur sa nature.

C'est un verbe

2 *Recherche*

Je trouve le radical en enlevant suffixes et terminaisons.
→ Je forme la 1ʳᵉ pers. du présent.

mittebatur → radical **mitt-**
→ **entrée : mitto**

⚠ **DIFFICULTÉ** mot formé sur le radical du parfait/du supin.
→ Je trouve l'entrée dont le radical du parfait/supin correspond.

miserunt → parfait : **misi**
→ **entrée : mitto, is, ere, misi, missum**

Ce n'est pas un verbe

2 *Recherche*

Je trouve le **nominatif sg**. en remplaçant la terminaison.
→ Je forme le nominatif sg. (masculin pour les adjectifs et les pronoms)

animorum → radical **anim-**
→ **entrée : animus**

⚠ **DIFFICULTÉ** mots dont le radical est légèrement différent au nominatif.
→ Je trouve l'entrée dont le radical du génitif correspond.

carmina → radical **carmin-**
→ **entrée : carmen, carminis, n.**

3 *Vérification*

Dans tous les cas, **je vérifie** que la forme du texte correspond bien au tableau de déclinaison ou de conjugaison de l'entrée

Ce n'est pas le cas ? **Je reviens à l'étape 1.**

A

ab (+ abl.) : en venant de, hors de

abditus, a, um : caché

abigo, is, ere, egi, actum : chasser, faire fuir ; emporter, dérober, voler

abstrudo, is, ere, trusi, trusum : cacher

abyssus, i, f. : l'abîme

accedo, is, ere, cessi, cessum : s'avancer

accipio, is, ere, cepi, ceptum : apprendre ; recevoir

accuso, as, are, avi, atum aliquem (+ gén.) : accuser qqn de qqch

acerbitas, atis, f. : la cruauté

acies, ei, f. : l'armée ; la ligne de bataille, le rang

ad (+ acc.) : vers, en direction de ; pour

addo, is, ere, didi, ditum : ajouter

adeo : surtout

adfero (affero), fers, ferre, adtuli, adlatum : enlever ; porter ; apporter

adficio, is, ere, feci, fectum : affecter, tourmenter

adjicio, is, ere, jeci, jectum : ajouter

adjuvo, as, are, juvi, jutum : aider

adlego, is, ere, legi, lectum : adjoindre, faire entrer

adligo, as, are, avi, atum : attacher à, lier à

admiror, aris, ari, atus sum : admirer

adolesco, is, ere, evi, adultum : croître, grandir

adrado, is, ere, rasi, rasum : raser

adsentior, iris, iri, sensus sum : être du même avis

adtingo (attingo), is, ere, tigi, tactum : toucher

adventus, us, m. : l'arrivée

adversus (+ acc.) : contre, en face de

aedes, ium, f. pl. : la maison, la demeure ; le temple

aequo, as, are, avi, atum : aplanir ; rendre égal à

aequus, a, um : égal, juste

ager, agri, m. : le champ

agger, eris, m. : le remblai

agmen, inis, n. : l'armée en marche

ago, is, ere, egi, actum : agir ; aller, mener ; **gratiam agere** : remercier

aliquamdiu : assez longtemps

alius, a, ud : autre

alo, is, ere, alui, alitum : nourrir

alter, altera, alterum : l'un, l'autre

altiles, ium, f. pl. : les volailles engraissées

altitudo, inis, f. : la hauteur

altus, a, um : élevé

ambio, is, ire, i(v)i, itum : parcourir

ambitus, us, m. : le pourtour, la circonférence

ambulo, as, are, avi, atum : se promener

amictus, i, m. : le manteau

amicus, i, m. : l'ami

amitto, is, ere, misi, missum : perdre

amnis, is, m. : le fleuve

amo, as, are, avi, atum : aimer

amplius : plus de

an : ou bien

ancilla, ae, f. : la servante

anima, ae, f. : le souffle vital, l'âme

animal, is, n. : l'animal

anne ou **an** : est-ce que vraiment, est-ce que par hasard ?

ante (+ acc.) : devant, avant

antequam (+ ind. ou subj.) : avant que

anulus, i, m. : la bague

anus, us, f. : la vieille femme

Apollo, onis, m. : Apollon

apprehendo (adprehendo), is, ere, di, sum : prendre, saisir

apud (+ acc.) : chez

aquila, ae, f. : l'aigle

ara, ae, f. : l'autel

arbiter, tri, m. : le témoin

arbitror, aris, ari, atus sum : estimer, penser

ardeo, es, ere, arsi, arsurus : brûler

arena (harena), ae, f. : le sable, l'arène

aridus, a, um : desséché

armaturae, arum, f. pl. : les armes

ars, artis, f. : le métier, le talent, l'art

artifex, icis, m. : l'artiste

arx, arcis, f. : la citadelle

ascendo, is, ere, censi, censum : monter, gravir

aspicio, is, ere, spexi, spectum : regarder, voir

astrologus, i, m. : l'astronome

at : mais

ater, atra, atrum : sombre, noir

atque : et

atramentum, i, n. : l'encre

atrium, ii, n. : l'atrium

auctor, oris, m. : le garant ; le fondateur

auctoritas, atis, f. : l'autorité morale

audax, acis : audacieux, qui ose

audeo, es, ere, ausus sum : oser

audio, is, ire, i(v)i, itum : entendre ; entendre dire

augeo, es, ere, auxi, auctum : augmenter

augur, uris, m. : l'augure

aura, ae, f. : le souffle

auriga, ae, m. : l'aurige

auspicia, orum, n. pl. : les auspices

autem : or ; mais ; quant à

auxilium, ii, n. : l'aide, le renfort (au pl. : les troupes auxiliaires)

avis, is, f. : l'oiseau

axis, is, m. : ciel

B

Bacchus, i, m. : Bacchus

balneum, i, n. : l'établissement de bains

basternarius, ii, m. : le muletier

beatus, a, um : heureux

bellicosus, a, um : belliqueux

bellum, i, n. : la guerre

bellum gerere cum (+ abl.) : faire la guerre contre qqn

bellum inferre (+ dat.) : faire la guerre à

bibo, is, ere, bibi, potum : boire

blandior, iris, iri, itus sum : flatter

bonus, a, um : bon ; **boni, orum,** m. pl. : les hommes de bien

bracchium, ii, n. : le bras

brevis, e : court, bref

C

cacula, ae, m. : le valet d'un soldat

cado, is, ere, cecidi, casum : tomber

caecus, a, um : aveugle ; qu'on ne voit pas

caedes, is, f. : le meurtre, le massacre

caedo, is, ere, cecidi, caesum : abattre, massacrer

caelum, i, n. : le ciel

caerimonia, ae, f. : la cérémonie

caesius, a, um : bleu-vert

calamus, i, m. : le calame, le roseau

callidus, a, um : rusé

camera, ae, f. : le plafond

campus, i, m. : le champ

candidus, a, um : blanc

canities, ei, f. : la blancheur

canna, ae, f. : le roseau, le calame

cano, is, ere, cecini, cantum : chanter

cantus, us, m. : le chant

capax, acis : capable (de)

capillus, i, m. : la chevelure ; le cheveu

capio, is, ere, cepi, captum : prendre

capsa, ae, f. : la boîte à livres

caput, itis, n. : la tête

carcer, eris, m. : la prison

careo, es, ere, ui, iturus (+ abl.) : être privé de, manquer de, être sans

carmen, inis, n. : le poème

carpentum, i, n. : le chariot

carus, a, um : préféré, cher

castigo, as, are, avi, atum : punir

castra, orum, n. pl. : le camp

casus, us, m. : le hasard, l'événement

causa, ae, f. : la cause, le principe

caveo, es, ere, cavi, cautum (+ acc.) : prendre garde à qqch

celebro, as, are, avi, atum : célébrer

celeriter : rapidement

cella, ae, f. : la cave

cena, ae, f. : le dîner

cenaculum, i, n. : la chambre ; la salle à manger à l'étage (au pl. : les appartements)

censeo, es, ere, censui, censum : être d'avis ; juger

censor, oris, m. : le censeur

cerno, is, ere, crevi, cretum : décider, trancher

certamen, inis, n. : le combat, la bataille, le conflit

certe : assurément

certo, as, are, avi, atum : combattre, lutter

certus, a, um : certain

cervix, icis, f. : la nuque, le cou

cesso, as, are, avi, atum : cesser

chorus, i, m. : la danse en chœur

cibarium, ii, n. : l'aliment

cibus, i, m. : la nourriture

circa (+ acc.) : aux alentours, tout autour de

circenses, ium, m. pl. : les jeux du cirque

circum (+ acc.) : vers, aux alentours de

circumsisto, is, ere, steti : entourer

citus, a, um : prompt, rapide

civitas, atis, f. : la cité

clades, is, f. : la défaite ; le désastre

clangor, oris, m. : le cri (d'un oiseau)

clarus, a, um : célèbre

classis, is, f. : la flotte

clavis, is, f. : la clef

clemens, entis : clément

cliens, entis, m. : le client

cocus, i, m. : le cuisinier

coeptus, us, m. : le début

coerceo, es, ere, cui, citum : réprimer

cogito, as, are, avi, atum : penser, réfléchir

cognosco, is, ere, gnovi, gnitum : apprendre à connaître

cogo, is, ere, coegi, coactum : forcer

cohorto, as, are, avi, atum : exhorter

collabor, eris, labi, lapsus sum : s'écrouler

colligo, is, ere, legi, lectum : rassembler

colloco, as, are, avi, atum : placer

colo, is, ere, colui, cultum : cultiver, soigner, honorer

comes, itis, m. : le compagnon

comoedus, i, m. : le comédien

comperio, is, ire, peri, pertum : découvrir

complector, eris, plecti, complexus sum : embrasser, entourer ; saisir

compluvium, ii, n. : le compluvium (ouverture dans le toit pour les eaux de pluie)

concordia, ae, f. : la bonne entente

concumbo, is, ere, cubui, cubitum : se coucher ; coucher avec qqn

condo, is, ere, condidi, conditum : fonder

conjuratio, onis, f. : la conjuration

conscius, a, um : complice

conservus, i, m. : le compagnon d'esclavage

consilium, ii, n. : la décision

conspicuus, a, um : remarquable

constantia, ae, f. : la fermeté

consto, as, are, stiti, staturus : rester immobile ; s'accorder avec (+ dat.)

consuesco, is, ere, suevi, suetum : prendre l'habitude de

consul, is, m. : le consul

contemno, is, ere, tempsi, temptum : mépriser

contingo, is, ere, tigi, tactum (+ dat.) : échoir à, arriver

contio, onis, f. : l'assemblée, la réunion ; le discours public, la harangue

contra (+ acc.) : contre, en face de

contubernalis, is, m. : le compagnon de tente

contumelia, ae, f. : l'outrage, l'affront

contundo, is, ere, tudi, tusum : écraser

conviva, ae, m. : l'invité

convivium, i, n. : le banquet, le festin

copia, ae, f. : l'abondance

copiam facere (+ dat.) : donner accès à

copiae, arum, f. pl. : les troupes

coquo, is, ere, coxi, coctum : cuire

coquus, i, m. : le cuisinier

coram : en face, en présence de ; (+ abl.) : devant

corona, ae, f. : la couronne

corpus, oris, n. : le corps

cras : demain

creber, bra, brum : nombreux ; serré ; dru

credo, is, ere, didi, ditum : croire

cresco, is, ere, crevi, cretum : croître

crudelis, e : cruel

cruentus, a, um : sanglant, ensanglanté

cruor, oris, m. : le sang (qui coule d'une blessure)

crus, cruris, n. : la jambe

cubiculum, i, n. : la chambre à coucher

cubile, is, n. : le lit

cubitus, i, m. : la coudée (mesure équivalente à 44,46 cm)

culina, ae, f. : la cuisine

cultus, us, m. : le culte, les pratiques religieuses

cum (+ abl.) : avec

cum (+ subj.) : alors que, comme

cupio, is, ere, i(v)i, itum : désirer

cur : pourquoi

cura, ae, f. : le soin

curo, as, are, avi, atum (+ acc.) : soigner, prendre soin de

curro, is, ere, cucurri, cursum : courir

currus, us, m. : le char

cursus, us, m. : la course

custos, odis, m. : le garde

cutis, is, f. : la peau

D

dapes, um, f. pl. : le repas, le banquet

dea, ae, f. : la déesse

debello, as, are, avi, atum : vaincre, soumettre par les armes

debeo, es, ere, debui, itum : devoir

decedo, is, ere, cessi, cessum : s'en aller, faire fausse route

decet (+ prop. inf.) : il convient (que)

decipio, is, ere, cepi, ceptum : tromper

decurio, onis, m. : le décurion, sénateur dans une ville d'Italie

decus, oris, n. : l'honneur

defigo, is, ere, fixi, fixum : fixer

delecto, as, are, avi, atum : charmer

deleo, es, ere, evi, etum : détruire

demo, is, ere, dempsi, demptum : arracher

dens, dentis, m. : la dent

deputo, as, are, avi, atum : évaluer, estimer

descendo, is, ere, scendi, scensum : descendre

desero, es, ere, deserui, desertum : abandonner

deses, idis : oisif, fainéant

desiderium, ii, n. : le désir

destino, as, are, avi, atum : fixer

deus, i, m. : le dieu

deveho, is, ere, vexi, vectum : transporter

dexter, tra, trum : droit

Diana, ae, f. : Diane

dico, is, ere, dixi, dictum : dire

diffugio, is, ere, fugi : fuir, se disperser

dignus, a, um (+ abl.) : digne de

diligo, is, ere, lexi, lectum : aimer

dimidia, ae, f. : la moitié

dimitto, is, ere, misi, missum : renvoyer

dirus, a, um : de mauvais augure

Dis, Ditis, m. : Pluton

discipulus, i, m. : l'élève

disco, is, ere, didici, discitum : apprendre (comme élève)

disputo, as, are, avi, atum : examiner, mesurer

dissentio, is, ire, sensi, sensum ab ou **cum** (+ abl.) : être en désaccord avec qqn

dissignator, oris, m. : le placeur

diu : longtemps

diutius : plus longtemps

dives, itis : riche

divitiae, arum, f. pl. : les richesses

do, das, dare, dedi, datum : donner

doceo, es, ere, docui, doctum : instruire

doctus, a, um : savant

dolus, i, m. : la ruse, la fourberie, la tromperie

domesticus, a, um : qui concerne la maison, domestique

dominus, i, m. : le maître de maison

domus, us, f. : la maison

donec (+ ind.) : jusqu'à ce que

dubito, as, are, avi, atum : douter

duco, is, ere, duxi, ductum : conduire, mener, diriger

dulcis, e : doux, agréable

dum (+ ind.) : pendant que ; (+ subj.) : pourvu que

dux, ducis, m. : le chef ; le général

E

e, ex (+ abl.) : en ; à la suite de ; parmi ; en venant de, hors de ; en s'éloignant de

echinus, i, m. : l'oursin

edisco, is, ere, didici : apprendre par cœur

edo, edes ou **edis, ere** ou **esse, edi, esum** : manger

edo, is, ere, didi, ditum : publier

efficio, is, ere, feci, fectum : achever

egredior, eris, edi, essus sum : sortir

egregius, a, um : remarquable

eheu : hélas

eligo, is, ere, elegi, electum : choisir, élire

emo, is, ere, empsi, emptum : acheter

enim : en effet

eo quod (+ subj.) : pour cette raison que

eo, is, ire, i(v)i, itum : aller

epulae, arum, f. pl. : les plats, les mets ; le repas

eques, itis, m. : le cavalier

equidem : sans doute ; pour ma part

equus, i, m. : le cheval

ergo (+ gén.) : à cause de

eripio, is, ere, ripui, reptum : arracher

erro, as, are, avi, atum : errer ; se tromper

esca, ae, f. : la pâture, la nourriture

etiam : aussi, même

excelsus, a, um : élevé, haut

excutio, is, ire, cussi, cussum : faire sortir, balancer

exercitus, us, m. : l'armée

exhibeo, es, ere, bui, bitum : montrer

existimo, as, are, avi, atum : juger, penser, estimer

exitium, ii, n. : la mort, la ruine, la perte, la destruction

experior, iris, iri, expertus sum : expérimenter, mettre à l'épreuve

expeto, is, ere, i(v)i, itum : souhaiter, réclamer

explico, as, are, avi, atum : dérouler ; expliquer

exspecto (expecto), as, are, avi, atum : attendre

externus, a, um : étranger ; extérieur

extra (+ acc.) : hormis, sauf, en dehors de, hors de

F

fabula, ae, f. : l'histoire

facies, ei, f. : l'aspect, l'apparence

facilis, e : de bonne composition, complaisant

facilitas, atis, f. : la complaisance

facinus, oris, n. : le crime

facio, is, ere, feci, factum : faire

fallax, acis : trompeur

fallo, is, ere, fefelli, falsum : induire en erreur, tromper

fama, ae, f. : la renommée, la réputation

familia, ae, f. : l'ensemble des parents et des serviteurs

fanum, i, n. : le sanctuaire

fauces, ium, f. pl. : la gorge

faveo, es, ere, favi, fautum (+ dat.) : être favorable à

fax, facis, f. : la torche

fecundus, a, um : abondant, fécond, fertile

felix, icis : heureux

femur, oris, n. : la cuisse

feriae, arum, f. pl. : les jours consacrés au repos

fero, fers, ferre, tuli, latum : porter, supporter

ferreus, a, um : de fer, insensible

ferrum, i, n. : le fer, l'épée

ferrumino, as, are, avi, atum : souder

fessus, a, um : fatigué

fidelis, e : loyal, honnête, fidèle

fides, ei, f. : la confiance, la bonne foi, la fidélité, la loyauté

filia, ae, f. : la fille

filius, ii, m. : le fils

fimbria, ae, f. : la frange

fingo, is, ere, finxi, fictum : fabriquer

finis, is, m. : la fin, le but

fio, fis, fieri, factus sum : se produire, arriver

firmus, a, um : solide, fort

flagito, as, are, avi, atum : demander avec insistance

flavus, a, um : blond

fletus, us, m. : les pleurs

flumen, inis, n. : le fleuve

fodio, is, ere, fodi, fossum : percer

fons, fontis, m. : la source, la fontaine

foras : dehors

forma, ae, f. : la beauté

formido, as, are, avi, atum : craindre

forte : par hasard

fortis, e : courageux

fortiter : courageusement

fortunatus, a, um : bienheureux

frango, is, ere, fregi, fractum : briser

fraus, fraudis, f. : la tromperie, la mauvaise foi, la déloyauté

fructus, us, m. : le produit ; le fruit

frumentum, i, n. : le blé

fruor, eris, frui, fruitus ou **fructus sum** (+ abl.) : jouir de qqch

fugio, is, ere, fugi, fugiturus : fuir

fulmen, inis, n. : la foudre, le tonerre

funale, is, n. : la torche

fundamentum, i, n. : le fondement, la base

gravis, e : pénible ; sérieux ; lourd

gravitas, atis, f. : le sérieux, la rigueur

gusto, as, are, avi, atum : goûter

habeo, es, ere, ui, itum : avoir

habito, as, are, avi, atum : habiter

haedus, i, m. : le chevreau

haereo, es, ere, haesi, haesum : être attaché ; fixé

hasta, ae, f. : la lance

heri : hier

hiems, hiemis, f. : l'hiver

hilaritas, atis, f. : l'allégresse

histrio, onis, m. : le comédien

honor (honos), oris, m. : l'honneur

horrendus, a, um : horrible

hortus, i, m. : le jardin

hospes, itis, m. : l'hôte, le maître de maison

hospitium, ii, n. : le logement

hostia, ae, f. : la victime (offerte en expiation)

hostis, is, m. : l'ennemi

G

galea, ae, f. : le casque

gaudeo, es, ere, gavisus sum : se réjouir

gener, eri, m. : le gendre

gens, gentis, f. : la famille noble

genu, us, n. : le genou

genus, eris, n. : l'ascendance, l'origine

geographus, i, m. : le géographe

gero, is, ere, gessi, gestum : faire, exécuter, accomplir ; porter

gladius, ii, m. : l'épée

gradus, uum, m. pl. : les marches

graphium, ii, n. : le poinçon

gratia (+ gén.) : à cause de, pour l'amour de

gratis : gratuitement

gratus, a, um : agréable

ignis, is, m. : le feu

ignosco, is, ere, novi, notum : pardonner

ignotus, a, um : ignoré

immensus, a, um : démesuré

immo : pas du tout, non, au contraire

immolo, as, are, avi, atum : sacrifier, immoler

impar, aris (+ alicui) : inférieur (à qqn)

impedimenta, orum, n. pl. : les bagages, le matériel de l'armée

imperator, oris, m. : le général en chef

imperitus, a, um : inexpérimenté

imperium, ii, n. : l'empire ; le commandement ; le pouvoir ; la domination

impero, as, are, avi, atum : commander, ordonner

impetus, us, m. : l'assaut

impius, a, um : impie, sacrilège

impluvium, ii, n. : l'impluvium (bassin pour les eaux de pluie)

improbus, a, um : malhonnête

impudens, entis : débauché, sans pudeur

imus, a, um : le plus bas (superlatif de **inferus**)

in (+ abl. ou acc.) : sur, dans, vers

incendo, is, ere, cendi, censum : brûler

incido, is, ere, cidi, cisum : tomber dans, sur

inclutus, a, um : célèbre

incognitus, a, um : inconnu

incola, ae, m. : l'habitant

inde : de là

industria, ae, f. : l'application au travail, l'activité

inferi, orum, m. pl. : les enfers

infirmitas, atis, f. : la faiblesse

ingeniosus, a, um : ingénieux

ingenium, ii, n. : le naturel, le tempérament

ingredior, eris, gredi, gressus sum : aller dans, entrer dans

injuria, ae, f. : l'insulte

injustitia, ae, f. : l'injustice

insanus, a, um : fou, malsain

insido, is, ere, insedi, insessum : s'installer ; s'asseoir sur

insignis, e : remarquable

instituo, is, ere, institui, institutum : établir, instituer, fonder

instruo, is, ere, struxi, structum : disposer ; **instruere aciem** : ranger l'armée en ligne de bataille

insuavis, e : qui n'est pas doux, désagrable

insula, ae, f. : l'immeuble

intellego, is, ere, lexi, lectum : comprendre, entendre

interest (+ gén.) : il importe à qqn de

interficio, is, ere, feci, fectum : tuer

interrogo, as, are, avi, atum : interroger

intersum, es, esse, fui (+ dat.) : participer (à)

introitus, us, m. : l'entrée

intus : à l'intérieur

inveho, is, ere, vexi, vectum : transporter

invenio, is, ire, veni, ventum : inventer, trouver

invidia, ae, f. : la jalousie

invidiosus, a, um : jaloux

inviso, is, ere, si, sum : visiter

invitus, a, um : contre son gré

ipse, ipsa, ipsum : même, en personne ; lui-même, elle-même

ira, ae, f. : la colère

ita : ainsi

itaque : c'est pourquoi

iter, itineris, n. : la journée de marche ; le trajet ; le chemin, la route

jacio, is, ere, jeci, jactum : jeter

jacto, as, are, avi, atum : se vanter

jaculum, i, n. : le javelot

Janiculum, i, n. : le Janicule (colline de Rome)

janitor, oris, m. : le portier

janua, ae, f. : la porte

jentaculum, i, n. : le petit-déjeuner

jubeo, es, ere, jussi, jussum : ordonner

jucundus, a, um : agréable

judex, icis, m. : le juge

jugulum, i, m. / n. : la gorge

jugum, i, n. : la hauteur, le sommet ; le joug

jungo, is, ere, junxi, junctum : joindre, unir

Juno, onis, f. : Junon

Jupiter (Juppiter), Jovis, m. : Jupiter

jure dicundo : avec un pouvoir judiciaire, chargé de dire le droit

juro, as, are, avi, atum : jurer

jussus, us, m. : l'ordre (**jussu** + gén. : sur l'ordre de qqn)

justitia, ae, f. : la justice

juventus, us, f. : la jeunesse

juxta (+ acc.) : à côté de

labor, oris, m. : le travail

laboro, as, are, avi, atum : travailler

lacrima, ae, f. : la larme

lacus, us, m. : la cuve, le bassin ; la citerne

laetus, a, um : heureux

lana, ae, f. : la laine

lanista, ae, m. : le laniste

lanx, cis, f. : le plat

laquear, aris, n. : le lambris

Lar, Laris, m. : le Lare (Lares familiares : divités protectrices du foyer)

lararium, ii, n. : le laraire

latrocinium, i, n. : le vol, le brigandage, la piraterie

late : en largeur, largement

latus, a, um : haut, large

laudo, as, are, avi, atum : louer, faire l'éloge

laus, laudis, f. : la louange, l'éloge

lautus, a, um : brillant, somptueux

laxo, as, are, avi, atum (se) : relâcher (se)

lectus, i, m. : le lit

legio, onis, f. : la légion

lego, as, are, avi, atum : léguer

lego, is, ere, legi, lectum : cueillir ; lire ; élire, choisir

leno, onis, m. : le proxénète

lepus, oris, m. : le lièvre

levis, e : léger

lex, legis, f. : la loi ; **legem ferre** : proposer une loi

libatio, onis, f. : la libation

libellus, i, m. : le petit livre

libens, entis : d'accord, de son plein gré

libenter : volontiers, avec plaisir

liber, era, erum : libre

liber, libri, m. : le livre

liberalitas, atis, f. : la générosité

liberi, orum, m. pl. : les enfants

libero, as, are, avi, atum : libérer

libertas, atis, f. : la liberté

libertus, i, m. : l'affranchi

licet : il est permis de

lictor, oris, m. : le licteur

limes, itis, f. : la frontière

locellum, i, n. : la petite boîte à couvercle

locus, i, m. : le lieu, l'endroit

longe lateque : en long et en large

longe : de loin ; en longueur

loquax, acis : bavard

lorica, ae, f. : la cuirasse

lucus, i, m. : le bois sacré

ludo, is, ere, lusi, lusum : jouer, s'amuser

ludus, i, m. : l'école ; le jeu

lumen, inis, n. : la lumière, la clarté

lux, lucis, f. : la lumière

lychnis, idis, f. : la pierre précieuse

lyristes, ae, m. : le joueur de lyre

M

macula, ae, f. : la tache

madidus, a, um : parfumé

magister, tri, m. : le maître d'école

magnus, a, um : grand

majestas, atis, f. : la majesté, la grandeur

majores, um, m. pl. : les ancêtres

malo, mavis, malle, malui : préférer

malus, a, um : mauvais

mancipium, ii, n. : la propriété

maneo, es, ere, mansi, mansum : rester

manes, ium, m. pl. : les mânes (âmes des morts)

mango, onis, m. : le marchand d'esclaves

manumissio, onis, f. : l'affranchissement

manus, us, f. : la main ; la troupe

mappa, ae, f. : la serviette

Mars, Martis, m. : Mars

mathematicus, i, m. : le mathématicien

maxime : surtout

mechanicus, i, m. : l'ingénieur

medicus, i, m. : le médecin

medius, a, um : qui est au milieu

membrana, ae, f. : le parchemin

memini, isti, isse : se souvenir de, se rappeler

mensa, ae, f. : la table

mensis, is, m. : le mois

mercimonium, ii, n. : la marchandise

Mercurius, ii, m. : Mercure

meretrix, icis, f. : la courtisane

metuo, is, ere, ui, utum : craindre

metus, us, f. : la crainte

miles, itis, m. : le soldat

Minerva, ae, f. : Minerve

minime : très peu, absolument pas

ministrator, oris, m. : le serviteur, le maître d'hôtel

mirificus, a, um : extraordinaire

miser, era, erum : malheureux

miseror, aris, ari, atus sum : plaindre

missio, onis, f. : la grâce pour le combattant

mitto, is, ere, misi, missum : envoyer

modius, ii, m. : le boisseau (unité de mesure du blé)

modo : récemment, il y a peu

moenia, ium, n. pl. : les murailles, les remparts

molestus, a, um : pénible, désagréable

moneo, es, ere, monui, monitum : avertir, conseiller

monitus, us, m. : le conseil

mons, montis, m. : le mont, la montagne

monstrum, i, n. : le monstre

mora, ae, f. : le retard

morbus, i, m. : la maladie

mores, um, m. pl. : les mœurs

morior, eris, mori, mortuus sum : mourir

mors, mortis, f. : la mort

mortalis, e : mortel

mos, moris, m. : la coutume

motus, us, m. : le mouvement

moveo, es, ere, movi, motum : émouvoir ; écarter ; bouger ; provoquer

muliebris, e : de femme

mulier, eris, f. : la femme

multi, ae, a : nombreux

munimentum, i, n. : la protection

munitio, onis, f. : la fortification, le rempart

munus, eris, n. : le combat de gladiateurs

mysteria, orum, n. pl. : les mystères

navis, is, f. : le navire, le vaisseau

ne (+ subj.) : pour ne pas

ne... quidem : pas même

nebula, ae, f. : la brume, le brouillard

nec : et... ne... pas

nec / neque... nec / neque : ni... ni

neco, as, are, avi, atum : tuer

neglego, is, ere, exi, ectum : négliger, ne pas faire cas de

nego, as, are, avi, atum : ne pas dire

nepos, tis, m. : le descendant

Neptunus, i, m. : Neptune

nescio, is, ire, i(v)i, itum : ne pas savoir

nex, necis, f. : le meurtre

nihil : rien ; (+ gén.) : rien de ; (adv.) : en rien

nisi : excepté, si... ne... pas

nobilis, e : noble, connu

nolo, non vis, nolle, nolui : ne pas vouloir, refuser

nomen, inis, n. : le nom

non solum... sed etiam... : non seulement..., mais aussi...

nonnumquam : parfois

nox, noctis, f. : la nuit

numen, inis, n. : la puissance, la volonté divine ; le dieu, la déesse, la divinité

numquam : ne... jamais

nunc : maintenant

nuntio, as, are, avi, atum : annoncer

nuper : tout récemment

nuptiae, arum, f. pl. : les noces, le mariage

nutrio, is, ere, i(v)i, itum : nourrir

N

nam : en effet

narro, as, are, avi, atum : raconter

nascor, eris, nasci, natus sum : naître

nasus, i, m. : le nez

natura, ae, f. : le caractère

nauta, ae, m. : marin

O

ob (+ acc.) : à cause de ; devant

objicio, is, ere, jeci, jectum : jeter, livrer ; placer devant

obnoxius, a, um : exposé au danger ; (+ gén.) : coupable de, responsable de ; (+ dat.) : soumis à, dépendant de, obligé envers

oboedio, is, ire, i(v)i, itum : obéir, être soumis

obsequium, ii, n. : l'obéissance, la soumission

obsideo, es, ere, sedi, sessum : assiéger

obstringo, is, ere, strinxi, strictum : attacher

obturo, as, are, avi, atum : boucher

occido, is, ere, cidi, cisum : tuer

oculus, i, m. : l'œil

officium, ii, n. : le devoir

omen, inis, n. : le présage

omitto, is, ere, misi, misum : renoncer à, oublier

omnis, e : tout, tous

onero, as, are, avi, atum : charger, remplir

opinio, onis, f. : l'idée, l'opinion

oppugno, as, are, avi, atum : attaquer, assiéger

ops, opis, f. : la richesse

opto, as, are, avi, atum : souhaiter

opus, eris, n. : le travail ; l'œuvre ; l'ouvrage

opus, n., indéclinable : la chose nécessaire

opus est : il est nécessaire

oraculum, i, n. : l'oracle

oratio, onis, f. : le discours ;
facere orationem : faire un discours

orbis, is, m. : le cercle

ordo, inis, m. : l'ordre, le rang ; l'armée

orior, iris, iri, ortus sum, oriturus : naître, se lever

ornatrix, icis, f. : la coiffeuse

orno, as, are, avi, atum : orner, décorer

oro, as, are, avi, atum : prier, supplier ; parler en public

os, oris, n. : la bouche ; le visage

ostendo, is, ere, tendi, tentum : montrer

ostrea, ae, f. : l'huître

ovum, i, n. : l'œuf

paedagogus, i, m. : le pédagogue (esclave chargé de conduire un enfant à l'école)

paene : à peine, presque

pallium, i, n. : le manteau

palma, ae, f. : la palme, la récompense ; **palmam ferre** : remporter la victoire

pampineus, a, um : couvert de pampre

panis, is, m. : le pain

par, is : égal

pareo, es, ere, ui, itum (+ dat.) : obéir à

paries, etis, m. : le mur

parricida, ae, m./f. : le meurtrier d'un de ses parents

parvus, a, um : petit

patella, ae, f. : le plat

patientia, ae, f. : la soumission

patior, eris, i, passus sum : supporter, souffrir

patria, ae, f. : la patrie

patronus, i, m. : le patron ; l'avocat

paulum : un peu

paveo, es, ere, pavi : avoir peur

pax, pacis, f. : la paix

peccatum, i, n. : le péché

pectus, oris, n. : la poitrine

pecunia, ae, f. : l'argent ; la richesse

pedes, itis, m. : le fantassin

pellis, is, f. : la fourrure

pendeo, es, ere, pependi : être suspendu

per (+ acc.) : à travers

percipio, is, ere, cepi, ceptum : percevoir

perfidia, ae, f. : la perfidie, l'absence de loyauté

pergula, ae, f. : la tonnelle

peristylum, i, n. : le péristyle

peritus, a, um : qui s'y connaît

permoveo, es, ere, movi, motum : émouvoir, toucher

pernicialis, e : funeste, mortel

perseco, as, are, avi, atum : disséquer

persona, ae, f. : le masque, le personnage

pertinet ad (+ acc.) : il appartient, il importe à

pes, pedis, m. : le pied

peto, is, ere, i(v)i, itum : demander ; (+ acc.) : chercher à atteindre

physicus, i, m. : le physicien

pietas, atis, f. : la dévotion, la piété, le respect

piger, gra, grum : paresseux

pila, ae, f. : la balle

pileus, i, m. : le bonnet

pilicrepus, i, m. : le joueur de balle

pilum, i, n. : le javelot

pingo, is, ere, pinxi, pictum : peindre

piperatus, a, um : poivré

piscis, is, m. : le poisson

placeo, es, ere, ui, itum (+ dat.) : plaire à

plaga, ae, f. : le coup, la blessure

plenus, a, um : plein

plerique, pleraeque, pleraque : la plupart

plurimus, a, um : très nombreux

Pluto, onis, m. : Pluton

poena, ae, f. : la peine, le châtiment

poeta, ae, m. : le poète

pollex, icis, m. : le pouce

pondus, eris, n. : le poids

pono, is, ere, posui, positum : poser, installer, placer

populatio, onis, f. : les pillages

populus, i, m. : le peuple

porrigo, is, ere, rexi, rectum : tendre

posco, is, ere, poposci : demander

possum, potes, posse, potui : pouvoir, être capable de

post (+ acc.) : après, derrière

postquam : après que

potens, entis : puissant

praebeo, es, ere, ui, itum : offrir

praeco, onis, m. : le héraut, le crieur

praeda, ae, f. : le butin

praeductal, is, n. : l'instrument pour rayer le papier

praefectus, i, m. : le chef, l'administrateur, le préfet

praemunio, is, ire, i(v)i, itum : fortifier, protéger

praepono, is, ere, posui, positum : préférer

praesentaneus, a, um : à effet immédiat

praesidium, ii, n. : la garnison

praesto, as, are, stiti, statum (+ dat.) : l'emporter sur ; protéger

praeter (+ acc.) : en dehors de

praeterea : en plus, en outre

prandium, ii, n. : le déjeuner (collation)

preces, um, f. pl. : les prières

precor, aris, ari, atus sum : prier, supplier

premo, is, ere, pressi, pressum : presser ; faire déborder

princeps, cipis, m. : le premier citoyen

principatus, us, m. : le commandement

privatus, a, um : privé

pro (+ abl.) : en faveur de, à la place de

probo, as, are, avi, atum : examiner, vérifier

procedo, is, ere, cessi, cessum : s'avancer ; avancer

proceritas, atis, f. : la haute taille

prodo, is, ere, didi, ditum : livrer, trahir / (+ prop. inf.) : publier, rapporter

proelium, ii, n. : le combat

profanus, a, um : qui n'est pas sacré ; non initié

profectio, onis, f. : le départ

progenies, ei, f. : la descendance

prognatus, a, um : issu de, descendant de

promitto, is, ere, misi, missum : accepter une invitation

prope (+ acc.) : près de

propero, as, are, avi, atum : se hâter

propter (+ acc.) : à cause de, par le moyen de

proscenium, ii, n. : l'avant-scène

prosequor, eris, sequi, secutus sum : accompagner, reconduire en cortège

prosum, prodes, prodesse, profui (+ dat.) : être utile à qqn

provideo, es, ere, vidi, visum : prévoir

publicus, a, um : public

pudicitia, ae, f. : la pudeur

pudor, oris, m. : la pudeur, la honte

puella, ae, f. : la (jeune) fille

puer, eri, m. : l'enfant ; l'esclave

pugna, ae, f. : le combat

pugno, as, are, avi, atum : combattre

pulcher, chra, chrum : beau

purgo, as, are, avi, atum : nettoyer, purifier

puto, as, are, avi, atum : penser

Q

quadratus, a, um : carré

quaero, is, ere, quaesi(v)i, quaesitum : demander ; rechercher, enquêter

quare : pourquoi ; c'est pourquoi

quasi : pour ainsi dire

queror, eris, eri, questus sum : se plaindre

questus, us, m. : la plainte, le gémissement

quia : parce que

quin : mieux encore

quo (+ subj. impft) : pour que

quod (+ ind.) : parce que

quoque : aussi

quot : combien

quotiens : toutes les fois que

R

radix, icis, f. : la racine

ramus, i, m. : la branche

rapio, is, ere, rapui, raptum : saisir, s'emparer de

ratio, onis, f. : la raison ; le compte, le calcul

reddo, is, ere, didi, ditum : rendre

redigo, is, ere, egi, actum : réduire

reditus, us, m. : le retour

reficio, is, ere, feci, fectum : réparer

regina, ae, f. : la reine

regius, a, um : royal

regnum, i, n. : la royauté

religio, onis, f. : la religion, le lien religieux entre les hommes et les dieux

religiosus, a, um : religieux, pieux ; fidèle

relinquo, is, ere, liqui, lictum : laisser, abandonner

reparo, as, are, avi, atum : reprendre

repente : soudain

reperio, is, ire, re(p)peri, pertum : découvrir, trouver

repositorium, ii, n. : le plateau

requies, ei, f. : la tranquillité, le calme

res divinae, rerum divinarum, f. pl. : le culte, les affaires religieuses, la religion

respondeo, es, ere, di, sum : répondre

restituo, is, ere, ui, utum : reconstruire, restaurer

rete, is, n. : le filet

retineo, es, ere, tinui, tentum : retenir

rex, regis, m. : le roi

rideo, es, ere, risi, risum : rire

rivus, i, m. : la rivière

rogo, as, are, avi, atum : demander

rosa, ae, f. : la rose

rudis, is, m. : le bâton de bois (pour l'entraînement du gladiateur)

rumor, oris, m. : le bruit qui court

ruo, is, ere, rui, rutum : s'écrouler

rursus : de nouveau

rus, ruris, n. : la campagne

S

sacer, cra, crum : sacré

sacerdos, otis, m. : le prêtre

sacra, orum, n. pl. : les sacrifices

sacrificium, ii, n. : le sacrifice

saepe : souvent

saevus, a, um : cruel, sauvage

sagulum, i, n. : le manteau

sagum, i, n. : la couverture

salus, utis, f. : la santé

salvator, oris, m. : le sauveur

sanguinarius, a, um : sanguinaire

sarcinae, arum, f. pl. : les bagages personnels du soldat

satelles, itis, m. : le garde, le serviteur

satietas, atis, f. : la suffisance

scaena, ae, f. : la scène

scala, ae, f. : l'échelle

scelus, eris, n. : le crime

scientia, ae, f. : la science, le savoir

scio, is, ire, i(v)i, itum : savoir

scortum, i, n. : la prostituée

scriba, ae, m. : le secrétaire

scribo, is, ere, scripsi, scriptum : écrire

scutum, i, n. : le bouclier long

secundus, a, um : favorable

sed : mais

sedeo, es, ere, sedi, sessum : s'asseoir, être assis

sedes, is, f. : l'emplacement, le siège, la demeure

sella, ae, f. : la chaise + **curilis** : la chaise curule

semita, ae, f. : la ruelle

semper : toujours

senex, senis, m. : le vieillard

sententia, ae, f. : la décision, l'avis, la phrase

sentio, is, ire, sensi, sensum : juger, être d'avis que, sentir

sequor, queris, qui, secutus sum : suivre

servilis, e : servile, d'esclave

servio, is, ire, i(v)i, itum : être esclave

servitus, utis, f. : l'esclavage

servo, as, are, avi, atum : garder, surveiller, conserver

servus, i, m. : l'esclave

siccus, a, um : sec

sidus, eris, n. : l'étoile

signum, i, n. : le signe, le symbole ; l'enseigne de la centurie

silva, ae, f. : la forêt

similis, e : semblable, pareil

sine (+ abl.) : sans

sinister, stra, strum : gauche

sinistra, ae, f. : la main gauche

sinus, i, m. : le pli

sitio, is, ere, i(v)i, itum : avoir soif

situs, us, m. : la position

sol, solis, m. : le soleil

soleo, es, ere, solitus sum : avoir l'habitude de

sollerter : intelligemment ; habilement

solum, i, n. : le sol, le terrain

sordidus, a, um : crasseux, sale

sors, sortis, f. : le sort

species, ei, f. : l'apparence, l'image

spectator, oris, m. : le spectateur

specto, as, are, avi, atum : regarder

spectrum, ii, n. : le spectre

spero, as, are, avi, atum : espérer

spes, ei, f. : l'espoir

squalor, oris, m. : la saleté

statua, ae, f. : la statue

statuo, is, ere, ui, utum : décider ; placer, ériger

stilum, i, n. : le stylet, le poinçon

sto, as, are, steti, staturus : se tenir debout

stratum, i, n. : la couverture de lit

strepitus, us, m. : le vacarme, le bruit

studeo, es, ere, dui, ditum : étudier

suadeo, es, ere, suasi, suasum : conseiller

sub (+ abl. ou acc.) : sous

subauratus, a, um : doré légèrement

subcumbo, is, ere, cubui, cubitum : succomber

subeo, is, ire, i(v)i, itum : apparaître par en-dessous

subigo, is, ere, egi, actum : soumettre, triompher

subinde : souvent

subligar, aris, n. : le pagne

summus, a, um : très grand, le plus grand ; le plus haut ; le plus fort

supellex, lectilis, f. : le mobilier

superbus, a, um : orgueilleux

superfluus, a, um : inutile

supplicatio, onis, f. : l'action de grâces, les prières publiques

sursum : au-dessus

T

taberna, ae, f. : la boutique

tabula, ae, f. : la tablette

tabulinum / tablinum, i, n. : le bureau

taceo, es, ere, tacui, tacitum : taire, se taire

tandem : enfin

tantum… quantum… : autant… que…

tectum, i, n. : le toit

tegmen, inis, n. : la protection

telum, i, n. : le trait, le javelot

tempestas, atis, f. : la saison

templum, i, n. : le temple

tenebrae, arum, f. pl. : l'obscurité, les ténèbres

teneo, es, ere, tenui, tentum : tenir

tergum, i, n. : le dos

terra, ae, f. : la terre

testis, is, m. : le témoin

tibicina, ae, f. : la joueuse de flûte

timeo, es, ere, ui, itum : craindre

timor, oris, m. : la peur, la crainte

tiro, onis, m. : la jeune recrue

tollo, is, ere, sustuli, sublatum : enlever

tot : tant

totidem : le même nombre de

trado, is, ere, didi, ditum : rapporter ; **traditur** (+ prop. inf.) : on rapporte que

traho, is, ere, traxi, tractum : tirer, traîner

trajicio, is, ere, jeci, jectum : traverser

tribunus, i, m. : le tribun militaire

tributum, i, n. : l'impôt

triclinium, ii, n. : la salle à manger

tripudio, as, are, avi, atum : danser

tripus, odis, m. : le trépied

triumpho, as, are, avi, atum : recevoir les honneurs du triomphe, triompher

tum : alors

turba, ae, f. : la foule, l'agitation

turpis, e : honteux

turris, is, f. : la tour

tuto : en sécurité

tutor, oris, m. : le tuteur

tutus, a, um : à l'abri, en sécurité

ubi : où ?

umbra, ae, f. : l'ombre ; (au pl.) : les ombres des morts, les fantômes

umerus (humerus), i, m. : l'épaule

una : ensemble, de concert

urbs, urbis, f. : la ville ; (avec une maj.) Rome

uro, is, ere, ursi, ursum : brûler

uspiam : en quelque lieu, quelque part

usque ad (+ acc.) : jusqu'à

ut (+ ind.) : dès que ; (+ subj.) : pour que

uterque, utraque, utrumque : l'un et l'autre

utinam (+ subj.) : puisse, fasse

utor, eris, uti, usus sum (+ abl.) : utiliser, se servir de

utriculus, i, m. : la petite outre

uva, ae, f. : le raisin

uxor, oris, f. : l'épouse

vacatio, onis, f. : la dispense

vacuus, a, um : vacant, libre

valeo, es, ere, ui, itum : bien se porter, être fort, puissant

vallum, i, n. : la palissade

vehemens, entis : violent

velut(i) : comme

venalicium, ii, n. : le marché d'esclaves ; les esclaves à vendre

venenum, i, n. : le poison

venio, is, ire, veni, ventum : venir

Venus, eris, f. : Vénus

verbera, erum, n. pl. : le fouet

verbero, as, are, avi, atum : frapper

verbum, i, n. : le mot, la parole

vero (en 2e position) : or, mais, quant à

versus, us, m. : le vers

viaticum, i, n. : les provisions de voyage

victor, oris, m. : le vainqueur

Victoria, ae, f. : la Victoire

victus, a, um : vaincu

video, es, ere, vidi, visum : voir ; constater

vilicus, i, m. : l'intendant, le régisseur

vinco, is, ere, vici, victum : vaincre

vinea, ae, f. : la vigne

vinum, i, n. : le vin

vir, viri, m. : l'homme (l'être de sexe masculin)

virgo, inis, f. : la vierge

viridis, e : vert, verdoyant

virilis, e : masculin, d'homme, viril

virtus, utis, f. : le courage ; la qualité morale, la vertu

vis (acc. **vim,** abl. **vi**), f. : la force, la vigueur

vitium, i, n. : le vice, le défaut

vivo, is, ere, vixi, victum : vivre

vivus, a, um : vivant

vix : à peine

vixdum : à peine encore

vociferor, aris, ari, atus sum (+ prop. inf.) : crier que

voco, as, are, avi, atum : appeler

volo, as, are, avi, atum : voler

volo, vis, velle, volui : vouloir

volumen, inis, n. : le livre (en rouleau)

voluntas, atis, f. : la volonté, l'intention

voluptas, atis, f. : le plaisir

Vulcanus, i, m. : Vulcain

vulgus, i, n. : la foule, le peuple

vulnus, eris, n. : la blessure

vultus, us, m. : le visage

JE SAIS (DÉJÀ) PARLER LATIN !

Voici des expressions latines restées dans le langage courant… ou soutenu !
Connaissez-vous leur sens littéral ?
Et saurez-vous les employer à bon escient ?

Acta est fabula
La pièce est jouée.

■ C'est par cette phrase qu'on annonçait la fin d'une représentation théâtrale. Auguste aurait également prononcé ces mots sur son lit de mort.
À ne pas oublier à la fin du parcours 13 !

Alea jacta est
Le sort en est jeté. Les dés sont jetés.

■ Parole attribuée à Jules César alors qu'il s'apprête à franchir le Rubicon avec son armée. Se dit d'une décision ou d'une action qui ne peut plus être changée.
Peut s'employer aisément à la fin d'un contrôle de latin.

Audaces fortuna juvat
La fortune sourit aux audacieux.

■ Cette expression est l'adaptation d'un vers du poète Virgile qui pousse à braver les difficultés pour contrer le sort.
À répliquer à ceux qui vous disent que le latin, c'est difficile !

Bis repetita placent
Les choses répétées deux fois plaisent.

■ Maxime inspirée d'un vers du poète Horace pour exprimer l'idée qu'une chose appréciée est souvent redemandée.
Utilisez cette phrase au prochain concert de Rihanna ou pour obtenir du rab à la cantine.

Carpe diem
Cueille le jour. Profite du jour présent.

■ Le poète Horace incite ainsi ses lecteurs à profiter de la vie en leur rappelant que celle-ci est courte.
Faites-en votre maxime.

Errare humanum est, sed perseverare diabolicum
L'erreur est humaine, mais persévérer est diabolique.

■ Maxime utilisée pour atténuer une faute. On s'arrête souvent à la première partie de la phrase.
Se tromper une fois sur la terminaison de l'ablatif de la 3e déclinaison des imparisyllabiques est pardonnable. Le faire une seconde fois est impardonnable.

Et caetera
Et les autres choses.

■ Le plus souvent utilisé à l'écrit sous sa forme abrégée etc. à la suite d'une énumération, pour signifier « et le reste ».
À utiliser lorsque l'on est à court d'arguments.

Festina lente
Hâte-toi lentement.

■ L'historien Suétone attribue cette sentence à Auguste qui recommande de prendre le temps de la réflexion pour aboutir à un travail bien fait.
La marque de montres Festina en a fait sa devise.

Fluctuat nec mergitur
Il est battu par les flots mais ne sombre pas.

■ Signifie que même devant les difficultés, on ne court pas au naufrage. Il s'agit de la devise de la Ville de Paris, qui a pour emblème un navire.
Les Parisiens se la sont réappropriée au lendemain des attentats du 13 novembre 2015.

Hic et nunc
Ici et maintenant.

■ Se dit d'une action qui se déroule sur le champ, sans délai.
Vous avez certainement déjà entendu votre professeur de latin vous dire : « Sortez une feuille, hic et nunc. »

Manu militari
Par la main militaire.

■ Se dit d'une action qui s'effectue en employant la force ou la violence.
Peut s'utiliser lorsque votre professeur doit vous déloger manu militari de sa classe de latin en fin de cours.

Mea culpa
Ma faute.

■ Expression qui permet d'avouer une faute. On dit généralement : faire son mea culpa.
Manière plus distinguée de vous excuser lorsque vous arrivez en retard au cours de latin.

Mens sana in corpore sano
Un esprit sain dans un corps sain.

■ Formule du poète satirique Juvénal que l'on emploie aujourd'hui pour dire qu'il est tout aussi important d'avoir une bonne santé physique qu'une bonne santé mentale.
Le latin c'est bien, le rugby aussi.

Nunc est bibendum
C'est maintenant qu'il faut boire.

■ Phrase empruntée au poète Horace, écrite après la victoire décisive d'Auguste à Actium, que l'on utilise aujourd'hui pour souligner le fait qu'un succès inattendu doit être fêté.
Vous pourrez déclamer cette phrase après avoir obtenu un 20/20 à votre devoir sur les conjugaisons des verbes déponents au subjonctif plus-que-parfait.

O tempora, o mores !
Ô temps, ô mœurs !

■ Cicéron a employé cette exclamation pour s'indigner de l'attitude immorale des hommes de son temps.
Vos parents ne sont pas d'accord avec vous ? Vous pourrez le leur dire.

Veni, vidi, vici
Je suis venu, j'ai vu, j'ai vaincu.

■ Mots prononcés par César lorsqu'il remporta une victoire rapide à Zéla. Expression utilisée pour désigner une action réalisée facilement et rapidement.
À utiliser à la fin des épreuves du Brevet entre autres occasions.

Verba volant, scripta manent
Les paroles s'envolent, les écrits restent.

■ Proverbe sous forme de conseil : il est parfois imprudent de laisser des traces écrites d'un fait ou d'une opinion.
Songez-y lors de votre prochaine publication Facebook.

Petit dictionnaire

du La tin au collège

MANUEL DE CYCLE 4

Latin

Ouvrage réalisé sous la direction de **Gilles Duhil**

Thierry Bayart
Agrégé de Lettres classiques
Professeur au collège de la Vallée de l'Ouanne
Château-Renard (45)

Marie-Christine Brindejonc
Agrégée de Lettres classiques
Professeure au collège du Champ-de-la-Motte
Langeais (37)

Magalie Diguet
Agrégée de Lettres classiques
Professeure au collège Littré
Bourges (18)

Gilles Duhil
Agrégé de Lettres classiques
Professeur au collège Raoul Rebout
Montlouis-sur-Loire (37)

Valérie Hébert
Certifiée de Lettres classiques
Professeure au collège de la Béchellerie
Saint-Cyr-sur-Loire (37)

Sophie Lerin
Certifiée de Lettres classiques
Professeure au collège Joliot-Curie
Saint-Hilaire-des-Loges (85)

LES BELLES LETTRES

Hatier

Édition : Raphaële Patout, avec la collaboration de Marion Scheffels

Conception graphique : Massimo Miola

Mise en page : Al'Solo

Relecture et correction : Laure Ozon-Grisez

Iconographie : Brigitte Célérier / Hatier illustration

Illustrations : Patrick Deubelbeiss (p. 22, 23, 37, 40, 41, 49, 61, 85, 97, 115, 222 et 229)

Cartographie : Légendes Cartographie

Infographie : Noël Meunier

SALVETE !

Ce **manuel de cycle 4**, conforme au nouveau programme de Langues et cultures de l'Antiquité entré en vigueur à la rentrée 2016, propose **19 parcours culturels** destinés aux classes de 5ᵉ, 4ᵉ et 3ᵉ, **30 fiches de grammaire**, ainsi que de nombreuses **annexes grammaticales et lexicales**.

Un manuel unique pour une utilisation souple

• L'intérêt du manuel de cycle est d'offrir une certaine **souplesse**. Les niveaux **5ᵉ**, **4ᵉ** et **3ᵉ** sont matérialisés par des couleurs, mais l'enseignant reste **maître de sa progression**. On trouvera cependant des textes plus simples et plus courts au début du manuel.

• La **présentation grammaticale** offre la même souplesse : le sommaire **suggère** une progression, mais sous chaque texte en latin, d'autres **passerelles** vers les fiches de grammaire sont proposées. Ces fiches comportent aussi des versions, pour l'**apprentissage de la traduction**.

Une mission pour développer l'autonomie

• Les parcours, organisés en cinq doubles-pages, proposent aux élèves de réaliser une **mission** qui est une **tâche complexe**. Ces missions mettent en jeu à la fois des **compétences disciplinaires et transversales**, notamment la maîtrise de l'oral et de l'écriture, la prise d'initiative et le travail en équipe... autant d'occasions de valider les compétences du Socle commun.

• Chaque double-page, problématisée, permet de travailler la **lecture**, la **civilisation** et la **langue**. Elle concourt à la réalisation d'une étape de la mission et se clôt sur la rubrique « Le point sur la mission », qui permet aux élèves de **bâtir eux-mêmes la synthèse de leurs acquis**.

• La dernière page d'un parcours récapitule les compétences, les étapes méthodologiques et les critères de réussite nécessaires pour mener **en autonomie** la mission. Dans le **livre du professeur**, vous trouverez les **repères de progressivité** permettant l'**évaluation** précise des réalisations des élèves.

• Les **compétences** travaillées dans chaque activité sont clairement indiquées.

Un manuel enrichi

• Des logos signalent les passerelles vers le **manuel numérique enrichi** dans lequel vous trouverez :

- des textes latins lus par une comédienne pour **entendre du latin** ;

- des liens vers des sites et des documents complémentaires pour **effectuer des recherches ciblées** ;

- des lectures d'images animées pour **acquérir des notions d'histoire des arts** ;

- des vidéos documentaires pour **éclairer** et **enrichir** certains aspects de **la civilisation antique**.

LCA et EPI

• Ce manuel propose des **pistes pour les EPI**, développées sur le site enseignants. Ces problématiques interdisciplinaires ont été conçues pour que le travail effectué en cours de latin avec le manuel constitue la participation des LCA aux différents EPI.

Les auteurs

Rome, treize siècles

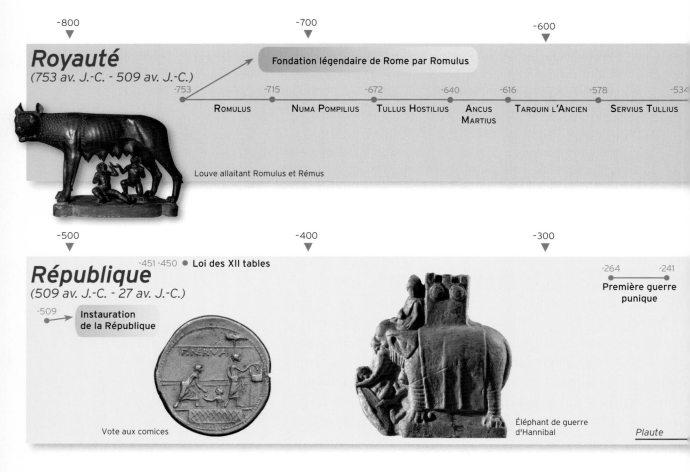

-800   -700   -600

Royauté
(753 av. J.-C. - 509 av. J.-C.)

Fondation légendaire de Rome par Romulus

-753   -715   -672   -640   -616   -578   -534

ROMULUS   NUMA POMPILIUS   TULLUS HOSTILIUS   ANCUS MARTIUS   TARQUIN L'ANCIEN   SERVIUS TULLIUS

Louve allaitant Romulus et Rémus

-500   -400   -300

République
(509 av. J.-C. - 27 av. J.-C.)

-451 -450 ● Loi des XII tables

-264   -241
Première guerre punique

-509 → Instauration de la République

Vote aux comices

Éléphant de guerre d'Hannibal

Plaute

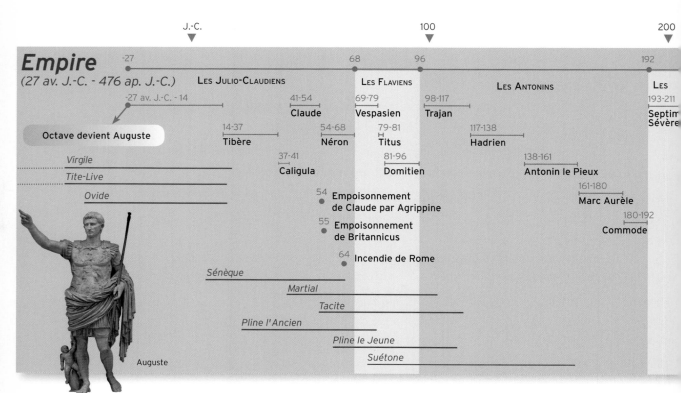

J.-C.   100   200

Empire
(27 av. J.-C. - 476 ap. J.-C.)

-27   68   96   192

LES JULIO-CLAUDIENS   LES FLAVIENS   LES ANTONINS   LES

-27 av. J.-C. - 14   41-54 Claude   69-79 Vespasien   98-117 Trajan   193-211 Septim Sévère

Octave devient Auguste

14-37 Tibère   54-68 Néron   79-81 Titus   117-138 Hadrien

37-41 Caligula   81-96 Domitien   138-161 Antonin le Pieux

Virgile

Tite-Live

Ovide

161-180 Marc Aurèle

180-192 Commode

54 ● Empoisonnement de Claude par Agrippine

55 ● Empoisonnement de Britannicus

64 ● Incendie de Rome

Sénèque

Martial

Tacite

Pline l'Ancien

Pline le Jeune

Suétone

Auguste

d'histoire

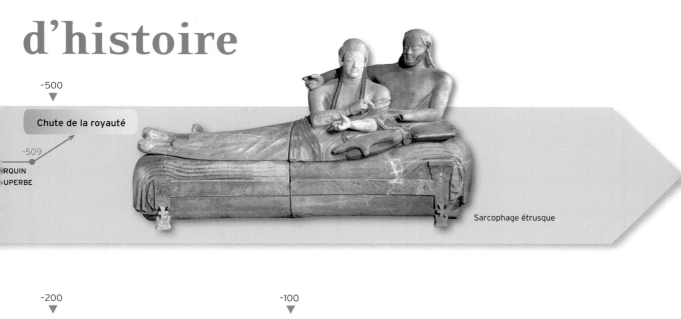

-500
▼

Chute de la royauté

-509
...RQUIN
...UPERBE

Sarcophage étrusque

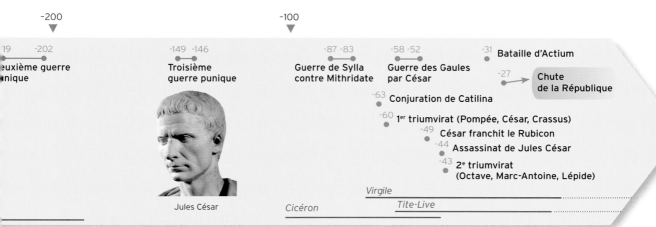

-200
▼

...19 -202
...euxième guerre
...unique

-149 -146
**Troisième
guerre punique**

-87 -83
**Guerre de Sylla
contre Mithridate**

-58 -52
**Guerre des Gaules
par César**

-31 **Bataille d'Actium**

-27 **Chute
de la République**

-63 **Conjuration de Catilina**

-60 **1er triumvirat (Pompée, César, Crassus)**

-49 **César franchit le Rubicon**

-44 **Assassinat de Jules César**

-43 **2e triumvirat
(Octave, Marc-Antoine, Lépide)**

Jules César

Cicéron

Virgile

Tite-Live

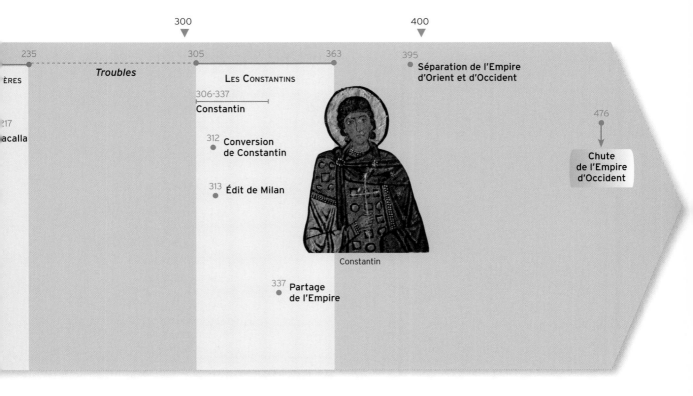

300
▼

400
▼

235
...ÈRES

Troubles

305
LES CONSTANTINS

363

395
**Séparation de l'Empire
d'Orient et d'Occident**

...17
...acalla

306-337
Constantin

312 **Conversion
de Constantin**

313 **Édit de Milan**

476
**Chute
de l'Empire
d'Occident**

Constantin

337 **Partage
de l'Empire**

5

Sommaire

I TEXTES, DOCUMENTS ET ACTIVITÉS

Cas et fonctions

Le système des déclinaisons

Méthode

Le système des conjugaisons

Syntaxe

Annexes

PISTES EPI

► Votre manuel propose des pistes pour les EPI, développées sur : www.editions-hatier.fr/enseignants

► Ces propositions interdisciplinaires ont été conçues pour que le travail effectué en cours de latin avec le manuel constitue la participation des LCA aux différents **EPI**.

► Les missions de fin de parcours offrent aussi la possibilité de réalisations transversales et de projets communs.

Langues et cultures de l'Antiquité

Mise en scène d'une pièce antique : un défi !
Disciplines : **LCA - Français**
► En scène ! page 159

Ports et puissances maritimes, de l'Antiquité au XVIIIᵉ siècle
Disciplines : **LCA - Histoire - Géographie - Français**
► Rome et Carthage, page 149

Le trompe l'œil : de l'intérieur des maisons romaines aux murs de nos villes
Disciplines : **LCA - Arts plastiques - Mathématiques - Technologie**
► Se loger à Rome, page 46

Langues et cultures étrangères ou régionales

Les traces de la romanisation en Europe
Disciplines : **LCA - Langues vivantes - Français - Technologie - Arts plastiques**
► Conquêtes romaines, page 226

Culture et création artistiques

Le pixel : de la mosaïque antique au street art
Disciplines : **LCA - Arts plastiques - Mathématiques - Technologie**
► Se loger à Rome, page 46

Art et propagande
Disciplines : **LCA - Français - Histoire - Géographie - EMC - Arts plastiques - Langues vivantes**
► Auguste, empereur culte, page 183

Le mythe des enfers à travers les arts
Disciplines : **LCA - Français - Arts plastiques - Éducation musicale**
► Voyage aux enfers, page 51

Monde économique et professionnel

Les métiers de la culture, un secteur en profonde mutation
Disciplines : **Documentation - Technologie - Français - Arts plastiques - Géographie - LCA - Histoire des arts**
► Alexandrie, cité phare de la Méditerranée, page 242

Les femmes et le travail, une longue histoire
Disciplines : **Documentation - Histoire - LCA - Français - EMC**
► Femmes romaines, page 140

Information, communication, citoyenneté

Histoire de la citoyenneté
Disciplines : **LCA - Histoire - EMC - Français - Langues vivantes**
► Rendez-vous au forum, page 92

La construction d'une opinion dans des situations complexes d'information
Disciplines : **LCA - Français - Histoire - EMC**
► La fin de la République, page 182

Information et rumeur
Disciplines : **LCA - Français - Histoire - Technologie - SVT**
► Néron, un tyran ? page 202

De l'esclavage antique à l'esclavage moderne
Disciplines : **LCA - Histoire - EMC - Français**
► Maîtres et esclaves, page 123

Sciences, technologie et société

L'écriture : de la tablette à l'écran
Disciplines : **LCA - Français - Histoire - Arts plastiques - Technologie**
► À l'école des Romains, page 22

Des étoiles plein les yeux : les constellations, de l'Antiquité à nos jours
Disciplines : **LCA - Sciences Physiques - Mathématiques - Technologie**
► Héros et divinités, page 34

L'automate : avenir ou menace pour l'homme ?
Disciplines : **LCA - Sciences - Technologie**
► Alexandrie, cité phare de la Méditerranée, page 236

Corps, santé, bien-être, sécurité

L'histoire des saveurs en Europe
Disciplines : **LCA - SVT - Histoire - Documentation**
► Un banquet presque parfait, page 78

Les dieux du stade : des jeux romains aux spectacles sportifs
Disciplines : **LCA - EPS - Arts plastiques - Technologie**
► Toute la vérité sur les gladiateurs ! page 111

L'égalité des sexes
Disciplines : **LCA - Histoire - Géographie - SVT - EMC**
► Femmes romaines, page 135

1 À l'école des Romains

Quelle est la vie d'un écolier romain ?

LA MISSION

Pour la journée Portes ouvertes du collège, vous allez reconstituer une journée d'école et organiser des ateliers de découverte. Lucius, jeune écolier romain, vous fait découvrir son quotidien.

➡ Formez une équipe qui reconstituera à l'oral une journée d'école avec maître et élèves.
➡ Prenez des notes tout au long du parcours.

Animation
↗ Manuel numérique

▶ Portrait supposé de Sapho, fresque de Pompéi (Ier s. ap. J.-C.), 31 x 31 cm (Naples, Musée Archéologique National).

Connaissances, compétences, culture

Dans ce parcours, vous allez :

- Apprendre à prononcer le latin et le grec.
- Lire et comprendre des images variées.
- Lire et comprendre des textes littéraires ou documentaires.
- Découvrir la vie quotidienne d'un écolier romain.
- S'initier à la calligraphie.
- Maîtriser le lexique de l'école.

Utraque lingua

Quelles langues les enfants romains parlent-ils ?

> ⬤➤ **Avant de suivre Lucius à l'école, découvrez quelles langues il pratique.**

1 ⬤ **METTRE EN RELATION DES DOCUMENTS**

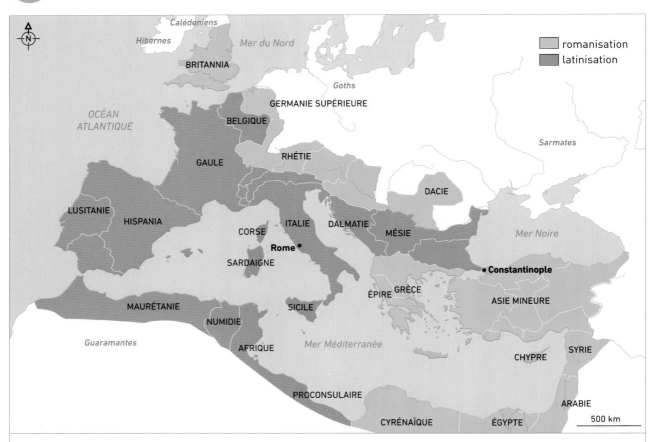

En 286, Rome établit deux chancelleries : l'une d'expression latine à Rome, pour l'Occident, l'autre d'expression grecque à Constantinople, pour l'Orient.

¹   C'est par le grec que, selon mes préférences, l'enfant doit commencer, parce que le latin est plus usité, et que cet enfant en sera imprégné, même malgré nous ; en même temps, il doit être instruit d'abord aussi dans les disciplines helléniques, d'où
⁵ même les nôtres dérivent. Toutefois, je ne voudrais pas que l'on ait la superstition d'imposer longtemps à l'enfant de parler et d'apprendre seulement le grec, comme c'est la mode aujourd'hui.

■ Quintilien (Iᵉʳ s. ap. J.-C.), *Institution oratoire*, I, 1, 12-13, traduit par J. Cousin, © Les Belles Lettres (1975).

❶ Quelles langues les jeunes Romains apprennent-ils à l'école ?

❷ En vous aidant de la carte, expliquez la différence entre romanisation et latinisation.

❸ Trouvez dans le texte deux raisons qui expliquent le bilinguisme des Romains.

2 PRONONCER LE LATIN ET LE GREC

Texte lu
↗ Manuel numérique

Texte grec	Texte latin	Traduction française
– Χαῖρε, κύριε διδάσκαλε, καλῶς σοι γένοιτο. Ἀπὸ σήμερον φιλοπονεῖν θέλω. Ἐρωτῶ σε οὖν, ‹δίδαξόν με› Ἑλληνιστὶ καὶ Ῥωμαϊστὶ λαλεῖν. – Διδάσκω σε, ἐάν μοι πρόσχῃς. – Ἰδού, προσέχω.	– Ave, domine praeceptor, bene tibi sit. Ab hodie studere volo. Rogo te ergo, ‹doce me› Graece et Latine loqui. – Doceo te, si me attendas. – Ecce, attendo.	– Bonjour, monsieur le professeur, que votre journée soit bonne. À partir d'aujourd'hui, je veux étudier. Je vous en prie, ‹enseignez-moi› à parler grec et latin. – Je te l'enseignerai, si tu me prêtes attention. – Voilà, je suis attentif.

└ Texte extrait de *Hermeneumata Pseudodositheana* (IIIᵉ s. ap. J.-C.).

Étudier la langue

Les temps primitifs, p. 266
Le présent de l'indicatif, p. 268

1 Comment le texte est-il disposé ? À qui est-il destiné selon vous ?
2 Où la scène a-t-elle lieu ? Quels sont les personnages ?
3 Donnez un titre au texte.

3 APPRENDRE LES ALPHABETS GREC ET LATIN

1 Voici les alphabets grec et latin. Apprenez à reconnaître les lettres et à les prononcer.

2 Après cet entraînement à la lecture, mettez-vous par deux et répétez le dialogue de l'activité 2 en changeant à chaque fois de rôle et de langue.

▶ ▶ ▶ *COUP DE POUCE*

En grec et en latin, toutes les lettres se prononcent.

Vidéo
L'invention de l'alphabet
↗ Manuel numérique

Alphabet grec

Nom des lettres (24)	alpha	bêta	gamma	delta	epsilon	dzêta	êta	thêta	iota	kappa	lambda	mu	nu	xi	omicron	pi	rhô	sigma	tau	upsilon	phi	khi	psi	oméga
Majuscules	Α	Β	Γ	Δ	Ε	Ζ	Η	Θ	Ι	Κ	Λ	Μ	Ν	Ξ	Ο	Π	Ρ	Σ	Τ	Υ	Φ	Χ	Ψ	Ω
Minuscules	α	β	γ	δ	ε	ζ	η	θ	ι	κ	λ	μ	ν	ξ	ο	π	ρ	σ ς	τ	υ	φ	χ	ψ	ω
Prononciation	a	b	gu	d	é	dz	è	t	i	k	l	m	n	ks	o	p	r	s	t	u	f	k	ps	ô

Alphabet romain

Majuscules (23)	A	B	C	D	E	F	G	H	IJ	K	L	M	N	O	P	Q	R	S	T	UV	Y	Z
Minuscules	a	b	c	d	e	f	g	h	i j	k	l	m	n	o	p	q	r	s	t	u v	y	z
Prononciation	a	b	k	d	é	f	gu	h	i	k	l	m	n	o	p	kw	r	ss	t	ou u	u	dz

Les Romains, qui n'écrivent qu'en majuscules, ne distinguent pas les lettres I/J et U/V, distinction qui date du XVIᵉ s. Pour faciliter le lien avec le français, nous les restituons toutefois dans les mots latins.

D'hier
à aujourd'hui

Quels pays européens ont aujourd'hui deux langues ? Pour quelles raisons ?

le point sur LA MISSION

Mémorisez une phrase du dialogue que vous pourrez employer lors de votre présentation orale.

In schola

L'école romaine est-elle très différente de la nôtre ?

▶ **Sur les pas de Lucius, vous allez découvrir où il va à l'école, quel matériel il utilise et quelle est l'ambiance scolaire.**

1 DÉDUIRE DES INFORMATIONS D'UN TEXTE ET D'UNE IMAGE

Les cours pouvaient en effet se dérouler dans la rue, à un carrefour, ou sous un arbre, ou bien dans un bâtiment. Dans ce cas, ils avaient lieu dans une *pergula*, une construction plus ou moins
5 ouverte en saillie au-dessus des arcades de la rue ou encore au domicile du maître ou dans une salle qu'il louait. [...] Quel que soit le lieu, les élèves n'avaient de toute façon pas de table, ils écrivaient sur leurs genoux et s'asseyaient sur des bancs sans
10 dossiers, voire par terre. Quand c'était possible, le professeur était assis sur un siège placé sur une estrade. [...] Chez les grammairiens, on pouvait trouver des tables iliaques[1] accrochées au mur, des modèles pour copier des vers homériques, des
15 cartes de géographie, des sphères et des cubes pour la géométrie, des globes pour l'astronomie.

■ Catherine Wolff, *Dossiers d'archéologie*, septembre-octobre 2016, D. R.

1. Une table iliaque est une illustration avec les noms des héros d'épisodes de l'*Iliade*.

❶ Quelles sont les grandes différences entre votre école et celle de Lucius ?

❷ Quels sont les principaux inconvénients de la sienne ?

❸ Quelles matières figurent à son programme ? Comparez-les aux vôtres.

▲ Punition d'un écolier dans la Rome antique, gravure sur bois coloriée (XIXe siècle) (collection privée).

● Décrivez cette scène le plus précisément possible (personnages, activités, matériel). Quelles ressemblances ou différences notez-vous avec votre école ?

Info +
La journée
d'un écolier romain
hatier-clic.fr/lat01

2 — LIRE ET COMPRENDRE UN TEXTE EN LATIN ET EN GREC

Texte grec	Texte latin	Traduction française
Ἀνάστα, παῖ. Τί κάθησαι;	Surge, puer[1]. Quid sedes ?	Lève-toi, esclave. Pourquoi es- tu assis ?
Ἆρον πάντα βιβλία τὰ ῥωμαῖα,	Tolle omnes libros[2] latinos,	Prends tous mes l..... l.....,
τὰς διφθέρας καὶ τὰς πινακίδας ‹καὶ τὸν	membranas[3] et pugillares[4]	mes c....., mes t.....,
γλωσσοκόμον› καὶ τὸν παράγραφον,	et locellum[5] et praeductal[6],	ma t..... et ma réglette,
τὸ μέλαν καὶ τοὺς καλάμους,	atramentum[7] et cannas[8].	mon e..... et mes c.....,
ἀπέλθωμεν, ἀσπασώμεθα.	Eamus, salutemus.	Allons-y, disons au revoir.

└ Texte extrait de *Hermeneumata Pseudodositheana* (IIIᵉ s. ap. J.-C.).

▶ **AIDE À LA LECTURE**

1. **puer, i**, m. : l'esclave pédagogue qui accompagne l'enfant à l'école
2. **liber, libri**, m. : le livre, sous forme de volumen qui se déroule ou de codex comme nos livres
3. **membrana, ae**, f. : le parchemin
4. **pugillares = tabellae**
5. **locellum, i**, n. : la petite boîte à couvercle
6. **praeductal, is**, n. : l'instrument pour rayer le papier
7. **atramentum, i**, n. : l'encre
8. **canna, ae**, f. : le roseau, le calame

Étudier la langue

Cas et fonctions, p. 244

▼ Les instruments de l'écolier.

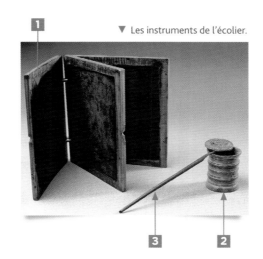

3 **2**

❶ À l'aide du texte, légendez les différents objets de la panoplie scolaire de l'écolier romain en latin d'abord, en grec ensuite.

❷ Quels sont les équivalents modernes de ce matériel ? Complétez la traduction à droite.

❸ Que remarquez-vous sur la terminaison des COD du verbe tolle ? Par quelles lettres se terminent les COD en latin au singulier et au pluriel ?

3 — DÉDUIRE DES INFORMATIONS D'UN TEXTE

1   Qu'avons-nous à faire avec toi, coquin maître d'école, tête odieuse aux garçonnets et aux fillettes ? Le coq, dressant sa crête, n'a pas encore rompu le silence, que déjà tonnent ton affreuse musique et tes
5   fouets. Aussi pesant résonne le bronze martelé sur l'enclume, lorsque le forgeron fixe sur un cheval la statue d'un avocat. Plus doux sont les cris frénétiques de l'amphithéâtre, quand le bouclier du vainqueur est applaudi par ses partisans. Nous ne te demandons
10 pas, nous tes voisins, un somme d'une nuit entière, car c'est peu de chose qu'une veille de quelques heures. Mais une nuit blanche est un supplice. Renvoie tes élèves. Veux-tu, bavard, que l'on te donne pour te taire autant que tu reçois pour brailler ?

■ Martial (vers 40-101 ap. J.-C.), *Épigrammes*, LXIX, traduit par P. Richard, © Classiques Garnier (1931).

❶ Qui va à l'école ?
❷ À quelle heure la journée d'un écolier commence-t-elle ?
❸ L'école est-elle gratuite ou payante ? Justifiez votre réponse.
❹ Que laisse supposer la présence du « fouet » ?
❺ Martial apprécie-t-il les maîtres d'école ? Justifiez votre réponse par quelques expressions choisies.

le point sur LA MISSION

Faites la liste des scènes à inclure dans votre reconstitution. Mémorisez le nom du matériel scolaire et collectez ou fabriquez vos accessoires.

E schola

Quel est l'emploi du temps des élèves romains ?

▶ **Vous suivez Lucius pendant une journée pour connaître ses horaires de classe et ses occupations après l'école.**

1 COMPRENDRE UN TEXTE LATIN

1 **Ante lucem** vigilo de somno et puerum voco. [...]
Stilum tabulasque quaero[1] et puero ea trado. Une fois prêt, in ludum cum paedagogo[2] eo.
Primum magistrum saluto et puer meus mihi tabulas porrigit[3].
5 Condiscipulos saluto. [...]
Laboramus. **Cum scripsi**, ostendo magistro [...]. Jubet[4] me legere ; edisco[5] interpretamenta.
Deinde magister nos dimittit[6] ad prandium. Venio domi, où je prends du pain blanc, des olives, du fromage, des figues, des noix, je bois de l'eau fraîche.
10 **Post prandium** in ludum iterum eo[7], ubi invenio magistrum. Il dit :
« Recommencez à partir du début. »
Denique ad balneum nos dimittit.

└ *Hermeneumata Pseudodositheana* (IIIe s. ap. J.-C.).

▶ **AIDE À LA LECTURE**
1. **quaero, is, ere** : demander
2. **paedagogus = puer**
3. **porrigo, is, ere** : tendre
4. **jubeo, es, ere** : ordonner
5. **edisco, is, ere** : apprendre par cœur
6. **nos dimittit** : il nous renvoie...
7. **eo, is, ire** : aller

Étudier la langue
Cas et fonctions, p. 244
Le présent, p. 268

❶ En vous aidant des mots que vous connaissez déjà et des notes, complétez l'emploi du temps d'un élève romain en latin ou en français. Les mots en gras vous indiquent la chronologie.
6 h : ante lucem • 7 h : primum • cum scripsi • 12 h : deinde • 13 h : post prandium • 15 h : denique

❷ Quels sont les deux mots utilisés pour désigner l'esclave qui accompagne l'enfant partout ?

2 METTRE EN RELATION DES DOCUMENTS

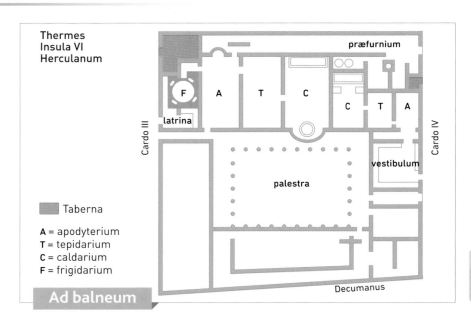

Thermes
Insula VI
Herculanum

præfurnium

Cardo III

latrina

F | A | T | C
C | T | A

Cardo IV

vestibulum

palestra

Taberna

A = apodyterium
T = tepidarium
C = caldarium
F = frigidarium

Ad balneum

Decumanus

Vidéo
Les thermes de Caracalla
↗ Manuel numérique

Après avoir laissé ses affaires au vestiaire **1** sous la surveillance d'un esclave, le Romain passe progressivement de la salle tiède **2** à la salle chaude **3** où il se débarrasse de sa crasse en se grattant avec un strigile. Il termine par le bain froid **4**. Dans les thermes, établissements de bains plus importants, il peut aussi se faire masser, nager dans une piscine, jouer à la balle dans la palestre. Enfin, il peut se restaurer ou se désaltérer dans une taverne **5**.

■ Valérie Hébert.

▲ Un strigile.

1 Faites correspondre les numéros du texte aux noms des pièces du plan.

2 À votre avis, pourquoi les pièces se répètent-elles deux fois avec une partie plus grande que l'autre ?

 3 **METTRE EN RELATION DES DOCUMENTS**

1   **La balle à trois (ou trigon)** : trois joueurs se disposent en triangle : plus celui-ci sera grand, plus le jeu sera difficile. Chacun lance sa balle à celui qu'il choisit de ses adversaires, en essayant de les
5 surprendre. On doit à la fois lancer sa propre balle et en recevoir une, parfois deux ; on joue donc des deux mains. [...]
   Le jeu des noix : il s'agit de disperser quatre noix empilées, trois en bas, une au-dessus soit debout

10 au moyen d'une cinquième noix qu'on lance, soit couché en les visant du doigt avec la noix en deux ou trois coups. Le vainqueur gagne quatre noix.
   Variante : un autre jeu consiste à se servir d'un plan incliné : une noix est placée à l'extrémité de
15 la planchette touchant terre. Les joueurs essaient de l'atteindre en faisant descendre une noix sur la planche.

■ Catherine Eugène, *La Mouche de cuivre*, © Hatier (1990), D. R.

▲ Enfants jouant, fragment d'un relief de marbre (IIe s. ap. J.-C.), 23 x 69 cm (Paris, musée du Louvre).

● Après avoir lu ces règles du jeu, identifiez les activités des enfants sur le bas-relief.

D'hier
   à aujourd'hui

Aimeriez-vous être élève à Rome ou préférez-vous le système français ? Rédigez quelques lignes d'explication pour justifier votre réponse.

le point sur LA MISSION

Apprenez le dialogue de l'activité 1 et révisez les mots du matériel scolaire. Choisissez un des jeux, procurez-vous le matériel et entraînez-vous à y jouer.

Ars scribendi

Comment les élèves romains écrivent-ils ?

> ▶ **Vous allez maintenant vous entraîner à écrire comme un élève romain.**

1 DÉDUIRE DES INFORMATIONS D'UN TEXTE

1　On apporte aussi de l'Inde le noir indien, dont jusqu'à présent la composition m'est inconnue. Les teinturiers en font avec une efflorescence[1] noire qui s'attache aux chaudières de cuivre. On l'obtient encore en brûlant le bois du *pinus teda*, et en triturant les charbons
5　dans un mortier. [...] La préparation de tout noir se complète au soleil : du noir à écrire, par l'addition de la gomme ; du noir à enduit par l'addition de la colle.

■ Pline l'Ancien (23-79 ap. J.-C.), *Histoire naturelle*, 35, 25, traduit par É. Littré (1877).

1. L'efflorescence est un dépôt poudreux dû à l'oxydation.

❶ Quels sont les deux ingrédients de l'encre ?

❷ Se présente-t-elle sous forme liquide ou solide ?

❸ Quelle encre encore en usage aujourd'hui est désignée par « le noir indien » ?

❹ Que pouvez-vous utiliser pour calligraphier ?

2 FABRIQUER UN CALAME

Site web
La fabrication
d'un calame
hatier-clic.fr/lat02

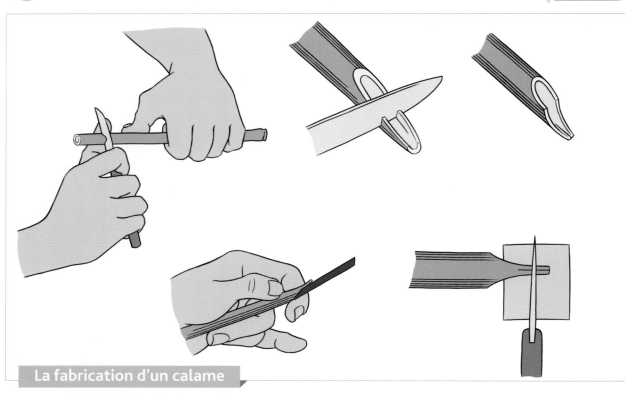

La fabrication d'un calame

● Vous allez fabriquer un calame à partir d'un roseau séché. Suivez les instructions et lancez-vous !
Si vous n'avez pas de roseau, utilisez de préférence une plume ou un feutre biseauté.

❶ Associez chaque support et son origine :
a. papyrus • parchemin • papier
b. peau de chèvre • roseau • fibres végétales

❷ Remettez les étapes de la préparation du papyrus dans l'ordre en les numérotant et expliquez oralement en quoi consiste l'opération.

La fabrication du papyrus

4 ⬤ ÉCRIRE EN SUIVANT UN MODÈLE, LE *DUCTUS*

❶ Quel radical reconnaissez-vous dans les mots *praeductal* (p. 19) et *ductus* ? Que signifie ce radical ?

❷ À quoi sert un ductus ?

❸ Entraînez-vous à écrire « Lingua latina », votre *praenomen* et votre *nomen*.

PISTE EPI

Comment les supports d'écriture évoluent-ils ?

www.editions-hatier.fr

le point sur LA MISSION

Le jour de la reconstitution, vous pourrez écrire en direct ou utiliser les documents déjà réalisés.

ATELIER D'EXPRESSION

 Pour lire et parler le jour de la reconstitution, vous devez maîtriser du lexique et connaître quelques phrases en latin. Ces activités vous y aideront.

1 COMPRENDRE LES RELATIONS ENTRE LES LANGUES

Le signe * indique que la racine *gen-H / *gn-eH a été reconstituée à partir des ressemblances remarquées entre les différentes langues.

❶ Toutes les langues apparentées sont regroupées par familles : à quelle grande famille appartient le français ? Citez deux autres langues appartenant à la même famille.

❷ À quelle famille appartiennent les langues que vous étudiez au collège ?

❸ Complétez l'arbre suivant.

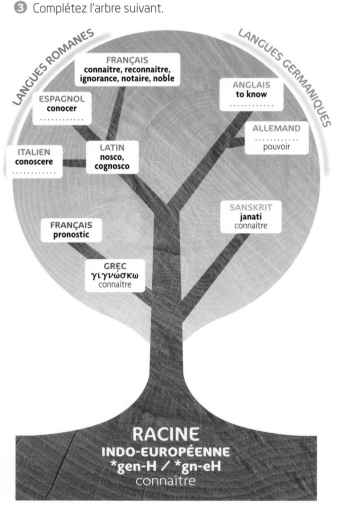

LANGUES ROMANES

FRANÇAIS
connaître, reconnaître, ignorance, notaire, noble

ESPAGNOL
conocer
....

ITALIEN
conoscere
....

LATIN
nosco, cognosco

FRANÇAIS
pronostic

GREC
γιγνώσκω
connaître

LANGUES GERMANIQUES

ANGLAIS
to know
....

ALLEMAND
....
pouvoir

SANSKRIT
janati
connaître

RACINE
INDO-EUROPÉENNE
*gen-H / *gn-eH
connaître

2 APPRENDRE DES MOTS FRANÇAIS PAR FAMILLE

Retrouvez les mots français issus du radical latin de la connaissance.

a. Court texte qui explique un emploi : la no............

b. Personne chargée des testaments : le no............

c. Souligner, ajouter des explications : ....no............

d. Fait d'être connu, célébrité : la no............

e. Personne qui ne sait rien : un ....gno........

f. Personnage important d'une cité, connu : un no............

3 EXPLIQUER LE SENS UN MOT PAR L'ÉTYMOLOGIE

En grec, γράφειν veut dire « écrire », il est apparenté au français gravure car on écrivait en incisant des plaques d'argile.

Replacez chaque dérivé français proposé dans une des phrases : la stratigraphie • le stylographe • le graphique • la radiographie • le scénographe • l'orthographe • le géographe • le graphologue.

a. Un .... permet de transcrire des résultats chiffrés d'expérience.

b. L'.............. est l'art d'écrire juste.

c. Un .... tente de percer la personnalité d'un individu à travers son écriture.

d. Le .... a pour mission de représenter la terre.

e. La .... est l'étude des couches géologiques d'un terrain.

f. À l'hôpital, la .... permet de « lire » l'intérieur du corps.

4 ÉTABLIR DES LIENS ENTRE LE LATIN ET LE FRANÇAIS

En latin, écrire se dit *scribo, is, ere, scripsi, scriptum*.

Trouvez le plus possible de mots français dérivés, écrivez sur des cartes le mot, sur d'autres le sens. Ensuite, jouez avec vos cartes pour mémoriser les mots, en en tirant une au hasard. Pour compliquer le jeu, vous pouvez inclure les mots de l'exercice précédent.

5 DÉCHIFFRER UNE INSCRIPTION

❶ Observez l'inscription latine puis complétez le tableau.

Romulus	fils	de Mars	a fondé	la ville	(de) Rome	traduction
						mots latins
						fonction en français

❷ À quelle lettre correspond le V ? Comment la séparation des mots est-elle indiquée ?

❸ Quelle différence faites-vous entre l'ordre des mots en français et l'ordre des mots en latin ?

6 LATINE LOQUOR

Voici l'adaptation latine d'une chanson que tout le monde connaît.

❶ Trouvez trois mots en relation avec la lumière (en latin lux, lucis).

❷ Trouvez deux mots en relation avec l'écriture.

❸ Avez-vous maintenant reconnu la chanson ? Chantez-la.

Luna

Luna dum[1] in caelo[2]
Lucet, opus est[3]
Ad scribendum stilo.
Dare[4] qui potest[5] ?
Lucerna extincta,
Me miserrimum !
Janua[6] reclusa,
Da[4] auxilium.

L. Sydney Morris, *Carmina Latina*,
© Centaur Books, Slough, D. R.

▶ **AIDE À LA LECTURE**

1. dum : pendant que
2. caelum, i, n. : le ciel ; *a donné* céleste
3. opus est <mihi> : j'ai besoin de
4. do, das, dare, dedi, datum : donner ; le verbe apparaît deux fois
5. potest : il peut
6. janua, ae, f. : la porte

7 APPRENDRE À TRADUIRE EN GROUPE

Discipulus magistro salutem dat.	**L'élève** donne son bonjour **au maître**.
Magister discipulum salutat.	**Le maître** salue **l'élève**.
Magister, latine et graece loqui cupio.	**Maître**, je veux parler en latin et en grec.
Magistri sella est in cathedra.	Le siège **du maître** est sur une estrade.
Discipuli cum magistro laborant.	**Les élèves** travaillent **avec le maître**.

❶ Comparez les noms latins en gras : que remarquez-vous ? Retrouvez-vous les mêmes variations en français ?

❷ En vous aidant de la traduction, expliquez à quoi correspondent ces variations.

VOCABULAIRE

Noms

balneum, i, n. : l'établissement de bains
calamus, i, m. : le calame, le roseau
discipulus, i, m. : l'élève
liber, libri, m. : le livre
ludus, i, m. : l'école ou le jeu
magister, magistri, m. : le maître
pila, ae, f. : la balle
volumen, inis, n. : le livre (en rouleau)

Verbes

dico, is, ere, dixi, dictum : dire
do, das, dare, dedi, datum : donner
interrogo, as, are, avi, atum : interroger
laboro, as, are, avi, atum : travailler
lego, is, ere, legi, lectum : lire
respondeo, is, ere, di, sum : répondre

scribo, is, ere, scripsi, scriptum : écrire
sedeo, es, ere, sedi, sessum : s'asseoir, être assis

Adjectifs

doctus, a, um : savant
piger, pigra, pigrum : paresseux

LA MISSION → Réaliser une reconstitution historique

Il est maintenant temps pour vous de préparer votre reconstitution d'une journée d'école pour les Portes ouvertes du collège.

ÉTAPE 1 — IDENTIFIER LES CRITÈRES DE RÉUSSITE

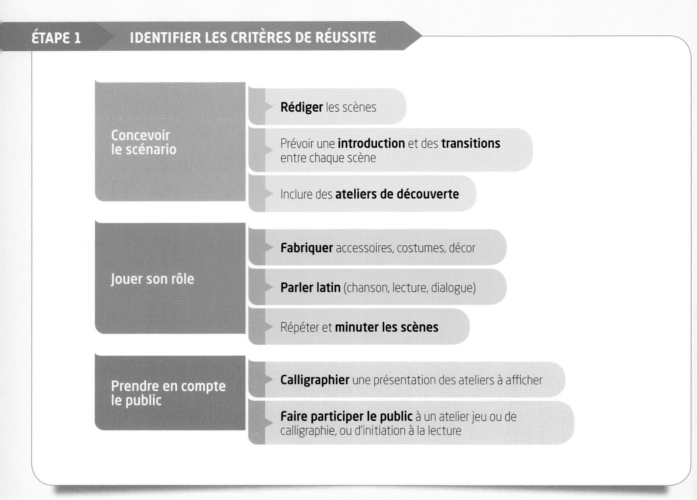

Concevoir le scénario
- **Rédiger** les scènes
- Prévoir une **introduction** et des **transitions** entre chaque scène
- Inclure des **ateliers de découverte**

Jouer son rôle
- **Fabriquer** accessoires, costumes, décor
- **Parler latin** (chanson, lecture, dialogue)
- Répéter et **minuter les scènes**

Prendre en compte le public
- **Calligraphier** une présentation des ateliers à afficher
- **Faire participer le public** à un atelier jeu ou de calligraphie, ou d'initiation à la lecture

ÉTAPE 2 — S'ORGANISER EN ÉQUIPE

▶ Rassemblez vos connaissances en reprenant vos notes.
▶ Partagez-vous le travail : réalisation des accessoires, conception des scènes et présentation au public.

BESOIN D'AIDE ?

Vérifiez l'exactitude de vos informations :
- matériel de l'écolier, vocabulaire de l'école ▶ p. 19 et 25
- dire bonjour, se présenter en latin ▶ p. 17
- lire en latin ou en grec ▶ p. 17
- règles de jeux romains ▶ p. 21
- travail de l'écolier, discipline ▶ p. 18-19

2 Héros et divinités

Quelle image de la divinité la mythologie gréco-romaine donne-t-elle ?

LA MISSION

Héros de la mythologie, vous avez décidé de réclamer aux dieux votre divinisation. Avant de comparaître devant eux, il faut bien vous préparer.

━━ **Formez une équipe qui réfléchira aux arguments à utiliser pour convaincre votre auditoire.**

━━ **Prenez des notes tout au long du parcours.**

▲ Noël Coypel (1628-1707), *L'Apothéose d'Hercule conduit dans l'Olympe par Mercure*, huile sur toile, 186 x 151 cm (Versailles, Châteaux de Versailles et de Trianon).

Connaissances, compétences, culture

Dans ce parcours, vous allez :

■ Lire et comprendre des images variées.

■ Lire et comprendre des textes littéraires et des documentaires.

■ Défendre oralement un point de vue argumenté.

■ Découvrir le panthéon des Romains et leur conception de la divinité.

■ Découvrir le lien entre la mythologie et l'astronomie.

■ Maîtriser le lexique des dieux.

De exemplis illustribus

Quels héros ou héroïnes sont devenus des divinités ?

▶ **Afin d'appuyer votre demande auprès des dieux, rien de tel que de citer les noms de héros et d'héroïnes de la mythologie qui ont accédé, durant leur vie ou après leur mort, au rang de dieu ou de déesse.**

1 LIRE ET COMPRENDRE UN TEXTE EN LATIN

Texte lu
↗ **Manuel numérique**

Juppiter cum Semele concubuit[1], de qua natus est Liber pater[2] ; ad quam cum fulmine[3] veniens, crepuit[4] ; unde pater puerum[5] tollens[6] in femore[7] suo misit[8], postea Maroni[9] nutriendum[10] dedit[11]. Hic Indiam debellavit[12] et inter deos deputatus[13] est.

⬒ Fulgence (vᵉ ou vıᵉ s. ap. J.-C.), *Mythologies*, II, 12.

▶ **AIDE À LA LECTURE**

1. **concubuit** : *a donné* concubin
2. **Liber pater** : le vénérable Liber, c'est-à-dire Dionysos
3. **fulmine** : *a donné* fulminer
4. **crepuit** : *ici* elle mourut
5. **puerum** : *a donné* puéril
6. **tollens** : soulevant
7. **femore** : *a donné* fémur
8. **misit** : plaça
9. **Maroni** : fils de Silène et compagnon de Dionysos
10. **nutriendum** : *a donné* nutritif
11. **dedit** : il confia
12. **debellavit** : il (Dionysos) soumit
13. **deputatus** : *a donné* député

Étudier la langue
Le parfait, p. 270

◀ Naissance de Dionysos de la cuisse de Zeus, cratère noir à figures rouges (fin vᵉ-début ıvᵉ s. av. J.-C., détail), 87 x 52 cm (Musée National de Tarente).

❶ Qui sont les parents de Dionysos ? Quel verbe vous montre qu'ils ne sont pas de même nature ?

▶▶▶ *COUP DE POUCE*

Dionysos est un héros, c'est-à-dire en latin et en grec, un demi-dieu.

❷ Quel caractère extraordinaire présente la naissance de l'enfant ? Quelle en est la raison selon vous ?

❸ Quelle expression française fait directement référence à cet épisode de la mythologie ? Quel est son sens actuel ?

❹ Dans quelle région du monde Dionysos s'est-il illustré ? De quelle nature est son exploit ?

❺ Quelle semble avoir été sa récompense ?

1 À Héraclès

C'est Héraclès, fils de Zeus, que je vais chanter, le plus grand – et de beaucoup – parmi les hommes de la terre, Celui que, dans Thèbes aux beaux chœurs, Alcmène mit au monde, après s'être unie au Cronide maître 5 des nuées sombres. D'abord il erra sur la terre et la mer immenses, et connut bien des souffrances. Mais il triompha à force de vaillance et, tout seul, il accomplit nombre de travaux audacieux et inégalés. Maintenant au contraire il jouit d'habiter désormais la belle demeure de l'Olympe neigeux et possède pour épouse Jeunesse aux belles chevilles. Salut, Seigneur, fils 10 de Zeus ! Donne-moi vertus et richesses.

◾ *Hymnes homériques* (VIIe-IVe s. av. J.-C.), traduit par J. Humbert, © Les Belles Lettres (1976).

Info +
Héraclès
hatier-clic.fr/lat03

❶ Quelles expressions montrent qu'Héraclès appartient à la fois au monde des mortels et à celui des dieux ?

❷ Quelle qualité lui a valu ce destin hors du commun ?

❸ Recherchez les douze travaux auxquels il est fait allusion dans ce texte.

3 — METTRE EN RELATION DES DOCUMENTS

❶ Comment expliquez-vous la différence de nature entre les quatre enfants ?

❷ Quel a été le destin exceptionnel de Castor et Pollux ?

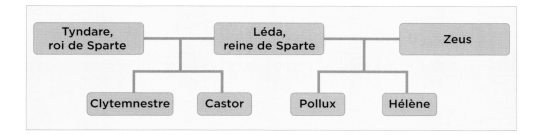

Tyndare, roi de Sparte		Léda, reine de Sparte		Zeus
Clytemnestre	Castor	Pollux	Hélène	

Comme leurs sœurs, les jumeaux Castor et Pollux appartiennent à deux mondes différents. Inséparables, ils participent à un grand nombre d'exploits où ils peuvent faire la preuve de leurs talents, jusqu'au jour où Castor est mortellement blessé. Pollux qui, à la naissance, a hérité de son père l'immortalité, refusant d'être séparé de son frère mortel, obtient de Zeus un sort commun pour tous les deux : passer un jour sur deux aux enfers, parmi les morts, et l'autre sur l'Olympe, parmi les dieux.

◾ Gilles Duhil.

▲ Léonard de Vinci, *Léda* (vers 1513-1516, détail), huile sur bois, 132 x 78 cm (Florence, Galerie des Offices).

le point sur LA MISSION

Dionysos, Héraclès et Pollux sont devenus des divinités. Rappelez dans quelles circonstances pour vous appuyer sur leurs exemples dans votre demande aux dieux.

Nemo perfectus est !

Est-il besoin d'être parfait pour être un dieu ?

> ➤ **Les dieux risquent de vous objecter les fautes commises lorsque vous étiez vivant, pour vous refuser l'accès à la divinité. Anticipez leurs remarques en montrant que ces fautes ne sont pas un obstacle.**

① LIRE ET COMPRENDRE UN TEXTE EN LATIN

En l'absence d'Hercule, Lycus, un fils de Neptune, tente d'assassiner son épouse, Mégara, et ses deux enfants, Thérimachus et Ophitès, pour s'emparer du pouvoir.

1 Hercules eo intervenit et Lycum interfecit[1]. Postea, ab Junone insania objecta[2], Megaram et filios Therimachum et Ophiten interfecit[1]. Postquam suae mentis compos est factus, ab Apolline petiit[3] dari sibi responsum quomodo scelus[4] purgaret[5] ; cui
5 Apollo sortem[6] quod reddere noluit[7], Hercules iratus de fano[8] ejus tripodem[9] sustulit[10], quem postea Jovis jussu reddidit[11] et nolentem sortem dare jussit. Hercules ob id a Mercurio Omphalae reginae[12] in servitutem[13] datus est[14].

└ Hygin (67 av. J.-C.-17 ap. J.-C.), *Fables*, XXXII.

➤ **AIDE À LA LECTURE**
1. **interfecit** : il tua
2. **insania objecta** : après avoir été frappé de folie
3. **petiit** : *a donné* pétition
4. **scelus** : *a donné* scélérat
5. **purgaret** : *a donné* purger
6. **sortem** : l'oracle
7. **noluit** : il refusa
8. **fano** : le sanctuaire
9. **tripodem** : le trépied
10. **sustulit** : il enleva
11. **reddidit** : *a donné* reddition
12. **reginae** : la reine
13. **in servitutem** : en esclavage
14. **datus est** : il fut donné

Étudier la langue
La 1ʳᵉ déclinaison, p. 248

Info +
Hercule et Omphale
hatier-clic.fr/lat04

❶ Quels horribles crimes Hercule a-t-il commis ? Pourquoi ?

❷ Pour quelle raison s'adresse-t-il à Apollon ?

❸ Quel sentiment manifeste-t-il face au refus du dieu ? Relevez le terme latin qui vous l'indique. Quelle action commet-il alors ?

❹ D'après la dernière phrase du texte, quelle punition reçoit-il en châtiment ?

❺ Quel portrait d'Hercule ce texte dresse-t-il finalement ? Développez votre réponse en vous appuyant sur les différents éléments du texte.

▲ Dispute entre Héraclès et Apollon pour la possession du Trépied, œnochoé (pichet à vin) à figures noires (vers 520 av. J.-C.), 19 cm de hauteur (Paris, musée du Louvre).

1 Épouse outragée et mal aimée, Héra est aussi une mère insatisfaite. La naissance de son fils Héphaïstos la couvre de désespoir et elle ne peut que concevoir de la honte en découvrant ce bébé 5 estropié des deux jambes et au visage disgracieux. Aussi précipite-t-elle du haut du ciel l'enfant qui tourbillonne dans les airs avant de tomber dans l'île de Lemnos. Parvenu à l'âge adulte, Héphaïstos, pour se venger de sa mère, confectionne pour le lui offrir 10 un trône d'or magnifiquement orné. Sitôt assise sur ce beau siège, Héra est tout d'un coup enlacée par des liens invisibles et se trouve immobilisée sur le cadeau de son fils. Aucun dieu ne peut parvenir à la délivrer et Héphaïstos accepte enfin de conjurer le 15 maléfice contre la promesse d'être réintégré dans l'Olympe et de recevoir comme épouse la plus belle des déesses, Aphrodite.

■ Catherine Salles, *Quand les dieux parlaient aux hommes. Introduction à la mythologie grecque et romaine*, © Tallandier (2003) ; *La mythologie grecque et romaine*, réed. Fayard, coll. « Pluriel » (2013)

❶ Quels sont les sentiments attribués à Héra et à Héphaïstos dans ce texte ?

❷ Chez qui retrouve-t-on ces mêmes sentiments ? En quoi est-ce surprenant ?

❸ Quel aspect du pouvoir divin est ici mis en avant ?

❹ Identifiez, sur la céramique, Héphaïstos et Dionysos. Quel moment de l'histoire d'Héphaïstos le peintre de Christie a-t-il représenté ? Recherchez le rôle qu'y a tenu Dionysos.

Peintre de Christie (Vᵉ s. av. J.-C.), *Le Retour d'Héphaïstos dans l'Olympe*, cratère à figures rouges, 40 x 40 cm (Paris, musée du Louvre). ▶

Animation
↗ Manuel numérique

3 ⟩ DÉDUIRE DES INFORMATIONS D'UNE IMAGE

▲ Cazenove et Larbier, *La Mythologie racontée par les Petits Mythos*, Bamboo Édition (2014).

❶ Qui sont les deux divinités représentées ?

❷ À quel type de scène a-t-on apparemment affaire ? Quels éléments le montrent ?

❸ Quel est le point commun de tous les personnages cités sur le parchemin ? Recherchez leur histoire.

le point sur LA MISSION

Quels défauts humains retrouve-t-on chez les dieux gréco-romains ? Il sera utile de vous en souvenir lorsque vous plaiderez votre cause auprès des dieux.

Deorum concilium

Quels sont les attributs et les attributions des principales divinités ?

▶ Il ne suffit pas d'accéder à la divinité. Encore faut-il trouver un domaine de compétences où exercer vos talents, ainsi qu'un ou plusieurs attributs pour vous représenter. Prudence, avant de faire votre choix, vérifiez bien qu'ils ne sont pas déjà pris !

1 MÉMORISER DU VOCABULAIRE

vinea • malleus • caduceus • solium • sceptrum • aquila • diadema • pavo • Cupido • Cerberus • arcus

● Associez les attributs des dieux de l'Olympe à leur signification en français grâce à la liste suivante : aigle • arc • caducée • Cerbère • Cupidon • diadème • marteau • paon • sceptre • trône • vigne.

▲ Luigi Sabatelli, *Le Concile des Dieux* (1819-1825, détail), fresque de la voûte de la salle de l'*Iliade* (Florence, Palazzo Pitti).

2 — LIRE ET COMPRENDRE UN TEXTE EN LATIN

● Identifiez les dieux et déesses du panthéon romain de l'activité 1 à l'aide des définitions et des indices donnés.

A Regina[1] deorum et dearum sum. Caerimoniis nuptiarum[2] praesideo. Invidiosa[3] sum. In solio sedeo[4]. Diademam gero. Pavo est mihi carum[5] animal. Mihi nomen Juno est.

B Amoris, fecunditatis et formae dea sum. Mihi maritus est Vulcanus, sed fidelis non sum. Complector[6] Cupidinem, meum filium, qui sagittam tenet. Mihi nomen Venus est.

C Inferorum[7] deus et Jovis frater sum. Proserpina, Cereris filia, mihi est uxor[8] et stat[9] prope me cum Cerbero, cane tribus capitibus. Mihi nomen Pluto est.

D Vini, feriarum[10] et ebrietatis deus sum. Semele mater mihi est. Vineae coronam in capite[11] habeo[12]. Pantherae pellem[13] gero. Mihi nomen Bacchus est.

E Deus maximus Romanorum sum et in Olympo regno. Facile amore capior[14]. In solio sedeo[4] et sceptrum in sinistra[15] teneo. Aquila ante pedes est. Mihi nomen Jupiter est.

F Deus musicae, divinationis, artium, poesis et virilis[16] formae sum. Aesculapius, medicinae deus, mihi filius est. Tenens serpentem in manibus, stat[9] post me. Arcum in sinistra[15] teneo. Mihi nomen Apollo est.

▶ **AIDE À LA LECTURE**

1. **regina** : la reine
2. **nuptiarum** : *a donné* nuptial
3. **invidiosa** : jalouse
4. **sedeo** : je suis assis(e)
5. **carum** : préféré
6. **complector** : j'enlace
7. **inferorum** : des enfers
8. **uxor** : l'épouse
9. **stat** : se tient debout
10. **feriarum** : *a donné* férié
11. **capite** : la tête
12. **habeo** : j'ai
13. **pellem** : la peau
14. **capior** : *a donné* capturer
15. **sinistra** : la main gauche
16. **virilis** : *a donné* viril

3 — LIRE ET COMPRENDRE UN TEXTE EN GREC

● Déchiffrez les noms ci-contre, proposés en minuscules et en majuscules, afin de retrouver les équivalents grecs des dieux romains.

▶▶▶ *COUP DE POUCE*

Reportez-vous au tableau de l'alphabet grec, p. 17.

Ἄιδης	ΑΙΔΗΣ
Ἀπόλλων	ΑΠΟΛΛΩΝ
Ἀφροδίτη	ΑΦΡΟΔΙΤΗ
Διόνυσος	ΔΙΟΝΥΣΟΣ
Ζεύς	ΖΕΥΣ
Ἥρα	ΗΡΑ

D'hier à aujourd'hui

Bien que plus personne ne vénère aujourd'hui les dieux gréco-romains, ils n'en sont pas moins présents dans notre vie quotidienne par le biais de la publicité. Recherchez quelques marques qui leur font référence. Vous pouvez notamment vous aider du site http://antiquipop.hypotheses.org/

◀ Poséidon, extrait du clip publicitaire Ferrero Rocher (2015).

le point sur LA MISSION

Créez un tableau à trois entrées dans lequel figureront les noms des dieux et déesses de l'activité 2, leurs domaines de compétence et leurs attributs principaux.

Ad astra per aspera

Quel lien la mythologie entretient-elle avec l'astronomie ?

▶ **Inscrire son nom dans les étoiles est une forme de divinisation.
N'hésitez pas à la réclamer aux dieux lors de votre audition.**

1 DÉDUIRE DES INFORMATIONS D'UN TEXTE

1　La première chose que repère tout curieux lorsqu'il lève les yeux vers la voûte céleste par une belle nuit d'été, c'est la constellation de la Grande Ourse. [...]

5　Les 88 constellations que nous connaissons aujourd'hui ont été définies par l'Union astronomique internationale en 1930. Elles sont cependant pour la plupart directement inspirées des constellations grecques telles que les a décrites 10 l'astronome Ptolémée dans l'*Almageste* vers 150. [...] L'histoire des constellations remonte bien avant les Grecs. Elles sont présentes dans toutes les cultures du monde. La voûte étoilée s'est toujours offerte à la contemplation des hommes, et le cerveau humain 15 étant naturellement doué pour reconnaître des formes, il n'est pas surprenant que l'on ait regroupé les étoiles voisines pour former des figures.

■ Bradley Schaefer, « L'origine des constellations »,
in *Pour la Science*, n° 350, décembre 2006.

❶ Actuellement, combien existe-t-il de constellations ? Qui les a définies ?
❷ Quel astronome grec est, en fait, à l'origine de leur description ? Dans quel ouvrage ?
❸ Comment expliquer la création de ces constellations par les hommes ?

2 DÉDUIRE DES INFORMATIONS D'UN TEXTE

1　La première nuit, l'étoile qui s'est penchée sur le berceau de Jupiter devient visible : le signe pluvieux de la Chèvre olénienne[1] se lève ; elle est au ciel en récompense du don de son lait. La naïade Amalthée, bien connue dans l'Ida de Crète, cacha, dit-on, Jupiter dans la forêt. Elle possédait une belle chèvre [...]. Elle donnait son lait au dieu ; mais elle se brisa une corne contre un arbre et y perdit la moitié de sa prestance. La nymphe emporta 15 cette corne, l'enveloppa d'herbes fraîches, la remplit de fruits, et la présenta aux lèvres de Jupiter. Quand ce dernier occupa le royaume céleste et eut pris place sur le trône paternel et que rien n'était plus grand que l'invincible Jupiter, il changea en étoiles 20 la nourrice ainsi que la corne d'abondance qui porte encore aujourd'hui le nom de sa maîtresse.

■ Ovide (43 av. J.-C.-17 ou 18 ap. J.-C.), *Les Fastes*, Livre V,
vers 111-117 et 121-128, traduit par R. Schilling,
© Les Belles Lettres (1993).

1. olénienne : de l'épaule, en raison de sa représentation sur l'épaule gauche de la constellation du Cocher.

▲ Constellation du Cocher, illustration tirée d'un jeu de cartes anglais (XIXᵉ s.).

❶ De quel personnage de la mythologie est-il ici question ?
❷ Quel acte a-t-il accompli ?
❸ Quelle en a été sa récompense ? Qui la lui a donnée ?

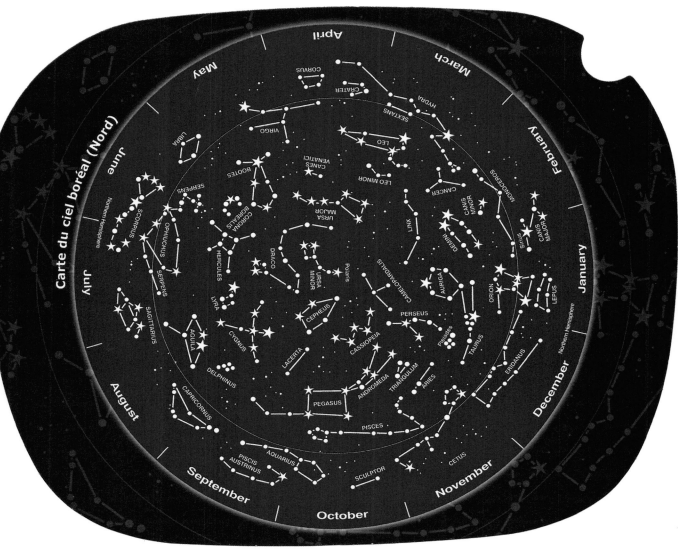

▲ Carte stellaire issu d'un planétarium, éditions Clementoni.

❶ Nommez les douze signes du zodiaque utilisés aujourd'hui en astrologie.

❷ Retrouvez, sur la carte du ciel, leurs noms latins encore employés sur les cartes d'astronomie. (Ils sont situés de part et d'autre du cercle intérieur.)
Servez-vous des indices pour les identifier :

a. Les Romains nommaient aries l'engin qui leur permettait de forcer les portes des forteresses ennemies.

b. La libra est l'unité de mesure de poids utilisée par les Romains.

c. Une piscina désignait un réservoir à poissons.

d. Les Américains nommèrent, dans les années 1960, leur second programme de vols spatiaux habités *Gemini*, car chaque capsule emportait deux astronautes à son bord, liés comme des jumeaux.

e. Ganymède est un enfant enlevé par Zeus pour servir le nectar à la table des dieux, et non simplement de l'eau comme pourrait laisser croire son nom latin !

PISTE EPI

Comment les hommes ont-ils représenté et conçu le ciel à travers les siècles ?

www.editions-hatier.fr

le point sur LA MISSION

Observez les constellations de la carte céleste et repérez celle qui pourrait devenir la vôtre, une fois que vous aurez obtenu le statut de dieu.

ATELIER D'EXPRESSION

➡ **Avant de comparaître devant l'assemblée des dieux, vous devez bien maîtriser le vocabulaire en lien avec les divinités romaines. Ces activités vous y aideront.**

 COMPRENDRE L'ORIGINE DES LANGUES EUROPÉENNES

La racine indo-européenne *dei-, qui signifie « briller » et qui désigne la lumière terrestre et céleste, est à l'origine des mots latins deus, i, m. : le dieu et dies, ei, m. : le jour. En français, on la retrouve dans des mots aussi variés que devin, divinité, quotidien, méridien, midi et dans la terminaison des jours de la semaine, ou encore, avec la disparition du d initial, dans jour et ses nombreux composés.

Menez l'enquête et complétez l'arbre suivant.

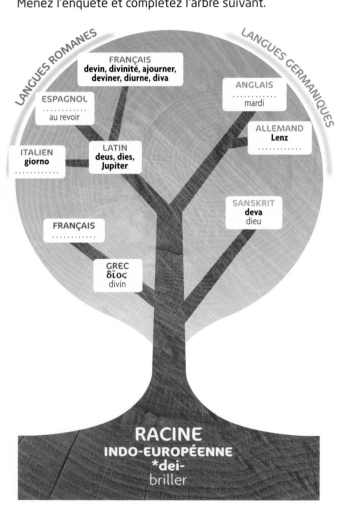

2 APPRENDRE DES MOTS PAR FAMILLE

Complétez avec un des mots de l'arbre :

a. Les Romains vénéraient de nombreuses ....

b. Tu ne pourras jamais .... sur quel enregistrement je suis tombé hier : le tout premier de Maria Callas, une des plus célèbres .... du XXe siècle.

c. Il ne sert à rien de me demander le temps qu'il va faire, je ne suis pas .... !

d. Il a été obligé d'............. *sine die* la réunion, en raison des nombreuses manifestations.

e. Il faut faire attention aux risques entraînés par la somnolence .... lorsqu'on est au volant.

3 MÉMORISER PAR L'ÉTYMOLOGIE

Résolvez ces devinettes pour retrouver les mots français dérivés du latin.

▶▶▶ *COUP DE POUCE*

Le génitif de Jupiter est Jovis.

a. Appareil orthopédique pour se tenir aussi droit que Minerva.

b. Homme dont la beauté n'a d'égale que celle d'Apollo.

c. Se dit d'un rire joyeux et très communicatif, digne de Jupiter.

d. Art du combat que ne renierait pas Mars.

e. Fête bruyante et tumultueuse qui aurait bien plu à Bacchus.

f. Spécialiste qui prend des risques à s'approcher trop près de la demeure de Vulcanus.

g. Métal radioactif et toxique qui aurait sa place dans le royaume de Pluto.

4 EXPLIQUER LE SENS D'UN MOT FRANÇAIS PAR LE LATIN

Cherchez le sens des expressions françaises ci-dessous et expliquez leur lien avec la mythologie.

a. être sous l'égide de

b. sortir tout armé de

c. se croire sorti de la cuisse de Jupiter

d. s'attirer les foudres de

e. être un véritable Apollon

f. descendre de l'Olympe

5 LATINE LOQUOR

Mettez-vous par deux.

Primus interrogat : « Quid nomen tibi est ? », « Quid facis ? »,
« Quae natura tibi est ? », « Quod signum tibi est ? ».

Secundus latine respondet : « Mihi nomen est... »,
« Deus / dea ... sum. », « Sum... », « Meum signum est... »

6 DIRE ET JOUER UN TEXTE EN LATIN

Attribuez chaque phrase à un personnage
du tableau et jouez la scène.

a. O Mercuri, dearum et deorum nunti, qui ante
nos conducis ?

b. O Venus, tibi maximas gratias ago.

c. Ecce Psyche, o pater. Humani regis filia est.
Cupidinem amat et Cupido eam amat.

d. Ambrosiam ei da, o Jupiter. Non jam invidiosa sum.
Meus filius eam uxorem ducere potest.

▲ Polidoro Caldara, *Psyché reçue dans l'Olympe* (vers 1524),
huile sur bois, 104 x 160 cm (Paris, musée du Louvre).

7 APPRENDRE À TRADUIRE EN GROUPE

*De retour de la campagne, Dorippa dépose sur un autel
une branche de laurier et adresse une prière au dieu.*

Apollo, quaeso te, ut des pacem propitius,
salutem et sanitatem nostrae familiae,
meoque ut parcas gnato pace propitius.

L. Plaute, *Le Marchand*, vers 678-680.

Apollon, je te supplie d'accorder, dans ta bienveillance,
la paix, le salut et la santé aux membres de notre maison,
et de préserver mon fils dans ta bienveillante faveur.

Formez des groupes et répondez aux questions.

❶ À quelle divinité Dorippa s'adresse-t-elle ?
Quel est le cas utilisé ?

❷ Une prière romaine se compose de trois parties :
le nom de la divinité invoquée, l'hommage qui
lui est rendu et la demande adressée au dieu.
Quel terme, répété dans le texte, constitue
l'hommage de Dorippa au dieu ? Sur quelle qualité
ce mot insiste-t-il ?

❸ Dans l'intérêt de qui Dorippa adresse-t-elle
cette prière ? Relevez les termes latins ; à quel
cas sont-ils ?

VOCABULAIRE

Noms

Apollo, onis, m. : Apollon
Bacchus, i, m. : Bacchus
dea, ae, f. : la déesse
deus, i, m. : le dieu
Diana, ae, f. : Diane
Juno, onis, f. : Junon
Jupiter, Jovis, m. : Jupiter

Mars, Martis, m. : Mars
Mercurius, ii, m. : Mercure
Minerva, ae, f. : Minerve
natura, ae, f. : le caractère
Neptunus, i, m. : Neptune
Pluto, onis, m. : Pluto
signum, i, n. : le signe, le symbole
Venus, eris, f. : Vénus

Vulcanus, i, m. : Vulcain

Adjectifs

bellicosus, a, um : belliqueux
ingeniosus, a, um : ingénieux
invidiosus, a, um : jaloux
sanguinarius, a, um : sanguinaire

LA MISSION ● Préparer un discours argumentatif

Il est maintenant temps de préparer le discours, ou la prière, que vous allez prononcer devant l'assemblée des dieux. Choisissez un héros ou une héroïne de la mythologie, puis recherchez son histoire. Il va falloir trouver de solides arguments pour convaincre les dieux de vous laisser prendre place parmi eux.

ÉTAPE 1 · IDENTIFIER LES CRITÈRES DE RÉUSSITE

Se présenter de manière claire
- Rappeler sa **généalogie** (ses parents, son nom...)
- Mettre en avant ses **qualités** et ses **exploits**

Appuyer sa demande
- Trouver un **domaine de compétence** et un (ou des) attribut(s) approprié(s)
- **Citer l'exemple** d'autres héros divinisés
- **Anticiper les objections** des dieux sur ses défauts

Prendre en compte son auditoire
- **S'adresser** précisément aux dieux en citant leurs attributions
- Respecter la **structure** d'une prière romaine

ÉTAPE 2 · S'ORGANISER EN ÉQUIPE

► Rassemblez vos connaissances en reprenant vos notes.
► Partagez-vous le travail : de la recherche d'informations sur le héros ou l'héroïne choisi(e) à la formulation d'arguments, en passant par le choix d'un attribut.

BESOIN D'AIDE ?

Vérifiez l'exactitude de vos informations :
- noms et histoire des héros divinisés ► p. 28 et 30
- domaine de compétences et attributs des dieux ► p. 32
- structure d'une prière romaine ► p. 37

3 Se loger à Rome

Quelles sont les caractéristiques des logements romains en ville ?

▲ Mosaïque romaine dite de Bucklersbury (250 ap. J.-C.) présentée dans une reconstitution d'un intérieur de villa romaine (Musée de Londres).

Connaissances, compétences, culture

Dans ce parcours, vous allez :

■ Lire et comprendre des images variées.

■ Lire et comprendre des textes littéraires, des inscriptions et des documentaires.

■ Communiquer par écrit un jugement argumenté, en tenant compte du destinataire et en respectant les codes de la lettre.

■ Découvrir les logements urbains dans lesquels vivaient les Romains, leur organisation, leur degré de confort et leur décoration.

■ Maîtriser le lexique du logement.

Domus aut insula ?

Quels sont les logements des Romains ?

▶ **Point besoin d'agence immobilière dans l'Antiquité ! Il suffit à Ambiarix de se promener dans les rues de la cité pour voir, gravés sur les murs, de nombreux graffitis susceptibles de l'intéresser dans ses recherches.**

1 LIRE ET COMPRENDRE UN TEXTE EN LATIN

Hospitium[1]. Hic locatur triclinium[2] cum tribus lectis[3] et commodis.

∟ CIL, IV, 807.

Insula Arriana Polliana, Cnaei Allei Nigidi Mai. Locantur ex Kalendis Julis primis[4] tabernae[5] cum pergulis[6] et cenacula[7] equestria[8] et domus. Conductor, convenito[9] Primum, Cnaei Allei Nigidi Mai servum[10].

∟ CIL, IV, 138.

In praedis[11] Juliae Spurii filiae Felicis locantur balneum[12] Venerium et nongentum[13], tabernae, pergulae, cenacula ex idibus Augustis primis in idus Augustis sextas[14], annos continuos quinque.

∟ CIL, IV, 1136.

❶ Ces trois annonces proposent des locations. Quel verbe vous l'indique ?
❷ Trouvez les biens à louer dans chaque annonce.
❸ À quels mois le bail de ces locations débute-t-il ?
❹ Quelle est la clientèle visée par les annonces 2 et 3 ?

Étudier la langue
Le présent, p. 268

2 DÉDUIRE DES INFORMATIONS D'IMAGES

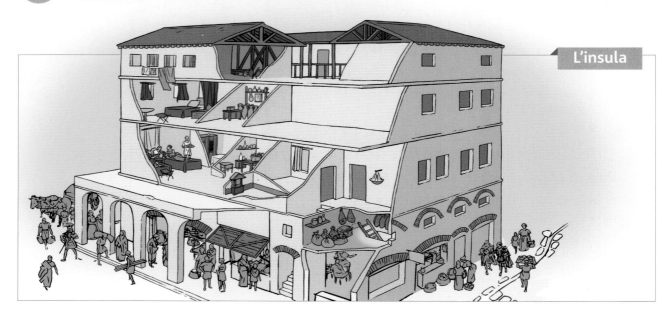

L'insula

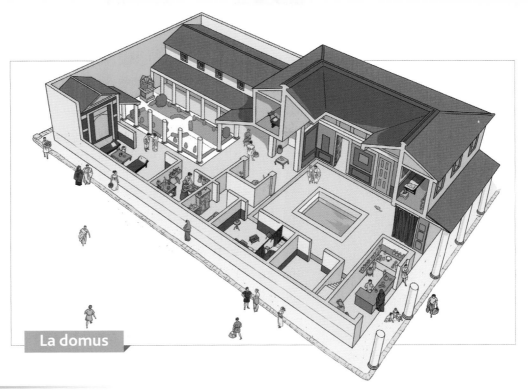

● Observez ces coupes d'une insula et d'une domus. Qu'est-ce qui les distingue à première vue ? Quelles sont les caractéristiques de chacune d'elles ?

La domus

3 DÉDUIRE DES INFORMATIONS DE TEXTES

1 Les appartements privés sont ceux dans lesquels personne ne pénètre sauf s'il est invité, tels que les chambres à coucher, les salles à manger, les bains et autres pièces de 5 cette nature. Les appartements communs sont ceux dans lesquels, même sans invitation, n'importe qui peut entrer, tels le vestibule, le péristyle et les autres parties destinées à des usages communs. [...] 10 Les maisons des banquiers et des financiers doivent être plus grandes et protégées des voleurs. Les avocats et les professeurs doivent avoir des demeures plus élégantes et plus spacieuses pour tenir leurs audiences. Pour 15 les personnes de la noblesse qui, occupant des charges et des magistratures, servent l'État, il faut des vestibules princiers, des atriums et des péristyles très spacieux, des jardins avec de longues allées d'arbres, pour donner une 20 impression de beauté et de perfection.

■ Vitruve, *De l'architecture*, VI, 5, traduit par C. Salles in *L'Antiquité romaine*, © Larousse (2000).

❶ Quelle distinction Vitruve opère-t-il au sein des différentes pièces qui constituent la domus ?

❷ D'après lui, qui a besoin d'une domus ? Pour quelle(s) raison(s) ? Qu'en pensez-vous ?

1 L'habitat collectif a été la solution trouvée par les Romains à l'accroissement démographique [...]. Cela donna naissance à l'immeuble de rapport, l'insula. Ce type d'habitat prit peu à peu le pas sur 5 la maison individuelle, au point que, à la fin de l'Empire, à Rome, on dénombrait 46 602 insulae, pour 1 797 domus.

■ André Pelletier, *L'Urbanisme romain sous l'Empire*, © éditions Picard (1982).

Vidéo
L'habitat collectif
↗ manuel numérique

le point sur LA MISSION

Récapitulez les caractéristiques des deux types de logements que l'on trouve à Rome. Vous en aurez besoin pour l'écriture de votre lettre.

● Quel habitat était le plus fréquent à Rome ? Pourquoi ?

3 In intimas aedes

Comment l'intérieur des logements romains est-il organisé ?

▶ **Il est maintenant temps d'accompagner Ambiarix à l'intérieur des logements romains et de découvrir avec lui à quoi ils ressemblent.**

1 MÉMORISER DU VOCABULAIRE

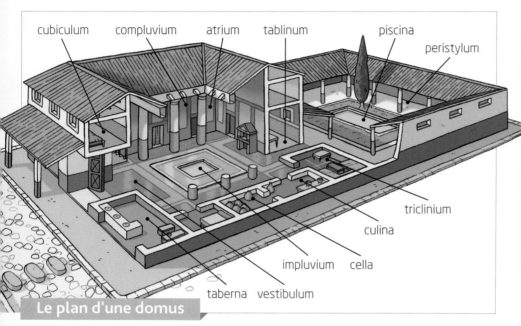

cubiculum · compluvium · atrium · tablinum · piscina · peristylum · triclinium · culina · cella · impluvium · taberna · vestibulum

Le plan d'une domus

● Associez chaque nom latin du plan de cette domus à sa signification en français en choisissant des termes dans la liste suivante :

cour intérieure • bassin pour recueillir les eaux de pluie • bassin à poissons • boutique • bureau • cellier • chambre • cuisine • ouverture dans le toit pour les eaux de pluie • péristyle • salle à manger • vestibule

▶ ▶ ▶ *COUP DE POUCE*

N'hésitez pas à relire les annonces de l'activité 1, page 40.

2 DÉDUIRE DES INFORMATIONS D'UN TEXTE

● Quelles sont les conditions de vie dans une insula ? Justifiez.

1   Les *insulae* romaines, réservées aux habitants pauvres, étaient construites en matériaux légers (torchis ou briques), avec une armature de poutrelles en bois, entrecroisées. Elles s'élevaient de plus en plus haut, au point que les empereurs durent intervenir : Auguste fixa la hauteur à 70 pieds
5 (= 20 m). [...] Le nombre d'étages varie de trois à huit ; le rez-de-chaussée est fréquemment occupé par des boutiques.

Les insulae est leur absence totale de confort. Chaque étage était divisé en appartements desservis par un escalier. Mais il n'y avait ni chauffage, ni eau courante, ni commodités. Bien que les loyers ne fussent
10 pas très élevés, le plus souvent, les locataires sous-louaient leur appartement, provoquant entassement d'individus et promiscuité.

■ André Pelletier, *L'Urbanisme romain sous l'Empire,* © éditions Picard (1982).

3   LIRE ET COMPRENDRE UN TEXTE EN LATIN

● Associez chaque texte à la pièce (membrum, repris par l'adverbe hic, « ici ») qui lui correspond.

A Per vestibulum Ambiorix in hoc membro intrat. Est in medio marmoreum impluvium ubi pluvia cadit et in cisternam ducitur.

D Hic Ambiarix vidit mythologicas scaenas et vitae cottidianae scaenas. Sunt columnae et statuae.

B Hic coquus cenam preparat. Sunt multa pocula et vasa.

E Hic Ambiarix tabulas conficere et epistulas ad amicos scribere potest.

C Hic sunt lectus et instrumentum. Ambiorix requiescere aut dormire potest.

F Hic Ambiarix amicis cenas dare potest.

D'hier à aujourd'hui

On trouve aujourd'hui, dans les galeries, les halls d'hôtel, les centres commerciaux ou les lieux d'exposition, de magnifiques atriums. Trouvez, sur Internet, la photographie de l'un d'eux. Décrivez-le et expliquez le lien avec l'atrium des maisons romaines.

le point sur LA MISSION

Expliquez en quelques phrases comment est organisé l'intérieur de la domus et de l'insula. Il faudra faire preuve de précision et de clarté pour aider la femme d'Ambiarix à imaginer son futur logement.

Beneficia et detrimenta

Quels sont les avantages et les inconvénients des quartiers romains ?

▶ **Ambiarix doit maintenant choisir le quartier qui offrira le plus de commodités pour son travail et sa vie de famille (proximité des commerces et des marchés, des thermes publics, des lieux de loisirs et des jardins).**

1 DÉDUIRE DES INFORMATIONS DE TEXTES

1   Le Champ de Mars[1] devient le quartier des commerces de luxe (avec notamment les *Saepta Julia* commencés sous César sur l'emplacement réservé jadis à la réunion des comices[2], et achevés
5 par Agrippa[3] en - 27) et un lieu prisé de promenade. Là se trouvent 15 des 25 portiques de Rome (le portique est une galerie couverte réservée aux piétons pour flâner à l'abri du soleil – ou de la pluie –, et qui se déroule généralement autour d'un jardin,
10 d'un monument ou d'une place).

■ Jean-Noël Robert, *Rome*, © Les Belles Lettres (2002).

1. Le Champ de Mars est une plaine de près de 2 km² située au nord-ouest de Rome.
2. Les comices sont des assemblées populaires au sein desquelles votent les citoyens romains.
3. Agrippa est un des proches conseillers de l'empereur Auguste.

❶ À l'origine, à quoi le Champ de Mars servait-il ?
❷ Quelle évolution a-t-il connu ?
❸ Pourquoi est-il particulièrement apprécié des Romains à l'époque d'Auguste ?

1   Entre le Palatin et l'Aventin s'étend la Vallée Murcia (où le *Circus Maximus* allonge, sous l'Empire, ses 600 m de long pour 250 000 spectateurs sous Auguste) entre le
5 Palatin et le Capitole, le Vélabre (quartier commerçant, avec le *forum boarium*), au pied du Quirinal, du Viminal et de l'Esquilin, l'Argilète (quartier commerçant, beaucoup de libraires) et Subure (quartier populeux et
10 mal famé, célèbre pour ses tavernes louches et ses lupanars crasseux) ; sur l'Esquilin, les Carènes (quartier aristocratique). Enfin, au cœur de la cité, le Forum, centre de la vie politique [...] et centre religieux.

■ Jean-Noël Robert, *Rome*, © Les Belles Lettres (2002).

❶ Quels sont les différents quartiers de Rome évoqués dans le texte ?
❷ Quelle est la particularité de chacun d'eux ?

▼ Scène de marché, bas-relief.

2 · LIRE UN PLAN

Plan de Rome à l'époque d'Auguste.

❶ Où les seuls thermes publics de Rome se trouvent-ils ?

❷ Où les jardins permettant de se rafraîchir un peu l'été se situent-ils ?

❸ Citez les différents lieux où Ambiarix et sa famille pourront aller se divertir.

❹ Repérez l'emplacement des marchés où Ambiarix fera ses affaires.

(Carte de Rome)

Aqua Virgo (aqueduc bâti par Agrippa)
Jardins de Salluste
Aqua Julia (aqueduc bâti par Agrippa)
VIMINAL
CHAMP DE MARS
QUIRINAL
Jardins des Lollii
Panthéon d'Agrippa
Saepta Julia
Thermes d'Agrippa
Théâtre de Balbus
Forum d'Auguste
ESQUILIN
Jardins de Mécène
CAPITOLE
Forum de Jules César (46 av. J.-C.)
Marché aux légumes
Édifices du Forum Romanum
Amphithéâtre de Statilius Taurus
Marché aux bœufs
Temple d'Apollon
Portique d'Octavie
PALATIN
CAELIUS
Théâtre de Marcellus
JANICULE
Circus Maximus
Le Tibre
Bois des Camènes
AVENTIN
Mur Servien
500 m

Principaux bâtiments
■ Antérieurs à Auguste
■ Bâtis par Auguste
⌐⌐⌐ Mur Servien

3 · DÉDUIRE DES INFORMATION D'UN TEXTE

Ego vel Prochytam[1] praepono[2] Suburae[3].

Nam quid tam miserum, tam solum vidimus, ut non

deterius credas horrere incendia, lapsus

tectorum adsiduos ac mille pericula saevae

Urbis [...] ?

L. Juvénal, *Satires*, III, vers 5-9.

▶ **AIDE À LA LECTURE**

1. Prochyta : petite île volcanique sur la côte de Campanie

2. praepono, is, ere, posui, positum : préférer

3. Subure : quartier populaire de Rome (au pied du Caelius et de l'Esquilin)

❶ Dans quel quartier le poète habite-t-il ?

❷ Pourquoi envisagerait-il de le quitter ?

▶▶▶ *COUP DE POUCE*

Aidez-vous des mots transparents du texte pour répondre à la question 2.

Où trouver à louer un appartement qui permet le sommeil ? [...] Le passage des carrioles dans un étranglement de venelles et les cacophonies des troupeaux bloqués arracheraient le sommeil à un Drusus[1], à une famille de phoques !

■ Juvénal, *Satires*, III, vers 232-238, traduit par O. Sers, © Les Belles Lettres (2002).

1. Allusion à l'empereur Claude qui s'endormait lourdement après ses repas.

● Quel autre inconvénient le poète évoque-t-il ?

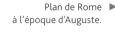
le point sur LA MISSION

Sur le plan, repérez l'emplacement des différents quartiers de Rome où pourraient s'installer Ambiarix et sa famille. Listez les avantages et les inconvénients de chacun d'eux.

In coloribus

Comment les maisons romaines sont-elles décorées ?

➤ **Ambiarix hésite entre plusieurs logements. Il se renseigne sur les tendances de la décoration à Rome (techniques, couleurs, sujets...).**

1 DÉDUIRE DES INFORMATIONS D'UN TEXTE ET D'UNE IMAGE

Les fresques sont des peintures qui ornent les murs des maisons romaines. Sur le mur, le plâtrier superpose sept couches de plus en plus fines : sur la dernière, un enduit de chaux, on trace le dessin avant d'appliquer les pigments colorés. En durcissant, la chaux forme une pellicule imperméable et résistante. Les pièces les plus ornées sont les pièces publiques : l'atrium, le péristyle et le triclinium.

■ Valérie Hébert.

◀ Atrium de la maison des Vetii, Pompéi.

❶ D'après le texte, pour quelles raisons les fresques romaines ont-elles traversé les siècles ?

❷ Quels éléments donnent une impression de richesse à cette pièce ?

2 DÉDUIRE DES INFORMATIONS DE TEXTES

1   L'analyse chimique des peintures nous apporte d'autres renseignements. Les peintres utilisaient sept couleurs de base (noir, blanc, bleu, jaune, rouge, vert et orange) en diverses nuances réalisées avec quinze pigments différents. Certains devaient être faciles à trouver localement : la suie, par exemple, leur donnait le noir,
5 et diverses formes de craie ou de calcaire, le blanc. Mais ils employaient aussi des ingrédients venus de plus loin ou plus sophistiqués : céladonite, peut-être de Chypre, pour le vert ; hématite pour le rouge, probablement importée elle aussi ; et le « bleu égyptien », fabriqué commercialement en chauffant ensemble du sable, du cuivre et une forme de carbonate de calcium (selon Pline, il était au moins quatre
10 fois plus onéreux que l'ocre jaune de base).

■ Mary Beard, *Pompéi, la vie d'une cité romaine*, © Éditions du Seuil (2012) pour la traduction française.

❶ Combien de couleurs les Romains utilisaient-ils ?

❷ À partir de quoi les fabriquaient-ils ?

❸ Où trouvaient-ils les matériaux nécessaires à leur fabrication ?

❹ Quelle conclusion pouvez-vous en tirer sur leur prix ?

> ₁ Il ne faut pas non plus priver de son dû Studius qui vécut à l'époque du divin Auguste : il fut le premier à imaginer une façon tout à fait charmante de peindre les parois, y figurant des maisons de campagne et des ports ainsi que des thèmes paysagistes, bosquets sacrés, bois, collines, étangs poissonneux,
> ₅ euripes, rivières, rivages, au gré de chacun, et y introduisit diverses effigies de personnages se promenant à pied ou en barque, se rendant, sur la terre ferme, à leur maison rustique.
>
> ■ Pline l'Ancien, *Histoire naturelle*, Livre XXXV, XXXVII, 116, traduit par J.-M. Croisille, © Les Belles Lettres (1997).

❶ Quels motifs plaisent aux Romains de l'époque d'Auguste ? Pline partage-t-il ce goût ?

❷ Quel sentiment ce type de peinture peut-il susciter chez les habitants de la ville ?

---

❸ S'EXPRIMER À L'ORAL

Animation
↗ manuel numérique

MÉTHODE

Vous allez présenter cette œuvre à l'oral. Pour cela, préparez une fiche en trois étapes :

1 Identifiez l'œuvre (nature de l'objet, date de réalisation, lieu de découverte, lieu de conservation).

2 Décrivez-la (dimensions, matériau, technique, couleurs, personnages, scène représentée…).

3 Donnez votre avis sur l'œuvre.

Mosaïque : art de réaliser des tableaux sur le sol et les murs à partir de petites pierres colorées dites « tesselles ».

Étymologie : du latin *musivum*, lui-même emprunté au grec μουσεῖον (« qui se rapporte aux muses »). Pour honorer les Muses, on décorait la grotte qui abritait leur statue de tessons et pierreries, assemblés au fil du temps. Cette pratique a pris le nom de mosaïque.

▲ Virgile entouré de Clio, muse de l'histoire, à sa droite, et de Melpomène, muse de la tragédie, à sa gauche, mosaïque (IIIᵉ s. ap. J.-C.) exposée au Bardo et découverte à Hadrumète à proximité de Sousse.

PISTE EPI

Quels sont les descendants contemporains des fresques et des mosaïques ?

www.editions-hatier.fr

le point sur LA MISSION

Résumez, en quelques phrases, ce que vous avez appris sur la décoration des maisons romaines. Cela pourra être utile à Ambiarix pour justifier, auprès de son épouse, le choix du ou des logements qu'il a sélectionnés.

ATELIER D'EXPRESSION

▶ **Pour écrire votre lettre et bien vous faire comprendre de l'épouse d'Ambiarix, il vous faudra utiliser le vocabulaire précis de l'habitat. Ces activités vous y aideront.**

1 COMPRENDRE L'ORIGINE DES LANGUES IEUROPÉENNES

La racine indo-européenne *dem-, « construire », est à l'origine du grec δόμος qui désigne une couche de briques ou un assemblage de matériaux, habitable ou non. À une date indéterminée, ce dernier s'est confondu avec un autre δόμος au sens de « demeure » que l'on retrouve dans le sanskrit dāma et dans le latin domus (qui désigne le « chez soi »).

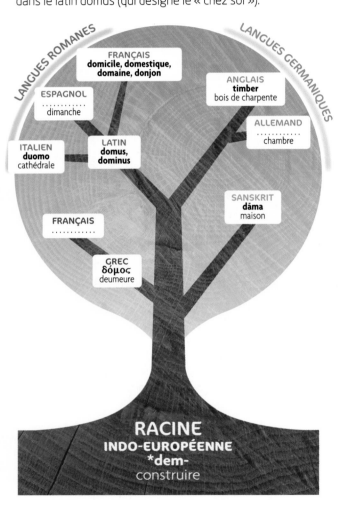

LANGUES ROMANES — LANGUES GERMANIQUES

FRANÇAIS : domicile, domestique, domaine, donjon

ESPAGNOL : dimanche

ANGLAIS : timber — bois de charpente

ITALIEN : duomo — cathédrale

LATIN : domus, dominus

ALLEMAND : .... chambre

SANSKRIT : dāma — maison

FRANÇAIS : ....

GREC : δόμος — deumeure

RACINE INDO-EUROPÉENNE *dem- construire

❶ Complétez les bulles avec les mots des langues que vous connaissez.

❷ Complétez avec un des mots de l'arbre :

a. Les agents de recensement ne passent plus à **dom**..., les enquêtes s'effectuent *via* Internet.

b. Il semblerait que le premier animal **dom**... ait été le chien, à la Préhistoire.

c. Grâce au progrès de la **dom**... on peut allumer le chauffage ou fermer les volets de sa maison depuis son bureau.

d. Autour du château-fort signalé par un **don**... on aperçoit le **dom**... du seigneur.

2 MÉMORISER PAR L'ÉTYMOLOGIE

Résolvez ces devinettes pour retrouver les mots français dérivés du latin.

a. Os en forme de *clavis*.

b. Théorie scientifique qui compare les continents aux tuiles d'un *tectum*.

c. Pièce fraîche comme une *cella* où on range les légumes.

d. Meuble indispensable dans un *tablinum* pour faire ses devoirs.

e. Marques sur un tube à essai comme les *gradus* d'une maison.

3 EXPLIQUER LE SENS D'UN MOT FRANÇAIS PAR LE LATIN

Complétez les explications des mots et rappelez le mot latin d'origine avec son sens.

a. Une préparation culinaire aide à réaliser des recettes de .... car le mot .... veut dire ....

b. L'horticulture est l'art de s'occuper des .... car le mot .... veut dire ....

c. Celui qui a le don d'ubiquité a le pouvoir d'être dans plusieurs .... en même temps, car le mot vient de .... qui veut dire ....

 LATINE LOQUOR

Mettez-vous par deux. Primus interrogat :
« Ubi est ... ? »
Secundus latine respondet : « in culina »,
« in tablino », « in cubiculo », « in atrio ».

5 APPRENDRE À TRADUIRE EN GROUPE

1   C. PLINIUS GALLO SUO S(alutat)

  Miraris cur me Laurentinum meum tanto opere
delectet.

  Villa usibus capax, non sumptuosa tutela.

5 Cujus in prima parte atrium frugi nec tamen
sordidum ; deinde porticus mox triclinium satis
pulchrum. A laeva cubiculum est amplum, deinde
aliud minus cubiculum. Altera fenestra admittit
orientem solem, occidentem altera retinet ; inde
10 balinei cella frigidaria spatiosa est.

  Vale.

∟ D'après Pline le Jeune, *Lettres*, II, 17.

Texte lu
↗ manuel numérique

Formez des groupes et répondez aux questions.

❶ À qui Pline le Jeune écrit-il ? Quelle formule débute et termine la lettre ? Traduisez.

❷ Quel est le sujet de cette lettre ? Aidez-vous de vos connaissances lexicales.

❸ Relevez les différentes pièces nommées.

❹ La maison vous paraît-elle confortable ? Intéressez-vous aux adjectifs soulignés.

❺ Traduisez ensemble le texte des lignes 6 à 10.

▶ **AIDE À LA TRADUCTION**
 deinde : ensuite
 a laeva : à gauche, ablatif
 aliud : une autre
 altera... altera : l'une... l'autre, ablatif
 orientem solem, occidentem : accusatif

VOCABULAIRE

Noms

atrium, ii, n. : l'atrium
cella, ae, f. : la cave
cenaculum, i, n. : la chambre ou
la salle à manger à l'étage
clavis, is, f. : la clef
compluvium, ii, n. : le compluvium
(ouverture dans le toit pour les eaux
de pluie)

cubiculum, i, n. : la chambre à coucher
culina, ae, f. : la cuisine
domus, us, f. : la maison
fons, ntis, m. : la fontaine
gradus, uum, m. pl. : les marches
hortus, i, m. : le jardin
impluvium, ii, n. : l'impluvium (bassin
pour les eaux de pluie)
insula, ae, f. : l'immeuble
peristylum, i, n. : le péristyle

tabulinum/tablinum, i, n. : le bureau
tectum, i, n. : le toit
triclinium, ii, n. : la salle à manger

Verbe

habito, as, are, avi, atum : habiter

Mot invariable

ubi : où ?

LA MISSION ▸ Écrire une lettre

Il est maintenant temps pour vous d'écrire la lettre qu'Ambiarix adresse à sa femme.
Vous devrez y indiquer les différentes possibilités de se loger qui s'offrent à elle, ainsi que
les avantages et les inconvénients des habitations qu'Ambiarix a visitées à Rome
(situation géographique, confort, commodités, décoration…).

ÉTAPE 1 ▸ IDENTIFIER LES CRITÈRES DE RÉUSSITE

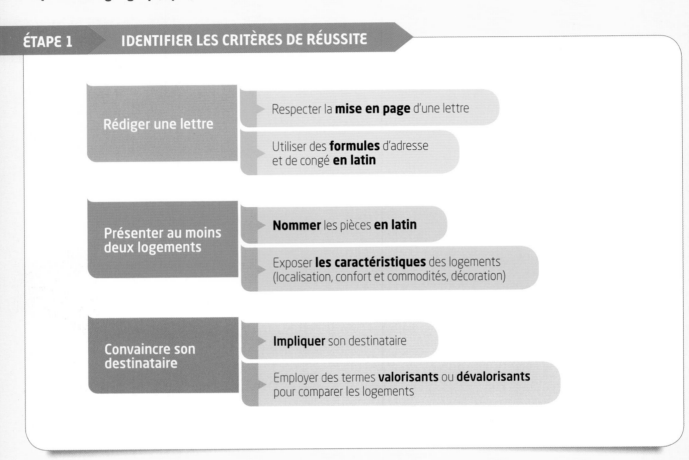

Rédiger une lettre
- Respecter la **mise en page** d'une lettre
- Utiliser des **formules** d'adresse et de congé **en latin**

Présenter au moins deux logements
- **Nommer** les pièces **en latin**
- Exposer **les caractéristiques** des logements (localisation, confort et commodités, décoration)

Convaincre son destinataire
- **Impliquer** son destinataire
- Employer des termes **valorisants** ou **dévalorisants** pour comparer les logements

ÉTAPE 2 ▸ S'ORGANISER EN ÉQUIPE

▸ Rassemblez vos connaissances en reprenant vos notes.
▸ Partagez-vous équitablement le travail, de la rédaction à la relecture.

BESOIN D'AIDE ?

Vérifiez l'exactitude de vos informations :
- formules d'adresse et de politesse ▸ activité 5 p. 49
- vocabulaire de la maison ▸ activité 1 p. 48, lexique à mémoriser : p. 49
- présentation des différents types de logements ▸ p. 40 et 42
- présentation des différents quartiers ▸ p. 44
- décoration des maisons ▸ p. 46

4 Voyage aux enfers

Comment les Grecs et les Romains se représentent-ils le monde des morts ?

LA MISSION

Fidèle compagnon d'Énée, vous l'accompagnez depuis son départ de Troie. N'écoutant que votre courage, vous descendez avec lui aux enfers, le monde des morts. La célèbre Sibylle de Cumes guide vos pas.

➡ Formez une équipe qui concevra un dépliant touristique pour promouvoir ce site.
➡ Prenez des notes tout au long du parcours pour réaliser cette mission.

▲ Brueghel l'Ancien, *Énée aux enfers* (vers 1600, détail), huile sur cuivre, 36 x 52 cm (Vienne, Kunsthistorisches Museum).

Connaissances, compétences, culture

Dans ce parcours, vous allez :

- Lire et comprendre des images variées.
- Lire et comprendre des textes littéraires, des inscriptions et des documentaires.
- Revoir une figure héroïque des origines de Rome : Énée.
- Découvrir des héros et des divinités.
- Découvrir la géographie des enfers et la manière dont les Romains se représentaient le monde des morts.
- Maîtriser le lexique du monde des morts.

Aeneas, a Sibylla Cumea ductus, in inferna init

Comment Énée parvient-il et entre-t-il aux enfers ?

> ◗ Avant de l'aider à pénétrer dans le royaume des morts, la Sibylle de Cumes demande à Énée de se présenter et de rappeler son parcours.

1 — LIRE ET COMPRENDRE UN TEXTE EN LATIN

Info +
Le voyage d'Énée
hatier-clic.fr/lat05

1   AENEAS **VENERIS**
ET ANCHISAE FILIUS **TROJANOS**
QUI CAPTA **TROJA** ET INCENSA
SUPERFUERANT **IN ITALIAM** ADDUXIT
5   [...] OPPIDUM LAVINIUM CONDIDIT ET
IBI **REGNAVIT ANNOS TRIS** INDE
NIMBO EXORTO NON CONPARUIT
DICTUSQUE EST INDIGENS
ET IN DEORUM NUMERO RELATUS

⌐ CIL, X, 808.

Inscription figurant sur l'édifice d'Eumachia,
sur le forum de Pompéi (Iᵉʳ s. ap. J.-C.).

1   Énée, fils de Veneris et Anchisae
conduisit in Italiam Troianos
qui avaient survécu à la prise et
à l'incendie de Troia. Il fonda la ville
5   de Lavinium et y regnavit annos tris.
Alors qu'un nuage était soudainement
apparu, il ne fut plus visible,
on le déclara disparu et on le compta
au nombre des dieux.

◀ Girolamo Genga, *Énée, son père Anchise et son fils Ascagne fuient Troie incendiée* (vers 1509), fresque, 140 x 145 cm (Sienne, Palais Petrucci).

❶ Mobilisez vos souvenirs de 6ᵉ. Qui est Énée ? Qui porte-t-il sur ses épaules ?

❷ Votre mémoire vous fait défaut ? Finissez de traduire l'inscription (mots latins en gras) pour vous aider.

2 · DÉDUIRE DES INFORMATIONS D'UN TEXTE

En son flanc, la roche de Cumes est creusée en forme d'immense grotte où mènent cent larges passages, cent ouvertures d'où s'échappent autant de voix, de réponses de la Sibylle. On était arrivé
5 à l'entrée, quand la vierge[1] dit [...] : « Es-tu disposé à faire des vœux et des prières, Troyen Énée, y es-tu disposé ? Car elles ne s'ouvriront pas avant, les grandes bouches de la demeure terrifiée. » [...] « Apprends ce qu'il faut commencer par faire. Dans
10 un arbre au feuillage opaque se cache un rameau dont les feuilles, dont la baguette flexible sont en or ; on le dit voué en propre à la Junon des Enfers. Tout un bosquet le cache et l'ombre l'enclot au fond d'un vallon obscur. Mais il n'est donné à personne
15 de pénétrer les profondeurs de la terre sans avoir d'abord détaché de l'arbre la pousse coiffée d'or : la belle Proserpine a établi qu'on devait la lui apporter comme l'hommage qui lui est dû. »

■ Virgile (70-19 av. J.-C.), *Énéide*, Livre VI, vers 42- 52 et 136-142, traduit par P. Veyne, © Les Belles Lettres (2012).

1. Il s'agit de la Sibylle.

❶ Où la grotte de la Sibylle se trouve-t-elle ?
❷ Quelle première difficulté Énée rencontre-t-il (l. 1-4) ?
❸ Relevez les deux conditions nécessaires pour pénétrer dans les enfers.

3 · METTRE EN RELATION DES DOCUMENTS

En outre sont parquées à une porte une foule de bêtes monstrueuses de toutes formes, Centaures, Scylles biformes, centuple Briarée, hydre de Lerne à l'horrible sifflement, Chimère armée d'une flamme, Gorgones, Harpyes et l'ombre d'une forme à trois corps.
5 Alors, saisi d'une terreur soudaine, Énée met la main à l'épée, la tire du fourreau et en présente la pointe à qui viendrait à lui.

■ Virgile (70-19 av. J.-C.), *Énéide*, Livre VI, vers 285-290, traduit par P. Veyne, © Les Belles Lettres (2012).

❶ Quels monstres Énée doit-il affronter ?
❷ Associez chacun d'eux aux représentations ci-dessous.

D'hier à aujourd'hui

Les Romains pensaient que le lac Averne, près de Cumes et du Vésuve, était une entrée des enfers. C'est par cette porte (janua) que la Sibylle fait passer Énée. Situez ce lieu sur une carte d'Italie et expliquez la caractéristique géographique de cette région.

le point sur LA MISSION

Présentez la « carte d'identité » d'Énée. Récapitulez les conditions à remplir pour entrer aux enfers, ainsi que les personnages que vous allez rencontrer.

Periculosum iter !

Quels dangers et quelles épreuves Énée doit-il affronter ?

▶ **Les premières formalités remplies, vous poursuivez avec Énée votre descente dans le royaume des morts.**

1 LIRE ET COMPRENDRE UN TEXTE

▶ **AIDE À LA LECTURE**

1. **eo, is, ire, ivi, itum** : aller, à l'imparfait dans le texte
2. **sub** : *a donné* subalterne
3. **nocte** : *a donné* nocturne
4. **per** : à travers
5. **umbra** : *a donné* ombrelle

1 Ibant[1] obscuri sola sub[2] nocte[3] per[4] umbram[5].

[...]

De là, un chemin mène dans le Tartare, vers les eaux de l'Achéron. C'est là qu'un tourbillon bourbeux, en un gouffre énorme, bouillonne

5 et vomit tout son limon dans le Cocyte.

■ Virgile (70-19 av. J.-C.), *Énéide*, Livre VI, vers 268 et 295-297, traduit par P. Veyne, © Les Belles Lettres (2012).

❶ Traduisez le premier vers. Quels mots sont redondants ?

❷ Relevez le nom des fleuves des enfers.

❸ Quelle représentation les Grecs et les Romains avaient-ils des enfers ? Quelle est la différence avec la conception chrétienne ?

2 METTRE EN RELATION DES DOCUMENTS

Animation
↗ **Manuel numérique**

▲ Alexander Dmitrievich Litovchenko, *Charon et les derniers défunts traversant le Styx* (1861), huile sur toile (Saint-Pétersbourg, The State Russian Museum).

Portitor has **horrendus** aquas et flumina servat[1]
terribili squalore[2] Charon, cui plurima mento
canities inculta jacet ; stant lumina[3] flamma,
sordidus ex umeris nodo dependet amictus[4].
5 Ipse ratem conto subigit, velisque ministrat,
et **ferruginea** subjectat corpora cymba,
jam **senior**, sed cruda deo viridisque senectus.

└ Virgile (70-19 avant J.-C.), *Énéide*, Livre VI, vers 299-304.

▶**AIDE À LA LECTURE**
1. **servat** : *a donné* conserver, garder
2. **squalor, oris**, m. : saleté
3. **lumina** : *a donné* luminaire, illuminer
4. **amictus, i**, m. : manteau

Étudier la langue

↳Les adjectifs de la 1re classe, p. 248 et 250

Texte lu
↗ **Manuel numérique**

❶ Retrouvez dans le texte latin le nom du personnage principal du tableau. Par quel autre nom est-il désigné au vers 1 ?

❷ Traduisez le vers 1 : quel est le rôle de ce personnage ?

❸ Traduisez les adjectifs en gras. Quel effet produisent-ils ?

❹ Comment ses yeux sont-ils représentés au vers 3 ?

 DÉDUIRE DES INFORMATIONS D'UNE IMAGE

● Quelle coutume funéraire les vivants devaient-ils accomplir envers leurs morts ? Pour quelle raison ?

Charon reçoit de la défunte l'obole ▶ (pièce de monnaie grecque) qui permet le passage de l'âme vers les enfers, fresque de la nécropole d'Andriuolo (IVe s. av. J.-C., détail) (Paestum, Musée Archéologique National).

 DÉDUIRE DES INFORMATIONS D'UN TEXTE

1 Là terrifie les ombres le chien cruel du Styx qui, secouant sa triple tête avec un bruit énorme, garde le royaume. Des couleuvres lèchent sa tête, éclaboussée de sanie, sa crinière est hérissée de vipères, sa queue tortueuse siffle, long dragon. Sa rage répond à son aspect : dès qu'il a perçu des
5 mouvements de pieds, il dresse ses poils, hérissés de serpents qui s'agitent.

■ Sénèque (4 av. J.-C.-65 ap. J.-C.), *Hercule furieux*, vers 783-789, traduit par F. R. Chaumartin, © Les Belles Lettres (1996).

❶ Dessinez le portrait de Cerbère en tenant compte de celui qu'en fait Sénèque.

❷ Quel est son rôle dans les enfers ?

D'hier
à aujourd'hui

Cerbère a inspiré un personnage dans *Harry Potter*. Lequel ? Que signifie encore aujourd'hui l'expression « être un cerbère » ?

le point sur LA MISSION

Faites un croquis qui rende compte de votre parcours, de l'entrée des enfers au gardien Cerbère.
Dessinez la géographie des fleuves des enfers.

Quam viam eligamus ?

Quelle route choisir : le Tartare ou les Champs Élysées ?

▶ **Après avoir traversé le Styx sur la barque de Charon et amadoué Cerbère, voici le paysage que vous allez maintenant découvrir. La Sibylle vous le décrit.**

1 DÉDUIRE DES INFORMATIONS D'UN TEXTE

1 Non loin de là se font voir les Plaines des Larmes (c'est ainsi qu'on les nomme) qui s'étendent de tous côtés. Des sentiers écartés y recèlent ceux que le dur amour a fait dépérir en une langueur sans merci. [...] Cet endroit est celui où le
5 chemin se divise entre les deux routes, celle de droite va passer au pied des remparts de Dis, c'est notre voie pour l'Élysée, et celle de gauche est punisseuse et mène au Tartare impie.

■ Virgile (70-19 avant J.-C.), *Énéide*, Livre VI, vers 440-443 et 540-543, traduit par P. Veyne, © Les Belles Lettres (2012).

❶ Quels sont les trois lieux que découvre Énée ?

❷ Qui demeure dans chacun d'eux ?

❸ Qui décide ici de la route ?
Traduisez la phrase suivante pour le savoir :
Ibi tres judices, Rhadamanthus, Eaque, Minosque, animas judicant et viam decernunt.

2 METTRE EN RELATION DES DOCUMENTS

Aeneas in campos Elysios pervenit et laetos campos vidit.

❶ Traduisez la phrase latine qui précède le tableau. Quel lieu le tableau représente-t-il ?

❷ Quelle atmosphère s'en dégage ?
Par quelles techniques picturales (choix des couleurs, mouvements des personnages, organisation du tableau, lumière, etc.) ?

◀ Henri Jean Guillaume Martin, *Sérénité (Virgile, l'Énéide, Livre IV)* (1899), huile sur toile, 347 × 544 cm (Paris, musée d'Orsay).

3 DÉDUIRE DES INFORMATIONS D'UN TEXTE

1 Énée regarde autour de lui et tout à coup à gauche, il voit au pied d'une hauteur rocheuse, des constructions que ceint une triple muraille ; le fleuve rapide du Tartare, le Phlégéthon, les entoure d'un torrent de flammes et roule de rocs retentissants [...]. De là on peut entendre sortir
5 des cris de douleur, l'écho de coups de fouet sans pitié, ou des grincements de fer, des chaînes que l'on traîne. Énée s'arrêta, terrifié, pour écouter ce fracas : « Des crimes, oui, mais quels sont-ils ? Dis-le-moi, ô vierge. »

■ Virgile (70-19 avant J.-C.), *Énéide*, Livre VI, vers 548-551 et 557-560, traduit par P. Veyne, © Les Belles Lettres (2012).

❶ Quel lieu se cache derrière cette triple muraille ?

❷ Quels hommes sont destinés à cet endroit ?

❸ Quel est l'effet produit par la description de ce lieu ?

 4 LIRE ET COMPRENDRE EN LATIN

A Jupiter, propre purum rivum, ad arborem multa poma fingit[1]. Sed Tantalo sitiente, aqua discedit et, fame premente, rami exsurgunt.

B Danaides, interfectis[2] viris, **perforatum dolium** aqua implere debent.

C Sisyphus **magnum saxum** usque ad summum montem **volvit**.

D Jovis jussu, Ixion **in rotam ardentem fixus est quae in aeternum volvitur**.

▶ **AIDE À LA LECTURE**
1. **fingit** = fixerat
2. **interficio, is, ere** : tuer

Étudier la langue

La 2e déclinaison, p. 250
Les adjectifs de la 1re classe, p. 248 et 250

❶ Traduisez la phrase A puis expliquez le supplice que Tantale subit.

❷ Traduisez les phrases B, C et D et vous connaîtrez d'autres suppliciés du Tartare.

▶▶▶ *COUP DE POUCE*

Dans chaque phrase, cherchez le nom du supplicié et aidez-vous des indices en gras et des mots transparents.

▲ Giambattista Langetti (vers 1630-1676), *Tantale*, huile sur toile, 97 x 118 cm (Venise, Ca' Rezzonico).

 le point sur **LA MISSION**

Dessinez la suite de votre itinéraire et préparez un bref commentaire pour chaque lieu que vous avez vu.

In aedibus Plutonis uxorisque estis !

Quelles divinités rencontrer aux enfers ?

▶ **Vous êtes maintenant dans le palais de Pluton et de son épouse.**

1 DÉDUIRE DES INFORMATIONS D'UN TEXTE

1   L'assimilation de Pluton et de Proserpine avec le couple grec Hadès-Perséphone leur confère une importance nouvelle. À l'époque classique, ils ont adopté les caractéristiques de leurs homologues grecs. Pluton règne sur la région située sous terre, appelée Inferi, « ce qui est en-dessous ».
5   [...] Le palais de Pluton, vaste demeure enfoncée dans un bois profond et entourée par le Styx et l'Achéron, a pour vestibule une immense caverne conduisant à la salle du trône sur lequel s'assoit le roi des enfers. [...] À ses côtés, son épouse Proserpine tient une grenade, nourriture des morts.

■ Catherine Salles, « Pluton, roi des enfers »,
in *Mythologie, dans le secret des dieux,* © Historia Éditions (2013).

❶ Qui règne sur les enfers ? Donnez leur nom grec et latin.

❷ À quel attribut reconnaît-on Proserpine ?

❸ Quel hommage Énée doit-il lui rendre ? Que doit-il lui donner ? Relisez le texte de l'activité 2 p. 53.

❹ Où le palais de Pluton se situe-t-il dans la géographie des enfers ?

2 LIRE UNE SCULPTURE

❶ Proserpine n'est pas venue de son plein gré aux enfers. Qui l'a enlevée ? Relevez les trois indices qui le prouvent.

❷ Comment l'artiste rend-il compte de l'opposition entre les deux personnages ?

Gian Lorenzo Bernini, dit Le Bernin, ▶
Le Rapt de Proserpine (1621-1622),
marbre, 2,20 m de hauteur
(Rome, Galerie Borghèse).

1 Près du trône des souverains, se trouvent leurs auxiliaires. [...] Ce sont des divinités mobiles, dans la mesure où, tout en résidant apparemment dans le monde infernal, elles interviennent surtout dans le monde des vivants. Il s'agit de divinités féminines toujours plurielles, regroupées généralement en
5 triades, et qui suscitent l'horreur et l'effroi non pas chez les morts, mais chez les vivants : ce sont les Kères, et à côté d'elles les Parques (les « Moires »), les Gorgones et les Érynies.

 Danielle Jouanna, *Les Grecs aux Enfers, d'Homère à Épicure*, © Les Belles Lettres (2015).

❶ Quelles divinités aident Pluton et Proserpine ? Quelles caractéristiques ont-elles ?

❷ Observez le groupe de Moires dans le tableau : que symbolise le fil que tiennent deux d'entre elles ?

❸ Déduisez-en le rôle qu'elles jouent auprès des vivants.

▲ John Melhuish Strudwick, *Un fil d'or* (1885, détail), huile sur toile, 72 x 42 cm (Londres, Tate Gallery).

4 LIRE ET COMPRENDRE EN LATIN

Votre parcours est terminé mais il vous faut comprendre ces phrases latines pour trouver la sortie des enfers.

1 In valle Aeneas videt Lethaeum qui placidos campos transit. Inscius patrem suum interrogat. Tum pater Anchises : « Mortuorum animae Lethaei fluminis aquam potant et per oblivionem[1] altera[2]
5 corpora capiunt. »

▶**AIDE À LA LECTURE**
1. **per oblivionem** : par oubli
2. **altera** : a donné altérité

PISTE EPI

Comment et pourquoi le mythe des enfers antiques a-t-il perduré dans les arts ?

www.editions-hatier.fr

le point sur **LA MISSION**

Préparez une fiche sur toutes les divinités que vous avez rencontrées aux enfers.

ATELIER D'EXPRESSION

➤ **Pour enrichir les commentaires de votre dépliant touristique, voici quelques éclairages indispensables sur la signification des mots qui désignent le monde des enfers.**

1 COMPRENDRE L'ORIGINE DES LANGUES EUROPÉENNES

L'indo-européen *nokts (la nuit) se retrouve avec des voyelles différentes dans la plupart des langues européennes.

Menez l'enquête et complétez l'arbre suivant.

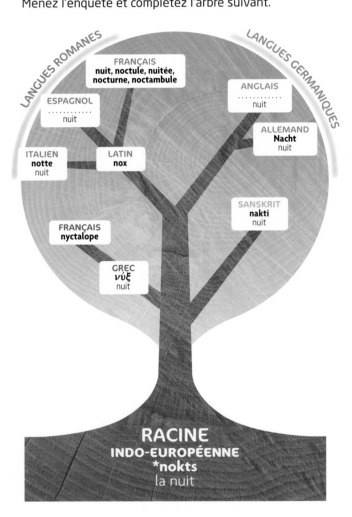

LANGUES ROMANES

LANGUES GERMANIQUES

FRANÇAIS
nuit, noctule, nuitée, nocturne, noctambule

ESPAGNOL
....
nuit

ANGLAIS
....
nuit

ALLEMAND
Nacht
nuit

ITALIEN
notte
nuit

LATIN
nox

SANSKRIT
nakti
nuit

FRANÇAIS
nyctalope

GREC
νύξ
nuit

RACINE
INDO-EUROPÉENNE
nokts
la nuit

2 APPRENDRE DES MOTS PAR FAMILLE

Complétez les phrases avec un mot français qui a conservé ce radical indo-européen.

a. Le tapage .... des rues de Rome nuit au sommeil des dormeurs. En revanche, les .... qui aiment faire la fête la nuit apprécient cette animation. D'autres font preuve de somnambulisme ou de ....

b. Certains animaux, comme la chouette ou le chat, passent pour avoir une excellente vision dans la nuit ou l'obscurité ; on dit qu'ils sont ....

c. Les chauves-souris géantes qui vivent en Europe et en Asie sont appelées des ....

3 COMPRENDRE LE SENS DES MOTS FRANÇAIS PAR LE LATIN

Utilisez vos connaissances mythologiques pour expliquer le sens des expressions en italique.

a. Les discours n'en finissent pas et les invités subissent *le supplice de Tantale*.

b. L'entrée de la piscine est gardée par *un véritable Cerbère*.

c. L'aider dans sa tâche est aussi utile que d'essayer de *remplir le tonneau des Danaïdes*.

d. Cette femme est *une harpie*.

e. Devant sa mauvaise foi, mon voisin *était médusé*.

f. Sans cesse, j'entends la Parque murmurer à mon oreille que *mon destin ne tient qu'à un fil*.

4 MÉMORISER DU LEXIQUE PAR L'ÉTYMOLOGIE

Inferi, orum, m. pl. désigne le monde des dieux « d'en bas » (dei inferi) opposé au monde des dieux « d'en haut » (dei superi). Vous y rencontrerez des ombres (umbra, ae, f.), des spectres (spectrum, ii, n.), des fantômes (simulacrum, i, n.) et les âmes (anima, ae, f.) des mortels.
Mémorisez ces noms en complétant les phrases suivantes avec leurs dérivés français.

a. Dans le royaume des morts, point n'est besoin d'.......... pour se protéger du soleil. Le lieu manque d'.......... .

b. Seules des ombres flottantes errent le long du Styx. Il aurait fallu vous doter d'un .... pour mieux les distinguer.

c. Soudain Cerbère avec ses trois gueules monstrueuses se dresse devant vous ! Et non ce n'est pas un ....

d. La peur descend jusqu'à vos membres .... Vous n'êtes pas un .... héros. Vivement que l'aventure se termine !

5 LATINE LOQUOR

En vous aidant des dessins, associez les questions et les réponses correspondantes puis jouez le sketch à deux. L'un joue la Sibylle et l'autre Énée.

Aenas interrogat : Quid facit ? Quis deus in inferis regnat ? Quod monstrum video ? Quid Charon mihi petit ?

Sibylla respondet : Magnum inferorum canem cui tria capita sunt vides. Charonti obulum dare debes. Sisyphus magnum saxum usque ad summum montem volvit. Pluto cum uxore in inferis regnat.

> *Étudier la langue*
> La 2ᵉ déclinaison, p. 250
> Les adjectifs de la 1ʳᵉ classe, p. 248 et 250

6 APPRENDRE À TRADUIRE

> 1   Pluton petit ab Jove Proserpinam filiam in conjugium daret[1]. Jupiter jubet eum rapere puellam. Pulchra Proserpina in monte Aetna cum
> 5 Venere et Diana et Minerva multas flores legit[2]. Pluton quadrigis venit et eam rapuit ; postea Ceres ab Jove libertatem filiae petit. Jupiter impetrat ut Proserpina dimidia[3]
> 10 parte anni apud ejus matrem et altera dimidia apud Plutonem esset.
>
>   L. D'après Hygin, *Fables*, 146.

Qu'arrive-t-il à Proserpine ? Vous le saurez en traduisant ce texte à l'aide des questions.

❶ Que demande Pluton à Jupiter ? Traduisez le premier accusatif du texte.

❷ Quelle est la réponse de Jupiter ? Traduisez l'infinitif et l'accusatif de la deuxième phrase.

❸ À l'aide des prépositions, relevez les ablatifs de la troisième phrase. Où se trouve Proserpine ? Avec qui ?

❹ Que fait-elle ? Traduisez le verbe et son accusatif.

❺ Comment Pluton apparaît-il ? Que fait-il ?

❻ Que demande Cérès, la mère de Proserpine, à Jupiter ?

❼ Quelle est la réponse de Jupiter ? Traduisez les accusatifs introduits par apud et les deux ablatifs de temps.

▶ **AIDE À LA TRADUCTION**
1. conjugium dare : demander en mariage
2. lego, is, ere, legi, lectum : cueillir
3. dimidia, ae, f. : la moitié

VOCABULAIRE

Noms

anima, ae, f. : le souffle vital, l'âme
Dis, Ditis, m. : Pluton
flumen, inis, n. : le fleuve
inferi, orum, m. pl. : les enfers
manes, ium, m. pl. : les mânes (âmes des morts)
monstrum, i, n. : le monstre
mors, mortis, f. : la mort
nox, noctis, f. : la nuit
ramus, i, m. : la branche
rivus, i, m. : la rivière
spectrum, ii, n. : le spectre

umbra, ae, f. : l'ombre ; au pluriel umbrae, les ombres des morts, les fantômes

Adjectifs

ater, atra, atrum : sombre, noir
clarus, a, um : célèbre
dives, itis : riche
laetus, a, um : heureux
sordidus, a, um : crasseux, sale

Verbes

descendo, is, ere, scendi, scensum : descendre

facio, is, ere, feci, factum : faire
jubeo, es, ere, jussi, jussum : ordonner
peto, is, ere, ii (ivi), itum : demander
servo, as, are, avi, atum : garder, surveiller
video, es, ere, vidi, visum : voir
rapio, is, ere, rapui, raptum : saisir, s'emparer de

Mots invariables

apud (+ acc.) : chez
in (+ abl. ou acc.) : sur, dans, vers
sub (+ abl. ou acc.) : sous

LA MISSION

Réaliser un dépliant touristique

Vous êtes sain et sauf mais pour réussir pleinement votre mission, il vous reste à réaliser un dépliant touristique pour ceux qui auront la même audace que vous. N'oubliez pas qu'il s'agit d'un document promotionnel. Il faut donc promouvoir au mieux le site choisi.

ÉTAPE 1 — IDENTIFIER LES CRITÈRES DE RÉUSSITE

Respectez le plan suivant :
- page 1 : accroche et présentation du sujet ;
- pages 2 et 3 : carte géographique des enfers et brefs descriptifs pour les touristes ;
- page 4 : conseils pour que la visite se passe bien.

| **Dessiner la carte géographique des enfers** | Respecter les **étapes** du parcours d'Énée |
| | Présenter une **carte claire**, soignée, indiquant les **points à visiter** |

| **Décrire les lieux, les monstres, les personnages rencontrés** | Faire une **description organisée** et documentée **Produire un effet** sur le touriste (terreur ou humour noir...) |
| | Expliquer les **expressions latines** liées aux rencontres Interpeler le touriste par des **questions en latin** |

| **Séduire le touriste** | Choisir un **slogan** (ou un titre) efficace Employer des **termes valorisants** |
| | **Illustrer** le dossier ou réalisation numérique (carte interactive avec QR code, par exemple) |

ÉTAPE 2 — S'ORGANISER EN ÉQUIPE

► Rassemblez vos connaissances en reprenant vos notes.
► Partagez-vous le travail, de la rédaction à la relecture.

BESOIN D'AIDE ?

Vérifiez l'exactitude de vos informations :
- monstres (ceux du vestibule, Cerbère) ► p. 52 et 54
- personnages (Sibylle, Charon, mânes des morts, trois juges, suppliciés du Tartare, Pluton et Proserpine, les Moires) ► p. 52, 54, 56 et 58
- lieux (entrées, vestibule, fleuves, Styx, plaines des larmes, Tartare, Champs Élysées) ► p. 52, 54 et 56
- expressions latines ► activité 3 p. 60
- questions en latin ► activité 5 p. 61

5 Les origines de Rome

Où l'histoire commence-t-elle à Rome ?

LA MISSION

Xerxès, puissant roi de l'empire perse, a entendu parler, par les marchands, d'une lointaine cité nommée Rome qui commence à étendre son pouvoir. Intrigué, il vous envoie sur place, avec pour mission de lui faire un rapport détaillé sur la situation.

➤ Formez une équipe qui rédigera ce rapport.

➤ Prenez des notes tout au long du parcours pour réaliser cette mission.

▲ *La Louve du Capitole*, art étrusque (fin Vᵉ s.-début IVᵉ s. av. J.-C.), avec Rémus et Romulus ajoutés au XVᵉ s. par Antonio del Pollaiuolo, bronze, 75 x 114 cm (Rome, Palais des Conservateurs, Musées du Capitole).

Vidéo
Romulus et Rémus
↗ manuel numérique

Connaissances, compétences, culture

Dans ce parcours, vous allez :

■ Lire et comprendre des images variées.

■ Lire et comprendre des textes littéraires, des inscriptions et des documentaires.

■ Découvrir la géographie de la ville de Rome.

■ Découvrir des épisodes célèbres de la Rome royale.

■ Mettre en relation histoire romaine et histoire de la Méditerranée orientale.

■ Maîtriser le lexique de la fondation d'une cité.

Locus optimus

Quels sont les avantages de la position géographique de Rome ?

➡️ **Arrivés à l'embouchure du Tibre, à Ostie, vous vous étonnez de ne pas y trouver la cité de Rome. Il vous faut voyager encore une dizaine de milles pour enfin atteindre votre but. Vous questionnez les Romains sur les raisons de ce choix.**

1 〔 **LIRE UNE CARTE** 〕

❶ Selon vous, quelles particularités naturelles du site de Rome ont été des atouts pour la cité ?

❷ Quels éléments artificiels les Romains ont-ils ajoutés pour tirer le meilleur profit de la localisation ?

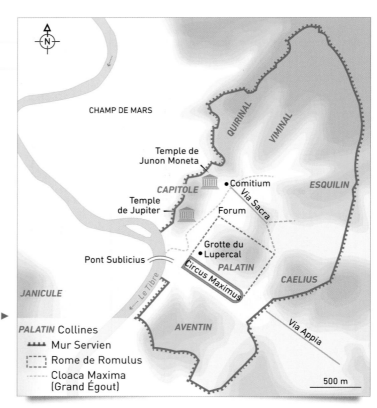

Plan de Rome à l'époque royale. ▶

PALATIN Collines
⋀⋀⋀⋀ Mur Servien
⸤⸥ Rome de Romulus
‑‑‑ Cloaca Maxima (Grand Égout)

2 〔 **DÉDUIRE DES INFORMATIONS D'UN TEXTE** 〕

1 Quant aux fortifications naturelles de la ville même, qui peut être assez inattentif pour les ignorer et les méconnaître ? Le tracé de la muraille construite avec sagesse d'abord par Romulus,
5 puis par les autres rois, parcourt des collines aux escarpements abrupts de tous les côtés ; il ne restait ainsi qu'une seule voie d'accès, qui s'ouvrait entre l'Esquilin et le Quirinal ; elle put être fermée par l'obstacle d'un talus très élevé, bordé d'un très
10 profond fossé ; en outre, la citadelle appuyait ses fortifications sur une enceinte à pic et sur un roc comme taillé sur tout son pourtour, si bien que même dans la crise affreuse de l'invasion gauloise[1], elle est restée sans dommage et hors d'atteinte.
15 Enfin l'emplacement qu'il choisit possédait de nombreuses sources et restait salubre, au milieu d'une région malsaine ; en effet, les collines, aérées elles-mêmes par les vents, étendent leurs ombres sur les vallées.

■ Cicéron (106-43 av. J.-C.), *La République*, Livre II, VI, 11, traduit par E. Bréguet, © Les Belles Lettres (1980).

1. Allusion à la prise de Rome (à l'exception du Capitole) par Brennus en 390 av. J.-C.

❶ Quel intérêt stratégique les collines qui entourent la ville présentent-elles pour les Romains ?
❷ Quel autre avantage offrent-elles ?

1   Urbi autem locum, quod est ei, qui diuturnam rem publicam serere conatur, diligentissime providendum[1], incredibili oportunitate delegit. Neque enim ad mare admovit, [...] primum
5   quod essent urbes maritimae non solum multis periculis oppositae, sed etiam caecis. [...] Maritimus ille et navalis hostis ante adesse potest quam quisquam venturum esse suspicari queat, nec vero, cum venit, prae se fert aut qui
10   sit aut unde veniat aut etiam quid velit, denique ne nota quidem ulla, pacatus an hostis sit, discerni ac judicari potest. [...]

    Qui potuit igitur divinius et utilitates complecti[2] maritimas Romulus et vitia vitare,
15   quam quod urbem perennis amnis et aequabilis et in mare late influentis posuit in ripa ?

└ Cicéron (106-43 av. J.-C.), *La République*, II, III, 5-6, V, 10, traduit par E. Bréguet, © Les Belles Lettres (1980).

▶ **AIDE À LA LECTURE**
1. **provideo, es, ere, vidi, visum** : prévoir
2. **complector, eris, i, plexus sum** : prendre en compte

Étudier la langue
↳ La 3ᵉ déclinaison, p. 252 et 254

1   Quant à l'emplacement à choisir pour la ville, celui qui vise à jeter les fondements d'un État durable doit s'en préoccuper avec un soin tout particulier ; Romulus choisit un site d'une convenance merveilleuse. En
5   effet, il ne s'établit pas près de la mer [...]. La première raison en est que les villes situées au bord de la mer sont exposées à des dangers non seulement multiples, mais aussi dissimulés. [...] L'ennemi dont la flotte traverse la mer peut être là avant que personne ne
10   soupçonne qu'il viendra et, en approchant, il ne révèle ni qui il est, ni d'où il vient, ni même ce qu'il veut ; bref, il n'y a pas le moindre indice qui permette de discerner avec certitude si ses intentions sont pacifiques ou hostiles. [...]
15   Comment donc Romulus, pour réunir tous les avantages du littoral et en écarter les inconvénients, aurait-il pu se montrer plus divin qu'en fondant sa ville sur la rive d'un fleuve au cours permanent et régulier et qui s'écoule dans la mer par un large estuaire ?

❶ De quelles qualités le fondateur de Rome a-t-il fait preuve, selon Cicéron ?

❷ Quelle expression latine montre que le site de Rome a tous les atouts possibles ?

❸ Pour quelles raisons la position de la ville est-elle intéressante, d'après ce texte ?

4   METTRE EN RELATION DES DOCUMENTS

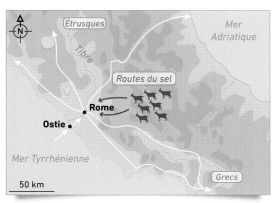

1   L'emplacement de Rome, au carrefour de deux routes, est stratégique. L'axe nord-sud traverse le Tibre à Rome et fait communiquer la civilisation étrusque, au nord, et les cités grecques, au sud. Sur l'autre axe, est-ouest, circulent
5   le sel prélevé à l'embouchure du Tibre et des troupeaux qui descendent des Apennins pour la transhumance.

■ Thierry Bayart.

● À l'aide de ces deux documents, expliquez en quoi le choix du site de Rome est particulièrement intéressant sur le plan commercial.

le point sur **LA MISSION**

Récapitulez les différents atouts de l'emplacement de la ville de Rome.

Pace belloque viros regere

Qui est le véritable fondateur de Rome ?

> ▶ **Vous avez entendu parler de Romulus et vous cherchez à en savoir davantage sur ceux qui ont fondé la cité.**

1 CONFRONTER DES DOCUMENTS

1   [Romulus] avait créé l'image d'une ville plutôt qu'une ville véritable : les habitants manquaient. Il y avait dans le voisinage un bois sacré : Romulus en fait un asile et voici aussitôt une étonnante affluence :
5 bergers latins et étrusques, même des émigrants venus en foule d'outre-mer, Phrygiens[1] amenés par Énée, Arcadiens par Évandre[2]. Ainsi il réunit en un seul corps ce qui n'était en quelque sorte qu'éléments divers et il fit à lui seul le peuple romain.

■ Florus (iie s. ap. J.-C.), *Abrégé de l'histoire romaine*, I, traduit par P. Jal, © Les Belles Lettres (1967).

1. Phrygiens : peuple venu d'Asie Mineure (actuelle Turquie).
2. Évandre : roi d'Arcadie, en Grèce, ayant installé une colonie dans le Latium.

1   Rome n'a donc sans doute pas été fondée précisément en 753 av. J.-C., mais elle a été le résultat d'un processus lent et complexe qui débuta au xe siècle avec la mise
5 en place de villages de bergers. Au viiie siècle av. J.-C., sous l'autorité d'un chef de village que le mythe nommera Romulus, ces bergers se seraient regroupés autour de la colline du Palatin, cela se traduisant par la création
10 d'une enceinte commune qui marqua l'apparition d'une cité-État.

■ Michaël Martin, *Mythologie(s)*, « La fondation de Rome, entre mythe et réalité », juin-juillet 2015.

❶ Recherchez et présentez en quelques phrases l'histoire de Romulus.
❷ D'après Florus, comment la ville de Rome a-t-elle été peuplée ?
❸ Quelles informations complémentaires les découvertes archéologiques modernes nous apportent-elles ?

2 LIRE UNE PEINTURE HISTORIQUE

Animation
🖈 manuel numérique

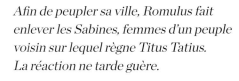

Afin de peupler sa ville, Romulus fait enlever les Sabines, femmes d'un peuple voisin sur lequel règne Titus Tatius. La réaction ne tarde guère.

❶ Où la scène se passe-t-elle ?
❷ Qui sont les deux personnages masculins au premier plan ? À quoi les identifie-t-on ?
❸ Décrivez et analysez la place et l'attitude des femmes. De quelles qualités font-elles preuve ici ?
❹ Le combat va-t-il se poursuivre ? À quel détail le voit-on ?

◀ Jacques-Louis David (1748-1825), *Les Sabines*, huile sur toile, 385 x 522 cm (Paris, musée du Louvre).

1   Successit Romulo Numa Pompilius vir inclyta[1] justitia et religione. [...] Aram Vestae consecravit, et ignem[2] in ara perpetuo alendum virginibus dedit. Flaminem Jovis sacerdotem[3]
5 creavit, eumque insigni[4] veste et curuli[5] sella ornavit. Duodecim Salios Martis sacerdotes legit, qui ancilia quaedam imperii pignora e caelo, ut putabant, delapsa, ferre per urbem, canentes et rite saltantes solebant. [...]
10   Leges[6] quoque plurimas[7] et utiles tulit Numa. Ut vero majorem institutis suis auctoritatem conciliaret, simulavit sibi cum Dea Ægeria esse colloquia nocturna, ejusque monitu[8] se omnia quae ageret facere. Lucus[9] erat quem medium
15 fons perenni rigabat aqua : eo saepe Numa sine arbitris[10] se inferebat, velut ad congressum Deae : ita omnium animos religione imbuit, ut fides et jusjurandum, non minus quam legum et poenarum metus cives continerent. Bellum
20 quidem nullum gessit, sed non minus civitati profuit[11] quam Romulus.

└ Abbé Lhomond (1727-1794),
Les Grands Hommes de Rome.

▶ **AIDE À LA LECTURE**

1. **inclytus, a, um** : célèbre
2. **ignis** : *a donné* ignifugé
3. **sacerdos, tis**, m. : le prêtre
4. **insignis, e** : remarquable
5. **curulis sella** : une chaise curule
6. **lex, legis**, f. : la loi ; **legem ferre** : proposer une loi

7. **plurimus, a, um** : très nombreux
8. **monitus, us**, m. : le conseil
9. **lucus, i**, m. : le bois sacré
10. **arbiter, tri**, m. : le témoin
11. **prosum, prodes, prodesse, profui**, – + dat. : être utile à

Étudier la langue

Les 1ʳᵉ, 2ᵉ et 3ᵉ déclinaisons, p. 248 à 252
L'expression du but, p. 293
Les temps du récit, p. 270

❶ Retrouvez la traduction des passages surlignés parmi les expressions ci-dessous.

a. et pour donner plus de poids à ce qu'il instituait.
b. qu'il fallait alimenter continuellement.
c. il imprégna de sentiments religieux l'esprit de tous au point que ce qui retenait ses concitoyens, c'était la bonne foi et le respect des serments, non moins que la crainte des lois et des châtiments.
d. qui devaient porter à travers la ville, avec des chants et des danses rituelles, des boucliers, gages de puissance, qu'on pensait tombés du ciel.
e. comme pour s'entretenir avec la déesse.

❷ Quelles sont les qualités de Numa Pompilius ?

❸ Quels sont les deux domaines dans lesquels Numa Pompilius peut être considéré comme un second fondateur pour Rome ? Donnez des exemples.

❹ Quelle ruse Numa a-t-il utilisée pour accroître son emprise sur le peuple romain ?

❺ Qu'est-ce qui différencie les deux premiers rois de Rome ?

❻ Observez l'œuvre ci-contre : quelle scène est représentée ? Sur quel aspect l'artiste insiste-t-il ?

▲ Eugène Delacroix, *Numa et Egérie* (1838-1847), plafond peint (Paris, Bibliothèque de l'Assemblée Nationale).

le point sur LA MISSION

Selon vous, qui, de Numa ou de Romulus, a le mieux préparé la grandeur de Rome ? Débattez entre vous, notez vos arguments puis rédigez un court paragraphe de synthèse.

Terrae Etruscorum

Quels liens unissent les Romains aux Étrusques ?

> ▶ **Maintenant que vous êtes bien renseigné sur l'histoire de Rome,**
> **il vous reste à vérifier que cette ville ne dispose pas de puissants alliés dans**
> **la région, susceptible de s'opposer aux vues de votre roi, le grand Xerxès.**

1 LIRE UNE CARTE

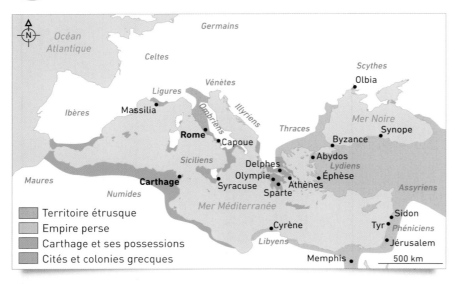

1 Quelles sont les quatre puissances qui dominent la Méditerranée au vie s. av. J.-C. ?

2 Au contact de laquelle Rome se trouve-t-elle directement confrontée ?

2 METTRE EN RELATION DES DOCUMENTS

▲ Guerrier étrusque découvert à Monte Falterona en Toscane, bronze (ve s. av. J.-C.) (Londres, British Museum).

1 Sur mer comme sur terre, les Étrusques [sont] actifs, entreprenants et énergiques, excellents marins passant pour avoir inventé l'ancre et les éperons fixés à la proue des navires de guerre, solides soldats qui adoptent l'armement, l'équipement et la tactique des hoplites grecs et qui, dès le viie
5 et vie siècles av. J.-C., forment des troupes de soldats de métier [...]. Dans une chronologie mal connue que l'on commence à entrevoir (dans les deux cas, elle remonterait au ixe siècle av. J.-C.) et selon des procédés qui font rejeter l'idée d'une conquête armée puis d'une occupation, ils absorbent deux régions, au nord la plaine du Pô, au sud la Campanie, et pour relier cette
10 dernière à l'Étrurie historique, ils occupent Rome et une partie du Latium.

■ Jean-Louis Voisin, *Le Figaro-Histoire*, « Le miracle étrusque », octobre-novembre 2013, D. R.

1 À qui les Étrusques ont-ils emprunté leur équipement et leur tactique militaires ?

2 Qu'est-ce qui rend leur armée particulièrement redoutable ?

3 Décrivez l'équipement d'un soldat à partir de l'observation de la statuette retrouvée à Monte Falterona.

4 Pour quelle raison les Étrusques s'emparent-ils de Rome ?

3 ┆ **DÉDUIRE DES INFORMATIONS D'UN TEXTE**

1   Ajoutons qu'ils [les Étrusques] développent un art très riche et très vivant (influencé par l'Asie Mineure) et sont très religieux (leurs haruspices pratiquent la divination et lègueront leur science 5 aux Romains). Malheureusement leur langue demeure pour nous quasiment incompréhensible, mais nombreux sont les emprunts que les Romains feront à leur civilisation, à commencer par l'alphabet, l'art templaire (le temple de Jupiter), 10 l'urbanisme, la science agricole (irrigation des sols),

l'hydraulique (ils construisirent le plus vieil égout de Rome, la Cloaca Maxima, qui fut recouvert au IIᵉ s. avant notre ère et fut utilisé jusqu'à notre Seconde Guerre mondiale !), nombre de rites (mortuaires 15 avec les gladiateurs, qui à l'origine combattaient en l'honneur des morts ; le triomphe, etc.), certaines des institutions politiques (l'organisation de la royauté, le Sénat, les insignes royaux, etc.).

■ Jean-Noël Robert, *Rome*, © Les Belles Lettres (2002).

● Dans quels domaines les Étrusques ont-ils influencé les Romains ? Citez des exemples précis de cet héritage.

 4 ┆ **LIRE UNE FRESQUE**

▲ Fresque de la Tombe des Léopards, nécropole étrusque de Tarquinia, Latium (Vᵉ s. av. J.-C.).

❶ Décrivez la scène.
❷ Comment l'artiste distingue-t-il les hommes des femmes ?
❸ À quoi la tombe doit-elle son nom ?
❹ Comment le plafond est-il décoré ? Quel effet produit-il ?

○ **le point sur LA MISSION**

Sous forme de carte mentale, récapitulez ce que vous avez appris sur les Étrusques (territoires, armée, culture, connaissances, arts…).

Ὁ μέγας βασιλεύς

Qu'est-ce qui différencie la cité de Rome de l'empire perse ?

> Vous allez très bientôt devoir envoyer votre rapport à Xerxès. Pour ne pas commettre de maladresse, souvenez-vous à quel type de monarque vous vous adressez...

1 — METTRE EN RELATION DES DOCUMENTS

1 **2.** « Je suis Darius, le grand roi, le roi des rois,
le roi des peuples de toutes origines,
le roi sur cette terre grand au loin,
le fils de Vištāspa, l'Achéménide,
5 Perse, fils de Perse, Aryen, de descendance
   aryenne. »

3. Le roi Darius déclare :
« Grâce à Ahuramazdā, voici les peuples
que j'ai pris, en dehors de la Perse ;
10 j'ai régné sur eux ; ils m'apportaient un tribut ;
ce qui leur était dit de ma part, ils le faisaient ;
ma loi les maintenait :
le Mède, l'Élamite, le Parthe, l'Arien,
le Bactrien, le Sogdien, le Chorasmien,
15   le Drangianien,
l'Arachosien, le Sattagydien, le Gandharien,
   l'Indien,
les Scythes Amyrgiens, les Scythes Tigraxauda,
le Babylonien, l'Assyrien, l'Arabe, l'Égyptien,

20 l'Arménien, le Cappadocien, le Lydien, le Grec,
les Scythes d'outre-mer, le Thrace, les Grecs
   Aspidophores,
les Libyens, les Éthiopiens, les Maciens,
   les Cariens. »

25 **4.** Le roi Darius déclare :
[...] si jamais tu penses :
« Combien étaient ces peuples que le roi Darius
   possédait ? »
vois ces statues qui portent le trône, là tu les
30   connaîtras ;
alors, tu sauras que la lance de l'homme perse est
   allée au loin,
alors tu sauras que l'homme perse a combattu loin
   de la Perse. »

■ Inscription tombale de Darius Iᵉʳ (DNa), à Naqš-e Rostam (Iran),
in *Les Inscriptions de la Perse achéménide*,
traduit du vieux perse, de l'élamite, du babylonien et
de l'araméen par P. Lecoq, © Éditions Gallimard (1997).

◀ Bas-relief du Tombeau de Darius Iᵉʳ,
nécropole achéménide de Naqsh-e Rostam
près de Persépolis, Iran (vᵉ s. av. J.-C.).

❶ Donnez un titre à chaque paragraphe.

❷ Quelle impression d'ensemble se dégage de cette inscription ?

❸ Décrivez la scène représentée.

❹ Quelle vision du pouvoir donne-t-elle ?

Xerxès reprend la guerre entreprise par son père Darius contre les cités grecques. Après avoir rassemblé une immense armée, il s'apprête à envahir la Grèce. Pour y entrer, il fait construire un pont de bateaux sur l'Hellespont, qui sépare l'Asie de l'Europe. Mais une violente tempête vient détruire toute l'installation.

1   Lorsque Xerxès en fut informé, il ordonna, furieux, de frapper l'Hellespont de trois cents coups de fouet et de jeter dans la mer une paire d'entraves. Même, j'ai entendu dire qu'avec les exécuteurs de
5   ces ordres, il aurait envoyé encore des gens pour marquer au fer l'Hellespont. Ce qui est sûr, c'est qu'il enjoignit qu'en le flagellant on prononçât ces paroles barbares et insensées : « Onde amère, le maître t'inflige cette punition parce que tu l'as
10   offensé sans avoir souffert de lui aucune offense. Et le Roi Xerxès te franchira, que tu le veuilles ou non. Certes, il est bien juste que personne ne t'offre de sacrifices, à toi qui n'es qu'un fleuve bourbeux et saumâtre. » Voilà comment il fit châtier la mer ; et, à
15   ceux qui avaient présidé à la construction des ponts sur l'Hellespont, il fit trancher la tête.

■ Hérodote, *Histoires*, Tome VII, Livre VII : Polymnie, traduit par Ph.-E. Legrand, © Les Belles Lettres (1951).

❶ Quel est le projet de Xerxès ?

❷ Quelle image du Grand Roi est donnée par le photogramme tiré du film *300* ? Est-ce la même image que donne Hérodote ?

Photogramme du film ▶
300 La Naissance d'un empire
réalisé par Noam Murro (2014).

Xerxès décide de creuser un canal près du mont Athos, au nord de la Grèce, afin de faire passer sa flotte plus sûrement.

< Ἄθω δαιμόνιε οὐρανόμηκες, μὴ ποιεῖν ἐν ἐμοῖς ἔργοις **λίθους μεγάλους** καὶ δυσκατεργάστους· εἰ δὲ μή, τεμὼν ῥίψω σ' αὐτὸν εἰς **θάλασσαν**. >

☐ Plutarque (vers 46/49-125 ap. J.-C.), *Du contrôle de la colère*, 5 (455 D), traduit par J. Dumortier et J. Defradas, © Les Belles Lettres (1975).

« Divin Athos, qui t'élèves jusqu'au ciel, ne crée pas dans le champ de mes travaux des rochers énormes, qui ne se laissent pas travailler, sinon je te taillerai toi-même et te jetterai dans la mer. »

❶ Lisez les mots en gras dans le texte de Plutarque. Quels mots français ont-ils donnés, d'après vous ? À quels mots de la traduction correspondent-ils donc ?

❷ Quel point commun identifiez-vous avec le texte d'Hérodote ?

❸ Les Grecs nomment hybris (ὕβρις) la tentation, chez l'homme, de dépasser sa nature et de vouloir égaler les dieux. Pourquoi peut-on dire que ces deux projets sont une manifestation d'hybris de la part de Xerxès ?

◉ **le point sur LA MISSION**

Concevez un tableau présentant les différences entre Numa Pompilius et Xerxès. Repérez les éléments que vous pourrez transmettre à Xerxès tels quels, puis ceux qu'il vous faudra présenter avec prudence, compte tenu de la personnalité du Grand Roi.

➡ **Pour rédiger votre rapport, il vous faudra être très précis dans les termes que vous choisirez. Ces activités vous y aideront.**

1 APPRENDRE DES MOTS PAR FAMILLE

La racine indo-européenne *reg-, qui désigne aussi bien un « mouvement en ligne droite » que le « roi », est à l'origine du latin *rex, regis*, m., le « roi », c'est-à-dire la personne qui a non seulement toute autorité pour déterminer les règles du droit, mais également pour tracer l'emplacement des villes.

❶ Complétez les bulles avec les mots des langues que vous connaissez.

❷ Classez les mots français suivants selon qu'ils expriment l'idée de « ligne droite », celle de « loi qu'il faut suivre » ou celle d' « être à la tête de ».

directeur • régence • règle • régner • corriger • règlement • régulier • régime • ériger • correct • rectangle • région • reine • rectifier • droit • direct

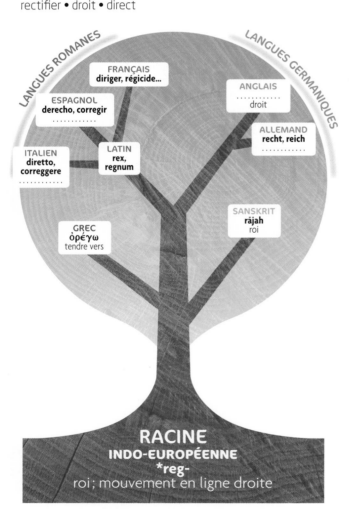

LANGUES ROMANES

FRANÇAIS
diriger, régicide...

ESPAGNOL
derecho, corregir
....

ITALIEN
diretto,
correggere
....

LATIN
rex,
regnum

GREC
ὀρέγω
tendre vers

LANGUES GERMANIQUES

ANGLAIS
droit

ALLEMAND
recht, reich
....

SANSKRIT
rājah
roi

RACINE
INDO-EUROPÉENNE
*reg-
roi ; mouvement en ligne droite

2 MÉMORISER PAR L'ÉTYMOLOGIE

❶ Dans les langues germaniques, retrouvez le mot qui veut dire « droit ».
Ce mot est polysémique dans ces langues : quel est son deuxième sens ?

❷ Le latin « regula », la règle, a donné en anglais le nom d'un objet souvent droit et très utile dans le domaine ferroviaire. Ce mot est ensuite revenu en France, avec une autre prononciation... Saurez-vous le retrouver ?

❸ Le mot « alerte » vient de l'italien « all'erta », cri employé pour faire sortir les défenseurs sur le rempart (« erto » veut dire « raide », et vient du verbe latin erigere : dresser, élever). Le mot « alarme » a le même type d'étymologie : serez-vous capable de l'expliquer ?

3 DIFFÉRENCIER DES MOTS APPARTENANT AU MÊME CHAMP LEXICAL

En français, de nombreux mots désignent un homme qui exerce le pouvoir suprême. Retrouvez-les en vous aidant des racines grecques et latines ci-dessous.
monos : seul • archô : commander • tyrannos : le tyran • despotès : le maître de maison, le maître absolu • supremus : le plus haut • princeps : le premier

a. Il exerce seul le pouvoir : ....

b. En Grèce, il s'agit d'un homme qui a usurpé le pouvoir, avec l'aide du peuple. Aujourd'hui, on désigne ainsi un homme particulièrement dur avec son peuple : ....

c. Il exerce le pouvoir en maître absolu : ....

d. Il est le plus haut personnage de l'État : ....

e. Il est le premier, par le sang ou par le rang : ....

EXPLIQUER LE SENS D'UN MOT FRANÇAIS PAR LE LATIN

Complétez les explications des mots et rappelez le mot latin d'origine avec son sens.

a. Un tissu ignifugé a la propriété d'être résistant au .... car le mot vient de .... qui veut dire ....

b. Un quartier mal famé est un quartier qui a .... car le mot vient de .... qui veut dire ....

c. Un locavore est un citoyen qui fait le choix de .... des aliments produits à proximité du .... où il vit car le mot vient de .... qui veut dire ....

d. Quelqu'un qui adopte une conduite hostile se comporte comme un .... car le mot vient de .... qui veut dire ....

 ## LATINE LOQUOR

Décrivez en latin le tableau *Les Sabines* de David, reproduit p. 66.
Vous pouvez vous aider du vocabulaire suivant :

– est / sunt... : il y a... ; video... : je vois...

– a dextra : à droite ; a sinistra : à gauche ; ante : devant ; post : derrière ; in summa / media / ima parte : en haut / au milieu / en bas

– jace(n)t / sede(n)t / sta(n)t : il(s) est (sont) allongé(s) / assis / debout(s)

– adgreditur / adgrediuntur : il(s) avance(nt), specta(n)t : il(s) regarde(nt) ; da(n)t : il(s) donne(nt) ; fer(un)t : il(s) porte(nt) ; tene(n)t : il(s) tien(nen)t

– vide(n)tur : il(s) semble(nt)

 ## APPRENDRE À TRADUIRE EN GROUPE

> 1 Primus ille et urbis et imperii conditor Romulus fuit, Marte genitus, et Rhea Silvia. Hoc de se sacerdos gravida confessa est, nec mox Fama dubitavit, cum **Amulii regis imperio abjectus**
> 5 **in profluentem cum Remo fratre** non potuit exstingui, si quidem et Tiberinus amnem repressit, et relictis catulis, lupa secuta vagitum ubera admovit infantibus matremque se gessit. Sic repertos apud arborem Faustulus, regii gregis
> 10 pastor, tulit in casam atque educavit.
>
> ∟ Florus, *Abrégé de l'Histoire romaine*, I.

Formez des groupes et répondez aux questions.

❶ Traduisez la première phrase pour connaître le personnage principal du texte.

❷ Isolez deux groupes nominaux prépositionnels pour traduire le passage en gras. Qu'est-il arrivé au héros ?

❸ Quels sont les deux personnages qui sauvent le héros l. 6-8 ? À quel cas sont-ils ? Que font-ils ?

❹ Isolez deux groupes nominaux prépositionnels pour traduire la dernière phrase.

VOCABULAIRE

Noms

aedes, ium, f. pl. : le temple
ara, ae, f. : l'autel
avis, is, f. : l'oiseau
bellum, i, n. : la guerre
bellum gerere cum + abl. : faire la guerre contre quelqu'un
fama, ae, f. : la renommée, la réputation
hostis, is, m. : l'ennemi
ignis, is, m. : le feu
incola, ae, m. : l'habitant
Juppiter, Jovis, m : Jupiter
lex, legis, f. : la loi
locus, i, m. : le lieu, l'endroit

moenia, ium, n. pl. : les murailles
nomen, inis, n. : le nom
pax, pacis, f. : la paix
regnum, i, n. : la royauté
rex, regis, m. : le roi
sacerdos, dotis, m. : le prêtre
sacra, orum, n. pl. : les sacrifices
urbs, urbis, f. : la ville, Rome
virgo, inis, f. : la vierge

Verbes

augeo, es, ere, auxi, auctum : augmenter, faire croître

condo, is, ere, condidi, conditum : fonder
instituo, is, ere, institui, institutum : établir, instituer, fonder
lego, is, ere, legi, lectum : lire ; choisir
moneo, es, ere, monui, monitum : avertir, conseiller
prosum, prodes, prodesse, profui, – + dat. : être utile à quelqu'un
trado, is, ere, tradidi, traditum : transmettre
voco, as, are, avi, atum : appeler

LA MISSION

Présenter à l'oral un rapport d'enquête

Il est maintenant temps de rédiger votre rapport à Xerxès. Vous y présenterez la cité que vous avez découverte (localisation, origines, coutumes étonnantes...).
Vous formulerez un jugement sur la dangerosité éventuelle de Rome pour l'empire perse et son souverain, en vous justifiant.

ÉTAPE 1 — IDENTIFIER LES CRITÈRES DE RÉUSSITE

Présenter un rapport concis et objectif des faits

- Adopter une **démarche rigoureuse** en restituant les faits observés
- S'abstenir de tout **jugement de valeur**
- Fournir des **éléments précis**

Donner une image nuancée de la puissance de Rome

- **Développer** au moins trois éléments qui montrent la puissance de Rome
- **Rendre plus objectif** le compte-rendu en mentionnant également des éléments qui signalent que Rome n'est pas une menace

Prendre en compte l'interlocuteur

- **Adapter** le ton, le style et la formulation au destinataire
- **Ordonner** les éléments présentés de manière pertinente

ÉTAPE 2 — S'ORGANISER EN ÉQUIPE

► Rassemblez vos connaissances en reprenant vos notes.
► Rédigez ensemble le premier et le dernier paragraphe, en veillant au choix des mots, en lien avec votre objectif et la personnalité de votre destinataire.
► Partagez-vous le reste du travail, de la rédaction à la présentation orale.

BESOIN D'AIDE ?

Vérifiez l'exactitude de vos informations :
- la manière d'aborder le grand roi ► p. 71 et p. 72
- position stratégique de Rome ► p. 64
- les qualités des fondateurs de la cité ► p. 66
- les possibles alliés des Romains ► p. 68

6 Un banquet presque parfait

Comment les banquets sont-ils organisés dans l'Antiquité ?

LA MISSION

À la suite d'un banquet auquel vous avez participé et qui vous a particulièrement impressionné, vous décidez d'en faire le récit à un ami qui, résidant loin de Rome, vous a demandé conseil pour en organiser un en l'honneur du nouveau gouverneur de sa province.

➡ Formez une équipe qui rédigera la lettre et veillez à rapporter fidèlement le déroulement de la réception.

➡ Prenez des notes tout au long du parcours.

▲ Roberto Bompiani, *Une fête romaine* (fin du XIXe s.), huile sur toile, 127 x 164 cm (Los Angeles, The J. Paul Getty Museum).

Connaissances, compétences, culture

Dans ce parcours, vous allez :

■ Lire et comprendre des images variées.

■ Lire et comprendre des textes littéraires et documentaires.

■ Découvrir un aspect de la vie quotidienne à travers un repas à la romaine.

■ Raconter une scène traditionnelle de banquet.

■ Maîtriser le lexique du repas et de la nourriture.

Quomodo sit edendum ?

Comment les festins sont-ils organisés ?

▶ **Invité au festin, vous en profitez pour observer comment la salle est organisée et quels sont les codes de bonnes manières qu'il convient de respecter pour ne pas froisser les hôtes.**

1 LIRE ET COMPRENDRE UN TEXTE EN LATIN

Pline reproche à son ami Septicius Clarus de ne pas avoir honoré son invitation et lui dresse une liste de tout ce que ce dernier a manqué en étant convié ailleurs.

1　Heus tu ! Promittis[1] ad cenam nec venis ? [...] On avait préparé une laitue par personne, trois escargots, deux œufs, un gâteau de semoule avec du vin miellé et de la neige [...], des olives, des bettes, des courges, des oignons, alia mille non minus lauta[2]. Audisses[3] comoedos[4] vel
5　lectorem vel lyristen[5] vel, quae mea liberalitas[6], omnes. At tu apud nescio[7] quem ostrea[8], vulvas[9], echinos[10], Gaditanas[11] maluisti[12]. [...] Quantum nos lusissemus[13], risissemus[14], studuissemus[15] !

└ Pline le Jeune (61-114 ap. J.-C.), *Lettres*, I, 15, traduit par H. Zehnacker,
© Les Belles Lettres (2009).

❶ Quels sont les ingrédients des deux menus évoqués par Pline ? En quoi diffèrent-ils ?

❷ Quels sont les divertissements proposés par Pline ? Quels sont ceux auxquels Septicius est convié ?

❸ Quels verbes indiquent l'ambiance du repas chez Pline ?

▶ **AIDE À LA LECTURE**

1. **promitto, is, ere** : accepter une invitation
2. **lautus, a, um** : brillant, somptueux
3. **audisses** : tu aurais entendu
4. **comoedus, i,** m. : le comédien
5. **lyristes, ae,** m. : le joueur de cithare
6. **quae mea liberalitas** : quelle générosité est la mienne !
7. **apud nescio quem** : chez je ne sais qui
8. **ostrea** : *a donné* ostréiculture
9. **vulva, ae,** f. : la vulve (de truie)
10. **echinus, i,** m. : l'oursin
11. **Gaditana, ae,** f. : danseuse espagnole très réputée à Rome
12. **maluisti** : tu as préféré
13. **lusissemus** : nous nous serions amusés
14. **risissemus** : nous aurions ri
15. **studuissemus** : nous aurions appris

Étudier la langue

Les temps primitifs, p. 266
Cas et fonctions, p. 244

2 METTRE EN RELATION DES DOCUMENTS

1　Les esclaves ont aménagé la salle à manger : autour d'une table carrée, ils ont disposé trois lits à trois places (d'où le nom de *triclinium* donné à la salle à manger). Les lits sont en pente, de manière
5　à ce que leur appui domine légèrement la table : les convives s'y allongeront de biais, appuyés sur le coude gauche et séparés par des coussins. On n'utilise pas de nappe : la table est essuyée par les serviteurs entre chaque plat. En revanche,
10　l'extrémité des lits est protégée des taches par de vastes serviettes. [...]

　Le lit d'honneur est celui qui n'a pas de vis-à-vis, un côté de la table carrée étant laissé libre pour le service. On y placera pour l'honorer le plus âgé de
15　ses amis et lui donnera la meilleure place : celle de droite ; l'hôte s'allongera à côté. Viennent ensuite par ordre de préférence le lit de gauche et, en dernier lieu, celui de droite. [...] Les esclaves se précipitent pour enlever toge ou manteau. [...] Les serviteurs
20　les font asseoir un instant, les déchaussent et lavent leurs pieds à l'eau tiède dans de grandes cuvettes. Ils sont maintenant prêts à s'asseoir à la place que le *nomenclator* (l'huissier) leur désigne.

■ D'après Anne Theis, *La Vie quotidienne à Rome*,
© Hachette (1983).

hospes
convivae
scissor
stibadium
ministratores

lector
pulvinus
mensa
vinum

▲ Mosaïque romaine représentant une scène de banquet (IIIe s. ap. J.-C.) (Suisse, château de Boudry).

❶ D'après le texte, dans quelle pièce de la maison le banquet se situe-t-il ? Expliquez le sens de ce mot. De quelle façon les lits y sont-ils disposés ?

❷ Retrouvez la signification de chaque mot latin légendant la mosaïque dans la liste suivante : vin • serviteurs • lit en demi-cercle • invités • table • hôte • coussin • coupeur de viande • lecteur.

❸ Combien de convives sont installés sur le stibadium ? De quelle manière ?

 DÉDUIRE DES INFORMATIONS D'UN TEXTE

> 1   Déjà, pénétrer dans la salle à manger exige une certaine préparation car le *triclinium* à l'heure du banquet symbolise l'univers [...]. Le plafond représente le ciel, la table la terre et le sol le monde
> 5   des morts (qu'il faut respecter en ne ramassant jamais ce qui tombe à terre pendant le repas, car les morts ne doivent pas être privés de leur part). Les dîneurs revêtent une tunique flottante, sans ceinture dont le nœud interromprait le flux magique qui
> 10   parcourt l'univers, du monde d'en haut au monde d'en bas. Ils doivent encore observer divers rites comme le salut aux Lares de la maison ; ils doivent franchir le seuil de la salle à manger en l'enjambant du pied droit, s'installer sur les lits en s'appuyant sur
> 15   le coude gauche afin de ne prendre la nourriture [...] que de la main droite, ne jamais utiliser de couteau, briser les coquilles d'œufs vides (pour éviter qu'on ne s'en serve pour leur jeter un sort), etc.
>
> Jean-Noël Robert, *Pompéi et la Campanie antique*,
> © Les Belles Lettres (2015).

❶ Quelle dimension symbolique le triclinium possède-t-il ?

❷ À quels actes les Romains se livrent-ils lors d'un banquet ?

❸ Quelle expression française actuelle, signe de mauvaise humeur, rappelle ces superstitions ?

le point sur LA MISSION

Récapitulez tout ce qui a précédé le banquet : liste des invités, choix des serviteurs et fonctions exercées par chacun, plan de table.

Quid edamus ?

Que mangent les Romains ?

▶ **Maintenant qu'ont été mis en place les préparatifs du repas, il convient de réfléchir aux plats qui seront proposés aux invités pour ravir leurs papilles.**

1 MÉMORISER DU VOCABULAIRE

urceus, i, m.

patina, ae, f.

catinus, i, m.

poculum, i, n.

olla, ae, f.

trua, ae, f.

cochlear, is, n.

▲ Vaisselle romaine en métal, fer, bronze et argent (IIe-IIIe s. ap. J.-C.)
(Spire, Musée historique du Palatinat).

● Retrouvez l'équivalent français de chaque ustensile : marmite, cruche, petite cuillère, louche, vase pour puiser l'eau, plat, assiette.

2 DÉDUIRE DES INFORMATIONS D'UN TEXTE

1   La Rome impériale, capitale du monde connu, va drainer vers la Ville, et vers les capitales de l'Empire, toutes les ressources des pays soumis. Des légumes, des fruits inconnus arrivent des confins de
5 l'Empire [...]. Les foies gras d'Égypte, les saumures d'Espagne, les charcuteries de Gaule, les fruits d'Afrique ou du Proche Orient, les épices exotiques, les vins capiteux, vont trouver le chemin des tables romaines [...]. Mais avec la richesse, le goût
10 du produit disparaît souvent sous une surcharge d'épices et de décorations qui nous semblent aujourd'hui superflues.

   Cette cuisine méditerranéenne antique peut nous déconcerter car pas de tomates, de pommes
15 de terre, de riz, de maïs, d'avocats... qui ne sont pas encore et pour longtemps, arrivés du nouveau monde. Les grosses courges douces sont également inconnues ainsi que le sucre, le seul édulcorant étant le miel.

■ Caroline Thomas Vallon et Anne Vallon de Montgrand,
Lucullus dîne chez Lucullus. Cuisine antique grecque et romaine, © Équinoxe (2006).

❶ Quels aliments de notre cuisine actuelle sont inconnus des Romains ? Pour quelle raison ?

❷ Citez des aliments consommés par les Romains. Repérez leur provenance sur la carte de l'Empire, au début de ce manuel.

3 ⟩ **DÉDUIRE DES INFORMATIONS D'UN TEXTE**

Gustatio	Prima mensa	Secunda mensa
• mauves, laitue, poireau, menthe, roquette • anguilles bardées de rue et couronnées de tranche d'œufs durs • tétines de truie arrosées de saumure de thon	• chevreau • ragoûts accompagnés de fèves et de choux nains • poulet • jambon	• fruits doux • vin de Nomentum

❶ De combien de parties un repas de banquet se compose-t-il ? Quels sont leurs équivalents dans nos menus modernes ?

❷ Recherchez les mots dont vous ignorez le sens. Que vous apprend ce menu sur le goût des Romains ? Quel commentaire vous inspire un tel menu ?

Photogramme de la série télévisée *Rome* ▶
créée par John Milius, William J. MacDonald
et Bruno Heller (2005).

4 ⟩ **LIRE ET COMPRENDRE EN LATIN**

Texte lu
✈ manuel numérique

Jus in pisce rubellione : piper, ligusticum, careum, serpillum, apii semen, cepam siccam, vinum, passum, acetum, liquamen, oleum. Amulo obligas.

Patina de piris : pira elixa et purgata e medio teres cum pipere, cumino, melle, passo, liquamine, oleo modico. Ovis missis patinam facies, piper super aspargis et inferes.

Dulcia piperata : <...> piperato mittis mel, merum, passum, rutam. Eo mittis nucleos, nuces, alicam elixatam ; concisas nuces avellanas tostas adicies, et inferes.

└ Apicius (I⟨er⟩ s. av. J.-C. – I⟨er⟩ s. ap. J.-C.), *L'Art culinaire*, traduit par J. André, © Les Belles Lettres (2010).

Sauce pour le « rubellion » : poivre, livèche, carvi, serpolet, graine de céleri, oignon sec, vin, vin paillé, vinaigre, garum et huile ; liez à la fécule.

Patina de poires : faites cuire des poires à l'eau et ôtez-en le cœur ; écrasez-les avec du poivre, du cumin, du miel, du vin paillé, du garum et un peu d'huile. Ajoutez des œufs pour faire une patina, saupoudrez de poivre et servez.

Sucreries au poivre : [...] ajoutez du miel, du vin pur, du vin paillé et de la rue ; mettez-y des pignons, des noix et de la semoule cuite à l'eau ; ajoutez des noisettes grillées et hachées, et servez.

❶ Quels ingrédients essentiels à toute préparation culinaire retrouvez-vous dans les différents plats ? Retrouvez-les en latin.

❷ Recherchez d'autres recettes sur Internet afin de composer votre menu.

PISTE **EPI**

Comment préparait-on un repas équilibré dans l'Antiquité ?

www.editions-hatier.fr

le point sur **LA MISSION**

Récapitulez les ingrédients d'un menu romain puis comparez avec la carte du menu de votre banquet.

Artes ad cenam invitantur !

Quelles animations accompagnent le repas ?

▶ **Pour réussir un banquet, il convient de divertir ses hôtes.**

1 **DÉDUIRE DES INFORMATIONS D'UN TEXTE**

Le banquet romain s'inspire du symposion grec, seconde partie du repas pendant laquelle divertissements et conversations animées, souvent philosophiques, sont proposés aux invités.

1 Une fois les tables enlevées, quand on eut fait la libation et chanté le péan, voici qu'entre pour le divertissement un certain Syracusain escorté d'une bonne joueuse de flûte, d'une danseuse, experte en
5 acrobaties, et d'un jeune garçon très joli qui excellait au jeu de la cithare et à la danse. [...] Pour le plaisir des convives la flûtiste joua de son instrument, le jeune garçon de la cithare, et on leur trouva à tous deux beaucoup d'agrément. Socrate dit alors : « Par Zeus,
10 Callias, tu nous traites à la perfection. Non content de nous avoir fait servir un repas magnifique, tu nous offres aussi ce qu'il y a de plus agréable à voir et à entendre. »

■ Xénophon (vers 430-355 av. J.-C.), *Le Banquet*, II, 1-2, traduit par F. Ollier, © Les Belles Lettres (1961).

❶ Quels divertissements agrémentent le banquet grec ?
❷ En quoi le banquet est-il un plaisir qui mêle tous les sens ?

2 **LIRE UNE MOSAÏQUE**

▲ Scène dans un amphithéâtre, mosaïque de Zliten près de Leptis Magna (détail) (Libye, Musée Archéologique de Tripoli).

❶ Identifiez les instruments de musique dans ces représentations de musiciens romains.
❷ De quels instruments actuels peut-on les rapprocher ?
❸ Dans quelle pièce de la maison pouvait-on à votre avis trouver ce genre de représentation ? Pourquoi ?

C'est au cours du festin qu'elle propose aux Troyens que Didon,
la reine de Carthage, s'éprend d'Énée et demande au héros
de raconter ses aventures.

1 Des serviteurs versent de l'eau sur les mains, offrent dans
des corbeilles les présents de Cérès et apportent des serviettes
aux poils ras.

Quinquaginta intus[1] famulae, quibus ordine longam

5 cura penum[2] struere[3], et flammis adolere[4] penatis ;
centum aliae totidemque[5] pares[6] aetate ministri,
qui dapibus[7] mensas onerent[8] et pocula ponant. [...]
Postquam prima quies epulis[9], mensaeque remotae,
crateras magnos statuont[10] et vina coronant.

10 Fit[11] strepitus[12] tectis ; vocemque per ampla volutant[13]
atria ; dependent lychni[14] laquearibus[15] aureis
incensi[16], et noctem flammis funalia[17] vincunt.

Alors la reine réclama une coupe, lourde d'or et de gemmes,
familière à tous les descendants de Bélus, et l'emplit de vin.

15 Un grand silence se produit dans la demeure :

« Mais, allons, cher hôte, raconte-nous plutôt, dès le début, les pièges
des Danaens, les malheurs des tiens et tes propres errances. »

L Virgile (70-19 av. J.-C.), *Énéide*, Livre I, vers 701-706, 723-730
et 753-755, traduction des auteurs.

▶ **AIDE À LA LECTURE**

1. intus : *a donné* intérieur

2. ordine penum struere : disposer des mets
en ordre

3. struere : 3ᵉ pers. pluriel du parfait de struo

4. adolere : faire brûler

5. totidem : le même nombre

6. par, is : égal

7. dapes, dapum, f. pl. : le repas, le banquet

8. onero, as, are, avi, atum : remplir

9. epulae, arum, f. pl. : le repas

10. crateras statuere : disposer les coupes
sur la table

11. fit : présent du verbe **fio, fis, fieri, factus sum,**
se produire

12. strepitus, us, m : le vacarme, le bruit

13. vocem per ampla volutare : faire rouler
sa voix à travers les vastes galeries

14. lychnis, idis, f. : la pierre précieuse

15. laquear, is, n. : le lambris

16. incensi : *a donné* incendie

17. funale, is, n. : la torche

▲ Corbeille de figues, fresque romaine (Iᵉʳ s. ap. J.-C.) (Campanie, Oplontis).

❶ À quel moment du repas
le passage se situe-t-il ?

❷ À quoi le banquet est-il
alors propice ?

❸ En quoi ce festin offert
par Didon peut-il être qualifié
de royal ?

le point sur LA MISSION

Faites la liste des animations et des divertissements du banquet.
Notez la manière dont se répartissent les rôles : musicien,
poète déclamateur, danseur, esclaves-serviteurs.

Ars faciem dissimulata juvat !

Comment les Romains s'apprêtent-ils pour un banquet ?

➠ **Un ultime détail à ne pas négliger : le respect du code vestimentaire. Gare aux fautes de goût !**

1 LIRE ET COMPRENDRE UN TEXTE EN LATIN

Lors de son banquet, Trimalchion fait une arrivée remarquée par son accoutrement qui attise les rires à peine contenus de l'ensemble de ses invités.

1 In his eramus lautitiis, cum ipse Trimalchio ad symphoniam allatus est, positusque inter cervicalia minutissima expressit imprudentibus risum.
Pallio[1] enim coccineo[2] adrasum[3] excluserat caput,
5 circaque oneratas[4] veste cervices[5] laticlaviam[6] immiserat mappam[7] fimbriis[8] hinc atque illinc pendentibus. Habebat etiam in minimo digito sinistrae manus anulum grandem subauratum[9], extremo vero articulo digiti sequentis minorem, ut
10 mihi videbatur[10], totum aureum, sed plane ferreis veluti[11] stellis ferruminatum[12]. Et ne has tantum ostenderet divitias, dextrum nudavit lacertum armilla aurea cultum et eboreo circulo lamina splendente conexo.

L Pétrone (Ier s. ap. J.-C.), *Satiricon*, 32-33, traduction des auteurs.

1 Nous étions plongés dans ces splendeurs quand on nous apporta Trimalcion lui-même aux sons d'une symphonie. Posé parmi des coussins très rembourrés, il fit éclater de rire quelques imprudents.
5
10 . Et, pour ne pas nous priver du spectacle de ses autres bijoux, il découvrit son bras droit, orné d'un bracelet d'or flanqué tout autour d'une lame d'ivoire éblouissante.

▶ **AIDE À LA LECTURE**
1. **pallium, i,** n. : le manteau
2. **coccineo** : *a donné* coccinelle
3. **adrasum** : *a donné* rasoir
4. **onero, as, are, avi, atum** : charger
5. **cervices** : *a donné* cervical
6. **laticlavius, a, um** : garni d'une bande de pourpre
7. **mappa, ae,** f. : la serviette
8. **fimbria, ae,** f. : la frange
9. **subauratus, a, um** : doré légèrement
10. **ut mihi videbatur** : d'après ce qui me semblait
11. **veluti** : comme
12. **ferrumino, as, are, avi, atum** : souder

Animation
✦ manuel numérique

▲ Scène de banquet, fresque de la Maison des Amants à Pompéi.

Étudier la langue
Les temps du récit, p. 270
Les adjectifs de la 2e classe, p. 252 et 254

❶ Relevez en latin les éléments qui composent la tenue de Trimalchion.
❷ Quelles couleurs porte-t-il ?
❸ Qu'est-ce qui, selon vous, justifie les rires des convives ?

1

1 Ovide, dans l'*Art d'aimer*, donne de multiples conseils aux jeunes gens qui veulent séduire. [...] Or, dit Ovide, nul besoin de se faire friser au petit fer, ni de s'user les jambes à la pierre ponce pour les faire 5 lisses. [...]. Les hommes doivent plaire « par leur simple élégance » : c'est-à-dire avoir le teint hâlé, la toge bien ajustée et sans taches, la chaussure bien nouée, aux agrafes non rouillées. Le pied ne doit pas sembler nager dans la chaussure. Les cheveux 10 sont bien coupés, la barbe taillée « par une main experte », les ongles propres et bien coupés... et les poils absents des narines. En outre, il faut avoir « l'haleine agréable » et ne pas dégager « l'odeur du mâle, père du troupeau. »

■ Jean-Noël Robert, *Les Romains et la mode*, © Les Belles Lettres (2011).

2

1 Les femmes ne passent, en général, guère plus de temps à se préparer le matin. À part une bande de tissu qui fait office de soutien-gorge, leurs vêtements sont presque les mêmes que ceux des hommes : tunique, 5 sandales, manteau drapé (la toge étant exclusivement masculine). Elles jouent seulement sur une plus grande variété de tissus, de couleurs et d'accessoires : bijoux, ceintures, bandeaux [...]. Elles passent souvent quelque temps avec leur coiffeuse, l'*ornatrix*. La coiffure au temps 10 de la République était très simple : les cheveux étaient séparés au milieu de la tête par une raie et ramenés à l'arrière en chignon. Sous l'Empire, la mode est devenue plus capricieuse et compliquée : tresses relevées sur le front, boucles, frisures...

■ Anne Theis, *La Vie quotidienne à Rome*, © Hachette (1983).

▲ Tête de Vibia Matidia, marbre (fin du Ier s. ap. J.-C.), 38 cm de hauteur (Rome, musées du Capitole).

❶ À l'époque d'Ovide, quelle semble être la mode masculine ? Qu'en pense-t-il ?

❷ Quels autres conseils donne-t-il aux hommes qui veulent soigner leur apparence ?

❸ Quels éléments font d'une Romaine une femme élégante et raffinée ?

❹ Quelle esclave y contribue en particulier ? De quoi est-elle chargée ?

❺ Quel style de coiffure les Romaines ont-elles adopté ?

▲ Tête de Niobée, marbre, 45 cm de hauteur (Paris, musée du Louvre).

le point sur LA MISSION

Faites le bilan de ce qu'il convient de porter au banquet afin de réussir pleinement votre mission.

ATELIER D'EXPRESSION

▶ **Un banquet est un repas convivial propice aux discussions. Pénétrez dans cet univers où les différents sens se mêlent et savourez le plaisir des mots et de la conversation.**

1 APPRENDRE DES MOTS PAR FAMILLE

La racine indo-européenne * pekᵂ- possède un double sens, « cuire » et « mûrir », que l'on retrouve en latin dans les mots comme coquus, i, m. : le cuisinier et praecox, ocis : qui mûrit avant.

❶ Finissez de remplir l'arbre.

❷ Complétez ces phrases avec un des dérivés français de la racine indo-européenne.

a. La maîtresse de maison a .... un délicieux repas pour les invités.

b. La pharmacienne nous a proposé de faire une .... à base de tilleul et de camomille pour nous relaxer.

c. L'apprenti suit les ordres du .... de ce grand restaurant étoilé pour réussir sa recette.

d. Pour réaliser ce plat, il faut le .... au four à 180 degrés.

e. Les clients de ce restaurant ont hâte de découvrir la .... de ce grand chef.

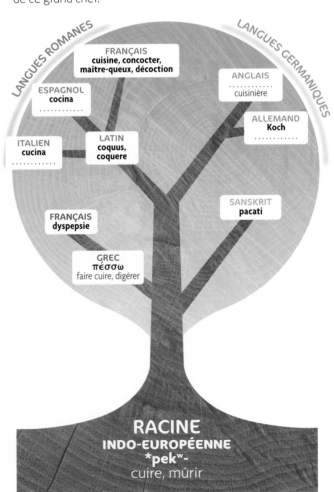

2 MÉMORISER PAR L'ÉTYMOLOGIE

Résolvez ces devinettes pour retrouver des mots français dérivés du latin.

a. Se dit de ce qui a la forme d'un *ovum*.

b. Désigne la dernière *cena* du Christ avant la crucifixion.

c. Titre d'un personnage politique membre du gouvernement qui exerce un rôle de *ministrator*.

d. Établissement dont les *hospites* accueillent les malades pour les soigner.

e. Se dit d'une atmosphère plaisante d'un *convivium* entre amis.

f. Action de quelqu'un qui s'apprête à *gustare* un aliment savoureux.

3 EXPLIQUER LE SENS D'UN MOT FRANÇAIS PAR LE LATIN

Donnez le sens de ces expressions issues de la civilisation romaine. N'hésitez pas à vous aider d'un ouvrage sur les expressions françaises ou d'un site Internet.

a. avoir le sel attique

b. s'endormir dans les délices de Capoue

c. faire un repas de Lucullus

d. préparer une macédoine

e. subir le supplice de Tantale

f. faire table rase

g. faire partie d'un cénacle

4 LATINE LOQUOR

Mettez-vous par deux. L'un questionne et l'autre répond.

Primus interrogat : « Quid edere vis ? », « Quid bibere vis ? », « Quid mihi coquendum est ? », « Qui in cenam convivae sunt ? », « Quid ministratores tibi dare debent ? »

Secundus latine respondet : « .... edere volo. », « .... bibere volo. », « Alteras patellas .... quaeso. », « In cenam .... », « Ministratores mihi .... »

5 DIRE ET JOUER UN TEXTE EN LATIN

Attribuez chaque phrase à l'un des personnages. Reconstituez l'ordre du dialogue et jouez la scène.

a. Domine, haec est patella quam tibi affero. Num alteri cibi parandi sunt ?

b. Ministratrores mei multas patellas in hanc mensam adferunt. Nunc ad libitum edite et bibite. Vobis bene sapiat !

c. Optime. Beatae sumus, quod hic adsumus.

d. Prorsus ita, dulce et jucundum vinum mihi da et alteras patellas para.

e. Gratias ago, carissime hospes. Coquus optimus est et cena perfecta est. Nam jucundissimae sunt olivae patellaeque.

f. Matronae, in cenam non adesse soletis, sed hodie nobiscum edere potestis.

g. Visne etiam vinum ?

6 APPRENDRE À TRADUIRE EN GROUPE

Quels éléments agrémentent un repas réussi ?

1 Haec ad symphoniam quattuor tripudiantes[1] procurrerunt superioremque partem repositorii[2] abstulerunt[3]. Deinde videmus infra altilia[4] leporemque[5] in medio pinnis subornatum[6] , ut Pegasus videretur[7]. Notavimus etiam
5 circa angulos repositorii Marsyas quattuor, ex quorum utriculis[8] garum piperatum[9] currebat super pisces, qui tamquam[10] in Euripo natabant.

L. D'après Pétrone, *Satiricon*, 36.

▶ **AIDE À LA TRADUCTION**

1. tripudiantes : les danseurs
2. repositorium, ii, n. : le plateau
3. aufero, fers, ferre, abstuli, latum : enlever
4. altilia, ium, n. pl. : la volaille engraissée
5. lepus, oris, m. : le lièvre
6. pinnis subornatum : orné de plumes
7. ut Pegasus videretur : pour ressembler à Pégase
8. utriculus, i, m. : la petite outre
9. piperatus, a, um : poivré
10. tamquam : introduit une comparaison

Étudier la langue

La 3e déclinaison, p. 252

Par groupe, prenez en charge la traduction d'une phrase de cet extrait du célèbre festin de Trimachion raconté par Pétrone.

1 **a.** Relevez les noms d'aliments : identifiez leur déclinaison, leur cas et leur fonction.
b. À quelle catégorie d'aliments appartiennent-ils ?

2 Relevez les comparaisons. Quel est l'effet recherché ?
3 Quelle conception de la cuisine est donnée à travers la description des plats ?
4 Recherchez ce qu'est le garum.

VOCABULAIRE

Noms

cena, ae, f. : le dîner
conviva, ae, m. : l'invité
convivium, i, n. : le banquet, le festin
coquus, i, m. : le cuisinier
hospes, itis, m. : l'hôte, le maître de maison
jentaculum, i, n. : le petit-déjeuner
lectus, i, m. : le lit

mensa, ae, f. : la table
ministrator, toris, m. : le serviteur, le maître d'hôtel
ovum, i, n. : l'œuf
panis, is, m. : le pain
patella, ae, f. : le plat
prandium, ii, n. : le déjeuner (collation)
vinum, i, n. : le vin

Adjectif

dulcis, e : doux, agréable

Verbes

bibo, is, ere, bibi, potum : boire
coquo, is, ere, coxi, coctum : cuire
edo, is, ere, edi, esum : manger
affero, fers, ferre, adtuli, adlatum : porter, apporter
gusto, as, are, avi, atum : goûter

LA MISSION ▶ Écrire une lettre

Le banquet romain, tant au niveau de sa préparation que de son organisation, de son déroulement et de son animation, n'a plus de secret pour vous. Vous pouvez donc, maintenant, écrire la lettre à votre ami qui réside loin de Rome. Soyez précis dans vos conseils.

ÉTAPE 1 ▶ IDENTIFIER LES CRITÈRES DE RÉUSSITE

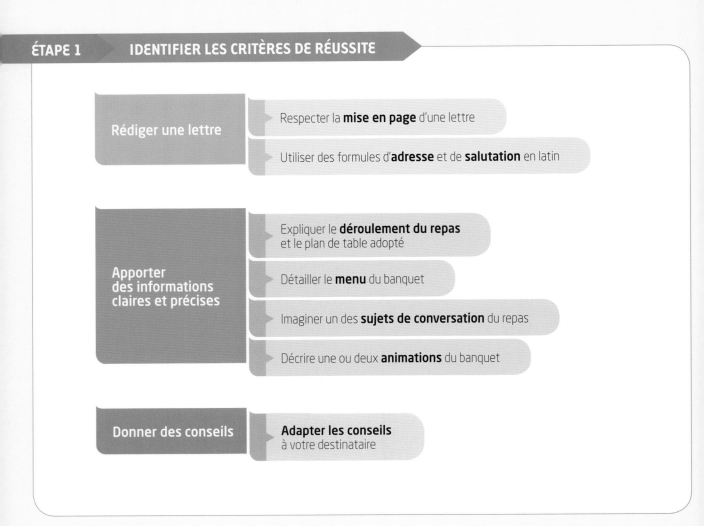

Rédiger une lettre
- ▶ Respecter la **mise en page** d'une lettre
- ▶ Utiliser des formules d'**adresse** et de **salutation** en latin

Apporter des informations claires et précises
- ▶ Expliquer le **déroulement du repas** et le plan de table adopté
- ▶ Détailler le **menu** du banquet
- ▶ Imaginer un des **sujets de conversation** du repas
- ▶ Décrire une ou deux **animations** du banquet

Donner des conseils
- ▶ **Adapter les conseils** à votre destinataire

ÉTAPE 2 ▶ S'ORGANISER EN ÉQUIPE

▶ Rassemblez vos connaissances en reprenant vos notes.
▶ Partagez-vous le travail : chaque groupe se charge d'une des parties de la lettre

BESOIN D'AIDE ?

Vérifiez l'exactitude de vos informations :
- organisation du banquet ▶ p. 76
- habits et coiffure ▶ p. 80
- nourriture ▶ p. 78
- animations du banquet ▶ p. 82

7 Rendez-vous au forum

Quelles sont les fonctions du forum ?

LA MISSION

Conférencier pour l'office du tourisme de Rome, vous organisez la visite guidée du forum. Constituez votre dossier de préparation : photos des monuments, des places, commentaires et anecdotes…

➤ Formez une équipe qui préparera le support de la visite.
➤ Prenez des notes tout au long du parcours.

▲ Goscinny et Uderzo, *Les Lauriers de César* (1972).

Connaissances, compétences, culture

Dans ce parcours, vous allez :

■ Lire et comprendre des images variées.

■ Lire et comprendre des textes littéraires et documentaires.

■ Identifier et nommer les principaux monuments du forum républicain.

■ Expliquer les institutions politiques de la République.

■ Maîtriser le vocabulaire de la vie publique.

Urbis umbilicus

Pourquoi le forum est-il le cœur de la ville ?

▶ **Projetez-vous sur le forum pour en ressentir l'ambiance...**

1 LIRE ET COMPRENDRE UN TEXTE EN LATIN

Primo negotiationis locus, ut forum Flaminium, forum Julium, ab eorum nominibus, qui ea fora constituenda curarunt [...]. Alio, in quo judicia fieri[1], cum populo agi, contiones[2] haberi solent.

└ Festus Grammaticus (IVᵉ s. ap. J.-C.), *De la signification des mots*, X.

▶ **AIDE À LA LECTURE**
1. **fio, fis, fieri, factus sum** : être fait (sert de passif à **facio**)
2. **contio, onis**, f. : l'assemblée, la réunion

Étudier la langue

La proposition relative, p. 262

❶ Que désigne le mot *forum* selon Festus ? Trouvez les deux noms qui font référence à deux fonctions différentes.

❷ Rome comprend-elle un ou plusieurs forums ?

2 DÉDUIRE DES INFORMATIONS D'UN PLAN

Rome : plan du forum

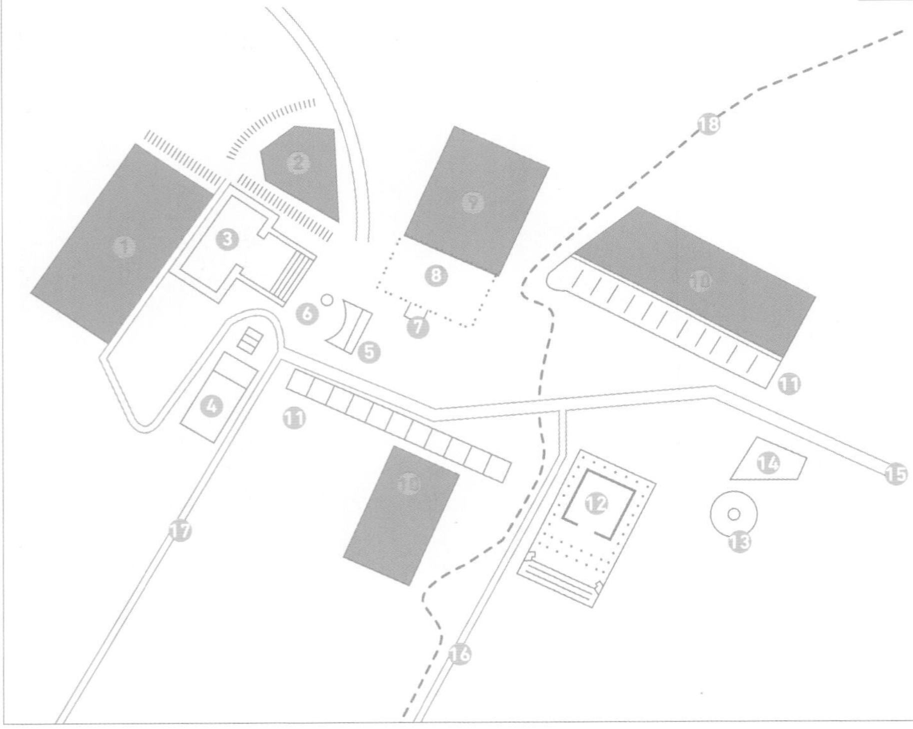

❶ Archives
❷ Prison
❸ Temple de la Concorde
❹ Temple de Saturne
❺ Tribune
❻ Sanctuaire dédié à Vulcain
❼ Sanctuaire de Lapis Niger
❽ Comitium
❾ Curie
❿ Basilique
⓫ Boutiques
⓬ Temple de Castor et Pollux
⓭ Temple de Vesta
⓮ Regia
⓯ Via Sacra
⓰ Vicus Tuscus
⓱ Vicus Jugarius
⓲ Cloaca Maxima

❶ Attribuez aux différents bâtiments leur(s) fonction(s) (politique, religieuse, économique, judiciaire). Pour les numéros 8, 9, 10 et 14, effectuez une recherche.

❷ Quels sont les deux domaines les plus représentés ?

❸ Choisissez un de ces monuments. À l'aide du hatier-clic, réalisez une fiche avec des illustrations pour le présenter devant vos camarades.

Doc imprimable
Fiche à compléter
hatier-clic.fr/lat06

Vidéo
Le forum romain
✦ manuel numérique

3

1 Qui periurum convenire vult hominem ito in comitium ;
Qui mendacem et gloriosum, apud Cloacinae sacrum.
Ditis damnosos maritos sub basilica quaerito. [...]
In foro infimo boni homines atque dites ambulant ;
5 In medio propter canalem ibi ostentatores meri.
Confidenteis garrulique et malevoli supra lacum,
Qui alteri de nihilo audacter dicunt contumeliam
Et qui ipsi sat habent quod in se possit vere dicier.
Sub Veteribus ibi sunt qui dant quique accipiunt fenore. [...]
10 In Velabro vel pistorem, vel lanium, vel aruspicem,
Vel qui ipsi vortant, vel qui aliis ubi vorsentur praebeant.

L. Plaute (254-184 av. J.-C.), *Le Charançon*, Acte IV, 1,
v. 470-472, 475-480 et 482-484, traduit par A. Ernout,
© Les Belles Lettres (1935).

1 Voulez-vous rencontrer un faussaire ? allez au Comice. Un menteur, un fanfaron ? aux alentours du temple de Cloacine. Des hommes mariés riches
5 et prompts à se ruiner ? cherchez-les autour de la Basilique. [...] Dans le bas forum se promènent les honnêtes gens et les riches citoyens ; dans le moyen forum, le long du canal, se tiennent les faiseurs
10 d'embarras. Au-dessus du lac Curtius les effrontés, et les bavards, les mauvaises langues qui débitent sans vergogne sur autrui toute sorte d'injures à propos de rien, tout en ayant eux-mêmes de quoi
15 fournir ample matière à la critique. Sous les Vieilles Échoppes se logent ceux qui prêtent et qui empruntent à usure. [...] Au Vélabre, les boulangers, les bouchers, les aruspices, les revendeurs, et ceux qui leur
20 fournissent de la marchandise.

❶ Localisez chaque lieu sur le plan et cherchez dans la traduction quelles personnes les fréquentent et ce qu'on vient y faire.

❷ Le forum vous paraît-il très fréquenté ? Quelles classes sociales s'y croisent ?

❸ Dressez la liste des prépositions de lieu qui vous serviront pour la visite et notez bien de quel cas elles sont suivies.

Étudier la langue

↳ Les adjectifs des 1ʳᵉ et 2ᵉ classes, p. 248 à 252

4 **DÉDUIRE DES INFORMATIONS D'UNE FRESQUE**

▲ Fresque de la Maison de Julia à Pompéi (Naples, Musée Archéologique National).

❶ D'après le décor, où la scène se déroule-t-elle ?

❷ À quelles activités les différents groupes se livrent-ils ?

le point sur LA MISSION

Récapitulez les fonctions du forum et les monuments qui leur correspondent.

Dii nos juvent !

Quels sont les liens entre la politique et la religion ?

> ▶ **Vous avez appris que, sur le forum, politique et religion se mêlent. Vous allez maintenant comprendre comment ces deux domaines interagissent.**

1 MÉMORISER DU LEXIQUE

❶ En vous inspirant de l'image ci-contre, dessinez un temple romain.

❷ Associez chaque terme latin à sa traduction puis légendez votre croquis en latin.
a. cella, podium, ara, gradus, columna, corona, frons, capitulum.
b. corniche, podium, fronton, chapiteau, colonne, escalier, autel, sanctuaire.

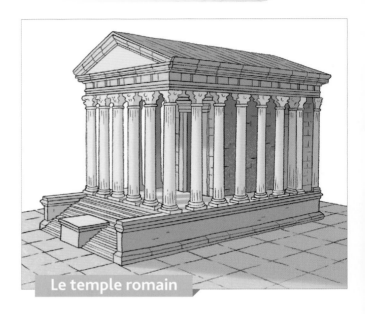

Le temple romain

2 DÉDUIRE DES INFORMATIONS D'UN RELIEF

Animation
↗ manuel numérique

◀ Autel de Domitius Ahenobarbus, scène de recensement et suovetaurile, marbre (fin du IIᵉ s. av. J.-C.), 80 x 560 cm (Paris, musée du Louvre). ▼

❶ Ce relief présente deux scènes différentes qui se complètent, la cérémonie du cens (le recensement), et le sacrifice qui suit la cérémonie : identifiez ces deux scènes. Vers quel endroit le regard du spectateur est-il attiré ?

❷ Associez à chaque numéro une des légendes suivantes : soldats en armes • prêtre chargé d'officier • jeune homme inscrit par son père • autel du sacrifice • Dieu Mars à qui le sacrifice est dédié • fonctionnaire remplissant le registre • bœuf, mouton, porc prêts à être sacrifiés • victimaire chargé d'abattre l'animal.

❸ Quelle preuve de l'imbrication du politique et du religieux cette œuvre donne-t-elle ?

3 COMPRENDRE UN TEXTE EN LATIN

La chute de la royauté en 509 av. J.-C. a laissé tout le pouvoir aux patriciens siégeant au Sénat, au détriment du reste de la population romaine, appelé la plèbe. En 368, cette dernière réclame que la moitié des magistrats chargés d'observer la religion soit issue de ses rangs. Voici la réponse d'Appius Claudius Crassus, le champion des patriciens.

1   Auspiciis hanc urbem conditam esse, auspiciis bello ac pace domi militiaeque omnia geri, quis est qui ignoret ? Penes quos igitur sunt auspicia more majorum ? Nempe penes patres [...] ; nobis adeo propria sunt auspicia [...]. Eludant nunc licet religiones : « Quelle
5 importance en effet que les poulets sacrés ne mangent pas ? qu'ils aient tardé à sortir de leur cage ? qu'un oiseau ait émis un chant de mauvais augure ? » Petites choses, bien sûr : mais c'est en ne méprisant pas ces petites choses que majores vestri maximam hanc rem (publicam) fecerunt ; nunc nos, tamquam jam nihil pace deorum opus sit, omnes caerimonias
10 polluimus.

        ⌐ Tite-Live (vers 59 av. J.-C.-10 ap. J.-C.), *Histoire romaine*, Livre VI, 41, 4-9, traduit par J. Bayet, © Les Belles Lettres (1966).

> *Étudier la langue*
> La proposition infinitive, p. 288
> Les pronoms personnels, p. 258

❶ Retrouvez dans la première phrase le rôle des auspices.

❷ Au nom de qui Appius Claudius parle-t-il ? Relevez dans le texte une expression qui le prouve.

❸ Est-il favorable ou opposé au partage du pouvoir ?

❹ Quel comportement A. Claudius reproche-t-il à ses adversaires ? En apporte-t-il la preuve ?

❺ Diriez-vous que ce discours est mesuré ou haineux ? Justifiez votre réponse.

4 METTRE EN RELATION DES DOCUMENTS

    Probablement élevé en 367 av. J.-C., le temple de la Concorde a été bâti à la suite de la promulgation des lois liciniennes qui mettent fin aux rivalités entre patriciens et plébéiens, en conflit depuis le début du Vᵉ s. av. J.-C. Le Sénat se réunissait parfois dans ce temple.

        ■ Valérie Hébert.

❶ Que signifie le mot « concorde » ? Donnez-en un synonyme.

❷ Quels éléments de l'image vous permettent de reconnaître un temple ?

❸ D'après ce monument, Appius Claudius a-t-il été entendu du peuple ?

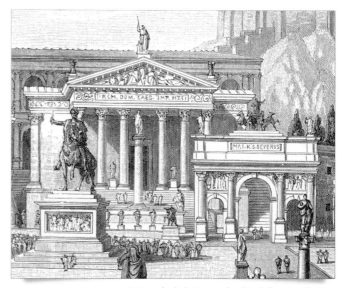

▲ Temple de la Concorde, détail d'une restitution du forum romain antique, gravure sur bois (vers 1880).

D'hier
à aujourd'hui

Il existe à Paris une place de la Concorde : pourquoi porte-t-elle ce nom ?

le point sur LA MISSION

Faites une fiche sur le temple de la Concorde et profitez-en pour exposer l'inégalité entre les patriciens et les plébéiens à l'époque de la République.

7 Oro vos faciatis me consulem

Comment les Romains choisissent-ils leurs représentants politiques ?

▶ **Pour le savoir, suivez sur le forum une campagne électorale.**

1 LIRE ET COMPRENDRE UN TEXTE EN LATIN

*Dans ce texte, Quintus, le frère de Cicéron, lui adresse des conseils,
à la veille de son élection au consulat, en 64 av. J.-C.*

A Prope cottidie tibi hoc ad forum descendenti meditandum est :

Ensuite, veille à ce que le nombre et le rang de tes amis soient vus de tous. **1**

B « Novus[1] sum, consulatum peto, Roma est. »

« Je suis un homme nouveau, je suis candidat au poste de consul, on est à Rome. » **2**

C Nominis novitatem dicendi gloria maxime sublevabis.

Presque chaque jour pendant que tu descends au forum tu dois te répéter en toi-même : **3**

D [...] Deinde fac ut amicorum et multitudo et genera appareant.

Tu vas remédier à la « nouveauté » de ton nom par la magnificence de ton éloquence. **4**

∟ Cicéron (106-43 av. J.-C.), *Petit mémoire pour une campagne électorale*, 1, traduction des auteurs.

▶ **AIDE À LA LECTURE**
1. novus : Cicéron n'a pas d'ancêtres patriciens élus avant lui.

Étudier la langue
La conséquence et le but, p. 292

❶ Pour comprendre ces conseils, faites correspondre chaque partie du texte latin à sa traduction.
❷ À quelle magistrature Cicéron se présente-t-il ?
❸ Quel handicap doit-il surmonter ?
❹ De quel atout majeur dispose-t-il ?
❺ Où va-t-il mener sa campagne ? Qui va l'aider ?

2 DÉCHIFFRER UN GRAFFITI ÉLECTORAL

A Cn Helvivm Sabinvm
Aed(ilem) D(dignum) R(ei)
P(ublicae) O(ro)[1] V(os)
F(aciatis)

∟ CIL, IV, 7862.

B A Vettium Firmum aed o v f d r p
pilicrepi[2] facite

∟ CIL, IV, 1147.

❶ Traduisez la première inscription.
❷ Lisez la deuxième inscription en rétablissant les termes abrégés.
❸ Que prouve l'utilisation d'abréviations ?
Pourquoi la deuxième inscription est-elle amusante ?

▶ **AIDE À LA TRADUCTION**
1. oro, as, are, avi, atum : prier
2. pilicrepus, i, m. : le joueur de balle

3 ⟩ DÉDUIRE DES INFORMATIONS D'UN DOCUMENT

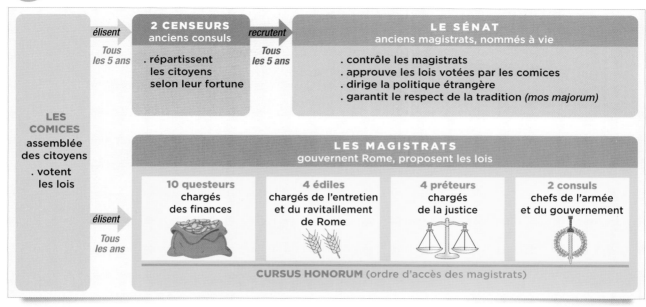

LES COMICES
assemblée des citoyens
. votent les lois

élisent
Tous les 5 ans

2 CENSEURS
anciens consuls
. répartissent les citoyens selon leur fortune

recrutent
Tous les 5 ans

LE SÉNAT
anciens magistrats, nommés à vie
. contrôle les magistrats
. approuve les lois votées par les comices
. dirige la politique étrangère
. garantit le respect de la tradition *(mos majorum)*

LES MAGISTRATS
gouvernent Rome, proposent les lois

élisent
Tous les ans

10 questeurs
chargés des finances

4 édiles
chargés de l'entretien et du ravitaillement de Rome

4 préteurs
chargés de la justice

2 consuls
chefs de l'armée et du gouvernement

CURSUS HONORUM (ordre d'accès des magistrats)

1 Quelles sont les différentes magistratures ouvertes aux élections ? À quels postes actuels pourraient-elles correspondre ?

2 Les membres du Sénat sont-ils plutôt novateurs ou conservateurs ? Justifiez votre réponse.

4 ⟩ DÉDUIRE DES INFORMATIONS D'UNE MONNAIE

Sur ce denier, est représentée une scène de vote au Comice. Associez chaque lettre à sa légende puis rédigez un court paragraphe pour expliquer le déroulement du vote.

A. Remise au citoyen d'une tablette vierge où inscrire le nom du candidat dans le cas de l'élection de magistrats ou bien de deux tablettes (Antiquo : je rejette ; Uti rogas : comme tu le demandes) pour un vote législatif.

B. Dépôt par le citoyen de sa tablette dans l'urne.

C. Cordes délimitant les différents enclos où sont répartis les citoyens en fonction de leur fortune. Les plus riches votent en premier ; quand la majorité est atteinte, le vote s'arrête.

D. Pont de bois qu'emprunte le citoyen pour déposer sa tablette dans l'urne, servant à éviter les fraudes.

▲ Monnaie d'argent frappée sous le consulat de Nerva (Denier Licinia Rome, 113-112 av. J.-C.).

PISTE E P I

Comment le métier de citoyen s'exerce-t-il à Rome et de nos jours ?

www.editions-hatier.fr

D'hier
à aujourd'hui

En France, à quelles élections participent les citoyens ? Qui compose le Sénat ? Quel est son rôle ?

le point sur LA MISSION

Certains lieux du forum vont vous permettre de parler de la vie politique : lesquels ? Complétez vos fiches.

In memoriam majorum

Comment entretient-on la mémoire du passé dans la Rome antique et aujourd'hui ?

> Impossible de quitter le forum sans parler des symboles et monuments qui en font la mémoire de Rome.

1 DÉDUIRE DES INFORMATIONS DE DOCUMENTS

1

▲ Inscription latine sur l'Arc de Titus à Rome.

2

▲ Monnaie romaine.

3

◄ Timbre français.

❶ Quels symboles de la puissance romaine identifiez-vous sur les documents 1 et 2 ?

❷ Quel autre animal, figurant sur les enseignes militaires romaines et repris par Napoléon, incarne également cette puissance ?

❸ Quels symboles de la République française identifiez-vous ? Quelle est leur origine historique ?

2 DÉDUIRE DES INFORMATIONS D'UN TEXTE

1   De nombreux lieux rappelant les origines de Rome bordent le *comitium*. Le *ficus ruminalis*, un figuier transplanté depuis le Palatin, aurait abrité la louve allaitant Romulus et Rémus. Le *mundus*, fossé circulaire creusé par Romulus lors de la fondation de la ville, marque le carrefour entre le monde
5 d'en bas et le monde d'en-haut. Quant au *lacus Curtius*, un puits sacré, il est différemment interprété : pour les uns, c'est un gouffre apparu à la suite d'un tremblement de terre, dans lequel se serait jeté, tout armé, avec son cheval, le jeune Marcus Curtius pour assurer à la République un avenir éternel ; pour les autres, il s'agit d'un lieu frappé par la foudre et consacré à Jupiter.

■ Valérie Hébert.

❶ Dans quelle partie du forum tous les lieux évoqués sont-ils concentrés ? Expliquez ce choix en vous rappelant la fonction de l'endroit.

❷ Ces différents lieux vous paraissent-ils historiques ou légendaires ? Justifiez votre réponse.

❸ À quelle époque historique ces lieux font-ils référence ? À quoi servent-ils ?

❸ DÉDUIRE DES INFORMATIONS D'UNE IMAGE

❶ Reconnaissez-vous cette place parisienne ?

❷ Que commémorent cette place et son monument ?

❸ Connaissez-vous une autre place parisienne où se rassemble le peuple français pour se montrer uni ?

❹ Dans votre village ou votre ville, où la population se réunit-elle ? Quels monuments y symbolisent la République ?

❹ LIRE ET COMPRENDRE UN TEXTE EN LATIN

1   L. Piso prodidit[1] M. Aemilio C. Popilio iterum cos. a censoribus P. Cornelio Scipione M. Popilio statuas circa[2] forum eorum, qui magistratum gesserant[3], sublatas[4] [esse] omnes praeter[5] eas, quae populi aut senatus
5 sententia[6] statutae[7] essent.

 └ Pline l'Ancien (23-79 ap. J.-C.), *Histoire naturelle*, Livre XXXIV, 14, 30.

▶ **AIDE À LA LECTURE**

1. **prodo, is, ere, prodidi, proditum** + prop. inf. (sujet à l'acc.) : publier, rapporter
2. **circa** + acc. : aux alentours, tout autour
3. **gero, is, ere, gessi, gestum** : terminer, achever
4. **sublatus, a, um** : part. de tollo, enlever
5. **praeter** + acc. : en dehors de
6. **sententia, ae,** f. : la décision, l'avis, la phrase
7. **statuo, is, ere, statui, statutum** : placer, ériger

❶ Qui est la source de Pline ?

❷ À quelle date l'événement se produit-il ?

❸ Quels magistrats interviennent ? Quelle décision prennent-ils ?

❹ Quel abus ce texte révèle-t-il ?

D'hier
à aujourd'hui

Comment la France honore-t-elle ses grands hommes ? Retrouvez trois exemples en vous aidant des indices. Complétez, si vous le pouvez, avec un autre exemple.
a. On l'épingle sur la poitrine de ceux qu'on veut honorer.
b. On l'accroche au coin des rues.
c. Ce monument porte l'inscription : « Aux grands hommes la patrie reconnaissante ».

le point sur LA MISSION

Vous voilà parvenus au terme de l'exploration du forum. Choisissez un monument commémoratif à présenter et n'hésitez pas établir des liens avec le présent pour intéresser les visiteurs.

ATELIER D'EXPRESSION

➡ **Pour guider votre visite, quelques expressions pour situer dans l'espace et décrire les activités du forum vous seront utiles.**

1 ÉTABLIR DES LIENS ENTRE LES LANGUES

La racine indo-européenne *dhwer-/*dhur-, la « porte » ou l'« enclos », est à l'origine du latin *fores, ium,* f. pl., la « porte » et, vraisemblablement, du mot *forum,* i, n., par le biais de l'adjectif *forus, a, um,* « à l'extérieur ». Le forum était, en effet, à l'origine, situé à l'extérieur de la ville.

Retrouvez deux mots anglais, l'un commence par D, l'autre par F.

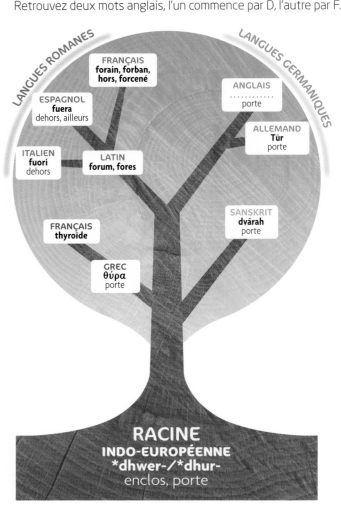

LANGUES ROMANES — LANGUES GERMANIQUES

FRANÇAIS
forain, forban, hors, forcené

ANGLAIS
....
porte

ESPAGNOL
fuera
dehors, ailleurs

ALLEMAND
Tür
porte

ITALIEN
fuori
dehors

LATIN
forum, fores

SANSKRIT
dvārah
porte

FRANÇAIS
thyroïde

GREC
θύρα
porte

**RACINE
INDO-EUROPÉENNE
*dhwer-/*dhur-**
enclos, porte

2 ÉTABLIR DES CORRESPONDANCES ENTRE LES MOTS

❶ En français, la racine a évolué sous la forme thyr à partir du grec (d'où thyroïde), sous la forme fur/for/hor(s) à partir du latin, en respectant la polysémie du mot forum en latin qui désigne à la fois la place du marché, l'enclos et la place publique.

Retrouvez ces mots dérivés en vous aidant des explications.

Sens juridique :

a. Il a délibéré en lui-même et il a jugé dans son f............ intérieur qu'il avait mal agi.

Sens de place du marché :

b. Il a acheté ses légumes au prix du marché et au f............ et à mesure qu'il déambulait il s'est laissé tenter de nouveau.

Sens d'exclusion, hors des limites :

c. Autrefois, ce nom désignait un brigand chassé de la communauté, c'était le f............ .

d. De la même façon, au-delà des frontières du village commençait le monde hostile, non déboisé, d'où le nom de f............

e. Synonyme de « fou » dans la langue courante, ce mot signifie qu'on est hors de soi-même : c'est le f............ .

❷ Quant au mot forum, il est passé directement en français mais a pris des sens nouveaux : expliquez ce qu'est un forum Internet ou un forum de l'emploi et essayez de montrer l'évolution du mot forum au xxᵉ siècle.

3 LATINE LOQUOR

Traduisez les phrases suivantes et mémorisez-en deux.

a. Vobis omnia Fori monumenta conmonstrabo.

b. Spectate hoc magnum templum.

c. Me sequimini (suivez), manete mecum, magna turba est in foro.

d. Bene audite : in comitio aliquis civis orationem habet.

4 DÉSIGNER GRÂCE AUX PRONOMS-ADJECTIFS

Analysez les formes de pronoms-adjectifs et indiquez qui ils désignent.

Comparate nunc, Quirites, cum illorum superbia me hominem novum. Quae illi audire aut legere solent, eorum partem vidi, alia egomet gessi ; quae illi litteris, ea ego militando didici. Nunc vos existimate, facta an dicta pluris sint. Contemnunt novitatem meam, ego illorum ignaviam.

 Salluste, *Guerre de Jugurtha,* Livre LXXXV, 14-24.

5 SITUER DANS L'ESPACE GRÂCE AUX PRÉPOSITIONS

Complétez ces phrases en utilisant une des prépositions du lexique.

a. .... foro infimo, boni homines ambulant.

b. Marcus .... forum descendit.

c. .... curiam, cives se salutant.

d. Flamen sacrificium facit .... templum.

6 MÉMORISER DU LEXIQUE

Pour chaque dessin, composez une légende en latin. Vous pouvez compléter par un lieu en utilisant les prépositions.

a. Personnages : mercator, oris, m. ; flamen, inis, m. ; consul, ulis, m. ; lictor, oris, m. ; matrona, ae, f.

b. Accessoires : cum toga ; cum pileo ; cum fascibus ; in sella ; cum palla ; in tunica

c. Actions : stat ; emit ; audit ; spectat ; vendit ; vigilat

7 APPRENDRE À TRADUIRE   EN GROUPE

En groupe, fabriquez quatre phrases à partir des éléments donnés, puis traduisez les phrases inventées par les autres groupes.

Nominatif	Accusatif	CC de lieu	Verbe
Ciceronis frater	orationem	ante templum	faciebat
consul	consulatum	e Jovis templo	ambulabat
flamen	sacrificium	prope basilicam	petebat
patronus	mercatorem	in medio foro	exibat
matrona	tunicam	in curia	legebat
turba	calendarium	per forum	emebat
	legem		audiebat

VOCABULAIRE

Noms

censor, oris, m. : le censeur
consul, consulis, m. : le consul
oratio, onis, f. : le discours
patronus, i, m. : l'avocat
templum, i, n. et **aedes, is,** f. : le temple
turba, ae, f. : la foule, l'agitation

Verbes

ago, is, ere, egi, actum + gratiam : remercier

ambulo, as, are, avi, atum : se promener
eligo, is, ere, elegi, electum : choisir, élire
emo, is, ere, empsi, emptum : acheter
facio, is, ere, feci, factum
+ orationem : prononcer un discours
peto, is, ere, ivi, itum + acc. : chercher à obtenir
specto, as, are, avi, atum : regarder

Adjectifs

altus, a, um : élevé
candidus, a, um : blanc

Prépositions

ad + acc. : vers, en direction de
ante + acc. : devant, avant
circum + acc. : vers, aux alentours de
cum + abl. : avec
ex + abl. : hors de, en s'éloignant de
per + acc. : à travers
post + acc. : derrière, après

LA MISSION

Préparer la visite guidée du forum

Il est maintenant temps pour vous de faire visiter le forum aux touristes qui se pressent à Rome. En vous appuyant sur votre diaporama, vous présenterez les monuments et les activités du forum.

ÉTAPE 1 — IDENTIFIER LES CRITÈRES DE RÉUSSITE

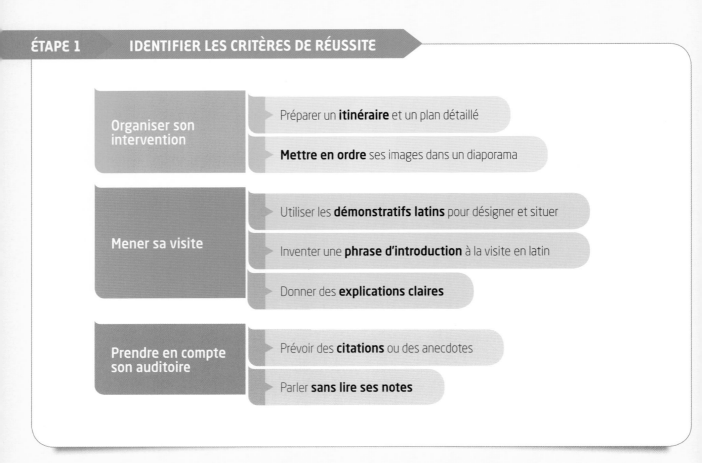

Organiser son intervention
- Préparer un **itinéraire** et un plan détaillé
- **Mettre en ordre** ses images dans un diaporama

Mener sa visite
- Utiliser les **démonstratifs latins** pour désigner et situer
- Inventer une **phrase d'introduction** à la visite en latin
- Donner des **explications claires**

Prendre en compte son auditoire
- Prévoir des **citations** ou des anecdotes
- Parler **sans lire ses notes**

ÉTAPE 2 — S'ORGANISER EN ÉQUIPE

► Rassemblez vos connaissances en reprenant vos notes.
► Partagez-vous le travail : rédaction des phrases en latin, partie de la visite, choix des documents

BESOIN D'AIDE ?

Vérifiez l'exactitude de vos informations :
- plan du forum ► p. 88
- la vie religieuse ► p. 90
- la vie politique ► p. 90 et 92
- lieux de mémoire ► p. 94
- présenter un lieu en latin ► p. 96

PARCOURS 8 Sous le regard des ancêtres

Comment les Romains transmettent-ils leurs valeurs ?

La mairie de Rome a décidé de bâtir un monument pour rendre hommage aux grands personnages qui ont fait son histoire.

Pour désigner les heureux élus, une seule contrainte : endosser le rôle du fils ou de la fille du personnage choisi et proposer son éloge, tel qu'il aurait pu être prononcé à l'époque de sa mort.

Vous avez choisi Horatius Coclès, un grand personnage de la République romaine.

➡ **Renseignez-vous** sur ce qu'aurait attendu de vous sa famille, **découvrez** la vie et les qualités de ses ancêtres et **montrez-vous-en digne** dans votre discours.

➡ **Prenez des notes** tout au long du parcours.

▲ Buste de Lucius Junius Brutus, premier Consul de Rome, bronze, 69 cm de hauteur (Rome, musées du Capitole).

Connaissances, compétences, culture

Dans ce parcours, vous allez :

- Lire et comprendre des images variées.

- Lire et comprendre des textes littéraires et des documentaires.

- Connaître et comprendre la place des ancêtres dans la société romaine.

- Établir des liens entre des productions littéraires et artistiques issues de cultures et d'époques diverses.

- Maîtriser le lexique des valeurs morales.

Imagines mirabiles

Quelle est l'importance des ancêtres ?

> Devant la responsabilité qui pèse sur vos épaules, vous cherchez de l'aide auprès d'un ami. D'un air malicieux, il vous suggère de vous rendre dans un musée et d'écouter ceux qui ne parlent plus, puis de l'informer du fruit de ces entretiens.

1 DÉDUIRE DES INFORMATIONS DE DOCUMENTS

▲ Togatus Barberini, patricien romain, portant les bustes de ses ancêtres, marbre (Iᵉʳ s. av. J.-C.), 1,65 m de hauteur (Rome, Centrale Montemartini).

1 Lorsqu'il meurt un personnage considérable, la cérémonie funèbre une fois célébrée, on le porte en grande pompe à l'endroit qu'on appelle les rostres, sur le Forum, et on l'y expose, ordinairement debout et bien visible, rarement couché. En 5 présence de tout le peuple, son fils, s'il en a un assez âgé et qu'il assiste aux funérailles, ou à défaut un de ses parents monte à la tribune, rappelle les vertus du défunt et les grandes actions qu'il a accomplies durant sa vie. Ainsi tous se rappellent et croient revoir ses hauts faits, non seulement ceux qui y ont 10 collaboré, mais même ceux qui n'en ont pas été les témoins ; et ils en ressentent une telle émotion que la famille du mort n'est plus seule à le pleurer, mais que tout le peuple s'associe à son deuil. Puis, quand on l'a enseveli et qu'on lui a rendu les derniers devoirs, on place son portrait à l'endroit le plus en vue 15 de sa maison, dans une petite chapelle de bois ; ce portrait est un buste taillé et peint avec toute la ressemblance possible. À l'occasion des cérémonies publiques, on découvre ces bustes et on les pare soigneusement. S'il meurt un haut personnage de la famille, ils figurent aux funérailles ; on en affuble des hommes 20 aussi semblables que possible, par la taille et l'aspect extérieur, à ceux qu'ils représentent. [...] On ne saurait imaginer un plus beau spectacle pour un jeune homme qui aime la gloire et la vertu ; qui donc, en voyant pour ainsi dire vivantes et animées les images de tous ces hommes illustres par leurs mérites, ne 25 se sentirait attiré par leur exemple ?

■ Polybe (202-120 av. J.-C.), *Histoires*, VI, 53, traduit par R. Weil et C. Nicolet, © Les Belles Lettres (1977).

❶ Quel élément vestimentaire permet d'identifier un citoyen romain ?

❷ Que tient-il dans ses mains ?

❸ Comment décririez-vous son regard et son attitude ?

❹ Quelles valeurs vous semble incarner cet homme ?

❶ De quel événement le texte parle-t-il ? Où se déroule-t-il précisément ?

❷ Dessinez un schéma de la scène et annotez-le.

❸ Quels éléments font de cette coutume un véritable « spectacle » ?

❹ À qui ce spectacle s'adresse-t-il plus particulièrement, d'après Polybe ?

2 LIRE ET COMPRENDRE UN TEXTE EN LATIN

1   Apud majores in atriis haec erant, quae spectarentur ; non
signa externorum artificum nec aera aut marmora : expressi cera
vultus singulis disponebantur armariis, ut essent imagines, quae
comitarentur gentilicia funera, semperque defuncto aliquo totus
5 aderat familiae ejus qui umquam fuerat populus. Et les branches
de l'arbre généalogique couraient en tout sens, avec leurs ramifications
linéaires, jusqu'à ces portraits, qui étaient peints. Les archives familiales
étaient remplies de registres et de recueils consacrés aux actes accomplis
dans l'exercice d'une magistrature. Au dehors et autour du seuil, il y
10 avait d'autres portraits de ces âmes héroïques, près desquels on fixait les
dépouilles prises à l'ennemi, sans qu'il fût permis à un acheteur éventuel de
les détacher.

└ Pline l'Ancien (23-79 ap. J.-C.), *Histoire naturelle*, XXXV, 2, 2,
traduit par J.-M. Croisille, © Les Belles Lettres (2002).

Étudier la langue

↖ **Les pronoms relatifs**, p. 262

❶ De quel lieu le texte parle-t-il ?

❷ Dans les lignes 1 à 5, Pline présente des éléments qui figurent dans le texte de Polybe. Trouvez à quoi correspond chez Polybe chacun des éléments surlignés.

❸ Quel est le point commun aux bustes, aux registres, aux portraits et aux dépouilles ?
À qui ces objets adressent -ils un message selon vous ?

❹ Qu'est-ce qui prouve que, pour les Romains, ces symboles avaient une importance considérable ?

3 CONFRONTER DES DOCUMENTS

1   J'ai souvent entendu conter que Q. Maximus,
P. Scipion, et tant d'hommes illustres de notre cité
allaient répétant que la vue des portraits de leurs
ancêtres enflammait leur cœur d'un ardent amour
5 pour la vertu. Ce n'est pas sans doute que cette cire,
ces images eussent en soi un pareil pouvoir ; mais
au souvenir des exploits accomplis, une flamme
s'allumait dans le cœur de ces grands hommes, qui
ne s'éteignait qu'au jour où leur mérite avait atteint
10 même éclat, même gloire. Dans nos mœurs actuelles
au contraire, c'est en richesse et en prodigalité qu'on
veut dépasser ses ancêtres.

■ Salluste (vers 86-35 av. J.-C.), *Guerre de Jugurtha*, traduit par
A. Ernout, © Les Belles Lettres (1980).

❶ Quel est l'effet des portraits (*imagines*) sur leurs spectateurs, d'après Salluste ?

❷ Quels points communs identifiez-vous entre les portraits des atriums antiques et la galerie de portraits de Poudlard ?

La galerie de portraits de Poudlard, ▶
dans le film *Harry Potter*.

le point sur LA MISSION

**Préparez une fiche pour la cérémonie dans laquelle vous prendrez la parole
(votre rôle, le lieu, la place des ancêtres, le public et ses attentes,
vos objectifs d'orateur...). Réutilisez votre croquis si besoin.**

Exempla ad imitandum habere

Quelles vertus les ancêtres incarnent-ils ?

> Plongé dans la contemplation des portraits du musée, vous songez aux valeurs que tous ces hommes ont défendues. Et vous pensez à Horatius, dit « le Borgne »... Que doit retenir le peuple de sa vie ?

1 · LIRE ET COMPRENDRE UN TEXTE EN LATIN

Texte lu
↗ manuel numérique

Tarquin le Superbe, dernier roi de Rome, a été chassé par Brutus qui établit la République en 509 av. J.-C. Cependant, il ne s'avoue pas vaincu. C'est dans ce contexte qu'intervient l'exploit d'Horatius.

1   Porsenna rex Etruscorum cum Tarquinios in urbem restituere tentaret et primo impetu[1] Janiculum[2] cepisset, Horatius Cocles - illo cognomine, quod in alio[3] proelio[4] oculum amiserat[5] - pro ponte Sublicio stetit[6] et aciem[7]
5   hostium sustinuit, donec[8] pons a tergo[9] interrumperetur, cum quo in Tiberim decidit et armatus ad suos transnavit. Ob[10] hoc ei tantum[11] agri publice datum, quantum uno die arare[12] potuisset. Statua quoque ei in Vulcanali[13] posita.

☐ *Les Hommes illustres de la ville de Rome* (anonyme du IVe ap. J.-C.), 11.

▶ **AIDE À LA LECTURE**

1. **impetus, us**, m. : l'assaut
2. **Janiculum, i**, n. : le Janicule, colline de Rome située sur la rive étrusque du Tibre
3. **alius, a, ud** : autre
4. **proelium, ii**, n. : le combat
5. **amitto, is, ere, amisi, amissum** : perdre
6. **stetit** : *a donné* stable, statique
7. **acies, ei**, f. : l'armée en formation de combat
8. **donec** : jusqu'à ce que
9. **a tergo** : derrière
10. **ob** + acc. : à cause de
11. **tantum... quantum...** : autant... que...
12. **aro, as, are, avi, atum** : labourer
13. **Vulcanal, alis**, n. : le Vulcanal, sanctuaire de Vulcain, probablement situé sur le forum

Étudier la langue

L'expression du temps, p. 290
L'indicatif parfait, p. 270

① Pour quelles raisons la situation de la jeune République romaine est-elle critique ?

② Quels éléments montrent le caractère héroïque de l'exploit d'Horatius ?

③ Comment le peuple romain lui a-t-il montré sa gratitude ?

Animation
↗ manuel numérique

▲ Anonyme, *Horatius Coclès défendant le pont Sublicius* (vers 1450), huile sur toile (Amsterdam, Rijksmuseum).

1 À l'époque où la République romaine se sent menacée par les guerres civiles (IIᵉ-Iᵉʳ s. av. J.-C.), de nombreux orateurs et écrivains latins appellent les Romains à revenir aux valeurs de leurs ancêtres, 5 le *mos majorum*, le fondement de la puissance de Rome.

Parmi ces valeurs, les principales sont la *virtus*, cet héroïsme guerrier qui est au départ la caractéristique de l'homme (*vir*), mais qui 10 désignera aussi une forme de maîtrise de soi face aux aléas du destin ; la *fides*, respect de la parole donnée et des traités ; la *pietas*, illustrée par Énée, qui désigne l'ensemble des devoirs de l'individu envers la famille, l'État et les dieux et qui instaure 15 une hiérarchie entre ces devoirs.

C'est cet idéal de vertu que les Romains de la République se sont proposé comme modèle, en l'incarnant dans de grandes figures mêlant pour les plus anciennes des éléments historiques à des traits 20 qui relèvent du domaine de la légende : Horace, Brutus, Mucius Scaevola, Cloelia, Cincinnatus, Marcus Furius Camillus, Titus Manlius Torquatus...

■ Thierry Bayart.

❶ Qu'est-ce qui fait la force du peuple romain ?

❷ À quoi les récits sur les premiers temps de Rome servent-ils ?

❸ Parmi les différents éléments de la « vertu romaine » évoqués dans le texte, lequel pourrait s'appliquer au comportement d'Horatius Coclès ?

 EFFECTUER UNE RECHERCHE

Par groupes, faites des recherches sur Cincinnatus.

❶ Racontez à vos camarades l'épisode qui l'a rendu célèbre.

❷ À la fin de votre récit, vous montrerez quelle valeur romaine traditionnelle ce personnage a incarnée : fides, pietas, virtus ?

❸ Pourquoi pouvait-il faire figure de modèle pour les jeunes Romains ?

▲ Juan Antonio Ribera, *Cincinnatus abandonnant sa charrue pour dicter les lois de Rome* (vers 1806), huile sur toile, 160 x 215 cm (Madrid, musée du Prado).

le point sur LA MISSION

Commencez la rédaction de l'éloge funèbre d'Horatius Coclès. Dans un premier paragraphe, racontez ses exploits et mettez en valeur ses vertus proprement romaines. N'oubliez ni à qui vous vous adressez, ni de qui vous parlez !

De Horatiis et Curiatiis

Pourquoi honore-t-on les héros ?

> ▶ Vous avez été frappé par l'expression austère d'un glorieux ancêtre, dont les exploits remontent au règne de Tullus Hostilius, troisième roi de Rome. Vous essayez de vous remémorer ce qu'on vous en a dit.

1 — LIRE ET COMPRENDRE UN TEXTE EN LATIN

1 Erant apud Romanos trigemini Horatii, *trigemini quoque*[1] *apud Albanos Curiatii.* Cum iis agunt reges ut pro sua quisque patria **dimicent ferro**. Foedus ictum est ea lege, ut unde **victoria**,
5 ibi quoque **imperium** esset. Itaque trigemini **arma capiunt**, et in medium **inter duas acies**[2] procedunt[3]. Considerant utrimque **duo exercitus.** Datur signum, **infestisque armis** terni juvenes **magnorum exercituum** animos
10 gerentes **concurrunt**.

☐ Abbé Lhomond (1727-1794), *Les Grands Hommes de Rome*, « Tullus Hostilius », traduit par J. Gaillard, © Actes Sud (2001).

1 Il y avait, chez les Romains, trois frères jumeaux, les Horaces,   . Les rois[4] conviennent avec eux qu'ils combattent épée en mains chacun pour leur patrie. Un traité fut conclu
5 stipulant que la suprématie reviendrait au camp qui aurait eu la victoire. Donc   . De chaque côté s'étaient installées les deux armées. On donne le signal et les deux trios de jeunes soldats, portant le courage
10 de deux grandes armées, courent l'un vers l'autre, les armes pointées.

▶ AIDE À LA LECTURE

1. **quoque** : aussi
2. **acies, ei, f.** : l'armée
3. **procedo, is, ere, cessi, cessum** : s'avancer
4. Il s'agit du troisième roi de Rome, Tullus Hostilius, et du roi d'Albe, cité rivale de Rome.

Étudier la langue
Le présent de l'indicatif, p. 268

▲ Jacques-Louis David, *Le Serment des Horaces* (1784), huile sur toile, 330 × 427 cm (Paris, musée du Louvre).

❶ À quel champ lexical les mots en gras appartiennent-il ? Que pouvez-vous en déduire sur le thème du texte ?

❷ Observez la première phrase : quels mots sont répétés ? Traduisez le passage en italique.

❸ Connaissez-vous d'autres récits dans lesquels un combat de ce type est organisé ? Qu'est-ce que cela révèle sur les Horaces et les Curiaces ?

❹ Représentez l'action sous forme d'un schéma, pour mieux la visualiser.

❺ Traduisez le second passage (l. 5-7).

1 Jam singuli[1] supererant, sed nec spe nec
viribus pares[2]. Alterius[3] erat intactum ferro
corpus, et geminata victoria ferox animus.
Alter[3] fessum vulnere, fessum cursu
5 trahebat corpus. Nec illud praelium fuit.
Romanus exultans male sustinentem arma
conficit, jacentemque spoliat.
Romani ovantes ac gratulantes Horatium
accipiunt, et domum deducunt. Princeps
10 ibat Horatius, trium fratrum spolia prae se
gerens.
Cui obvia fuit soror, quae desponsa[4] fuerat
uni ex Curiatiis, visoque super humeros
fratris paludamento sponsi[5], quod ipsa
15 confecerat, flere[6] et crines solvere coepit.
Movit feroci juveni animum comploratio
sororis in tanto gaudio publico : stricto
itaque gladio transfigit puellam, simul eam
verbis increpans : « Abi hinc cum immaturo
20 amore ad sponsum ; oblita fratrum, oblita
patriae. Sic eat quaecumque Romana
lugebit hostem. »

└ Abbé Lhomond (1727-1794), *Les Grands Hommes de Rome*, « Tullus Hostilius ».

1. singuli, ae, a : *ici* un de chaque côté
2. pares : *a donné* parité
3. alter... alter... : l'un... l'autre
4. despondeo, es, ere, di, sum : fiancer
5. sponsus, i, m. : le fiancé
6. fleo, es, ere, evi, etum : pleurer

Corneille a repris l'histoire d'Horace dans une tragédie célèbre. Dans ce passage, la sœur d'Horace, Camille, s'en prend à son frère.

CAMILLE

1 Rome, l'unique objet de mon ressentiment !
Rome, à qui vient ton bras d'immoler mon amant !
Rome qui t'a vu naître, et que ton cœur adore !
Rome enfin que je hais parce qu'elle t'honore !
5 Puissent tous ses voisins ensemble conjurés
Saper ses fondements encor mal assurés !
[...]
Que le courroux du ciel allumé par mes vœux
Fasse pleuvoir sur elle un déluge de feux !
Puissé-je de mes yeux y voir tomber ce foudre,
10 Voir ses maisons en cendre, et tes lauriers en poudre,
Voir le dernier Romain à son dernier soupir,
Moi seule en être cause, et mourir de plaisir !

HORACE *mettant la main à l'épée, poursuivant sa sœur qui s'enfuit.*

C'est trop, ma patience à la raison fait place ;
Va dedans les enfers plaindre ton Curiace.

CAMILLE, *blessée derrière le théâtre.*

15 Ah ! Traître !

HORACE

　　　　　Ainsi reçoive un châtiment soudain
Quiconque ose pleurer un ennemi romain !

■ Pierre Corneille (1606-1684), *Horace*, IV, 5, vers 1301-1306 et 1313-1322.

❶ Dans quel état les deux combattants sont-ils avant le dernier assaut ?

❷ Comment Horace est-il accueilli par le peuple romain à l'issue du combat ?

❸ Pour quelle raison Camille s'en prend-elle à son frère ?

❹ Quels sentiments la tirade de Camille exprime-t-elle ? De quel passage du texte latin peut-on la rapprocher ?

❺ Quelle est la réaction d'Horace ? Expliquez quel conflit de valeurs est illustré par cet extrait.

❻ Comment ce conflit de valeurs est-il marqué par le peintre David dans son tableau ?

D'hier à aujourd'hui

Aujourd'hui, on emploie l'expression « envoyer quelqu'un *ad patres* ». Que signifie cette expression, sachant que *patres* désigne en latin les « pères », c'est-à-dire les ancêtres ?

le point sur LA MISSION

Quels éléments de l'histoire d'Horace allez-vous mettre en avant dans votre discours ? Lesquels allez-vous laisser de côté ?

Patria summis viris grata !

Comment honore-t-on les héros aujourd'hui ?

▶ **Pour vous aider à rédiger votre discours, découvrez du côté de la République française une autre forme d'hommage aux grands hommes...**

1   DÉDUIRE DES INFORMATIONS DE DOCUMENTS

1   L'on sait que l'émergence de ce qu'il est convenu d'appeler le « culte des grands hommes » [...] est une manifestation du « Retour à l'Antique » de la fin du XVIIIᵉ siècle, au même titre finalement
5   que le péristyle dont Soufflot[1] a pris soin d'orner le Panthéon. [...]

Ce qui en constitue le ressort fondamental, à savoir le besoin de retirer de la personnalité, de la pensée ou de l'action de personnages éminents
10   du passé, reconnus comme exemplaires en raison de leur mérite propre, des enseignements utiles à la définition de comportements individuels et collectifs dans les temps présents, n'a rien perdu de sa pertinence dans la France d'aujourd'hui. [...]
15   L'exemple des personnages illustres du passé

peut précisément, sans nécessairement instaurer une morale d'État, donner des points de repère, permettre au plus grand nombre de se reconnaître dans certaines valeurs, rendre une fierté du présent
20   et une confiance en l'avenir.

Il permet également de donner un aspect concret aux abstractions qui forment ce pacte républicain qui nous permet de nous inscrire tous dans la même communauté de destin, quelles que
25   soient nos origines, nos convictions, nos croyances, nos connaissances, nos richesses et nos aptitudes.

■ *Pour faire entrer le Peuple au Panthéon, rapport à Monsieur le président de la République*, Philippe Bélaval (2013).

1. Soufflot : architecte du Panthéon.

L'HISTOIRE DE NOTRE PAYS N'EST QU'UNE SUITE DE PRODIGES QUI S'ENCHAÎNENT

DISCOURS DU 18 JUIN 1943 À L'ALBERT HALL, LONDRES

▲ Cérémonie d'entrée au Panthéon des résistants Geneviève de Gaulle-Anthonioz, Germaine Tillion, Jean Zay et Pierre Brossolette, le 27 mai 2015.

Vidéo

Quatre résistants au Panthéon
↗ manuel numérique

❶ Pour quelles raisons certains personnages sont-ils honorés par la nation au Panthéon ?

❷ Quelles sont donc les principales fonctions du culte qui leur est rendu ?

❸ Quels éléments font de ce culte une « manifestation » d'un retour à l'Antique ?

▼ André Malraux prononçant un discours lors du transfert des cendres de Jean Moulin au Panthéon le 19 décembre 1964.

1 Comme Leclerc entra aux Invalides[1], avec son cortège d'exaltation dans le soleil d'Afrique, entre ici, Jean Moulin, avec ton terrible cortège. Avec ceux qui sont morts
5 dans les caves sans avoir parlé, comme toi ; et même, ce qui est peut-être plus atroce, en ayant parlé ; avec tous les rayés et tous les tondus des camps de concentration, avec le dernier corps trébuchant des affreuses files
10 de *Nuit et Brouillard*, enfin tombé sous les crosses ; avec les huit mille Françaises qui ne sont pas revenues des bagnes, avec la dernière femme morte à Ravensbrück pour avoir donné asile à l'un des nôtres.
15 Entre avec le peuple né de l'ombre et disparu avec elle – nos frères dans l'ordre de la Nuit...

Commémorant l'anniversaire de la Libération de Paris, je disais : « Écoute ce soir, jeunesse de mon pays, les cloches d'anniversaire qui sonneront
20 comme celles d'il y a quatorze ans. Puisses-tu, cette fois, les entendre : elles vont sonner pour toi ».

L'hommage d'aujourd'hui n'appelle que le chant qui va s'élever maintenant, ce *Chant des Partisans* que j'ai entendu murmurer comme un chant de
25 complicité, puis psalmodier dans le brouillard des Vosges et les bois d'Alsace, mêlé au cri perdu des moutons des tabors, quand les bazookas de Corrèze avançaient à la rencontre des chars de Runstedt lancés de nouveau contre Strasbourg. Écoute

30 aujourd'hui, jeunesse de France, ce qui fut pour nous le Chant du Malheur. C'est la marche funèbre des cendres que voici. À côté de celles de Carnot avec les soldats de l'an II, de celles de Victor Hugo avec les *Misérables*, de celles de Jaurès veillées par
35 la Justice, qu'elles reposent avec leur long cortège d'ombres défigurées. Aujourd'hui, jeunesse, puisses-tu penser à cet homme comme tu aurais approché tes mains de sa pauvre face informe du dernier jour, de ses lèvres qui n'avaient pas parlé ; ce jour-là, elle
40 était le visage de la France.

■ Extrait du discours d'André Malraux pour l'entrée des cendres du résistant Jean Moulin au Panthéon, le 19 décembre 1964.

1. La 2e division blindée du maréchal Leclerc a libéré Paris le 25 août 1944. A sa mort en 1947, il est inhumé aux Invalides, à Paris.

❶ Qui parle dans ce texte ? À qui s'adresse-t-il dans le premier paragraphe ?

❷ Relevez une préposition répétée six fois dans le premier paragraphe : à travers cette anaphore, qui « entre » au Panthéon, avec Jean Moulin ?

❸ Qu'ont en commun tous ces personnages ? Quel effet cette répétition produit-elle alors sur les auditeurs ?

❹ À qui André Malraux s'adresse-t-il dans les deux paragraphes suivants ?

❺ Pourquoi peut-on dire que ce sont des idées et des valeurs, autant que des hommes, qui peuplent le Panthéon ? Appuyez-vous sur une autre anaphore pour répondre.

● le point sur **LA MISSION**

Faites la liste des éléments des cérémonies républicaines de panthéonisation qui pourraient vous inspirer pour mettre en voix votre éloge funèbre (figures de style dans le discours de Malraux, mise en scène, gestes...).

▶ **En bon orateur, vous aurez à veiller au choix des mots dans votre discours qui devra mettre en valeur Horatius Coclès et sa famille. Ces activités vous y aideront.**

1 COMPRENDRE L'ORIGINE DES LANGUES EUROPÉENNES

La racine indo-européenne *gen- indique le fait de « faire naître », d'« engendrer ». Elle a donné en français de très nombreux dérivés issus du latin et du grec sous la forme des radicaux -gen- (avec ou sans accent sur le -e) et -nat-(ur)-.

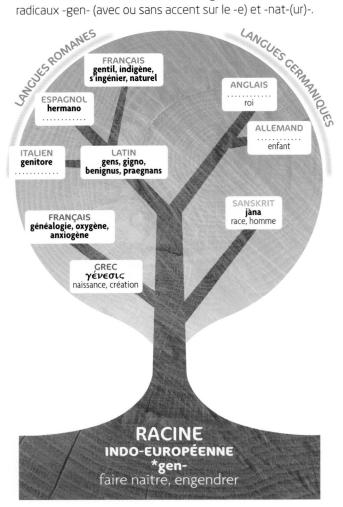

LANGUES ROMANES

LANGUES GERMANIQUES

FRANÇAIS
gentil, indigène, s'ingénier, naturel

ESPAGNOL
hermano
....

ANGLAIS
....
roi

ALLEMAND
....
enfant

ITALIEN
genitore
....

LATIN
gens, gigno, benignus, praegnans

SANSKRIT
jàna
race, homme

FRANÇAIS
généalogie, oxygène, anxiogène

GREC
γένεσις
naissance, création

RACINE INDO-EUROPÉENNE
*gen-
faire naître, engendrer

❶ Complétez l'arbre avec les mots que vous connaissez.

❷ À l'aide des définitions, retrouvez des dérivés français.

a. Qualités naturelles d'un individu.

b. Partie de la Bible qui raconte la création du monde.

c. Qualifie quelqu'un qui est né dans le pays.

d. Ensemble des enfants.

e. Père, celui qui engendre.

❸ La racine latine gen-, qui renvoie d'abord à la naissance, a très vite servi à désigner la « bonne naissance », la noblesse. Retrouvez les mots qui ont gardé ce sens dérivé.

a. En utilisant un terme anglais, on peut dire d'un homme particulièrement courtois et distingué que c'est un ....

b. Au Moyen Âge, une qualité associée à la noblesse était la .... Le sens de ce mot s'est affaibli, il ne désigne plus aujourd'hui qu'une forme de bonté. Par ailleurs, pour s'adresser aux nobles dames, on pouvait leur dire « .... dames et .... damoiselles » ! Pour les hommes, on parlait de ....

❹ Quel adjectif anglais dérivé du latin (qui signifie littéralement « avant d'avoir donné naissance ») désigne une femme enceinte ?

❺ Déduisez le sens du mot italien « primogenito », employé pour parler d'un enfant.

2 MÉMORISER PAR L'ÉTYMOLOGIE

Résolvez ces devinettes pour retrouver les mots français dérivés du latin.

a. J'aime à faire couler le *cruor* : je suis ....

b. Mon professeur a dit que, si nous recommencions, il allait être obligé de se montrer *saevus* : il va devoir ....

c. Ce discours fait la *laus* de ce grand homme : c'est un discours ....

d. L'escroc a voulu *fallo* sa victime : le document qu'il avait utilisé était ....

e. Celui qui *patior*, à l'hôpital, est appelé pour cela le ....

3 EXPLIQUER LE SENS D'UN MOT FRANÇAIS PAR LE LATIN

Complétez les explications des mots et rappelez le mot latin d'origine avec son sens.

a. Le mot « turpitude » désigne une action ou une parole .... : le mot vient de .... qui signifie ....

b. L'expression « être plein de superbe » signifie être rempli d'............. : le mot vient de .... qui signifie ....

c. La « probité » est une qualité qui s'apparente à l'............. : le mot vient de .... qui signifie ....

4 LATINE LOQUOR

Par deux, créez un maximum de phrases latines pour vanter les qualités exceptionnelles des héros que vous avez côtoyés lors de votre mission. Pour mettre en valeur des qualités, vous pouvez utiliser les tournures suivantes :

– esse + abl. de qualité avec summus, a, um : summa virtute esse
– comparatif ou superlatif des adjectifs : melior, optimus...
– tam (devant un adjectif) : si, aussi
– tot : tant de
– tantus, a, um : si grand
– noms exprimant une hyperbole : caedes, is, f., etc.
– pour vous justifier, vous pouvez utiliser enim, nam, quod, quia...

▲ Jacques Dumont dit le Romain, *Mucius Scaevola* (1747), huile sur toile, 161 x 195 cm (Besançon, Musée des Beaux-Arts).

5 APPRENDRE À TRADUIRE EN GROUPE

Le poète latin Juvénal exhorte Ponticus à mettre en conformité ses actes et sa haute naissance.

1 Stemmata quid faciunt[1], *quid prodest, Pontice, longo sanguine censeri*[2], pictos ostendere vultus[3] majorum et stantes in curribus Aemilianos[4] et Curios jam dimidios umerosque minorem
5 Corvinum et Galbam auriculis nasoque carentem[5], [...] si coram Lepidis male vivitur[6] ? Effigies quo tot bellatorum, si luditur[7] alea pernox ante Numantinos, si dormire incipis ortu Luciferi[8], quo[9] signa duces et castra movebant ?

L. Juvénal, *Satires*, VIII, vers 1-5 et 9-12.

Formez des groupes et répondez aux questions.

❶ Quels verbes à l'infinitif complètent l'expression quid prodest (v. 1) ?

❷ Aidez-vous des coordinations pour isoler les cinq COD du verbe ostendere.

❸ Traduisez les vers 1-6.

❹ Proposez une traduction plus soignée du passage en italique.

▶ AIDE À LA TRADUCTION

1. stemmata quid faciunt : à quoi bon des arbres généalogiques ?
2. censeri : être jugé
3. vultus, us, m. : le visage
4. Aemilianos, Curios, Corvinum, Galbam, Lepidis, Numantinos : personnages historiques
5. careo, es, ere, carui, cariturus + abl. : être privé de
6. si vivitur : si on vit
7. si luditur : si on joue
8. Lucifer, eri, m. : l'étoile du matin (qui apporte la lumière)
9. quo : à l'heure où

VOCABULAIRE

Noms

cruor, oris, m. : le sang (qui coule d'une blessure)
fides, ei, f. : la loyauté, la bonne foi ; la confiance
gens, gentis, f. : la famille noble
laus, laudis, f. : la louange, l'éloge
majores, um, m. pl. : les ancêtres
perfidia, ae, f. : la déloyauté
pietas, atis, f. : la piété
pudor, oris, m. : la pudeur, la honte
virtus, utis, f. : le courage ; la qualité
vitium, i, n. : le vice, le défaut

Adjectifs

audax, acis : audacieux, qui ose
bonus, a, um : bon
crudelis, e : cruel
dignus, a, um + abl. : digne de
fallax, acis : trompeur
fortis, e : courageux
malus, a, um : mauvais
probus, a, um : honnête
saevus, a, um : cruel
superbus, a, um : orgueilleux
turpis, e : honteux

Verbes

colo, is, ere, colui, cultum : cultiver ; honorer
decipio, is, ere, cepi, ceptum : tromper
fallo, is, ere, fefelli, falsum : induire en erreur, tromper
laudo, as, are, avi, atum : louer, faire l'éloge de
prodo, is, ere, didi, ditum : livrer, trahir
patior, eris, i, passus sum : supporter, souffrir

LA MISSION ● Écrire et déclamer un éloge funèbre

Il est désormais temps pour vous de préparer l'éloge funèbre d'Horatius Coclès. N'oubliez pas que ce discours a une double fonction : faire entrer votre héros au panthéon des grands hommes romains, tout en vous plaçant « dans la peau » du fils d'Horatius. Pensez à rendre un dernier hommage au mort, mais aussi à inciter vos concitoyens les plus jeunes à imiter les actions glorieuses de ce grand homme et des membres de sa famille.

ÉTAPE 1 ▸ IDENTIFIER LES CRITÈRES DE RÉUSSITE

Produire un discours qui retrace les hauts faits des ancêtres
- Construire des **passages narratifs** (histoire d'Horatius Coclès, des Horaces)
- **Mettre en lumière** des hommes
- Dégager les **valeurs romaines** incarnées par ces hommes et les mettre en valeur

Utiliser des procédés rhétoriques propres à l'éloge
- Utiliser des procédés d'**amplification**
- Utiliser des **termes mélioratifs**
- Employer des **figures de style** propres à l'art oratoire (anaphores, répétitions, antithèses...)

Produire un effet sur l'auditoire par l'interprétation orale
- **Lire de manière expressive**, pour valoriser le texte
- Parvenir à un **effet sur le public** (toucher, émouvoir, enthousiasmer...)

ÉTAPE 2 ▸ S'ORGANISER EN ÉQUIPE

▶ Rassemblez vos connaissances en reprenant vos notes.
▶ Notez les éléments importants de la situation d'énonciation : qui parle ? à qui ? où ? quand ? de quoi ? pourquoi ?
▶ Élaborez le plan de votre discours et partagez-vous le travail, de la rédaction à la relecture.

BESOIN D'AIDE ?

Vérifiez l'exactitude de vos informations :
- situation d'énonciation ▸ p. 100 et 106
- histoire d'Horatius Coclès ▸ p. 102
- histoire des Horaces et des Curiaces ▸ p. 104
- valeurs romaines ▸ p. 102, 104 et 108
- art oratoire ▸ p. 107

9 Toute la vérité sur les gladiateurs

Quels clichés les péplums véhiculent-ils ?

Assis dans le Colisée, vous imaginez la foule agitée des péplums et vous voici projeté dans l'Antiquité.
À côté de vous, Titus vous sert de guide.
De retour au présent, un réalisateur de péplum vous contacte.

➡ Formez une équipe qui rédigera le story-board (découpage dessiné plan par plan, accompagné de brefs commentaires) d'une scène de gladiature.
➡ Prenez des notes tout au long du parcours.

► Affiche du film *Gladiator*, réalisé par Ridley Scott (2000).

Connaissances, compétences, culture

Dans ce parcours, vous allez :

■ Lire et comprendre des images variées.

■ Lire et comprendre des textes littéraires, des inscriptions et des documentaires.

■ Découvrir le monde de la gladiature.

■ Établir des liens entre des productions littéraires et artistiques de cultures et d'époques diverses.

■ Maîtriser le lexique de la gladiature.

111

Nunc est spectandum !

Où et quand les spectacles de gladiateurs se déroulent-ils ?

🔊 **L'amphithéâtre est bondé. Les paris vont bon train. La parade commence : fanfares, trompettes et fifres annoncent le défilé des combattants dans l'arène. Titus vous donne le programme des festivités et vous décrit le Colisée.**

1 LIRE ET COMPRENDRE UN TEXTE EN LATIN

Casu[1] in meridianum spectaculum incidi[2] [...].
Non galea[3], non scuto[4] repellitur ferrum. Quo[5] munimenta[6] ? Quo[5] artes ? Omnia ista mortis morae[7] sunt. *Mane leonibus et ursis homines*, meridie
5 spectatoribus suis objiciuntur[8]. Ils ordonnent que les tueurs soient livrés à ceux qui vont les tuer, et gardent le vainqueur pour un autre massacre. L'issue pour les combattants c'est la mort. Haec fiunt[9], dum vacat harena[10]. « **Sed latrocinium[11] fecit aliquis, occidit[12]**
10 **hominem.** » Quid ergo[13] ? Quia occidit[12], ille meruit ut hoc pateretur : tu quid meruisti miser, ut hoc spectes ? « Occide, verbera[14], ure[15] ! Quare[16] tam timide incurrit in ferrum ? Quare parum audacter occidit ? Quare parum libenter moritur ? »

☐ Sénèque (env. 4 av. J.-C.-65 ap. J.-C.), *Lettres*, I, 7, 3-5.

▶ **AIDE À LA LECTURE**

1. **casus, us**, m. : le hasard
2. **incido, is, ere, cidi** : tomber sur
3. **galea, ae**, f. : le casque
4. **scutum, i**, n. : le bouclier
5. **quo** : à quoi bon
6. **munimentum, i**, n. : la protection
7. **mora, ae**, f. : le retard
8. **objicio, is, ere, jeci, jectum** : jeter, livrer
9. **fio, fis, fieri, factus sum** : se produire, arriver
10. **(h)arena, ae**, f. : le sable, l'arène
11. **latrocinium, i**, n. : le vol, le brigandage, la piraterie
12. **occidit** : *a donné* occire
13. **quid ergo** : quoi donc
14. **verbero, as, are, avi, atum** : frapper
15. **uro, is, ere, ursi, ursum** : brûler
16. **quare** : pourquoi

Étudier la langue

Le passif, p. 282
L'ordre et la défense, p. 284
L'interrogation directe, p. 300

▲ Deux musiciens jouant de la trompette et du cor, détail de la colonne Trajane, moulage en plâtre d'après l'original en marbre, 90 x 125 cm (Rome, Musée de la Civilisation romaine).

❶ Traduisez la première phrase. À quelle heure le spectacle auquel assiste Sénèque a-t-il lieu ?

❷ Traduisez la phrase en gras. Qui sont les combattants du midi ? Qu'ont-ils fait ?

❸ Quelle est l'issue de ce combat ? Quel spectacle offre-t-on aux spectateurs le midi ?

❹ Relevez les verbes à l'impératif (l. 12-14) et les trois phrases interrogatives qui suivent.

❺ Quelles réactions et quels sentiments du public Sénèque montre-t-il ainsi ?

❻ Traduisez l'extrait en italique. Quel type de combats donne-t-on le matin ?

❼ À quel moment de la journée les spectacles de gladiateurs ont-ils donc réellement lieu ?

2   METTRE EN RELATION DES DOCUMENTS

L'amphithéâtre de 50 000 places est bondé. La famille impériale et les vestales occupent les meilleurs sièges, dans les loges. Chevaliers et sénateurs en toge s'entassent dans les gradins, la plèbe se bouscule dans les hauteurs et les femmes, au dernier rang, s'abritent sous des
5   vélums du soleil encore chaud. Partout, les paris vont bon train.

■ GÉO Histoire, hors-série, *La Vie quotidienne dans la Rome antique.*

❶ Recherchez le sens des mots latins proposés et associez-les au numéro qui leur correspond sur la reconstitution : arena • cavea • podium • velum • vomitorium.

❷ Attribuez à chaque spectateur sa place dans le Colisée.

❸ Consultez le site ci-dessous puis expliquez le fonctionnement du vélum.

Site web
Le fonctionnement
du vélum
hatier-clic.fr/lat07

Reconstitution du Colisée

3   DÉDUIRE DES INFORMATIONS D'UN TEXTE

Anachronisme cinématographique supplémentaire, ces combats se déroulent souvent dans des amphithéâtres en pierre plusieurs siècles avant la construction des premières arènes dans la région de Capoue. [...] Les colons romains organisaient leurs combats de gladiateurs dans des structures de
5   bois provisoires ou plus simplement dans des théâtres. [...] À cause de son plancher effondré, le Colisée, hormis le cas particulier du film de Bruce Lee, n'a jamais été utilisé dans un péplum. Les amphithéâtres que l'on voit sont ceux de Pula, en Croatie et surtout de Vérone.

■ Christophe Champclaux et Linda Tahir Meriau, *Le Péplum,* © Le Courrier du Livre (2016).

❶ Où les combats de gladiateurs avaient-ils lieu avant la construction du Colisée, inauguré en 80 ap. J.-C. sous le règne de Titus ?

❷ Dans quel lieu les réalisateurs placent-ils leurs scènes de combat ? À votre avis, pourquoi ?

❸ Où les scènes sont-elles en réalité filmées ?

D'hier
    à aujourd'hui

Comparez l'architecture du Colisée à celle du stade de France : que constatez-vous ?

le point sur **LA MISSION**

Élaborez le programme d'une journée de spectacle au Colisée.

Sanguinea aut fortia certamina ?

Les combats : des spectacles sanglants ?

> ➡ **Vous retrouvez l'après-midi votre ami Titus pour assister aux véritables combats de gladiateurs : ils luttent toujours par deux, après qu'un tirage au sort a désigné les paires parmi les participants.**

1 METTRE EN RELATION DES DOCUMENTS

▲ R. Goscinny et A. Uderzo, *Astérix gladiateur*.

❶ Traduisez la formule que prononcent les gladiateurs dans la case de BD. Quel est l'effet créé par celle employée par Astérix et Obélix ?

❷ Quelle erreur l'article souligne-t-il ?

❸ Observez le tableau de Gérôme page 121. Quel cliché reproduit-il ?

1 　　C̲ette célèbre phrase latine passe pour être la formule prononcée par les gladiateurs devant l'empereur avant chaque
5 spectacle. Sauf que... Elle n'a été prononcée qu'une seule fois, et ce n'était même pas lors d'un spectacle de gladiateurs ! C'est un auteur latin (Suétone) qui la cite à
10 propos d'une naumachie (combat naval) ayant eu lieu sous le règne de l'empereur Claude et mettant en scène des soldats condamnés à mort (et donc sûrs de mourir).

■ *Arkéo Junior*, n° 225, janvier 2015, « Toute la vérité sur les gladiateurs », D. R.

2 DÉDUIRE DES INFORMATIONS D'UN TEXTE ET D'UNE MOSAÏQUE

1 　　L̲e succès de ce couple[1] et le véritable vedettariat qui l'accompagne au IIᵉ siècle ap. J.-C. découlent de l'extraordinaire technicité de ces deux combattants. Même si ces combattants d'exception
5 sont dressés pour regarder la mort en face, celle-ci épargne toujours les plus braves qui savent donner satisfaction au public. Car ce n'est pas la boucherie habituellement représentée au cinéma que recherchent les Romains. C'est bien le suspens,
10 le courage des combattants et la variété de leurs techniques qui font vibrer les foules à l'apogée de l'Empire.

■ Éric Teyssier, « Les gladiateurs », in *Histoire antique médiévale*, hors-série n° 23, avril 2010, D. R.

1. Il s'agit du couple secutor / rétiaire.

❶ Comment les deux combattants de la mosaïque se nomment-ils ?

❷ Quel est l'équipement du rétiaire (à droite) ? Et celui du secutor (à gauche) ?

❸ Quel rôle les personnages en toge blanche jouent-ils à votre avis ?

❹ Qui est le vainqueur ? Quel signe vous l'indique ?

❺ À quoi tient le succès du couple secutor / rétiaire d'après le texte ?

❻ Pour quelles raisons les Romains aimaient-ils ces spectacles ?

❼ Quelle image le cinéma en donne-t-il le plus souvent ?

▲ Combat de gladiateurs, mosaïque romaine (IVe s.), détail (Madrid, Musée Archéologique National).

 MÉMORISER DU VOCABULAIRE

● Voici un autre type de gladiateur : le thrace. Associez chaque équipement au mot latin qui lui correspond : jambière • protège-bras • bouclier • casque • poignard • pagne court.

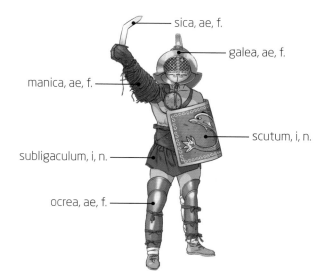

sica, ae, f.

galea, ae, f.

manica, ae, f.

scutum, i, n.

subligaculum, i, n.

ocrea, ae, f.

 LIRE ET COMPRENDRE UN TEXTE EN LATIN

Suspirium puellarum Celadus tr<aex>
└ CIL, IV, 4397.

Celadus le thrace l'idole des filles.

Puellarum decus Celadus tr<aex>
└ CIL, IV, 4345.

Thallus le dur à cuire et Crescens la merveille. Tu as gagné tous tes combats... C'est l'une des sept merveilles du monde.

Thallus durus Crescens thaumastus (θαυμαστός) omnia munera vicisti ΤΩΝ ΕΠΤΑ ΘΕΑΜΑΤΩΝ ΕΣΤΙ
└ CIL, IV, 1111.

Celadus le thrace fait soupirer les filles.

❶ Associez chacun de ces graffitis, trouvés sur les murs de Pompéi, à sa traduction.

❷ Comment les gladiateurs étaient-ils considérés par les spectateurs et les spectatrices ?

 **PISTE EPI**

Peut-on comparer les scènes de gladiature de l'Antiquité aux spectacles sportifs actuels ?

www.editions-hatier.fr

le point sur LA MISSION

Vous allez mettre en scène un combat dans le film. Comment mettrez-vous en valeur la virtuosité des gladiateurs et la passion du public ?

Morituri te salutant

Comment la fin du combat se déroule-t-elle ?

▶ **Voici la fin du combat, quelle décision sera prise ?
Titus vous explique les choix possibles.**

1 **CONFRONTER DES DOCUMENTS**

▲ Photogramme du film *Gladiator*, réalisé par Ridley Scott (2000).

▲ Un thrace vaincu guide le glaive d'un mirmillon
sur sa clavicule gauche, tandis que son vainqueur
attend le verdict de l'éditeur (arbitre),
bas-relief, théâtre de Bénévent (début du IIe s).

1 Quelles informations le bas-relief donne-t-il sur la mise à mort du vaincu
(gestes, règles, attitude des protagonistes, responsable de la décision) ?

2 Comparez avec la scène extraite du film *Gladiator*.

2 **DÉDUIRE DES INFORMATIONS D'UN TEXTE**

1   Les combats pouvaient se terminer par la mort à la décision de la foule et de l'*editor*, la personnalité politique organisatrice des jeux. Même sous la République, la mise à mort 5 du perdant n'avait rien de systématique. On exécutait généralement celui qui s'était mal battu, celui qui avait manqué de technique ou de courage, mais, surtout, le blessé qui avait peu de chances de survivre.

10   La mort d'un combattant valeureux n'est guère profitable, alors qu'il peut offrir ultérieurement un autre grand moment de distraction avec un autre adversaire. [...] La mort du gladiateur coûte cher à l'organisateur. La plupart des 15 égorgements sont en réalité des suggestions de l'arbitre – personnage systématiquement absent au cinéma – et ils sont destinés à épargner une longue agonie à un gladiateur grièvement touché.

■ Christophe Champclaux et Linda Tahir Meriau,
Le Péplum, © Le Courrier du Livre (2016).

1 Pour quelles raisons les combats se terminaient-ils rarement par la mise à mort du vaincu ?

2 Quand le gladiateur était-il finalement exécuté ? Qui le décidait ?

3 Quel personnage est généralement absent au cinéma ?

1   Comme Priscus, comme Vérus, prolongeait le combat, sans que Mars ne départageât, enfin, l'un et l'autre, **missio[1] saepe viris magno clamore petita est ; sed Caesar legi paruit[2] ipse[3] suae**, la loi étant de
5 combattre, jusqu'à ce qu'un des combattants eût levé le doigt [...]. *Lances[4] donaque saepe dedit[5].* Pourtant, il trouva un moyen de mettre fin à cette lutte égale. *Pugnavere pares, subcubuere[6] pares. Misit utrique[7] rudes[8] et palmas Caesar utrique : hoc pretium virtus*
10 *ingeniosa tulit.*

└ Martial (env. 40-104 ap. J.-C.), *Livre des spectacles*, XXIX.

▶ **AIDE À LA LECTURE**

1. missio, onis, f. : renvoi du combat, grâce pour le combattant
2. pareo, es, ere, ui, itum (+ dat.) : obéir à quelqu'un
3. ipse : lui-même
4. lanx, cis, f. : le plat
5. dedit : a pour sujet César
6. subcumbo, is, ere, cubui, cubitum : tomber
7. uterque, utraque, utrumque : l'un et l'autre, tous les deux
8. rudis, is, f. : bâton de bois servant à l'entraînement des gladiateurs. Il est aussi offert en signe de libération au combattant valeureux.

> *Étudier la langue*
> ↳ Le parfait, p. 270

① Traduisez le passage en gras.

② Quel mot latin désigne la demande de grâce du gladiateur ? Qui la demande ? Qui décide ?

③ Qui est vainqueur ? Relevez les indices l. 8-10.

④ Traduisez les phrases en italique. Quelles récompenses les combattants reçoivent-ils ?

⑤ Que nous apprend ce texte sur la mise à mort des vaincus ?

▲ Photogramme du film *Gladiator*, réalisé par Ridley Scott (2000), avec Joaquin Phoenix.

1   Parmi les *a priori*, la cruauté des Romains est symbolisée par la souffrance du vaincu et l'exaltation des vestales qui réclament sa mort. Le pouce renversé, alors qu'il devrait être « dirigé vers » constitue une autre approximation qui a la vie dure. Ce geste
5 créé à partir d'une mauvaise traduction de Juvénal (*Satires*, III, 36) et de Prudence (*Contre Symmaque*, XI, 1098-9), symbolise toujours ce goût du sang que l'on attribue aux Romains.

■ Éric Teyssier, « Les gladiateurs », in *Histoire antique médiévale*, hors-série n° 23, avril 2010, D. R.

le point sur LA MISSION

Quelles sont les différentes issues d'un combat ? Laquelle choisissez-vous pour votre mise en scène ?

● Quel cliché les péplums ont-ils le plus souvent véhiculé ? D'où vient cette erreur ?

Beati aut miseri gladiatores ?

Quelle vie les gladiateurs mènent-ils ?

> **Vous visitez l'école où s'entraînent les gladiateurs.
> Vous pouvez alors vous rendre compte de leurs conditions de vie.**

1 — CONFRONTER DES DOCUMENTS

◄ Affiche du film *Spartacus*,
réalisé par Stanley Kubrick (1960).

1   La force des clichés pèse sur les productions les plus sérieuses,
du *Spartacus* de Riccardo Fred jusqu'au *Gladiator* de Ridley Scott,
renforçant une vision erronée de la gladiature. [...]
    Contrairement à tout ce qui est montré dans les péplums, les
5 gladiateurs du Haut-Empire n'étaient ni des prisonniers de guerre,
ni des chrétiens condamnés à mort chargés de s'entretuer. Ils étaient
des combattants professionnels longuement entraînés, ayant signé de
leur plein gré un contrat, précisant qu'ils renonçaient à leurs droits de
citoyens romains, devenant le temps de leur engagement des esclaves
10 au service de leur laniste.

■ Christophe Champclaux et Linda Tahir Meriau, *Le Péplum*, © Le Courrier du Livre (2016).

❶ Observez l'affiche ainsi que celle de *Gladiator* (p. 111).
Quel est le plus souvent le statut social donné au héros
dans les péplums ? Quel rôle joue-t-il alors ?

❷ Qui, en réalité, pouvait devenir gladiateur ?
❸ Quel droit acceptaient-ils de perdre en choisissant
cette profession ? Pendant combien de temps ?

2 — LIRE ET COMPRENDRE UN TEXTE EN LATIN

[Caesar] spectacula gladiatorum habuit
magnificentia ; sed feminarum inlustrium
senatorumque plures per arenam foedati sunt.

└ D'après Tacite (vers 55-120 ap. J.-C.) *Annales*, XV, 32.

    se sont déshonorés.

1   In verba Eumolpi sacramentum juravimus :
uri, vinciri, verberari ferroque necari, et
quicquid aliud Eumolpus jussisset. Tanquam
legitimi gladiatores domino corpora animasque
5 religiosissime addicimus.

└ Pétrone (env. 15-66 ap. J.-C.) *Satiricon*, 117.

1   Selon les mots d'Eumolpe,   et
de faire tout ce qu'Eumolpe pourrait nous ordonner.
Comme des
5   par ce serment sacré, nous remettons

❶ Reconstituez les parties manquantes de ces traductions.
❷ Quelles informations supplémentaires vous apportent-elles ?

> *Étudier la langue*
> Les degrés de l'adjectif, p. 280

3 DÉDUIRE DES INFORMATIONS D'UN PHOTOGRAMME ET D'UN TEXTE

1 Qu'appelle-t-on une *ludus* ?

2 Comment les gladiateurs sont-ils entraînés aux combats ?

3 Comment sont-ils considérés ?

4 D'après le photogramme, quelle est l'atmosphère de cet entraînement ? Justifiez.

Vidéo
L'école des gladiateurs de Rome
↗ **Manuel numérique**

Photogramme de la série ▶
Spartacus : Le sang des gladiateurs (2010).

1 À la fin du IIᵉ siècle avant Jésus-Christ, les *ludi* (écoles de gladiateurs) sont répandues dans tout l'Empire. Les combattants sont entraînés par un ancien champion, *le doctor*. [...]

5 L'apprentissage de l'escrime se fait avec des *rudis*, des glaives en bois. Les gladiateurs pratiquent en outre tous les sports de combat grecs traditionnels comme le pugilat [...]. Ce sont de véritables athlètes au corps parfait [...].

■ Christophe Champclaux et Linda Tahir Meriau,
Le Péplum, © Le Courrier du Livre (2016).

4 DÉDUIRE DES INFORMATIONS D'UN TEXTE

1 Contrairement à l'image noire véhiculée par les auteurs chrétiens et le cinéma, le ludus de gladiateurs fonctionne davantage comme une corporation dont les membres sont solidaires 5 jusque dans l'organisation des funérailles. Il est également possible que les femmes de gladiateurs morts au combat restent avec leurs enfants dans la famille gladiatorienne et passent sous la protection d'un autre combattant. [...] Ainsi, les gladiateurs 10 mènent une existence sans commune mesure avec celle de la plupart des esclaves et jouissent souvent de conditions de vie supérieures à celles de beaucoup de leurs contemporains. Autour d'eux, du moins dans les écoles importantes, les gladiateurs 15 bénéficient des services d'un masseur (unctor) et des soins de médecins efficaces lorsqu'ils se blessent à l'entraînement ou, plus gravement, lors des combats. Ces attentions n'ont rien d'humanitaire, le gladiateur constitue un capital parfois important, il 20 est donc vital de ne pas perdre stupidement le fruit de lourds investissements.

■ Éric Teyssier, « Les gladiateurs », in *Histoire antique
médiévale*, hors-série n° 23, avril 2010, D. R.

1 Donnez la définition d'une *familia gladiatorum*.

2 Quelles étaient les conditions de vie des gladiateurs ? Correspondent-elles aux représentations données par le photogramme ci-dessus ? Justifiez votre réponse.

3 Pourquoi prenait-on soin des gladiateurs ?

le point sur LA MISSION

Vous pouvez maintenant construire le personnage principal du film (nom, statut social, école, famille) et reconstituer une de ses journées.

ATELIER D'EXPRESSION

▶ Le réalisateur vous demande aussi de proposer une bande son avec les cris de la foule. Ces activités vous y aideront.

1 COMPRENDRE L'ORIGINE DES LANGUES EUROPÉENNES

La racine indo-européenne *spek- / *skep- signifie observer. On retrouve de nombreux dérivés dans plusieurs langues. Complétez l'arbre suivant.

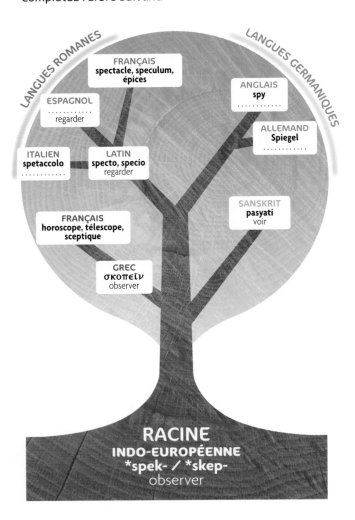

LANGUES ROMANES

LANGUES GERMANIQUES

FRANÇAIS
spectacle, speculum, épices

ANGLAIS
spy
....

ESPAGNOL
....
regarder

ALLEMAND
Spiegel
....

ITALIEN
spetaccolo
....

LATIN
specto, specio
regarder

SANSKRIT
pasyati
voir

FRANÇAIS
horoscope, télescope, sceptique

GREC
σκοπεῖν
observer

RACINE
INDO-EUROPÉENNE
*spek- / *skep-
observer

2 EXPLIQUER LE SENS D'UN MOT FRANÇAIS PAR LE LATIN

Donnez la définition du mot en italique. Aidez-vous du sens du préfixe latin et du radical latin spect-.

a. Tes amis te reprochent ton individualisme, il est temps de faire ton *introspection*. (inter-specere)

b. Dans un roman autobiographique, l'auteur fait le récit *rétrospectif* (retro-specere) de sa vie.

c. Durant l'enquête, l'inspecteur (in-spectare) se montra particulièrement *perspicace* (per-specere). Son *suspect* (sursum-specere) n° 1 était bien le coupable. Et pourtant, il n'en avait pas l'*aspect* (ad-specere).

d. Pierre reste dans l'*expectative* (ex-spectare) tant que ses résultats d'examen ne sont pas connus.

3 MÉMORISER PAR L'ÉTYMOLOGIE

Résolvez ces devinettes pour retrouver les mots français dérivés du latin ou du grec.

a. Lieu qui permet de tester plusieurs jouets sans les acheter.

b. Terme latin désignant à l'origine une tunique romaine, passé dans le langage cinéphile en 1960 pour désigner un genre de films à costumes.

c. Don fait en retour d'un travail dont vous avez été chargé.

d. Rubrique d'un journal où vous regardez votre avenir.

4 LATINE LOQUOR

Vous expliquez au réalisateur une scène de combat. Associez les questions aux réponses qui correspondent.

a. Quod spectaculum in arena videte ?

b. Quod cognomen est gladiatori quem a dextra videte ?

c. Quae armaturae gladiatoribus sunt ?

d. Qui gladiatores pugnant ?

1. Secutores et retiarii simul pugnant.

2. Gladiatori cognomen Serenius est.

3. Gladiatores qui pugnant spectamus.

4. Gladium, scutum et telum gladiatoribus sunt quos videmus.

Étudier la langue

Les pronoms relatifs et la proposition subordonnée relative, p. 262

5 DIRE ET JOUER UN TEXTE EN LATIN

Animation
↗ Manuel numérique

Attribuez l'une de ces phrases à
un personnage qui lui correspond dans
le tableau et jouez la scène. Vous pouvez
ne pas utiliser toutes les propositions.

a. Mitte.

b. Occide !

c. Verbera !

d. Jugula !

e. Hoc habet.

f. Ure !

g. Qualis virtus !

h. Videte quam
pulcher est !

i. Pollicem vertimus.

j. Pollicem preme.

k. Sol calidissimus
est, sitimus.

l. Victor sum !
Romanorum
sententiam rogo.

m. Vulgi
misericordiam
peto.

n. Mortem impero.

> **Étudier la langue**
>
> L'impératif et l'expression de l'ordre, p. 284

▲ Jean-Léon Gérôme (1824-1904), *Pollice Verso* (1872),
huile sur toile, 97 x 147 cm (Phoenix, Art Museum).

6 APPRENDRE À TRADUIRE

Voici l'épitaphe d'un gladiateur.

> Actius murmillo vicit VI. Annorum XXI, hic situs
> est. Sit terra levis. Uxor viro de suo. Quod quisquis
> vestrum[1] mortuo optaverit mihi et illi, dei faciant
> semper vivo et mortuo.
>
> L. CIL, II, 7, 353.

▶ **AIDE À LA TRADUCTION**

1. Quod quisque vestrum : Ce que quiconque d'entre vous

❶ Comment le gladiateur s'appelle-t-il ?

❷ À quelle catégorie de gladiateurs appartient-il ?

❸ Combien de combats a-t-il gagnés ?

❹ Quel âge avait-il ?

❺ Qui a fait élever ce tombeau à sa gloire ?

❻ Traduisez la dernière phrase de l'épitaphe.

▸ ▸ ▸ *COUP DE POUCE*

Illi renvoie à uxor.

VOCABULAIRE

Noms

(h)arena, ae, f. : le sable, l'arène
armaturae, arum, f. pl. : les armes
lanista, ae, m. : le laniste (propriétaire
d'une troupe de gladiateurs)
pollex, icis, m. : le pouce
pugna, ae, f. : le combat
rete, is, n. : le filet
telum, i, n. : le trait, le javelot
vulgus, i, n. : la foule

Verbes

cado, is ere, cecidi, casum : tomber
impero, as, are, avi, atum : ordonner,
commander à
mitto, is, ere, misi, missum : envoyer
neco, as, are, avi, atum : tuer
occido, is, ere, occidi, occisum : tuer
opto, as, are, avi, atum : souhaiter
premo, is, ere, pressi, pressum :
presser

rogo, as, are, avi, atum : demander
sitio, is, ere, ivi, itum : avoir soif
verbero, as, are, avi, atum : frapper
verto, is, ere, ti, sum : tourner
vinco, is ere, vici, victum : vaincre

Mot invariable

sursum : au-dessus

LA MISSION ▶ **Réaliser un story-board**

Pour la scène de gladiature, le réalisateur attend votre proposition de story-board sur lequel vous allez inscrire le maximum d'informations relatives au décor, à la mise en scène, au son, aux dialogues, aux mouvements de caméra...

ÉTAPE 1 ▶ IDENTIFIER LES CRITÈRES DE RÉUSSITE

Créer les personnages

- **Caractériser le héros** et son opposant (nom, statut social, famille, réputation, rôle dans l'histoire)
- Dessiner leur **équipement** selon la catégorie de gladiateurs choisie
- Utiliser des **noms latins**

Construire le scénario de votre scène

- Reconstituer les **étapes du combat** en évitant les clichés
- Faire un **croquis du lieu** où le film est tourné (amphithéâtre en bois, Colisée, etc.)

Découper et faire le croquis de la scène plan par plan

- Indiquer les **mouvements de caméra** (plans, angles de vue, travellings)
- Donner les **informations sonores** (réactions du public en latin, paroles de l'empereur, musique)

ÉTAPE 2 ▶ S'ORGANISER EN ÉQUIPE

- ▶ Rassemblez vos connaissances en reprenant vos notes.
- ▶ Partagez-vous le travail, de la rédaction à la relecture.

BESOIN D'AIDE ?

Vérifiez l'exactitude de vos informations :
- vie et statut social du gladiateur ▶ p. 118
- type de gladiateurs et équipement ▶ p. 114
- étapes du combat et mots latins ▶ p. 114 et 116
- lieux ▶ p. 112
- réactions en latin du public ▶ p. 120

10 ▶ Maîtres et esclaves

Quelles sont les conditions de vie des esclaves à Rome ?

LA MISSION

Esclaves en fuite, vous avez rejoint la révolte armée menée par le célèbre gladiateur Spartacus. Il vous a chargé de rédiger le discours qu'il doit tenir devant ses troupes afin de les exalter avant l'affrontement final contre les armées romaines.

▬▶ **Formez une équipe qui élaborera le plan du discours et le rédigera.**
▬▶ **Prenez des notes tout au long du parcours.**

▶ Scène de banquet avec des esclaves, fresque de la Maison du Triclinium de Pompéi.

Connaissances, compétences, culture

Dans ce parcours, vous allez :

■ Lire et comprendre des images variées.

■ Découvrir les conditions de vie des esclaves.

■ Maîtriser le lexique du travail et de l'esclavage.

■ Lire et comprendre des textes littéraires et documentaires.

■ Découvrir les conditions de l'affranchissement.

Infimae sortis homines

Comment devient-on esclave ?

> ▶ **Pour redonner force et courage à vos compagnons de révolte, rappelez-leur qui ils étaient et ce qu'ils faisaient avant qu'ils ne rallient Spartacus.**

1 **DÉDUIRE DES INFORMATIONS D'UN TEXTE**

1 On peut être ou devenir esclave pour de multiples raisons : tout d'abord bien entendu, par la naissance, puisque l'enfant d'une femme esclave a obligatoirement le même statut que sa mère, et ceci quelle que soit la condition sociale du père [...].

5 Une condamnation judiciaire pour dettes peut réduire le débiteur à devenir l'esclave de son créancier. Les enfants que les parents n'ont pas voulu garder et qui ont été « exposés » à leur naissance peuvent être ramassés par des marchands d'esclaves qui les élèveront avant de les vendre.

Mais, à Rome, c'est la guerre qui est grande pourvoyeuse de travailleurs
10 serviles : en effet tout prisonnier de guerre devient l'esclave de son vainqueur [...]. Enfin les pirates [...] fournissent les marchés d'esclaves avec les malheureux passagers des navires qu'ils ont capturés.

■ Catherine Salles, *L'Antiquité romaine*, © Larousse (2002).

❶ Relevez les cinq sources de l'esclavage à Rome.

❷ Quelle pratique indique que l'esclave est considéré comme une marchandise ?

❸ Quels éléments, à votre avis, peuvent justifier l'aspiration de certains esclaves à la liberté ?

2 **LIRE UN TABLEAU DE DONNÉES**

Les esclaves dans l'Antiquité

Région et époque	% d'esclaves dans la population totale
Chine	sans doute moins de 10 %
Mésopotamie et Égypte	13 à 35 %
Athènes (recensement de 317 av. J.-C.)	200 à 250 000 esclaves pour une population totale d'environ 430 000 personnes, soit près de 50 % (mais des historiens parlent aussi, seulement, de 20 à 35 %)
Italie à l'époque d'Auguste (au tout début de l'Empire)	10 à 40 % ; 30 à 40 % selon d'autres sources. À la même époque, environ 10 % d'esclaves en Égypte, 15 % en Afrique du Nord
Empire romain vers le milieu du Iᵉʳ s. av. J.-C.	10 millions d'esclaves
Pergame	33 % de la population au IIᵉ s. ap. J.-C.

■ D'après « Esclavages : De Babylone aux Amériques » de Jacques Annequin et Olivier Grenouilleau, *La Documentation photographique*, dossier n° 8097, janvier-février 2014, © La Documentation française.

❶ D'après ce tableau, quelle part de la population les esclaves représentent-ils par rapport à l'ensemble des habitants en Italie à l'époque d'Auguste ?

❷ Ces données sont-elles sûres ? Pour quelle raison, selon vous ?

❸ D'après les données fournies, les Romains ont-ils eu davantage recours à l'esclavage que leurs voisins ?

1   Equum empturus¹ solvi² jubes stratum³, detrahis vestimenta venalibus⁴ ne qua vitia corporis lateant⁵. Mangones⁶ quod displiceat abscondunt⁷, itaque ementibus ornamenta ipsa suspecta sunt : cum crus⁸
5 aut bracchium alligatum⁹ videatur, corpus nudari et ostendi jubes.

    └ D'après Sénèque (4 av. J.-C.-65 ap. J.-C.), *Lettres à Lucilius*, IX, 80.

▶ **AIDE À LA LECTURE**
1. **empturus** : sur le point d'acheter
2. **solvo, is, ere, solvi, solutum** : détacher, déboucler
3. **stratum, i**, n. : la selle, le harnais
4. **venalis, is**, m. : l'esclave mis en vente
5. **lateo, es, ere, latui** : être caché
6. **mango, onis**, m. : le marchand d'esclaves
7. **abscondo, is, ere, di, sum** : dissimuler
8. **crus, cruris**, n. : la jambe
9. **alligatus, a, um** : bandé, pansé

❶ Sur quels critères les Romains achètent-ils leurs esclaves ?
❷ Quels éléments (lieux, personnages, etc.) indiquent que l'esclave est vendu comme une marchandise ?

▮ ▶▶▶ *COUP DE POUCE*

Aidez-vous des mots transparents du texte pour répondre à la question 1.

④ LIRE ET COMPRENDRE UN TEXTE EN LATIN

❶ Associez chaque image à l'une des légendes en latin qui décrit un métier.
❷ Vous préciserez ensuite pour chaque image si l'esclave représenté appartient
à une *familia urbana* (esclaves des villes) ou à une *familia rustica* (esclaves des champs).
❸ Faites des recherches pour trouver quatre autres professions effectuées par des esclaves romains.

A Ornatrix dominae capillos comit. Ea ancilla sollers est.

B Laternarius puer est. Is servus dominum sequitur et de nocte laternam fert ut urbis vias illustret.

C Servus qui cenam parat coquus est.

D Hi servi sub pedes fructus, olivas et uvas opprimunt.

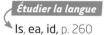

Étudier la langue
Is, **ea, id**, p. 260

D'hier
    à aujourd'hui

Les Romains recrutaient parmi les esclaves publics des vigiles, chargés de veiller (*vigilare*) sur la sécurité de la ville en cas d'incendies. De quelle profession peut-on les rapprocher aujourd'hui ? Le métier de vigile existe toujours, mais quelle en est désormais la fonction ?

le point sur LA MISSION

Faites le point sur les origines et les fonctions de l'esclavage.

Num servus ordinarius homo est ?

Quelle est la place de l'esclave dans la société romaine ?

▶ **Un autre moyen de revigorer l'ardeur de vos compagnons à défendre leur cause est d'évoquer les mauvais traitements qu'ils ont eu à subir ainsi que la place que leur accorde la société romaine.**

1 DÉDUIRE DES INFORMATIONS D'UN TEXTE

1   Autre attitude normale, les Grecs avaient ouvert un débat : ils se demandaient si les esclaves étaient des machines ou des animaux dotés de la parole. Les Romains ne se posaient pas cette question, leur droit avait tranché : ils étaient des hommes, mais des hommes diminués, à
5 qui manquait une particularité qui les aurait inclus dans l'ensemble de l'humanité. Ils étaient privés de la liberté, c'était une infirmité parmi d'autres, comme s'ils étaient nés sans bras ou sans jambes, ou s'ils étaient devenus ainsi par suite d'un accident de la vie. Et cette infirmité s'accompagnait d'un trait cruel : elle était infâmante.
10   [...] L'esclave pouvait revendiquer des droits. Il était le propriétaire de son tombeau et de son pécule, le *peculium* ; on donnait ce nom à de l'argent donné par le maître qui ne pouvait pas le prendre ou le reprendre. Il avait le droit de vivre avec une femme et de veiller sur ses enfants ; c'était le *contubernium*, opposé au mariage légal des Romains,
15 le *conubium*. Hélas pour eux, le maître avait la faculté de vendre séparément les membres de cette « famille ».

■ Yann Le Bohec, *Spartacus : chef de guerre*, © Tallandier (2016).

Vidéo
Être esclave
à Rome
↗ manuel numérique

❶ Comment les esclaves romains sont-ils considérés par le droit romain ? Était-ce la même chose chez les Grecs ?

❷ De quels droits les esclaves bénéficient-ils ?

2 LIRE UNE INSCRIPTION

▲ Plaque de collier d'esclave.

TENE ME, QUIA
FUGI(O) ET REBOCA[1]
ME IN BIA[2] LATA
AD GEMELLINU(M)
MEDICU(M)

▶ **AIDE À LA LECTURE**
1. **reboca** : ramène
2. **bia lata = via lata**

Étudier la langue
L'impératif présent, p. 284

❶ Traduisez cette inscription.

❷ Dans quel but les esclaves portaient-ils ces colliers ?

❸ Par quoi sont-ils portés aujourd'hui ?

3 ⬤ DÉDUIRE DES INFORMATIONS D'UN TEXTE

1　Au même titre que d'autres supplices (le carcan, le pal, la potence), la crucifixion fait partie de l'arsenal répressif de la justice romaine et son application est très strictement limitée : les lois
5　constitutionnelles de Rome interdisent de mettre en croix un homme bénéficiant de la citoyenneté romaine et seuls peuvent être crucifiés les esclaves et les provinciaux non-citoyens romains, coupables de brigandage, d'insurrection, de piraterie, bref tous
10　ceux dont les crimes portent atteinte à l'État tout entier en détruisant l'ordre établi.

　　La croix est essentiellement utilisée pour punir les esclaves. Le maître, par son droit de vie et de mort sur toute sa famille, peut utiliser à son gré ce
15　supplice en cas de rébellion dans sa demeure.

■ Catherine Salles, « La crucifixion chez les Romains »,
in *Le Monde de la Bible*, n°97, mars-avril 1996.

❶ À quel supplice les esclaves peuvent-ils être condamnés ?

❷ Quel crime ce châtiment est-il censé punir ? Est-il appliqué dans tous les cas ?

4 ⬤ LIRE ET COMPRENDRE UN TEXTE EN LATIN

Texte lu
✐ manuel numérique

1　Seneca Lucilio suo salutem
　Libenter ex his, qui a te veniunt, cognovi familiariter te cum servis tuis vivere : hoc prudentiam tuam, hoc eruditionem decet.
5　« Servi sunt. » Immo homines. « Servi sunt. » Immo contubernales. « Servi sunt. » Immo humiles amici. « Servi sunt. » Immo conservi, si cogitaveris tantundem in utrosque licere fortunae. [...]
10　Vis tu cogitare istum quem servum tuum vocas, ex isdem seminibus ortum eodem frui caelo, aeque spirare, aeque vivere, aeque mori !

L. Sénèque (4 av. J.-C.-65 ap. J.-C.), *Lettres à Lucilius*, V, 47, 1 et
10, traduit par H. Noblot, © Les Belles Lettres (1947).

1　Je suis heureux d'apprendre de ceux qui viennent d'auprès de toi que tu vis en famille avec tes esclaves, conduite bien digne du personnage éclairé, cultivé que tu es. « Ce sont des esclaves. » Non, ce sont
5　des hommes. « Ce sont des esclaves. » Non, des compagnons de gîte. « Ce sont des esclaves. » Non, d'humbles amis. « Ce sont des esclaves. » Des esclaves comme nous-mêmes, si l'on songe que la fortune étend ses droits également sur nous comme sur eux. [...]
10　Veux-tu bien te dire que cet être que tu appelles ton esclave est né de la même semence que toi ; qu'il jouit du même ciel, qu'il respire le même air, qu'il vit et meurt comme toi.

❶ Avec qui Sénèque semble-t-il dialoguer dans cette lettre ?

❷ Que s'efforce-t-il de démontrer ? Par quels moyens ?

❸ Par quel pronom Sénèque désigne-t-il l'esclave dans la dernière phrase ? Quelle est sa valeur ? Pourquoi l'emploie-t-il ?

❹ En quoi ce texte diffère-t-il du texte de l'activité 1 ?

PISTE EPI Comment l'esclavage a-t-il évolué depuis l'Antiquité ?

www.editions-hatier.fr

le point sur **LA MISSION**

Faites le point sur le traitement physique et moral subi par les esclaves à Rome.

Quid libertatis pretium est ?

Comment les esclaves parviennent-ils à la liberté ?

> 🠺 Il pourrait également être utile de souligner la difficulté, pour les esclaves, d'accéder à la liberté. S'ils veulent rester libres, il leur faudra se battre !

1 DÉDUIRE DES INFORMATIONS D'UN TEXTE

¹ Sortir de l'esclavage a certainement été le rêve de tous les esclaves de l'Antiquité. Seuls quelques-uns d'entre eux ont pu le réaliser, et encore dans des conditions totalement différentes selon les cas. [...]

⁵ Les possibilités d'action de l'esclave restent limitées. Dans Aristophane, les deux esclaves des *Cavaliers* (vers 32), voyant avec consternation l'arrivée d'un nouvel esclave et la modification de leur propre situation, n'envisagent que deux ¹⁰ issues : la fuite et la mort. Si l'on ajoute la révolte et l'affranchissement, on a fait le tour des moyens possibles pour échapper à l'esclavage. Ils ne se situent évidemment pas sur le même plan. Outre la mort par suicide, la fuite et la révolte, aboutissent ¹⁵ également, assez souvent, à la mort. Pourtant, certains esclaves parvinrent probablement à se libérer ainsi.

■ Jean Andreau et Raymond Descat,
Esclave en Grèce et à Rome, © Hachette Littératures (2006).

❶ La sortie de l'esclavage est-elle un phénomène très fréquent dans la société romaine ?
❷ De quels moyens les esclaves disposent-ils pour échapper à leur condition ?
❸ Quelle en est souvent l'issue ?

2 METTRE EN RELATION DES DOCUMENTS

Animation
✈ manuel numérique

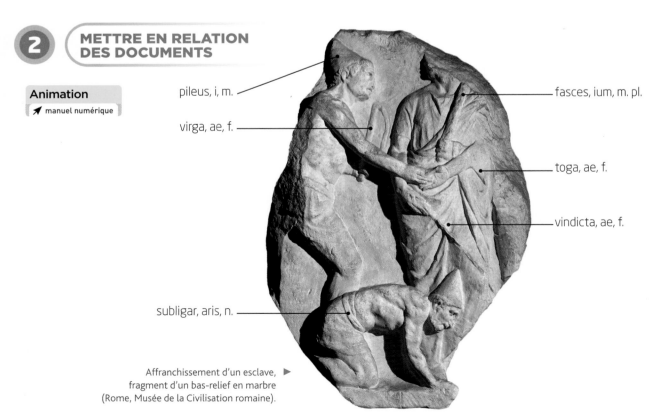

pileus, i, m.

virga, ae, f.

fasces, ium, m. pl.

toga, ae, f.

vindicta, ae, f.

subligar, aris, n.

► Affranchissement d'un esclave, fragment d'un bas-relief en marbre (Rome, Musée de la Civilisation romaine).

Il y a, à l'époque classique, trois manières d'affranchir, trois procédures ayant pour effet de libérer légalement l'esclave. L'une est la vindicte (*vindicta*) : c'était un procès fictif auquel consentait le maître de l'esclave, et à l'issue duquel le magistrat feignait de reconnaître que l'homme ou la femme en question était déjà libre au préalable. L'affranchissement pouvait aussi être obtenu au moment du recensement (*censu*) : avec le consentement du maître, l'ancien esclave était inscrit sur les listes de citoyens. Enfin, on pouvait affranchir un ou plusieurs de ses esclaves par testament.

■ Jean Andreau, article « Affranchissement (Rome et Droit romain) » in Jean Leclant (dir.), *Dictionnaire de l'Antiquité*, © Presses Universitaires de France (2005).

❶ Quels sont les trois types d'affranchissement légaux ? Lequel est représenté sur le bas-relief ?

❷ Identifiez les personnages du bas-relief à l'aide des éléments représentés dont vous donnerez la traduction.
a. Esclave prosterné, coiffé d'un bonnet de feutre de forme conique et vêtu d'une sorte de pagne.
b. Licteur vêtu d'une toge, tenant dans la main gauche le faisceau, symbole de sa charge, et dans la droite la baguette avec laquelle il va symboliquement frapper la tête de l'esclave.
c. Esclave coiffé d'un bonnet de feutre de forme conique et tenant dans sa main gauche un fouet, signe peut-être de sa profession.

 3 ## METTRE EN RELATION DES DOCUMENTS

Mais qu'on ne se trompe pas, l'affranchissement, la *manumission*, ne transforme pas soudain l'esclave en homme libre à part entière, en égal de son ancien maître. [...] Les Romains se sont ingéniés à établir des distinctions subtiles entre l'affranchi et l'homme libre, entre le *libertus*-affranchi, le *libertinus*-fils d'affranchi, l'*ingenuus*-citoyen libre.

Le nom, symbole de l'appartenance d'un homme à la cité, donne déjà une image de la condition de l'affranchi. Celui-ci porte, en effet, le nom et le prénom de son ancien maître, son nom d'esclave devient son surnom. [...] Envers [son maître], l'affranchi s'est engagé à observer certaines obligations, certains devoirs, certains travaux, les *operae*.

■ Joël Schmidt, *Vie et mort des esclaves dans la Rome antique*, © Albin Michel (2003).

▲ Stèle funéraire de Publius Aiedius et de sa femme Aiedia découverte Via Appia à Rome, marbre (Iᵉʳ s. av. J.-C.) (Berlin, musée de Pergame).

❶ Quels sont les nouveaux rapports de l'affranchi avec son ancien maître ?

❷ Quel élément de la stèle montre que les personnes représentées sont des anciens esclaves ? Quel autre élément souligne leur nouveau statut ?

le point sur LA MISSION

Préparez vos arguments en faisant la liste des moyens légaux d'affranchissement et insistez sur l'humiliation de la condition d'esclave.

D'hier
à aujourd'hui

Dans quel symbole de la République française le bonnet porté par l'affranchi est-il utilisé ?

Vivat libertas !

Quelle source de danger un esclave représente-t-il à Rome ?

▶ **Pour convaincre votre auditoire, faites le récit des rébellions d'esclaves qui ont fait trembler la société romaine.**

1 ▸ LIRE ET COMPRENDRE UN TEXTE EN LATIN

1   Larcius Macedo, vir praetorius, a servis suis passus est[1]. Nam superbus dominus et saevus erat. Lavabatur in villa Formiana. Repente[2] eum servi circumsistunt[3]. Alius fauces[4] invadit, alius os[5]
5 verberat, alius pectus[6] et ventrem contundit[7] ; et, cum eum exanimem putarent, abiciunt in fervens pavimentum, ut experirentur an viveret. Ille, sive quia se non sentiebat, sive quia se non sentire simulabat, immobilis et extentus fidem peractae
10 mortis implevit. Excipiunt ejus servi fideliores. Ita et vocibus excitatus et recreatus loci frigore, sublatis oculis agitatoque corpore vivere se (et jam tutum erat) confitetur. Diffugiunt[8] ejus servi ; quorum magna pars comprehensa est[9], ceteri
15 requiruntur[10]. Post paucos dies, Larcius non sine ultionis[11] solacio[12] decessit.

      ⌐ D'après Pline le Jeune (61-114 ap. J.-C.), *Lettres*, III, 14, traduction des auteurs.

1

; et,
5 quand ils le pensent mort, ils le jettent sur le sol brûlant pour vérifier s'il vit encore. Lui, soit qu'il ne ressentît rien, soit qu'il fît semblant de ne rien ressentir, en restant immobile et étendu, il leur laissa croire à l'accomplissement de sa mort. Ses esclaves les
10 plus fidèles le recueillent. Ainsi réveillé par les cris et ranimé par la fraîcheur de la pièce, après avoir ouvert les yeux et fait quelques mouvements, il manifeste (il était désormais à l'abri) qu'il est en vie.

15

▶ **AIDE À LA LECTURE**

1. **passus est a** + abl. : a été la victime de
2. **repente** : soudain
3. **circumsistunt** : entourent
4. **fauces, ium,** f. pl. : la gorge
5. **os, oris,** n. : le visage
6. **pectus** : *a donné* pectoraux
7. **contundit** : écrase
8. **diffugiunt** : s'enfuient
9. **comprehensa est** : a été reprise
10. **requiruntur** : sont recherchés
11. **ultio, onis,** f. : la vengeance ;
12. **solacium, ii,** n. : la consolation

Étudier la langue

Is, ea, id, p. 260

❶ De quoi Larcius est-il victime ?

❷ Quelle attitude de Larcius explique cet incident ?

❸ Quels sont les deux types de comportement adoptés par les esclaves ?

❹ Comment cela se finit-il pour Larcius et pour les esclaves concernés ?

❺ Traduisez les parties non traduites du texte.

◀ Uderzo et Goscinny, *La Galère d'Obélix* (1996).

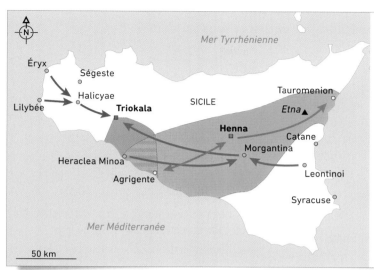

Première guerre servile
(140-132 avant J.-C.)
→ Révolte d'Eunous
▨ Royaume d'Eunous
▪ Capitale du royaume
○ Villes conquises par les insurgés

Deuxième guerre servile
(104-100 avant J.-C.)
→ Révolte de Salvius
→ Révolte d'Athénion
▨ Royaume de Salvius (qui prend le nom de Tryphon)
▪ Capitale du royaume
○ Villes conquises par les insurgés

❶ Que désigne l'expression « guerres serviles » ?

❷ Combien de ces guerres ont eu lieu en Sicile ? À quelle période ?

❸ Qu'ont visiblement cherché à faire ces esclaves révoltés ?

3 METTRE EN RELATION DES DOCUMENTS

1 ⸀ Il est donc probable que Spartacus, qui portait un nom de son pays, soit né vers 93 en Thrace, au sein d'un peuple semi-nomade. Il a été victime d'une razzia et, bien qu'il ait été un homme libre, il a été vendu comme esclave sur le

5 ⸀ marché de Rome et acheté par le propriétaire d'une école de gladiateurs sise à Capoue. [...] Personnage anonyme en 73, il possédait des qualités de chef de guerre, du courage, de l'autorité et de l'intelligence.

◼ Yann Le Bohec, *Spartacus : chef de guerre*, © Tallandier (2016).

❶ Relevez les éléments de la sculpture qui indiquent l'état de servitude passé de Spartacus et ceux qui évoquent sa liberté retrouvée.

❷ Décrivez Spartacus (geste, expression, attitude...).

❸ Quelles qualités évoquées dans le texte retrouve-t-on dans la statue ?

❹ Expliquez pourquoi cette statue est devenue un symbole révolutionnaire au XIXᵉ siècle. Faites une recherche pour vous aider.

Denis Foyatier, *Spartacus*, marbre de Carrare (1831), ▶ 2,25 m de hauteur (Paris, musée du Louvre).

le point sur LA MISSION

Relevez les exemples susceptibles de convaincre vos compagnons que la victoire est possible.

ATELIER D'EXPRESSION

➡ **Avant de lancer votre appel à la révolte, il vous faut maîtriser le vocabulaire du travail et de la servitude. Ces activités vous y aideront.**

1 COMPRENDRE L'ORIGINE DES LANGUES EUROPÉENNES

La racine indo-européenne *op-, « travailler, produire » est à l'origine de nombreux dérivés latins parmi lesquels les noms *ops, opis*, f. (à l'origine « les produits de la terre », puis « l'aide, l'assitance »), *opus, eris*, n. (le travail au sens concret, c'est-à-dire « l'ouvrage ») et *opera, ae*, f. (le travail au sens abstrait, c'est-à-dire « l'action »).

❶ Complétez l'arbre.

❷ Complétez ces phrases avec un des dérivés français de la racine.

a. Le pharmacien prépare les remèdes à l'arrière de sa boutique, dans une ....

b. La haute bourgeoisie vit dans le luxe et l'............. .

c. Les traders effectuent des .... financières risquées qui bouleversent le marché.

d. Le notaire exerce ses fonctions dans un bureau que l'on appelle un ....

2 MÉMORISER PAR L'ÉTYMOLOGIE

Résolvez ces devinettes pour retrouver les mots français dérivés du latin.

a. Se dit de quelqu'un qui appartient à la *familia*.

b. État de dépendance dans lequel vit le *servus*.

c. Se dit d'une action qui demande du *labor*.

d. Composition musicale et chantée, classique ou rock, qui contient au moins un *opus*.

e. Personnel de maison au service du *dominus*.

3 DÉFINIR LE SENS D'UN MOT FRANÇAIS PAR LE LATIN

Donnez le sens des expressions suivantes en vous aidant de l'étymologie.

a. un chemin de *servitude*

b. appartenir à une *obédience*

c. s'*affranchir* du regard des autres

d. travailler dans l'*industrie* du spectacle

e. mener une vie de *labeur*

f. exécuter une tâche avec une obéissance *servile*

4 TROUVER DES MOTS DÉRIVÉS DU LATIN

Dans la liste ci-dessous, relevez les mots français dérivés de la racine latine *op-, puis donnez-en une définition. Vous pouvez vous aider du dictionnaire.

a. opportun

b. polycopier

c. ouvrier

d. opuscule

e. opinion

f. officine

g. obstruer

h. optimal

i. optique

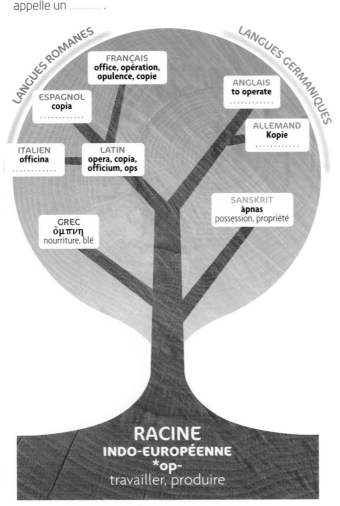

LANGUES ROMANES — LANGUES GERMANIQUES

FRANÇAIS
office, opération, opulence, copie

ANGLAIS
to operate
....

ESPAGNOL
copia
....

ALLEMAND
Kopie
....

ITALIEN
officina
....

LATIN
opera, copia, officium, ops

SANSKRIT
àpnas
possession, propriété

GREC
ὄμπνη
nourriture, blé

RACINE INDO-EUROPÉENNE
***op-**
travailler, produire

5 DIRE ET JOUER UN TEXTE EN LATIN

Voici un texte de Juvénal, adapté, qui met en scène
une dispute entre un mari et sa femme au sujet d'un esclave.
Reconstituez l'ordre du dialogue, puis jouez la scène.

a. Audi ! Castigare hominem gravem et terribilem est.

b. O demens, ita servus homo est ? Nihil fecerit, esto !

c. Quo crimine servus supplicium meruit ? Quis testis adest ?
Quis detulit ?

d. Hoc volo, sic jubeo, sit pro ratione voluntas.

e. Pone crucem servo !

▲ Mosaïque de la Grande Chasse (IVᵉ s. ap. J.-C., détail)
(Sicile, Villa del Casale, Piazza Armerina).

6 APPRENDRE À TRADUIRE EN GROUPE

1   Cum cenaret divus Augustus apud
Vedium Pollionem, fregerat unus ex
servis ejus crystallinum : rapi eum
Vedius jussit ne vulgari quidem more
5 periturum : murenis obici jubebatur
quas ingentes in piscina continebat.
[...] Saevitia erat. Evasit e manibus puer
et confugit ad Caesaris pedes, nihil
aliud petiturus quam¹ ut aliter periret,
10 ne esca² fieret³. Motus est novitate
crudelitatis Caesar et illum quidem
mitti, crystallina autem omnia coram⁴
se frangi jussit complerique piscinam.

L D'après Sénèque, *De la colère*, III, 40.

Formez des groupes et répondez aux questions.

❶ Relevez les infinitifs du texte. Quelle voix est la plus employée ?

❷ Quel verbe est répété plusieurs fois ? Quels sont ses sujets
grammaticaux ?

❸ À partir des réponses données aux questions 1 et 2, dites ce
que cherche à montrer Sénèque du rapport maître / esclave.

❹ Quel mot désigne Vedius dans la première phrase ? L'esclave
dans la deuxième phrase ? Analysez leur forme (cas, fonction,
nombre et genre).

❺ Confrontez l'attitude de Védius et celle d'Auguste.
Comment les qualifieriez-vous ?

▶ **AIDE À LA TRADUCTION**

1. **nihil aliud petiturus quam ut** + subj. : pour lui demander uniquement de
2. **esca, ae**, f. : la pâture, la nourriture
3. **ne fieret** : pour qu'il ne devienne pas
4. **coram** + acc. : devant

VOCABULAIRE

Noms

ancilla, ae, f. : la servante
ars, artis, f. : le métier, le talent, l'art
cura, ae, f. : le soin
dominus, i, m. : le maître de maison
familia, ae, f. : l'ensemble des parents
et des serviteurs
industria, ae, f. : l'application au travail,
l'activité
janitor, oris, m. : le portier
labor, oris, m. : le travail

libertas, atis, f. : la liberté
libertus, i, m. : l'affranchi
mancipium, ii, n. : la propriété, l'esclave
opus, eris, n. : le travail, l'œuvre
paedagogus, i, m. : le pédagogue
(esclave chargé de conduire un enfant
à l'école)
scriba, ae, m. : le secrétaire
servus, i, m. : l'esclave

Adjectif

servilis, e : servile, d'esclave

Verbes

castigo, as, are, avi, atum : punir
facio, is, ere, feci, factum : faire
jubeo, es, ere, jussi, jussum :
ordonner
servio, is, ire, i(v)i, itum : être esclave
oboedio, is, ire, i(v)i, itum : obéir,
être soumis

LA MISSION

Rédiger un discours argumentatif

Il est maintenant temps de rédiger le discours que Spartacus va prononcer devant ses troupes pour leur donner courage et ardeur avant d'affronter les Romains.

ÉTAPE 1 — IDENTIFIER LES CRITÈRES DE RÉUSSITE

Construire le discours

- **Exposer clairement** son point de vue (sa thèse) : la liberté ou la mort !
- Choisir des **arguments variés** et les illustrer avec des **exemples précis**
- **Élaborer un plan** avec une introduction et une conclusion comportant une formule percutante

Travailler les arguments

- **Retracer** le chemin parcouru par les esclaves depuis leur révolte par rapport à leur condition d'origine
- **Montrer la difficulté** à obtenir sa liberté autrement que par la lutte armée
- Évoquer les **rébellions et révoltes** qui ont précédé celle menée par Spartacus

Prendre en compte l'auditoire

- Soigner l'emploi des **pronoms personnels** (1re pers. du pluriel pour renforcer la cohésion du groupe ; 2e pers. du pluriel pour interpeller l'auditoire ; 1re pers. du singulier pour impliquer l'orateur)
- **Susciter l'adhésion** en employant un vocabulaire mélioratif pour mettre en relief mérites et qualités (engagement, ambition...)
- Employer un **ton ferme et tranché**

ÉTAPE 2 — S'ORGANISER EN ÉQUIPE

▶ Rassemblez vos connaissances en reprenant vos notes.

▶ Partagez-vous le travail : élaboration du plan, recherche des arguments et des exemples, prise en compte de l'auditoire...

BESOIN D'AIDE ?

Vérifiez l'exactitude de vos informations :
- origine des esclaves ▶ p. 124
- emplois ou fonctions dans la société romaine ▶ p. 125
- condition légale de l'esclavage à Rome ▶ p. 126
- mauvais traitements subis ▶ p. 127
- affranchissement ▶ p. 128
- guerres serviles ▶ p. 130
- biographie de Spartacus ▶ p. 131

11 ▶ Femmes romaines

Quelle est la place des femmes à Rome ?

LA MISSION

Au Iᵉʳ s. ap. J.-C., la jeune Hortensia a plaidé la cause des femmes « avec bonheur et fermeté ». Reprenez le flambeau de son éloquence pour défendre les droits des femmes romaines.

▬▶ Formez une équipe qui rédigera un tract ou une affiche.
▬▶ Prenez des notes tout au long du parcours.

▶ Bas-relief funéraire, marbre (Avignon, Musée Lapidaire).

Connaissances, compétences, culture

Dans ce parcours, vous allez :

■ Lire et comprendre des images variées.

■ Lire et comprendre des textes littéraires, des inscriptions et des documentaires.

■ Découvrir la contribution des femmes au fonctionnement de la société romaine.

■ Découvrir l'évolution de la condition féminine romaine.

■ Maîtriser le lexique de la condition féminine.

De mulierum qualitatibus

Comment les hommes de l'Antiquité parlent-ils des femmes ?

▶ **Les hommes romains ont beaucoup écrit sur les qualités et les défauts des femmes. Voici quelques exemples.**

1 · LIRE ET COMPRENDRE UN TEXTE EN LATIN

Au Ier s. ap. J.-C., un veuf très affecté par la mort de sa femme a fait graver un long éloge funèbre (Laudatio funebris) pour lui rendre hommage.

Texte lu
🧭 Manuel numérique

1   Domestica bona pudicitiae, opsequi, comitatis, facilitatis, lanificiis tuis adsiduitatis, religionis sine superstitione, ornatus non conspiciendi, cultus modici cur memorem ? Cur
5   dicam de tuorum caritate, familiae pietate, cum aeque matrem meam ac tuos parentes colueris eandemque quietem illi quam tuis curaveris, cetera innumerabilia habueris communia cum omnibus matronis dignam famam colentibus ?

└ *Éloge dit « de Turia »* (Ier s. ap. J.-C.),
traduit par M. Durry, © Les Belles Lettres (1950).

1   Tes qualités domestiques, ta vertu, ta docilité, ta gentillesse, ton bon caractère, ton assiduité aux travaux de la laine, ta piété sans superstition, la discrétion de tes parures, la sobriété de ta toilette, pourquoi les
5   rappeler ? Pourquoi parler de ta tendresse pour les tiens, de ton dévouement à ta famille, quand tu as eu les mêmes égards pour ma mère que pour tes parents, quand tu lui as assuré la même tranquillité qu'aux tiens, quand tu as eu toutes les autres et innombrables
10   vertus qu'ont toutes les matrones soucieuses d'une bonne renommée ?

❶ Quelles qualités ce mari appréciait-il chez son épouse ? Relevez les noms ou les expressions latines qui leur correspondent.

❷ Que laisse sous-entendre l'expression « aeque matrem meam ac tuos parentes » sur les rapports au sein des familles romaines ?

2 · DÉDUIRE DES INFORMATIONS D'UNE INSCRIPTION

❶ Observez les deux personnages sur cette stèle funéraire. Comment sont-ils représentés ? Quelle semble être la nature de leur relation ?

❷ Déchiffrez la troisième ligne. Que pouvez-vous en déduire sur l'identité de la personne qui a commandité la stèle ?

❸ Entre les conjoints, on distingue l'inscription FAP, abréviation de Fidelissimae Amantissimae Pientissimae. Traduisez ces trois caractéristiques.

Urne funéraire de Vernasia Cyclas, ▶
marbre (Ier s. ap. J.-C.)
(Londres, British Museum).

Eunomie veut convaincre son frère Mégadore, déjà âgé, de se marier de préférence avec une femme riche.

1 **Eunomie.** – Certes je reconnais que nous les femmes nous avons mauvaise réputation [nos odiosas haberi], on nous reproche d'être toutes d'incorrigibles bavardes [multum loquaces omnes habemur], et c'est vrai, on raconte même qu'il n'y a jamais eu de
5 tout le siècle une seule muette [mutam] parmi nous [...].

Mégadore. – Sérieusement, ma chère sœur, je te dispense de tes efforts et je te libère de ta tâche de marieuse. Grâce aux dieux et à la valeur de nos pères, je suis riche.

Épouser ces grandes familles, ces âmes d'élite, ces somptueuses
10 dots, c'est introduire chez soi un tyran domestique [imperia], qui crie sans arrêt [clamores], avec ses voitures d'ivoire [eburata vehicla], ses manteaux grecs [pallas] et sa pourpre [purpuram]. Je n'en ai rien à faire d'une de ces femmes dont les maris doivent trimer comme des esclaves pour fournir à leurs dépenses.

> ■ Plaute (255-185 av. J.-C.), *La Marmite suivi de Pseudolus*, vers 123-169, traduit par F. Dupont, © Actes Sud, coll. « Babel » (2001).

▲ Vieille femme ivre, œuvre attribuée à Myron de Thèbes (Rome, musées du Capitole).

❶ Quels sont, dans la pièce de Plaute, les défauts attribués aux femmes ?

❷ Qu'est-ce qu'une dot ? Quels peuvent être les avantages et les inconvénients de ce système pour les mariés ?

❸ L'ivrognerie des vieilles femmes est aussi un thème classique du théâtre romain. Décrivez la position corporelle de la vieille femme représentée sur la statue. Quel est l'effet recherché par l'artiste ?

En 131 av. J.-C., le censeur Metellus prononça un discours pour inciter ses concitoyens au mariage dans un souci de « moralisation de la société ».

Si nous pouvions, Romains, vivre sans femmes, tous nous éviterions un tel ennui ; mais, puisque la nature a voulu qu'on ne pût ni vivre tranquillement avec une femme ni vivre sans femme, occupons-nous plutôt de la perpétuité de notre nation que du bonheur de notre courte vie.

> ■ Aulu-Gelle (IIe s. ap. J.-C.) *Les Nuits attiques*, I, 6, 2, traduit par M. Charpentier et M. Blanchet, © Classiques Garnier (1927).

❶ Pourquoi, selon Metellus, les hommes doivent-ils accepter les désagréments supposés du mariage ?

❷ D'après ce discours politique, comment les femmes sont-elles considérées ?

D'hier
à aujourd'hui

Dans l'Antiquité, un mariage donnait lieu à la négociation d'une dot. En France, ce « régime dotal » a été supprimé en 1966. Dans quelles régions du monde cette pratique est-elle encore d'actualité ?

le point sur LA MISSION

Dans un tableau en deux colonnes, récapitulez les qualités appréciées et les défauts raillés chez les femmes romaines.

Matrona eris, filia mea

Comment devient-on une matrone romaine ?

▶ **Vous allez maintenant découvrir comment se préparent et se déroulent les mariages à Rome.**

1   METTRE EN RELATION DES DOCUMENTS

▲ Bague nuptiale traditionnelle ornée d'un camée représentant des mains jointes, or et sardoine (IIIᵉ s. ap. J.-C.) (Boston, Museum of Fine Arts).

● Quels actes (gestes, objets, paroles...) symbolisent l'union entre les futurs époux ? Rapprochez cet anneau de l'urne funéraire p. 136.

> 1   Les conjoints choisis, on célèbre les fiançailles *(sponsalia)* qui, pour être valides, ne nécessitent que le consentement des parties [...]. Une réception, généralement offerte par le père de la fiancée, célèbre l'événement qui est marqué aussi par la remise d'une bague
> 5   de fer ou d'or, *anulus pronubus*, promesse de fidélité accompagnée de l'échange d'un baiser. La fiancée portera cet anneau à l'annulaire gauche pour des raisons de science imaginaire : « un petit nerf très fin part de ce doigt seul et parvient jusqu'au cœur ». Avant les fiançailles, ou peu après, se discutent et se concluent les accords
> 10   familiaux qui déterminent la dot et fixent le type de mariage.
>
> ■ Danielle Gourevitch et Marie-Thérèse Raepsaet-Charlier, *La Femme dans la Rome antique,* © Hachette Littératures (2001).

2   DÉDUIRE DES INFORMATIONS DE DOCUMENTS

> La veille du mariage, la jeune fille offre les objets marquant son appartenance au monde de l'enfance à des divinités : sa *toga praetexta*[1] à Fortuna Virginalis[2], ses jouets aux dieux Lares.
>
> **1.** La toge prétexte, bordée de pourpre, était portée entre autres par les enfants. **2.** Fortuna Virginalis préside à la destinée, heureuse ou malheureuse, des jeunes filles dans le mariage. Il faut lui offrir sa toge de l'enfance pour gagner sa faveur.

● Laquelle de ces offrandes signifie un renoncement au passé, laquelle une ouverture vers l'avenir ? Traduisez Fortuna Virginalis.

◀ Poupée romaine en ivoire coloré (IIᵉ s. ap. J.-C.) (Musée national romain).

Pour la cérémonie, aidée de femmes de la maisonnée, la jeune fille revêt la *tunica recta*, longue robe tissée à l'ancienne, et met une ceinture de laine dont le nœud compliqué, sorte de protection magique, devra être défait par son époux. Avant de se couvrir d'un voile « couleur de flamme », elle doit recevoir la coiffure traditionnelle : à l'aide d'un fer de lance recourbé, sa chevelure est partagée en six mèches ramenées ensuite en forme de cônes au sommet de la tête. Certains auteurs antiques (Plutarque et Festus) y voient le rappel du commandement quasi-militaire du mari sur sa femme. Elle enfile des chaussures de ton orangé.

■ Sophie Lerin.

❶ À l'aide du texte, identifiez la future épouse sur ce vase. Justifiez votre choix.

❷ Quel semble être le rôle des autres personnages féminins ?

▲ Vase funéraire représentant une scène de mariage, Grèce antique, 40 cm de hauteur (New York, The Metropolitan Museum of Art).

❸ DÉDUIRE DES INFORMATIONS D'UN TEXTE

1 Juridiquement, les deux jeunes mariés s'engageaient volontairement l'un envers l'autre. Dans la réalité, il en allait autrement : les parents, et en premier le lieu le *pater familias*, arrangeaient
5 le mariage en vue de créer des alliances politiques et économiques, de consolider des amitiés entre familles dans la cité. Il était hors de question de livrer la cité aux caprices individuels...

Par ailleurs, c'était d'un couple marié que
10 devaient naître les enfants. Caton d'Utique, par exemple, a divorcé de sa femme Marcia par amitié pour son ami Hortensius, devenu veuf. Avec la permission du père de Marcia, Caton lui a cédé son épouse afin qu'elle lui donne d'autres enfants. Après
15 la mort d'Hortensius, Marcia a accepté de retourner auprès de Caton, son premier époux.

■ Sophie Lerin.

❶ Qui décide du mariage entre les futurs époux ? Pour quelle raison ?
❷ Quelle est la fonction du mariage dans la société romaine ?

D'hier
à aujourd'hui

Quelles cérémonies de mariage connaissez-vous ? Quels différents moments et objets symboliques les caractérisent ?

le point sur LA MISSION

Dressez la liste des formules et des rituels par lesquels une enfant devient une matrone romaine.

11 Mulieres in civitate

Quels rôles les femmes jouent-elles dans la société romaine ?

▶ **Vous allez découvrir la contribution des femmes à la vie de la cité. Selon l'époque et leur statut social, leur activité a souvent varié.**

---

1 **DÉDUIRE DES INFORMATIONS D'UN TEXTE**

Les travaux de la maison sont réservés à la femme tandis que ceux du dehors appartiennent exclusivement à l'homme. Ainsi la divinité [...] a-t-elle donné à la femme le soin des affaires domestiques en la rendant inhabile à d'autres tâches.

■ Columelle (Ier s. ap. J.-C.), *De l'agriculture. Les Arbres*, préface du livre XIII, traduit par R. Goujard, © Les Belles Lettres (1986).

● Comment Columelle justifie-t-il l'exclusion des femmes de l'espace public ?

---

2 **CONFRONTER DES DOCUMENTS**

▲ Matrone romaine, fresque de la Villa des Mystères, Pompéi (vers 70-60 av. J.-C.).

1 Et ce n'était pas seulement les études et les devoirs, mais aussi les distractions et les jeux de ses enfants que la mère réglait avec autant de vertu que de pudeur. C'est ainsi, nous apprend l'histoire, que Cornélia a dirigé l'éducation des Gracques,
5 Aurélie celle de César, Atia celle d'Auguste, et qu'elles ont élevé ces enfants de grandes maisons. Par cette discipline et cette sévérité, on voulait que ces âmes pures, innocentes, que rien de défectueux n'avait encore altérées, se jettent de tout leur cœur sur les arts libéraux[1], et que, quelle que fût la carrière vers
10 laquelle les porterait leur goût, art militaire, science du droit, éloquence, elles s'y donnent tout entières et s'en pénètrent complètement.

■ Tacite, *Dialogue des orateurs*, XXVIII, traduit par H. Bornecque, © Les Belles Lettres (1967).

1. Les arts libéraux regroupent les lettres et les sciences.

❶ D'après Tacite, en quoi consiste essentiellement le rôle des mères romaines ?

❷ Quelles conséquences cela a-t-il sur leur attitude et leur comportement ?

❸ La représentation de la matrone sur la fresque vous semble-t-elle correspondre à celle du texte de Tacite ? Justifiez.

METTRE EN RELATION DES DOCUMENTS

1   Les documents épigraphiques nous apprennent que des femmes de condition libre exercèrent des métiers variés dans plusieurs domaines. En médecine, celui de *medica*, femme médecin ; dans le commerce, on trouve la *coronaria*, marchande
5 de couronnes de fleurs, la *pomoraria*, marchande de fruits, la *gemmaria*, marchande de pierres précieuses, l'*unguentaria*, marchande de parfums, et d'autres *negotiatrices* en tous genres. Il y eut aussi la *resinaria*, esthéticienne qui épile à la résine, la *sacraria*, gardienne de temple, la *sarcinatrix*,
10 couturière... et même des *musicae*, musiciennes, *essedariae*, combattantes sur un char ! La liste est longue et non exhaustive.

■ D'après Danielle Gourevitch et Marie-Thérèse Raepsaet-Charlier,
La Femme dans la Rome antique, © Hachette Littératures (2001).

▲ Portrait du boulanger Terentius Neo et de sa femme, fresque de Pompéi (Ier s. ap. J.-C.) (Naples, Musée Archéologique National).

❶ Dans quels domaines les femmes exercent-elles des professions ? Citez des exemples.

❷ Selon vous, à quel milieu social appartiennent-elles pour la plupart ?

❸ Quel métier cité dans le texte la fresque peut-elle illustrer ?

❹ En quoi cela contredit-il le discours de Columelle (activité 1) ?

Animation
➤ Manuel numérique

 4 LIRE ET COMPRENDRE UN TEXTE EN LATIN

Une statue a été érigée en mon honneur par les foulons de Pompéi.	Severina nutrix fuit.
J'étais une usurière : j'ai prêté de l'argent contre des bijoux ou des vêtements.	Vestes et inaures depositae ad Faustillam fuerunt. Deduxit asses.
Dans ma propriété, j'ai loué des thermes et des boutiques.	Eumachiae fullones statuam erigerunt.
J'ai assisté les femmes lors de leurs accouchements.	Julia Felix balneum tabernasque locavit.
J'ai allaité les nourrissons de mes clients, je leur ai prodigué des soins.	Scribonia Attica obstetrix fuit.

● Retrouvez l'identité de chacune de ces femmes en faisant correspondre les textes latins et français.

PISTE EPI

Comment le travail peut-il contribuer à l'émancipation des femmes ?

www.editions-hatier.fr

le point sur LA MISSION

Recensez les activités, tant domestiques que publiques, des femmes romaines. Ce seront autant d'arguments à mettre en avant dans vos tracts ou vos affiches.

Aequo jure cum viris ?

*Dans quels domaines les femmes romaines
ont-elles conquis leur émancipation ?*

▶ **Au cours des siècles, à Rome, les femmes ont pu s'affranchir
peu à peu d'une condition juridiquement très défavorable.**

1 — LIRE ET COMPRENDRE UN TEXTE LATIN

*L'historien Tite-Live donne la parole à Caton l'Ancien,
scandalisé par le comportement des femmes qui expriment,
en public, leurs revendications.*

Majores[1] nostri nullam – ne privatam quidem[2] – rem agere[3]
feminas[4] sine[5] tutore auctore[6] voluerunt, in manu esse[7]
parentium, fratrum, virorum.

└ Tite-Live (64 av. J.-C.-10 ap. J.-C.), *Histoire romaine*, XXXIV, 2, II.

❶ Quel droit les Anciens semblent-ils avoir refusé aux femmes ?

❷ Sous l'autorité de qui se trouvent-elles placées ?

❸ De qui pourrait-on rapprocher leurs conditions ?

▶ **AIDE À LA LECTURE**

1. **majores, um,** m. pl. : les ancêtres
2. **ne... quidem** : pas même
3. **rem agere** : gérer, traiter une affaire
4. **femina, ae,** f. : la femme
5. **sine** + abl. : sans
6. **auctore** : *a donné* autorité
7. **in manu esse** : expression juridique également employée pour les esclaves

Étudier la langue

↳ **Les verbes irréguliers**, p. 278

2 — METTRE EN RELATION DES DOCUMENTS

▲ « Sportives » romaines lors d'une compétition, mosaïque de la Villa Casale (315-350 ap. J.-C., détail) (Sicile, Piazza Armerina).

1   L'émancipation féminine a été plus manifeste dans la société romaine que dans les autres sociétés de l'Antiquité. [...] À la fin de la République, les femmes romaines ont reçu une éducation
5 comparable à celle des garçons. Elles ont acquis le droit de divorcer de leur propre chef. Enfin, grâce à l'arrivée massive des esclaves à la suite des guerres de conquête, elles sont plus ou moins débarrassées de toutes leurs obligations ménagères, ce qui leur
10 donne une liberté d'action favorisée par le temps libre dont elles jouissent. La matrone romaine a alors le droit de penser à elle-même. [...] Elle n'est plus seulement une mère, mais une femme.

■ Catherine Salles, *L'Antiquité romaine*, © Larousse (2002).

❶ Quels droits les femmes ont-elles peu à peu acquis ?

❷ Parmi ces femmes, lesquelles ont le plus bénéficié de ces nouveaux droits ?

❸ En quoi cette mosaïque nous montre-t-elle que la condition des femmes s'est améliorée sous l'Empire ?

En 43 av. J.-C., Hortensia, fille d'un célèbre orateur, prend la parole au forum devant un public constitué de civils et de soldats.

1 Quant à elle, à l'époque des triumvirs[1], alors qu'il apparaissait qu'une multitude de matrones, pour les besoins de l'État, allaient devoir s'acquitter d'une taxe presque insupportable, et qu'il ne se 5 trouvait aucun homme pour oser les appuyer dans une affaire aussi injuste, elle seule eut l'audace d'assumer fermement la cause des femmes devant les triumvirs, et quand elle prit la parole, avec son inépuisable éloquence, elle le fit avec une telle 10 efficacité que le public, stupéfait, crut qu'au prix d'un changement de sexe, Hortensius était revenu à la vie.

Et ce ne fut pas sans succès que cette femme se lança dans pareille entreprise et l'exécuta ; avec 15 en effet son discours sans faille et son admirable démonstration juridique, les triumvirs ne retirèrent rien à ses demandes et lui accordèrent même spontanément que l'on amputât bien plus largement leur contribution, estimant qu'autant le silence, en 20 public, était louable chez une matrone, autant son éloquence, quand les circonstances l'exigeaient, devait être louée pour son élégance et sa finesse.

■ Boccace, *Les Femmes illustres*, traduit par J.-Y. Boriaud, © Les Belles Lettres (2013).

1. Il s'agit d'Octave, Antoine et Lépide qui, pour financer leur politique militaire, décidèrent de lever une taxe exceptionnelle sur le patrimoine des femmes les plus riches de Rome.

1 Pour quelle raison Hortensia prend-elle la parole en public ? Qui représente-t-elle ?

2 De quelles qualités fait-elle preuve ?

3 Pour quelles raisons sa revendication est-elle favorablement accueillie ?

Info +
Biographie d'Hortensia
hatier-clic.fr/lat08

▲ R. Goscinny et A. Uderzo, *Astérix aux Jeux olympiques* (1968).

1 Quel événement sportif est mis en scène dans cette bande dessinée ?

2 À quelle interdiction la vignette d'Astérix fait-elle allusion ?

3 Que dénonce son auteur ? Par quel moyen ?

le point sur LA MISSION

PISTE **EPI**

L'inégalité entre hommes et femmes est-elle naturelle ?

www.editions-hatier.fr

À la lumière de ces documents, formulez les revendications que vous mettrez en avant dans votre tract ou votre affiche.

ATELIER D'EXPRESSION

➡ **Pour dénoncer les inégalités entre les hommes et les femmes, vous devez maîtriser le vocabulaire qui exprime leurs rapports et savoir utiliser l'ordre et la défense. Ces activités vous y aideront.**

① COMPRENDRE L'ORIGINE DES LANGUES EUROPÉENNES

La racine indo-européenne *mar/n-, désignant la main, est à l'origine, *via* les mots latins mandare (« mettre en main », « confier »), mancus (« infirme de la main ») et manus, us, f. (« la main »), des radicaux français main- (maintien, mainmise...), mand- (demande, commandant...), manqu- (manquer...) et man- (manipuler, manifester...).

❶ Ajoutez les mots manquants dans les langues que vous connaissez.

❷ Complétez les phrases suivantes avec des dérivés français de la racine.

a. Il n'était pas bien vu pour une femme de .... sur la voie publique.

b. Souvent, le mari avait la .... sur les biens de son épouse.

c. Toutefois, les femmes romaines surent .... et exiger des droits et finiront par les obtenir.

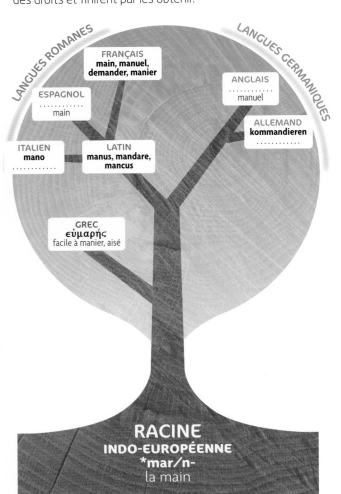

LANGUES ROMANES

LANGUES GERMANIQUES

FRANÇAIS
main, manuel, demander, manier

ANGLAIS
....
manuel

ESPAGNOL
....
main

ALLEMAND
kommandieren
....

ITALIEN
mano
....

LATIN
manus, mandare, mancus

GREC
εὐμαρής
facile à manier, aisé

RACINE INDO-EUROPÉENNE
mar/n-
la main

② EXPLIQUER LE SENS D'UN MOT FRANÇAIS PAR LE LATIN

Il existait à Rome deux sortes de contrats de mariage : *cum manu* et *sine manu*.
Dans l'union *cum manu*, l'autorité juridique sur la femme était transférée du père au mari.

Dans l'union *sine manu*, la femme restait sous l'autorité de son père.

❶ Que représente le mot *manus* dans ces deux expressions ?

❷ Quel lien pouvez-vous faire avec le verbe *s'émanciper* ?

❸ Trouvez des expressions françaises où la main est associée au pouvoir ou à la domination.

③ MÉMORISER DU VOCABULAIRE

Complétez les phrases.

a. *Virgo, inis, f.* désigne la jeune fille, qui n'a pas encore connu de rapport sexuel. D'où le nom commun ...., et l'adjectif qualificatif ....

b. La *conjux, conjugis, f.* est la femme avec qui l'on partage le joug du mariage, d'où la foi ....

c. La *domina, ae, f.* avec le *dominus*, règne sur la *domus*. De là vient le verbe ....

d. *Femina, ae, f.* a la même racine que le mot français ....

e. *Mulier, eris, f.* est le mot qui s'oppose à *vir, viri, m.*, l'homme. Il a donné en espagnol le nom ...., qui signifie ....

f. *Uxor, oris, f.* désigne l'épouse, destinée à donner des enfants. Pour un homme, se marier se dit *uxorem ducere*, qui signifie ....

4 LATINE LOQUOR

La déesse Diane a demandé et obtenu de son père Jupiter le droit de ne pas se marier. Imaginez leur dialogue.

Quelques outils grammaticaux :

– Pour donner un ordre, utilisez l'impératif présent.

– Pour exprimer une défense, utilisez noli + verbe à l'infinitif.

– Vous pouvez aussi utiliser volo / nolo / malo pour exprimer respectivement une volonté, un refus et une préférence.

> *Étudier la langue*
> Les verbes irréguliers, p. 278
> L'ordre et la défense, p. 254

▲ Diane chasseresse, mosaïque provenant du site archéologique d'Utique, Tunisie (IIᵉ s. ap. J.-C.) (Tunis, Musée National du Bardo).

5 ATELIER DE TRADUCTION EN GROUPE

Peu après l'assassinat de Jules César, les triumvirs (les trois hommes alors au pouvoir : Octave, Antoine et Lépide) publièrent des ordres de mise à mort visant leurs opposants politiques, sans aucun jugement. On appelle cela des proscriptions. Celui qui est visé est un proscrit. Voici comment l'un d'entre eux leur échappa...

Q. Lucretium proscriptum a triumviris uxor Turia inter cameram[1] et tectum cubiculi abditum[2] una conscia[3] ancillula ab imminente exitio[4] non sine magno periculo suo tutum[5] praestitit[6].

■ Valère-Maxime, *Faits et dits mémorables*, VI, 7, 2.

▶ **AIDE À LA TRADUCTION**

1. camera, ae, f. : le plafond
2. abditus, a, um : caché
3. conscius, a, um : complice
4. exitium, ii, n. : la mort
5. tutus, a, um : à l'abri, en sécurité
6. praesto, as, are, praestiti, - : protéger

> *Étudier la langue*
> Cas et fonctions, p. 244
> Les adjectifs neutres de la 2ᵉ classe, p. 254

Formez des groupes et répondez aux questions.

❶ Repérez et analysez les noms propres l. 1.

❷ Repérez le verbe conjugué, reliez-le à son sujet. Qui protège qui ?

❸ Où le proscrit a-t-il été caché ?

❹ Qui a aidé l'épouse du proscrit, et de quoi l'ont-elle sauvé ?

❺ Ce sauvetage était-il sans risques pour elles ?

VOCABULAIRE

Noms

auctor, oris, m. : le garant
facilitas, atis, f. : la complaisance
lana, ae, f. : la laine
obsequium, ii, n. : l'obéissance, la soumission
pietas, atis, f. : la piété, le respect
pudicitia, ae, f. : la pudeur
tutor, oris, m. : le tuteur
vir, viri, m. : l'homme
(l'être de sexe masculin)

Adjectifs

aequus, a, um : égal, juste
domesticus, a, um : qui concerne la maison, domestique
facilis, e : de bonne composition, complaisant
privatus, a, um : privé
publicus, a, um : public

Mots invariables

cur : pourquoi
sine + abl. : sans

Verbes

ago, is, ere, egi, actum : agir
rem agere : traiter une affaire
colo, is, ere, colui, cultum : cultiver, soigner, honorer
curo, as are, avi, atum : s'occuper de
nolo, non vis, nolle, nolui, - : ne pas vouloir, refuser
orno, as, are, avi, atum : orner, décorer
pareo, es, ere, ui, itum + dat. : obéir
volo, vis, velle, volui, - : vouloir

LA MISSION ▸ Réaliser un tract ou une affiche

Vous voilà parés pour exprimer les revendications des femmes romaines.
Que l'éloquence d'Hortensia vous inspire et que la déesse Tacita,
celle qui intime aux femmes de se taire, n'entrave pas vos paroles...

ÉTAPE 1 — IDENTIFIER LES CRITÈRES DE RÉUSSITE

Créer quatre slogans en latin

- Composer vos slogans d'après vos **connaissances historiques**
- **Utiliser** volo / nolo / malo et des types de phrases variés
- Jouer sur les **oppositions** et/ou les **sonorités**

Préparer un tract ou une affiche en latin

- **Sélectionner** le meilleur de vos slogans
- Trouver une **image** qui l'illustre
- Choisir une **typographie** qui donne de la cohérence à l'ensemble

Rédiger une lettre ouverte en français

- Mentionner le(s) **destinataire**(s) : tout le peuple de Rome, les femmes de Rome, les sénateurs ?
- **Choisir** un aspect de la condition féminine romaine qui vous semble injuste
- Formuler des **arguments**, reliés entre eux par des connecteurs logiques
- Illustrer vos arguments par des **exemples précis**, tirés des documents du manuel

---

ÉTAPE 2 — S'ORGANISER EN ÉQUIPE

▶ Rassemblez vos connaissances en reprenant vos notes. Échangez vos ressentis.

▶ Partagez-vous le travail, de la rédaction à la relecture, sans oublier la recherche d'images.

BESOIN D'AIDE ?

Vérifiez l'exactitude de vos informations :
- regard des hommes sur des femmes ▸ p. 136
- contribution des femmes à la vie économique et sociale ▸ p. 138 à 141
- statut juridique des femmes et améliorations obtenues sous l'Empire ▸ p. 138 à 143

12 ▶ Rome et Carthage

Quelles raisons ont poussé les Romains à anéantir cette cité rivale ?

LA MISSION

Près de cinquante ans après la défaite d'Hannibal à Zama, qui a mis fin à la deuxième guerre punique, le Sénat de Rome est de nouveau agité par la question carthaginoise.
Partisans et opposants de la cité punique s'affrontent pour savoir si celle-ci représente un danger et s'il faut lui déclarer la guerre. Il vous revient, en tant que sénateurs, de prendre la parole lors d'une réunion exceptionnelle qui doit trancher la question.

➡ Construisez vos arguments grâce aux rapports des spécialistes.
➡ Prenez des notes tout au long du parcours.

▲ Mangin et Démarez, ouverture de la bande dessinée *Le Dernier Troyen*, tome 4, « Carthago » (2006).

Connaissances, compétences, culture

Dans ce parcours, vous allez :

■ Lire et comprendre des images variées.

■ Lire et comprendre des textes littéraires et documentaires.

■ Découvrir une autre civilisation de la Méditerranée antique.

■ Acquérir des repères historiques sur les guerres puniques.

■ Revoir les valeurs qui fondent la République romaine.

■ Exercer votre esprit critique en confrontant les sources et les données de l'archéologie.

■ Maîtriser le lexique de la guerre.

Auri sacra fames...

Quels sont les piliers de la puissance carthaginoise ?

▶ **Le comportement étrange d'un de vos collègues au Sénat, le célèbre Caton, vous détermine à solliciter l'aide de spécialistes du monde punique pour mieux comprendre les sources de la puissance de Carthage.**

1 ▸ **LIRE ET COMPRENDRE UN TEXTE EN LATIN**

1   Mais la figue africaine, ainsi nommée dès Caton, me rappelle l'usage qu'il fit de ce fruit pour bien situer l'Afrique.

    Namque perniciali[1] odio Carthaginis flagrans nepotumque[2] securitatis anxius, cum clamaret omni senatu Carthaginem
5 delendam[3], adtulit quodam die in curiam praecocem ex ea provincia ficum ostendensque[4] patribus : « Interrogo vos, inquit, quando hanc pomum demptam[5] putetis ex arbore. » Cum inter omnes recentem esse constaret[6] : « Atqui tertium, inquit, ante diem scitote[7] decerptam Carthagine. Tam prope[8] a moeris[9]
10 habemus hostem ! »

> ■ Pline l'Ancien (23-79 ap. J.-C.), *Histoire naturelle*, Livre XV, 20, traduit par J. André, © Les Belles Lettres (1960).

▶ **AIDE À LA LECTURE**

1. pernicialis, e : *a donné* pernicieux
2. nepos, tis, m. : le descendant
3. delendam : *a donné le verbe anglais* to delete
4. ostendo, is, ere, ostendi, ostentum : *a donné* ostensible, ostensiblement
5. demo, is, ere, dempsi, demptum : arracher
6. constaret : il y avait accord
7. scitote, impératif futur de **scio** : *a donné* science
8. prope : proche
9. moeris = muris

Étudier la langue

↘ La syntaxe de cum, p. 302

▲ Clanet et Clapat, *Alcibiade Didascaux chez les Romains*, tome 1 (1994).

❶ Où la scène racontée par Pline se passe-t-elle ? Qui sont les personnages ? Quel est le personnage principal ? Citez le texte latin pour appuyer votre réponse.

❷ Que rapporte Caton ? Pourquoi ?

❸ Expliquez en quoi consiste la stratégie de Caton : qu'a-t-il voulu montrer ? De quelle manière s'y est-il pris ?

❹ À quoi reconnaît-on le personnage de Caton sur l'image ? Comment est-il représenté ?

Vidéo
Le port de Carthage
↗ Manuel numérique

❶ Où la cité de Carthage est-elle située, d'après cette vue ?

❷ Quelle structure, en lien avec le commerce, apparaît clairement sur cette reconstitution ?

❸ Comment cette structure est-elle organisée ? Pour quelles raisons selon vous ?

▲ Jean-Claude Golvin, reconstitution de la cité de Carthage, aquarelle (Arles, musée départemental Arles Antique)

 DÉDUIRE DES INFORMATIONS D'UN TEXTE

▼ Amulette en forme de tête d'homme découverte à Carthage, art phénicien, pâte de verre (IVe-IIIe s. avant J.-C.), 6 cm de hauteur (Tunisie, Musée national de Carthage).

1   Dans les échanges entre les cités méditerranéennes, le port de Carthage s'impose. Ses armateurs chargent les productions locales en exportant des objets de qualité comme des coupes d'argent délicatement travaillées, des tissus teints ou des œufs d'autruche peints,
5 mais aussi des productions grecques, campaniennes ou égyptiennes.

    De cette zone d'influence commerciale les Carthaginois tirent aussi des matières premières qui contribuent à la puissance de la cité : le cuivre et le plomb exploités en Sardaigne, l'argent en Espagne. Quant à l'arrière-pays africain, il apporte l'or et l'ivoire ainsi que des
10 productions agricoles exportées jusqu'en mer Noire.

■ Thierry Bayart.

❶ Quelle activité principale a fait la richesse et la puissance de Carthage ?

❷ Dans quels autres domaines ou industries les Carthaginois sont-ils particulièrement compétents ?

❸ D'où viennent les matières premières qu'ils exploitent ? Repérez ces lieux sur la carte au début de ce manuel et déduisez-en la zone d'influence de la cité punique.

 **PISTE EPI**

Quels avantages et quels inconvénients présente la localisation d'une capitale, ou d'un État, en bord de mer ?

www.editions-hatier.fr

le point sur LA MISSION

Énoncez les arguments (géographiques, économiques et militaires) qui plaident en faveur d'une destruction de Carthage, puis ceux que l'on pourrait leur opposer pour le maintien de la paix. Construisez un tableau pour visualiser ces différents éléments.

12 Hannibal ad portas !

Pour quelles raisons les Romains redoutent-ils tant les Carthaginois ?

> 🢒 Pas un d'entre vous n'ignore le nom d'Hannibal. C'est que, quand vous étiez enfants, vos mères vous poussaient à rentrer, le soir, en lançant l'appel « Hannibal ad portas ! »

1 DÉDUIRE DES INFORMATIONS D'UN TABLEAU

Guerre	Date	Lieu	Vainqueur	Généraux
1re	264 av. J.-C.	Messine	Rome	Hannon *vs* A. Claudius Caudex
1re	260 av. J.-C.	Myles (en mer)	Rome	Hannibal Gisco *vs* C. Duilius Nepos
1re	249 av. J.-C.	Drépane (en mer)	Carthage	Adherbal *vs* P. Claudius Pulcher
1re	241 av. J.-C.	Îles Égates (en mer)	Rome	Hannon le Grand *vs* C. Lutatius Catulus
2^e	218 av. J.-C.	Trébie	Carthage	Hannibal Barca *vs* P. Cornelius Scipio
2^e	217 av. J.-C.	Lac Trasimène	Carthage	Hannibal Barca *vs* C. Flaminius Nepos
2^e	216 av. J.-C.	Cannes	Carthage	Hannibal Barca *vs* les consuls Varron et Paul-Émile
2^e	202 av. J.-C.	Zama	Rome	Hannibal Barca *vs* Scipion l'Africain

❶ Dans quelle région les batailles de la première guerre punique se sont-elles déroulées ? Et celles de la deuxième ?

❷ Quel a été le type d'affrontement pour l'une et pour l'autre guerre ?

❸ À l'aide de la carte au début de ce manuel, indiquez quels territoires les Carthaginois ont perdus à l'issue de la première guerre.

❹ Quel général carthaginois s'est particulièrement illustré lors de la deuxième guerre ? Pourquoi son nom fait-il toujours trembler les Romains un demi-siècle après les événements ?

2 CONFRONTER DES DOCUMENTS

1   Il est impossible d'établir avec exactitude les pertes humaines causées par la deuxième guerre punique dans le camp romain. Ce qui semble toutefois avéré, c'est qu'Hannibal, initialement à la tête d'une armée d'environ 100 000 hommes et 40 éléphants, massacra
5 près de 30 000 légionnaires romains et alliés à la bataille de la Trébie (contre 5 000 pertes dans son camp), 15 000 au lac Trasimène (contre 2 000 pertes) et pas moins de 45 000 à Cannes (contre 6 000 pertes). De plus, pendant environ quinze ans, il établit la domination carthaginoise dans le sud de l'Italie.

■ Gilles Duhil.

❶ Combien de pertes humaines les Romains ont-ils subies face à Hannibal ? Comparez-les à celles qu'il a subies. Qu'en concluez-vous ?

❷ Dans quelle attitude Hannibal a-t-il été représenté par S. Slodtz ? Quels éléments montrent ses victoires écrasantes sur ses ennemis ?

▲ Sébastien Slodtz (1655-1726) d'après François Girardon, *Annibal*, marbre, 2,5 m de hauteur (Paris, musée du Louvre).

Sur le point de se rendre en Espagne, le général Hamilcar conduit son jeune fils Hannibal dans un temple et s'adresse ainsi à lui.

1 « Si fata[1] negarint[2]
dedecus[3] id patriae nostra depellere[4] dextra,
haec tua sit laus, nate[5], velis ; age, concipe[6] bella
latura[7] exitium Laurentibus[8] ; horreat[9] ortus[10]
5 jam pubes[11] Tyrrhena tuos, partusque[12] recusent[13],
te surgente, puer, Latiae producere matres. »

Il lui dicte alors ce serment :

Romanos terra atque undis, ubi competet aetas,
ferro ignique sequar[14] Rhoeteaque[15] fata revolvam.
10 Non superi mihi, non Martem cohibentia[16] pacta,
non celsae obstiterint[17] Alpes Tarpeiaque saxa.

L. Silius Italicus (26-101 ap. J.-C.), *La Guerre punique*,
Livre I, vers 107-112 et 114-117.

Texte lu
⟋ **Manuel numérique**

▶ **AIDE À LA LECTURE**

1. **fatum, i,** n. : le destin
2. **negarint** : refusent
3. **dedecus, oris,** n. : l'humiliation
4. **depello, is, ere, puli, pulsum** : repousser
5. **natus, i,** m. : le fils
6. **concipio, is, ere, cepi, ceptum** : jurer
7. **latura** : qui conduira
8. Les Laurentes sont un ancien peuple du Latium (= les Romains)
9. **horreo, es, ere, horrui** : redouter
10. **ortus, us,** m. : le début
11. **pubes, is,** f. : la jeunesse
12. **partus, us,** m. : la progéniture
13. **recuso, as, are, avi, atum** : refuser
14. **sequor, eris, sequi, secutus sum** : poursuivre
15. de la cité rhétéenne = Troie
16. **cohibeo, es, ere, hibui, hibitum** : contenir, retenir, empêcher
17. **obstiterint** : feront obstacle

Étudier la langue

Le subjonctif présent, p. 276
L'ordre, p. 284

1 Où la scène se déroule-t-elle ? Pourquoi selon vous ? Qui en sont les protagonistes ?

2 Quelle promesse le père exige-t-il de son jeune fils ?

3 De quelle nature sont les propos proférés par le père aux vers 4 à 6 ?

4 Dans les deux derniers vers, relevez les obstacles auxquels le fils va être confronté. Que nous apprennent-ils sur lui ?

5 Quel sentiment semble, d'après ce texte, motiver l'attitude d'Hannibal, devenu adulte, à l'égard des Romains ?

6 Quels éléments de la vignette de BD reprennent le texte de Silius Italicus ? Lesquels sont en décalage ?

▲ Clanet et Clapat, *Alcibiade Didascaux chez les Romains*, tome 1 (1994).

le point sur LA MISSION

Ce que vous avez appris des précédentes guerres entre Rome et Carthage vous incite-t-il à en finir une fois pour toute avec cette cité ? Organisez un court débat au sein de votre groupe, puis notez les idées principales que vous aurez dégagées.

Cavete fidem punicam !

Entre Carthage et Rome, un conflit de valeurs ?

▶ **Comme tous les peuples de marchands dans l'Antiquité, les Carthaginois ont la réputation d'être trompeurs. Pour savoir à quoi vous en tenir, croisez vos sources : chacun a une anecdote à vous livrer sur la cité rivale.**

1 ⟨ **LIRE ET COMPRENDRE UN TEXTE EN LATIN**

Après avoir triomphé des Carthaginois à Ecnome en 256 av. J.-C., Marcus Atilius Regulus tente de porter la guerre en Afrique, mais il se heurte au mercenaire Xanthippe qui anéantit ses troupes à la bataille de Tunis (12 000 Romains tués et 500 prisonniers).

1   Mox arte[1] Xanthippi Lacedaemonii mercenarii militis captus in carcerem[2] missus [est]. Legatus[3] de permutandis[4] captivis Romam missus dato jurejurando[5] ut, si impetrasset[6], ita demum non rediret, in senatu
5 condicionem[7] dissuasit rejectisque[8] a se conjuge et liberis Carthaginem regressus [est][9], ubi in arcam[10] ligneam conjectus[11], clavis[12] introrsum adactis[13], vigiliis[14] ac dolore punitus est.

└ *Les Hommes illustres de la ville de Rome* (anonyme du IVe ap. J.-C.), 10.

▶**AIDE À LA LECTURE**
1. **ars, artis**, f. : la ruse, la fourberie
2. **carcerem** : *a donné* incarcérer
3. **legatus, i**, m. : le messager, le délégué
4. **permuto, as, are, avi, atum** : faire un échange
5. **jusjurandum, jurisjurandi**, n. : le serment
6. **si impetrasset** : s'il obtenait satisfaction
7. **condicio, onis**, f. : la proposition, l'exigence
8. **rejicio, is, ere, jeci, jectum** : repousser, écarter
9. **regredior, eris, i, regressus sum** : retourner
10. **arca, ae**, f. : le coffre, la cage
11. **conjicio, is, ere, jeci, jectum** : jeter
12. **clavus, i**, m. : le clou
13. **adigo, is, ere, egi, actum** : enfoncer
14. **vigilia, ae**, f. : la veille, la nuit blanche

⟨ *Étudier la langue*
Le passif, p. 282
L'ablatif absolu, p. 298

▲ Sigismund Nappi, *Atilius Regulus quittant sa famille* (1826), huile sur toile, 164 x 230 cm (Milan, Académie des Beaux-Arts de Brera).

❶ Par qui et dans quelles circonstances Regulus est-il capturé ?

❷ Pour quelle raison est-il renvoyé à Rome ? Qu'exigent de lui les Carthaginois avant de le laisser partir ?

❸ Une fois sur place, quelle attitude adopte-t-il devant le Sénat ? En quoi est-ce surprenant ?

❹ Comment réagissent ses proches ? Pour quelle raison ?

❺ Que symbolise Regulus aux yeux des Romains ?

❻ Comment pourrait-on qualifier l'attitude des Carthaginois à son égard ?

2 PRÉSENTER UN MYTHE À L'ORAL

❶ Didon, aussi nommée Elyssa, est un personnage extrêmement célèbre de la mythologie romaine. Recherchez son origine, son histoire ainsi que les conditions et les raisons de sa mort, et présentez-les à l'oral.

❷ À quel épisode de sa vie cette gravure renvoie-t-elle ?

❸ Quel trait de caractère carthaginois est ici mis en lumière ?

▲ Illustration de l'*Énéide* de Virgile, Didon faisant découper la peau d'une vache pour délimiter la terre où s'élèvera Carthage, gravure sur bois (vers 1880).

3 DÉDUIRE DES INFORMATIONS D'UN TEXTE

1 Il faut se rendre à l'évidence, l'œuvre de certains auteurs classiques, relayée par le magistral *Salammbô* de Gustave Flaubert, semble avoir définitivement façonné l'image de Carthage et du
5 monde punique en général. [...]

L'histoire d'une cité et de la civilisation originale qu'elle a développée au cours de ses sept siècles d'existence ne peut pourtant pas se réduire à ces images d'Épinal. Du reste, les Grecs comme les
10 Romains n'ont pas fait que dénigrer les Carthaginois.

[...] De leur côté, les Romains ont très tôt adopté des termes ou des techniques carthaginoises. Plusieurs expressions latines, comportant le complément « punique », l'attestent : bouillie punique, lits
15 puniques, pomme punique, charrue punique, etc. La célèbre formule de salutation latine elle-même, *Ave*, vient du terme punique Hw' (prononcer *hâvé*), signifiant « salut ».

■ Hédi Dridi, *Carthage et le monde punique*,
© Les Belles Lettres (2006).

❶ Quelles sont les idées préconçues que l'on se fait, selon vous, sur les Carthaginois ?

❷ D'où proviennent-elles, selon l'auteur ? Citez un exemple.

❸ Quels éléments montrent cependant que Rome et Carthage sont plus proches qu'il n'y paraît ?

 le point sur **LA MISSION**

Si vous êtes d'avis qu'il faut détruire Carthage, quel argument principal pouvez-vous tirer des témoignages que vous avez recueillis ?
Pour ceux qui ne partagent pas cet avis, quelle réfutation pourriez-vous apporter ?

Inhumana crudelitas

Les Carthaginois sont-ils des « barbares » ?

> ▶ Pour de nombreux Romains, les Carthaginois sont de véritables barbares qui pratiquaient une forme particulièrement cruelle de sacrifice humain : celui des enfants nouveau-nés ! Renseignez-vous mais n'oubliez pas de recouper vos sources et d'être attentifs à l'identité de vos interlocuteurs.

1 — **METTRE EN RELATION DES DOCUMENTS**

Animation
↗ Manuel numérique

▲ Affiche du film *Cabiria* de Giovanni Pastrone (1914). Il s'agit de l'un des premiers péplums de l'histoire du cinéma.

❶ Dans quelles circonstances les Carthaginois auraient-ils eu recours aux sacrifices d'enfants ?

❷ D'après l'auteur, quel sentiment les aurait poussés à accomplir cet acte ?

❸ D'après ce texte, la civilisation carthaginoise paraît-elle totalement étrangère aux croyances religieuses gréco-romaines ?

❹ Comment qualifieriez-vous la statue du dieu Baal, sur l'affiche ? Connaissez-vous un mythe grec dans lequel des enfants sont livrés en pâture à un monstre ?

Diodore de Sicile est un historien grec du Iᵉʳ s. av. J.-C. qui a longtemps vécu à Rome.

1 Attribuant au pouvoir des dieux la défaite qu'ils venaient d'essuyer, les Carthaginois eurent recours aux prières publiques, et croyant qu'Hercule, dont ils se disaient être une colonie, 5 était particulièrement irrité, ils envoyèrent à Tyr une immense quantité de riches offrandes. [...]

Ils se reprochèrent aussi de s'être aliéné Saturne, parce qu'ils lui avaient autrefois offert en sacrifice les enfants des plus puissants citoyens, 10 qu'ils avaient plus tard renoncé à cet usage en achetant des enfants secrètement et en les élevant pour être immolés à ce dieu. [...] En considérant toutes ces choses et en voyant, de plus, les ennemis campés sous les murs de leur ville, ils furent saisis 15 d'une crainte superstitieuse, et ils se reprochèrent d'avoir négligé les coutumes de leurs pères à l'égard du culte des dieux. Ils décrétèrent donc une grande solennité dans laquelle devaient être sacrifiés deux cents enfants, choisis dans les familles les 20 plus illustres ; quelques citoyens, en butte à des accusations, offrirent volontairement leurs propres enfants, qui n'étaient pas moins de trois cents.

Voici quelques détails concernant ce sacrifice. Il y avait une statue d'airain représentant Saturne, les 25 mains étendues et inclinées vers la terre, de manière que l'enfant, qui y était placé, roulait et allait tomber dans un gouffre rempli de feu. [...] Il paraît aussi que l'ancien mythe des Grecs, d'après lequel Saturne dévora ses propres enfants, trouve son explication 30 dans cette coutume des Carthaginois.

■ Diodore de Sicile (90-20 av. J.-C.), *Bibliothèque historique*, XX, 14, traduit par F. Hoefer (1851).

1 En 1919, on découvrit sur l'îlot de Motyè, à l'ouest de la Sicile, des champs plantés de stèles placées au dessus d'urnes contenant les restes d'enfants très jeunes et d'animaux. Une découverte 5 semblable fut faite, en 1921, à Carthage. Ces champs furent baptisés tophets, et on les mit en relation avec les sacrifices d'enfants dont font état les textes antiques.

À Carthage :

10 – la couche du tophet correspondant au IVe siècle comporte, proportionnellement, moins de restes animaux et plus d'ossements humains que pour les niveaux inférieurs (plus anciens, donc). C'est précisément l'époque où Carthage se trouve pour la 15 première fois menacée sur son propre sol ;

– les archéologues ont souvent trouvé des urnes contenant les restes de deux enfants. Ils en ont déduit que les parents carthaginois faisaient parfois le vœu de sacrifier un enfant à naître. Quand il mourait à 20 la naissance (ce qui n'était pas rare à l'époque), la famille sacrifiait l'enfant né précédemment, afin d'honorer sa promesse à la divinité.

Certains historiens modernes avancent l'idée que le sacrifice des enfants, à Carthage, pourrait être 25 lié à une forme de contrôle des naissances, dans une cité qui était devenue, au IVe siècle, une mégalopole. Pour les élites, en particulier, ces sacrifices permettaient de ne pas disperser leur patrimoine. Pour les familles plus modestes, cette coutume aurait permis 30 de limiter le nombre de bouches à nourrir.

Cependant, toutes ces hypothèses sont encore incertaines et donnent lieu à des débats entre historiens et archéologues. Le mystère des sacrifices d'enfants à Carthage n'est pas encore pleinement 35 résolu...

■ Thierry Bayart.

① Qu'appelle-t-on un « tophet » ?
② Quelles observations concrètes les archéologues ont-ils faites sur le site de Carthage ?
③ De quelles autres sources se sont-ils servis pour parvenir à expliquer leurs observations ?
④ Expliquez en quoi le sacrifice d'enfants à Carthage a une triple dimension religieuse, démographique et sociale.

3 **DÉDUIRE DES INFORMATIONS D'UNE STÈLE**

① Quelle scène est représentée sur cette stèle ?
② Comment peut-elle être interprétée ?
③ En quoi constitue-t-elle, selon certains, une pièce à charge dans le dossier contre les Carthaginois ?

Stèle dite « du prêtre à l'enfant » ▶ provenant du Tophet de Carthage (IVe s. av. J.-C.), 1,18 m de hauteur (Tunis, musée du Bardo).

le point sur LA MISSION

Quel jugement portez-vous sur cet aspect de la civilisation carthaginoise ? Pour en débattre, utilisez ces mots : barbare, civilisé, cruauté, exceptionnel, explication, folie, non avéré, habituel, liens avec Rome, point de vue, incertain, propre à Carthage, révoltant, objectif, sanguinaire, superstition.

➡ Formuler des conseils, connaître et utiliser dans votre argumentation les valeurs qui soudent le peuple romain : voilà ce qu'il vous faudra maîtriser pour convaincre votre auditoire. Ces activités vous y aideront.

1 APPRENDRE DES MOTS PAR FAMILLE

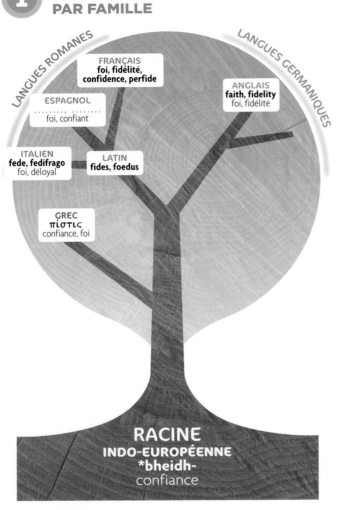

LANGUES ROMANES

LANGUES GERMANIQUES

FRANÇAIS
foi, fidélité, confidence, perfide

ANGLAIS
faith, fidelity
foi, fidélité

ESPAGNOL
. . . .
foi, confiant

ITALIEN
fede, fedifrago
foi, déloyal

LATIN
fides, foedus

GREC
πίστις
confiance, foi

RACINE
INDO-EUROPÉENNE
***bheidh-**
confiance

La racine indo-européenne *bheidh-, qui comporte une idée de fermeté et de solidité, suggère d'une manière générale la notion de confiance placée dans quelqu'un ou dans quelque chose. En latin, on la retrouve dans les termes fides, ei, f. : la foi et foedus, eris, n. : le pacte, l'accord, l'alliance.

❶ Complétez l'arbre.

❷ Complétez ces phrases avec des mots dérivés du terme latin fides.

a. Promettre en mariage

b. Traité fondé sur une confiance entre ceux qui le signent

c. Donner à quelqu'un en qui on se fie

d. Rompre la relation de fidélité avec quelqu'un

e. En qui on peut avoir confiance

f. Antonyme de « confiance »

g. Secret que l'on révèle à quelqu'un en qui on a confiance

❸ « Perfide Albion ! » Savez-vous qui désigne cette expression ? Faites une recherche pour trouver le sens de l'adjectif « perfide » (que les Romains appliquaient quant à eux à Carthage...) et la raison pour laquelle ce pays est appelé « Albion ».

2 EXPLIQUER LE SENS D'UN MOT FRANÇAIS PAR LE LATIN

Complétez les définitions des mots et rappelez le mot latin d'origine avec son sens.

a. Le mot « fugace » désigne une chose qui ne dure qu'un instant et qui .... aussi vite qu'elle est apparue car le mot vient de .... qui veut dire ....

b. Au Moyen Âge, le « duc » avait des pouvoirs militaires : ce mot vient du nom .... qui signifie ....

c. Quelqu'un qui ne lâche pas prise, ne s'avoue pas vaincu, est « pugnace », car ce mot vient du verbe latin .... qui signifie ....

3 LATINE LOQUOR

Afin de faire entendre votre voix au Sénat, rien de tel que des formulations exprimant l'ordre et la défense. Choisissez une tournure parmi les modèles suivants et, à tour de rôle, en vous mettant debout, rendez votre avis sur le sort de Carthage.

a. Carthaginem delere oportet.

b. Carthago (non) delenda est (sentio / tecum consentio Carthaginem delendam esse).

c. Carthaginem delete, o Patres !

d. Nolite Carthaginem delere, patres conscripti ! / Ne deleveritis Carthaginem !

Étudier la langue

L'ordre et la défense, p. 284

APPRENDRE À TRADUIRE

Voici un portrait d'Hannibal.

1   Caloris ac frigoris patientia[1] par[2] ; cibi[3] potionisque desiderio naturali, non voluptate modus[4] finitus [...]. Vestitus nihil[5] inter aequales[6] excellens ; arma atque equi conspiciebantur. Equitum peditumque idem[7] longe[8] primus erat ; princeps
5 in proelium ibat, ultimus conserto proelio[9] excedebat. **Has tantas viri virtutes ingentia vitia aequabant[10]**, inhumana crudelitas, perfidia plus quam Punica, nihil[5] veri, nihil[5] sancti, nullus deorum metus, nullum jusjurandum, nulla religio.

L. Tite-Live, *Histoire romaine*, XXI, 4, 6.

▶ **AIDE À LA TRADUCTION**
1. patientia, ae, f. : famille de patior, supporter
2. par : *a donné* parité
3. cibus, i, m. : la nourriture
4. modus, i, m. : ici la quantité
5. nihil : rien, en rien (nihil + gén. : rien de)
6. aequalis, is, m. : le camarade
7. idem : à traduire ici par à la fois
8. longe : de loin
9. proelium consero, is, ere, serui, sertum : engager le combat
10. aequabant : *a donné* équitable, équilatéral, équation

❶ La phrase en gras est le pivot du texte : repérez les différents groupes nominaux (aidez-vous des terminaisons) puis traduisez-la.

❷ Relisez le texte et donnez un titre aux deux parties restantes en reprenant les GN identifiés ci-dessus.

❸ Traduisez l'énumération finale l. 6-8.

❹ Retrouvez les différentes coordinations (l. 1-5) et faites une hypothèse sur les éléments coordonnés (deux noms au même cas, deux verbes sur le même plan syntaxique).

❺ À quel temps les verbes sont-ils conjugués ? À quelle voix conspiciebantur est-il employé ?

❻ Traduisez le début du texte (l. 1-5) : aidez-vous des parallélismes et des oppositions pour progresser dans le texte.

❼ Retravaillez votre traduction en respectant au mieux l'ordre des mots latins.

VOCABULAIRE

Noms

caedes, is, f. : le meurtre, le massacre
clades, is, f. : la défaite, le désastre
dux, ducis, m. : le chef
eques, itis, m. : le cavalier
exercitus, us, m. : l'armée
exitium, ii, n. : la ruine, la perte, la destruction
ferrum, i, n. : le fer, l'épée
fides, ei, f. : la confiance, la bonne foi, la fidélité
fraus, fraudis, f. : la tromperie, la mauvaise foi, la déloyauté

imperator, oris, m. : le général en chef
imperium, ii, n. : le commandement ; le pouvoir ; la domination
jussus, us, m. : l'ordre (**jussu** + gén. : sur l'ordre de quelqu'un)
miles, itis, m. : le soldat
vulnus, eris, n. : la blessure

Adjectifs

cruentus, a, um : sanglant, ensanglanté
nobilis, e : noble, connu
secundus, a, um : favorable

Verbes

aciem instruo, is, ere, struxi, structum : ranger l'armée en ligne de bataille
caedo, is, ere, cecidi, caesum : abattre, massacrer
fugio, is, ere, fugi, fugiturus : fuir
pugno, as, are, avi, atum : combattre

Préposition

adversus + acc. : contre

Écrire et jouer un discours argumentatif

Il est maintenant temps de préparer vos interventions devant le Sénat :
vous développerez la position qu'il convient de tenir, selon vous, face à Carthage.
Choisissez-vous la guerre ou la paix ? Soyez convaincants !

ÉTAPE 1 — IDENTIFIER LES CRITÈRES DE RÉUSSITE

Construire une argumentation

- **Dégager des arguments** en se fondant sur l'ensemble des documents étudiés et les exprimer clairement
- **Ordonner** les arguments de manière pertinente
- Se référer aux **valeurs romaines** pour construire un argument
- Utiliser la forme du **débat** : reformulation, opposition, concession...

S'appuyer sur des faits précis

- Faire des références précises aux **guerres puniques**, à l'**économie** et aux **coutumes** des Carthaginois

Rendre vivante la mise en scène

- Utiliser les **anaphores** et les **questions rhétoriques** pour rendre vivant le discours
- Travailler l'***actio***, le jeu d'acteur des orateurs
- Utiliser intelligemment l'**espace**

ÉTAPE 2 — S'ORGANISER EN ÉQUIPE

► Rassemblez vos connaissances en reprenant vos notes.
► Mettez-vous d'accord sur le plan de votre intervention, l'ordre dans lequel les idées seront évoquées.
► Partagez-vous le travail, de la rédaction à la relecture.
► Répartissez-vous les rôles.

BESOIN D'AIDE ?

Vérifiez l'exactitude de vos informations :
- économie carthaginoise, raisons de la prospérité de Carthage ► p. 148
- menace militaire ► p. 148 et 150
- opposition entre les civilisations romaine et carthaginoise ► p. 150, 152 et 154
- ruse carthaginoise ► p. 148 et 152
- vocabulaire de la fidélité ► p. 156

13 En scène !

La comédie, miroir de la société romaine ?

LA MISSION

Le directeur d'un festival de théâtre vous a sollicités pour monter un extrait d'une comédie de Plaute, avec une mise en scène semblable à celle de l'époque romaine.

➤ Formez une équipe pour découvrir les codes de la comédie latine.
➤ Prenez des notes tout au long du parcours.

▲ Masques de théâtre, mosaïque romaine découverte à Tivoli, villa d'Hadrien (Iᵉʳ s. av. J.-C.) (Rome, musées du Capitole).

Connaissances, compétences, culture

Dans ce parcours, vous allez :

■ Lire et comprendre des images variées.

■ Lire et comprendre des textes littéraires et documentaires.

■ Adapter gestes et textes à la mise en scène.

■ Repérer des procédés comiques.

■ Maîtriser le lexique du corps humain.

Personae

Les personnages des comédies romaines sont-ils réalistes ?

▶ **Les comédies sont jouées lors des jeux et fêtes du calendrier romain. Chaque personnage représente un type, reconnaissable immédiatement par le public. Faites leur connaissance !**

1 LIRE ET COMPRENDRE UN TEXTE EN LATIN

Plaute a participé à la mode des palliatae, les comédies « en costume grec ». Il a en effet placé l'action de ses comédies en Grèce. Voici la présentation des personnages dans deux de ses comédies : Aulularia (La Marmite) *et* Pseudolus (L'Imposteur).

PERSONAE

LAR FAMILIARIS[1] PROLOGUS
EUCLIO[2] SENEX
STAPHYLA ANUS[3]
EUNOMIA MULIER
MEGADORUS SENEX
STROBILUS SERVUS
ANTHRAX COCUS[4]
CONGRIO COCUS
PHRYGIA
ELEUSIUM } TIBICINAE[5]
PYTHODICUS SERVUS
STROBILUS SERVUS LYCONIDIS
LYCONIDES ADULESCENS
PHAEDR[I]A (VEL PHAEDRIUM) VIRGO

└ Plaute (254-184 av. J.-C.), *La Marmite.*

PERSONAE

PSEUDOLUS SERVUS
CALLIDORUS ADULESCENS
BALLIO LENO[1]
LORARII[2]
MERETRICES[3]
SIMO SENEX
CALLIPHO SENEX
HARPAX CACULA[4]
CHARINUS ADULESCENS
PUER[5]
COCUS
SIMIA SYCOPHANTA[6]
(PHOENICIUM)[7]

└ Plaute (254-184 av. J.-C.), *L'Imposteur.*

▶ **AIDE À LA LECTURE**
1. **lar familiaris** : dieu Lare de la maisonnée
2. **Euclion** : grâce au dieu Lare, il trouve une marmite pleine d'or qui l'obnubile tant il craint de se la faire dérober durant toute la pièce.
3. **anus, us,** f. : la vieille femme
4. **cocus, i,** m. : le cuisinier
5. **tibicina, ae,** f. : la joueuse de flûte

▶ **AIDE À LA LECTURE**
1. **leno, onis,** m. : le proxénète
2. **lorarius, ii,** m. : celui qui fouette
3. **meretrix, icis,** f. : la courtisane
4. **cacula, ae,** m. : le valet d'un soldat
5. **puer, eri,** m. : *ici*, le tout jeune esclave
6. **sycophanta, ae,** m. : *ici*, l'imposteur
7. Le nom de Phénicie est entre parenthèses car c'est un rôle muet.

❶ Distinguez le nom des personnages et leur « marqueur » social. Quelles catégories de la société antique sont absentes ?

❷ Examinez de plus près la liste des personnages de *La Marmite.*

a. Quel personnage n'est pas humain ? Rappelez sa fonction.

b. Quels personnages pourront vraisemblablement se marier ? Lesquels travailleront sans doute à la préparation du repas de noces ?

c. Vous avez déjà rencontré Eunomie et Mégadore, qui sont frère et sœur, p. 137. Que cherche Mégadore ?

2 — LIRE UN BAS-RELIEF

❶ Quels personnages-types présents dans *La Marmite* et *L'Imposteur* reconnaissez-vous sur ce bas-relief ?

❷ Qu'est-ce qui vous a permis de les identifier ?

❸ Par quels adjectifs qualificatifs caractériseriez-vous les masques de comédie romaine ?

Scène de *L'Andrienne* de Térence, ▶ poète comique latin, bas-relief (IIᵉ s. av. J.-C.) (Naples, Musée Archéologique National).

3 — DÉDUIRE DES INFORMATIONS D'UN TEXTE ET D'UNE FRESQUE

1 Chaque personnage porte une couleur distinctive qui permet de l'identifier immédiatement : le blanc pour les vieillards, les couleurs vives 5 pour les jeunes gens, le costume multicolore du proxénète, le manteau militaire du soldat fanfaron, le châle jaune de la prostituée. Les perruques portées par les acteurs servent aussi à 10 préciser leur fonction : blanche pour le vieillard, blonde ou brune pour l'ingénu, rousse pour l'esclave.

■ Jean-Claude Golevin, avec la collaboration de Catherine Salles, *Le Théâtre romain et ses spectacles*, © Archéologie nouvelle (2013), D. R.

▲ Scène de théâtre, fresque de Pompéi (Iᵉʳ s. ap. J.-C.) (Naples, Musée Archéologique National).

● Identifiez les personnages de cette fresque grâce aux masques, aux indications de costumes et aux postures physiques.

D'hier à aujourd'hui

Plaute mêle les traits d'une société connue du public mais éloignée (la société grecque) avec des caractéristiques de la société romaine. Il met en scène des « personnages-types ». En quoi la série télévisée comique *Kaamelott* repose-t-elle sur le même principe ?

le point sur LA MISSION

Les *comoediae palliatae* de Plaute reflètent-elles fidèlement la société romaine ? Justifiez votre position par deux arguments au moins.

Id Romanis placet

Quels éléments font le succès d'une comédie romaine ?

▶ **Le rire, mais aussi la musique, le jeu : la comédie latine repose sur le divertissement. Découvrez quelques exemples issus des comédies de Plaute.**

1 LIRE ET COMPRENDRE UN TEXTE EN LATIN

Dans L'Imposteur, *l'esclave se lance dans un « festival d'injures » contre Ballion, le proxénète.*
Cette partie est chantée, elle appartient au « canticum de duel » (voir p. 167).
La disposition particulière du texte latin est due à la versification (et donc aux rythmes).

Texte lu
↗ Manuel numérique

1   CALLIDORUS. Pseudole, adsiste altrimsecus atque onera hunc maledictis.
    PSEUDOLUS.   Licet.
        Numquam ad praetorem aeque cursim curram, ut emittar manu.
    CALLIDORUS. Ingere mala multa.
5   PSEUDOLUS.   Jam ego te differam dictis meis.
        Inpudice !
    BALLIO.   Itast.
    PSEUDOLUS.   Sceleste !
    BALLIO.   Dicis vera.
10 PSEUDOLUS.   Verbero !
    BALLIO. Quippini ?
    PSEUDOLUS.   Bustirape !
    BALLIO.   Certo.
    PSEUDOLUS.   Furcifer !
15 BALLIO.   Factum optume.

☐ Plaute (254-184 av. J.-C.), *L'Imposteur*, acte I, scène 3, vers 357-361, traduction des auteurs.

CALLIDORE. Pseudolus, va te mettre de l'autre côté et accable-le d'injures.
PSEUDOLUS. Ça marche. Je ne courrais pas plus vite chez le préteur pour me faire émanciper.
CALLIDORE. Balance-lui en plein, des mauvaises.
PSEUDOLUS. Alors là moi, je vais te faire la misère avec mes paroles. Débauché !
BALLION. C'est ça.
PSEUDOLUS. Bandit !
BALLION. Ce n'est pas faux.
PSEUDOLUS. Tête à claques !
BALLION. Pourquoi pas ?
PSEUDOLUS. Pilleur de tombes !
BALLION. Certainement.
PSEUDOLUS. Gibier de potence !
BALLION. C'est très bien envoyé.

❶ Ballion vous semble-t-il affecté par les injures de Pseudolus ? À l'avantage de qui le duel tourne-t-il donc ?

❷ Quels sont les procédés utilisés par Plaute pour faire rire le public ?

2   DÉDUIRE DES INFORMATIONS D'UN TEXTE

 Plaute développe une action dans un univers situé à l'opposé des règles habituelles de la société romaine. La fête théâtrale se caractérise par un renversement des situations : les personnages les plus vénérés à Rome, les pères de famille, le notable, le soldat, sont ridiculisés. La
5 sagesse et le pouvoir sont du ressort de l'esclave qui berne le vieillard, ce qui provoque l'hilarité du public ravi de voir caricaturer tout ce qui, dans le monde réel, inspire le respect et l'autorité.

■ Jean-Claude Golevin, avec la collaboration de Catherine Salles,
Le Théâtre romain et ses spectacles, © Archéologie nouvelle (2013)., D. R.

● Pourquoi représenter sur scène un esclave qui trompe son vieux maître faisait-il rire les Romains ?

3   LIRE ET COMPRENDRE UNE MOSAÏQUE

▲ Dioscoride de Samos, *Musiciens ambulants*, mosaïque de la villa de Cicéron à Pompéi (vers 100 av. J.-C.), 43 × 41 cm (Naples, Musée Archéologique National).

❶ Quels instruments de musique distinguez-vous sur cette image ?

❷ Qu'est-ce qui indique que ces musiciens sont également comédiens ?

❸ Quel personnage est déjà mentionné dans *La Marmite* ?

❹ Quelle place la musique a-t-elle pu occuper dans les comédies romaines ?

▶ ▶ ▶ *COUP DE POUCE*

Utilisez aussi des éléments de l'activité 1 pour répondre.

le point sur **LA MISSION**

Quels éléments indispensables faisaient le succès d'une comédie à Rome ? Établissez une liste qui vous servira pour votre propre mise en scène.

Quid veri ?

Que nous apprennent les comédies de Plaute sur la société romaine ?

> ▶ **Qui va au théâtre ? Où les représentations ont-elles lieu ? Ces informations sont importantes à connaître pour que votre spectacle se déroule bien.**

1 — LIRE ET COMPRENDRE UN TEXTE EN LATIN

Prologus
(scène de diverbium[1])

1 [...] Faites silence, taisez-vous, et concentrez-vous [...]. Qu'assis sur les gradins, les ventres affamés comme les repus accueillent la pièce avec bienveillance. Ceux qui ont mangé, vous avez vraiment bien fait ; ceux qui n'ont pas mangé, vous vous

5 rassasierez de nos histoires. [...]

« Exsurge, **praeco**[2], fac populo audientiam. » *(le héraut annonce la pièce de Plaute à la criée)* Vas-y, rassieds-toi maintenant, tu remporteras double salaire. [...]

Scortum[3] exoletum nequis in proscaenio

10 Sedeat, neu **lictor**[4] verbum aut virgae muttiant,
Neu **dissignator**[5] praeter os obambulet,
Neu sessum ducat, dum **histrio**[6] in scaena sit.

Ceux qui ont fait la grasse matinée à la maison, il faut qu'ils se résignent à rester debout, ou bien à essayer de dormir.

15 **Servi** ne obsideant, liberis ut sit locus, [...]
Nutrices pueros infantis minutulos
Domi ut procurent neve spectatum adferant ; [...]
Matronae tacitae spectent, tacitae rideant. [...]
Quodque ad **ludorum curatores**[7] attinet,

20 Ne palma detur quoiquam artifici injuria.

┗ Plaute (254-184 av. J.-C.), *Le Carthaginois*, vers 3-37, traduction des auteurs.

▶ **AIDE À LA LECTURE**
1. Voir activité 2, page 167.
2. **praeco, onis**, m. : le héraut, le crieur
3. **scortum, i**, n. : la prostituée
4. **lictor, oris**, m. : le licteur, homme accompagnant les magistrats importants
5. **dissignator, oris**, m. : le placeur
6. **histrio, onis**, m. : le comédien
7. **ludorum curatores** : les organisateurs des jeux

▲ Vue de l'intérieur du théâtre de Pompée pendant une représentation, lithographie (fin du XIXᵉ s.) (collection privée).

❶ Dans ce prologue, le spectacle se passe-t-il sur scène ou parmi le public ? Justifiez votre réponse à l'aide des mots en gras.

❷ L'organisation du texte par *neu* ou *ne* indique ce que le public est prié de ne pas faire. Quelle impression cela donne-t-il du public romain ?

❸ Les spectacles de théâtre semblaient-ils réservés à une partie précise de la société ?

❹ Faites correspondre les traductions proposées avec les vers du texte latin.

a. Que les dames regardent en silence, qu'elles rient en silence.
b. Que les esclaves ne s'installent pas à l'endroit réservé aux personnes de condition libre.
c. Concernant les organisateurs des jeux, qu'ils ne décernent la palme injustement à aucun artiste.
d. Qu'aucune prostituée décrépie ne s'asseye sur le proscenium, qu'aucun licteur ne grogne, pas plus que ses verges.
e. Que les nourrices gardent à la maison les tout petits enfants pour s'en occuper, et ne les amènent pas au spectacle.
f. Que le placeur ne se balade pas devant les gens, qu'il ne mène personne à un siège quand un acteur est sur scène.
g. Debout, héraut, réclame le silence au peuple.

1   Plaute évoque des « gradins » dans le prologue. De son vivant, construire des théâtres en pierre était autorisé dans les provinces, mais interdit à Rome. En effet, certains sénateurs craignaient que les 5 Romains ne pensent plus qu'au plaisir des spectacles et ne « s'amollissent » l'âme avec cette pratique héritée des Grecs, ou encore ne se rassemblent au théâtre dans un esprit de contestation. Par conséquent, les magistrats organisateurs des jeux 10 faisaient construire des théâtres provisoires en bois. Cependant quelques-uns, tel M. Aemilius Scaurus, en 58 av. J.-C., tenaient à marquer les esprits... Il fit élever un théâtre certes éphémère, mais d'un luxe impressionnant en utilisant or, argent, ivoire et 15 verre comme matériaux de construction.

   À la fin de la République, le général Pompée mit fin à cette situation par une ruse : il fit bâtir sur le Champ de Mars un temple dédié à *Minerva* et à *Venus Victrix*, sa protectrice. L'astuce, c'est que 20 les gradins d'un théâtre en constituaient l'escalier momumental pour y accéder !

> ■ D'après Jean-Claude Golevin, avec la collaboration de Catherine Salles, *Le Théâtre romain et ses spectacles*, © Archéologie nouvelle (2013), D. R.

● Pourquoi a-t-il fallu attendre l'initiative de Pompée en 55 av. J.-C. pour que soit inauguré un théâtre permanent à Rome ?

3 ╎ **LIRE ET COMPRENDRE UNE IMAGE**

● Situez sur l'image les éléments ci-dessous.

a. Le *frons scenae* (front de scène) : mur richement décoré, souvent par des butins militaires. Il peut facilement servir de décor aux tragédies.

b. Le *proscenium*, espace compris entre le fond de la scène et les premiers spectateurs.

c. L'*orchestra*, semi-circulaire. Dans cet espace distinct des gradins sont placés les « spectateurs importants » (magistrats).

d. La *cavea* (l'ensemble de la fosse formée par les gradins).

e. Le temple de Vénus, qui surplombe la cavea.

Reconstitution du théâtre de Pompée, ▶ aquarelle (Arles, musée départemental Arles Antique).

D'hier
à aujourd'hui

De nos jours, au théâtre, certaines règles de comportement doivent être observées. Les connaissez-vous ? Le public français contemporain vous semble-t-il aussi hétérogène que le public dépeint par Plaute ?

le point sur **LA MISSION**

Résumez toutes les informations que vous avez collectées sur le déroulement du spectacle.

13 Ludete, histriones !

Comment jouer un extrait de Plaute de nos jours ?

> ➤ **Pour devenir un véritable acteur de comédie romaine, il faut maintenant vous entraîner...**

1 TRAVAILLER LE JEU D'ACTEUR

❶ Formez un cercle. Le meneur de jeu désigne à l'accusatif les parties de son propre corps que chacun doit toucher (Tangite...) puis cacher (Occultate...) ou encore montrer avec insistance (Ostendite...).

◀ Scène de théâtre, *mosaïque romaine* (IIIe s. ap. J.-C. ; détail) (Tunisie, Musée Archéologique de Sousse).

▶ **AIDE**

caput, itis, n. : la tête
capilllus, i, m. : les cheveux
humerus, i, m. : l'épaule
bracchium, ii, n. : le bras
manus, us, f. : la main
jugulum, i, n. : la gorge
oculus, i, m. : l'œil
os, oris, n. : la bouche
crus, cruris, n. : la jambe
pes, pedis, m. : le pied
dexter, dextra, dextrum : droit
sinister, sinistra, sinistrum : gauche

Étudier la langue

La 4e déclinaison, p. 256

❷ Chacun choisit ensuite un des personnages des comédies de Plaute et trouve une posture ou un geste qui permette d'identifier ce personnage.

❸ En cercle, chacun se présente tour à tour (nom et gestuelle). Lorsque les personnages sont mémorisés, présentez votre personnage et appelez celui d'un camarade. Par exemple : « Pseudolus (nom + mime) vocat Euclionem (nom + mime) ».

Vidéo

La Marmite, mise en scène de Brigitte Jaques-Wajeman
↗ **Manuel numérique**

*Florence Dupont a proposé des traductions novatrices de l'*Aulularia *(traduit par* La Marmite*) et de* Pseudolus (L'Imposteur) *en tenant compte de la dimension spectaculaire des comédies de Plaute.*

1 Le spectacle est construit sur l'alternance de trois types de scènes. Dans le premier type, appelé *diverbium*, les acteurs disent le texte, sans chanter, sans danser et même sans jouer physiquement leur 5 rôle ; le vers correspondant est le sénaire iambique. Dans le deuxième type, appelé *canticum*, les acteurs dansent et miment leur rôle, pendant qu'un chanteur chante leur texte et qu'un musicien joue, sur une double clarinette (tibia) et sur une claquette à pieds, 10 la musique qui anime les danses. Le canticum peut prendre deux formes. Soit [...] *canticum* varié ; en ce cas la musique est celle d'un personnage qui est, dans cette scène, le maître du jeu et qui occupe l'espace de son chant et de sa danse, les autres personnages 15 n'étant que des faire-valoir. Soit il est écrit sur un rythme simple auquel correspond un vers unique, le septénaire trochaïque. Le plus souvent ce type de canticum sert à des scènes d'affrontement dialogué, c'est pourquoi nous l'appelons *canticum* de duel.

■ Florence Dupont, Préface à *La Marmite suivi de Pseudolus*, Plaute © Actes Sud, coll. « Babel » (2001).

❶ Quels sont les trois types de scène distingués par Florence Dupont ? Sur quoi s'appuie-t-elle pour les différencier ?

❷ Quelles disciplines artistiques sont nécessaires si l'on veut représenter une comédie romaine en respectant l'esprit dans lequel elles ont été composées ?

Brigitte Jaques-Wajeman est l'auteure d'une mise en scène de la Marmite *qui, en 2002, a fait date en France. Voici ce qu'elle affirme à propos du jeu des acteurs.*

1 L'histrionisme[1] est ici de rigueur, rien n'est jamais de trop. [...]
Ici tout est donné à voir et à entendre, les propos les moins délicats, les désirs les plus inavouables, les pensées 5 les plus secrètes et les plus noires. Mais dans cette mise à nu sur la scène, ce qui est le plus surprenant et le plus précieux pour nous, c'est l'adresse délibérée, constante au public. La scène joue avec la salle. Le spectateur est un partenaire pour l'acteur, presque plus important 10 que son partenaire sur la scène. Il n'y a pas de scène où l'acteur dans son rôle ne se tourne vers le spectateur et ne lui parle, sous la forme de prise à témoin, de question, de discours à cœur ouvert, d'appel à l'aide, d'aparté [...].

■ Brigitte Jaques-Wajeman, Postface à *La Marmite suivi de Pseudolus*, Plaute, traduit par Fl. Dupont © Actes Sud, coll. « Babel » (2001).

1. Le fait de jouer, d'être acteur.

▲ Acteurs se préparant à jouer, mosaïque de la Maison du Poète tragique à Pompéi (Iᵉ s. av. J.-C.) (Naples, Musée Archéologique National).

❶ Quel type de jeu d'acteurs Brigitte Jaques-Wajeman recommande-t-elle pour représenter une comédie de Plaute ?

❷ À qui les comédiens doivent-ils s'adresser au maximum ?

le point sur LA MISSION

Sur quels points allez-vous devoir miser pour réussir votre mise en scène ? Faites-en la liste et veillez à ce que chacun connaisse son rôle.

PISTE EPI

Peut-on restituer un spectacle des siècles passés ?

www.editions-hatier.fr

ATELIER D'EXPRESSION

👉 « Spectateur » vient de spectare : regarder. Le spectacle s'adresse donc d'abord à vos yeux. Allez aux racines des mots désignant l'œil ! Ces activités vous y aideront.

1 COMPRENDRE L'ORIGINE DES LANGUES EUROPÉENNES

La racine indo-européenne *okʷ- évoque une ouverture, et se rapporte à tout ce qui concerne la vision. Cette racine se retrouve avec des variations dans plusieurs langues.

Complétez l'arbre suivant avec les mots que vous connaissez.

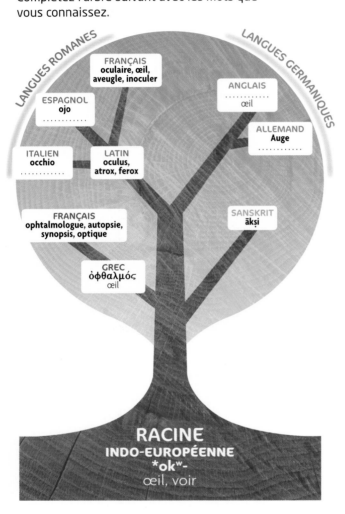

LANGUES ROMANES

LANGUES GERMANIQUES

FRANÇAIS
oculaire, œil, aveugle, inoculer

ANGLAIS
....
œil

ESPAGNOL
ojo
....

ALLEMAND
Auge
....

ITALIEN
occhio
....

LATIN
oculus, atrox, ferox

FRANÇAIS
ophtalmologue, autopsie, synopsis, optique

SANSKRIT
ākṣi

GREC
ὀφθαλμός
œil

RACINE INDO-EUROPÉENNE
*okʷ-
œil, voir

2 APPRENDRE DES MOTS PAR FAMILLE GRÂCE À LA RACINE GRECQUE

En grec, la racine *okʷ- a pris la forme op-.

Complétez les phrases avec un mot français qui a conservé cette racine grecque.

a. Une migraine qui a des répercussions sur la vision est une migraine ....

b. Une illusion d'............ se joue de nos yeux.

c. Un tableau .... des déclinaisons permet de les voir toutes à la fois.

d. Au cinéma, le .... est un aperçu de l'histoire.

e. Un .... ne possède qu'un seul œil, en forme de cercle.

3 APPRENDRE DES MOTS PAR FAMILLE GRÂCE À LA RACINE LATINE

En latin, *okʷ- est devenu oc-.

Complétez les phrases avec un mot français qui a conservé cette racine latine.

a. Le tragédien a jeté un regard très sombre sur l'assemblée, un regard .... (ater + *oc-s).

b. Les microscopes du collège sont .... puisqu'on peut s'en servir en posant en même temps les deux yeux.

c. Où ai-je encore posé mes .... ? (familier)

d. Pour vacciner un patient contre une maladie, on .... le virus (par analogie avec la greffe de bourgeon, d'« œil », sur une plante).

4 COMPRENDRE UN MOT FRANÇAIS GRÂCE AU GREC

Les chats, les hiboux et plus largement tous les animaux nocturnes sont **nyctalopes**... Qu'est-ce que cela signifie ?

5 **LATINE LOQUOR**

Le poète représenté sur cette mosaïque, assis, est
auteur tragique. Son ami acteur vient le persuader
de composer une comédie pour concourir lors des
prochains jeux à Rome. Mais la discussion tourne mal…

**Inspirez-vous de Plaute (notamment p. 162)
pour rédiger votre scène. Puis jouez votre texte
théâtral en partant de la posture des deux
personnages de la mosaïque.**

Animation
↗ **Manuel numérique**

▲ Scène de théâtre, mosaïque
romaine (IIIᵉ s. ap. J.-C.) (Tunisie,
Musée Archéologique de Sousse).

6 **APPRENDRE À TRADUIRE** **EN GROUPE**

Nous retrouvons les personnages de la Marmite *(voir p. 160) :
Strobile raconte à Anthrax comment se manifeste l'avarice d'Euclion.
C'est une scène où la parole est la plus importante (diverbium).*

1 STROBILUS. Quin¹ divom² atque hominum clamat continuo fidem,
    De suo tigillo³ fumus si⁴ qua⁵ exit foras.
    Quin cum it dormitum, follem⁶ obstringit⁷ ob gulam.
  ANTHRAX. Cur ?
5 STROBILUS.   Ne quid animae forte amittat⁸ dormiens.
  ANTHRAX. Etiamne obturat⁹ inferiorem gutturem,
    Ne quid animae forte amittat dormiens ?

                    └ Plaute, *La Marmite*, vers 300-305.

▶ **AIDE À LA TRADUCTION**

1. quin : mieux encore
2. divom : forme archaïque abrégée de divorum
(des dieux)
3. tigillum, i, n. : la petite maison
4. Pour traduire, placez si en début de vers.
5. qua : en quelque endroit
6. follem : une bourse en cuir
7. obstringo, is, ere, strinxi, strictum :
attacher
8. amitto, is, ere, misi, missum : perdre
9. obturo, as, are, avi, atum : boucher

Étudier la langue

↳ Les degrés de l'adjectif, p. 280

Formez des groupes et répondez aux questions.

❶ Dans les vers 1 à 5, Strobile énonce deux choses
qu'Euclion ne veut pas laisser échapper. Lesquelles ?

❷ Que suggère Anthrax avec humour ?
Quel aspect du rire latin est ainsi révélé ?

VOCABULAIRE

Noms

anima, ae, f. : l'air, le souffle
auxilium, ii, n. : l'aide
fides, ei, f. : l'assistance, la protection
gula, ae, f. : bouche, gorge
guttur, uris, n. ou m. : gorge
palma, ae, f. : la palme, la récompense
palmam ferre : remporter la victoire
persona, ae, f. : le masque, le
personnage

senex, senis, m. : le vieillard
spectator, oris, m. : le spectateur
proscenium, ii, n. : l'avant-scène
scaena, ae, f. : la scène

  Verbes

desero, es, ere, deserui, desertum
abandonner
rideo, es, ere, risi, risum : rire

Adjectif

miser, era, erum : malheureux

Mots invariables

cras : demain
eheu : hélas
foras : dehors
forte : par hasard
intus : à l'intérieur
nec / neque… nec / neque : ni… ni

LA MISSION ▸ Préparer une mise en scène

Vous en savez maintenant assez pour faire des choix éclairés de mise en scène, et vous amuser avec un extrait de Plaute en version originale.

ÉTAPE 1 ▸ IDENTIFIER LES CRITÈRES DE RÉUSSITE

Mettez-vous d'accord sur l'extrait que vous allez présenter, puis répartissez-vous les rôles :

– le ou la metteur(e) en scène communique sur sa vision de la scène, prépare des schémas ;

– l'assistant(e) prend des notes pendant les répétitions, participe à l'amélioration des propositions ;

– le/la technicien(ne) propose des solutions concernant la musique, la lumière, les accessoires...

– les acteurs portent sur scène la proposition de tout le groupe.

| Préparer le spectacle | Produire une **note d'intention** : pourquoi ce texte ? Pourquoi le monter de cette manière ? |
| | Travailler sur l'**espace scénique** : comment délimiter l'espace du public et celui des acteurs ? Où la scène se passe-t-elle ? |

Travailler la mise en scène	Vérifier que le **texte** est maîtrisé par les acteurs
	Valider le **jeu des acteurs** : gestuelle, etc.
	Prévoir la **musique**, vérifier les **costumes**, le **maquillage**, les **accessoires**

ÉTAPE 2 ▸ S'ORGANISER EN ÉQUIPE

▸ Rassemblez vos connaissances en reprenant vos notes.
▸ Partagez-vous le travail.

BESOIN D'AIDE ?

Vérifiez l'exactitude de vos informations :
- extraits utilisables pour une représentation ▸ p. 160, 162 et 164
- caractéristiques des personnages ▸ p. 160
- différence entre diverbium, canticum varié et canticum de duel ▸ p. 167
- modalités pour s'adresser au public ▸ p. 164

14 La fin de la République

Pourquoi Jules César a-t-il été assassiné ?

LA MISSION

L'assassinat de Jules César est un événement d'une importance capitale pour la vie politique romaine. Imaginez que la presse existe à cette époque…

➤ Formez des groupes et créez des unes de presse sur le meurtre de César, avec un point de vue précis, perceptible de l'éditorial jusqu'aux encarts publicitaires.
➤ Prenez des notes tout au long du parcours.

▲ Photogramme de la série télévisée *Rome* (2005).

Connaissances, compétences, culture

Dans ce parcours, vous allez :

■ Lire et comprendre des images, en particulier des pièces de monnaie.

■ Lire et comprendre des textes littéraires et des documentaires.

■ Découvrir le contexte historique dans lequel Jules César a été assassiné.

■ Découvrir des personnages célèbres de son époque.

■ S'initier à la numismatique.

■ Maîtriser le lexique du pouvoir.

Liberatio

Dans quelles circonstances César a-t-il été assassiné ?

> ▶ **Pour mener à bien votre travail de journaliste, commencez par regrouper les informations sur la mort de César.**

1 LIRE ET COMPRENDRE UN TEXTE EN LATIN

Aux Ides de mars 44 av. J.-C., Jules César est assassiné en pleine séance du sénat, dans la Curie de Pompée.

1   Tandis qu'il s'asseyait, les conjurés entourèrent [César], sous prétexte de lui rendre hommage, **ilicoque Cimber Tillius [...]** s'approcha davantage, comme pour lui demander une faveur [...] **ab utroque umero togam adprehendit** ; deinde **[Caesarem] clamantem : « Ista quidem vis est ! » alter e Cascis**[1]
5   **aversum vulnerat paulum infra jugulum. Caesar Cascae brachium arreptum graphio trajecit** et essaya de s'élancer en avant, mais il fut arrêté par une autre blessure. S'apercevant alors que de toutes parts on l'attaquait, le poignard à la main, **toga caput obvolvit, simul sinistra manu sinum ad ima crura deduxit**, pour tomber avec plus de décence, le corps voilé jusqu'en bas. Il
10   fut ainsi percé **tribus et viginti plagis**, n'ayant poussé qu'un gémissement au premier coup, sans une parole ; pourtant, d'après certains, il aurait dit Marco Bruto qui se précipitait sur lui Καὶ σὺ τέκνον. Tous s'enfuyant en désordre, assez longtemps il resta sur le sol, privé de vie, puis on le déposa sur une civière, un bras pendant, et trois esclaves le rapportèrent chez lui.

■ Suétone (vers 70-vers 126 ap. J.-C.), *Vie des douze Césars*, César, 82, traduit par H. Ailloud, © Les Belles Lettres (2008).

1. Deux frères de la famille Casca sont présents.

❶ Relevez les noms propres des personnes impliquées dans l'assassinat de César.

❷ Quels éléments du texte donnent à penser que Suétone réprouve les conjurés ?

❸ Quelles agressions successives César subit-il ?

❹ Comment César réagit-il, étape par étape ? Suétone vous semble-t-il valoriser ou dévaloriser César en ces circonstances ?

2 DÉCHIFFRER UNE PIÈCE DE MONNAIE

◀ Monnaie romaine.

❶ Quel événement l'inscription EID MAR *(Eidibus Martii)* rappelle-t-elle ?

❷ Quels sont les objets représentés ?

▮ ▶ ▶ *COUP DE POUCE*

Reportez-vous à la page 128 de votre manuel.

❸ Quel message cette monnaie cherche-t-elle à diffuser ?

3 — DÉDUIRE DES INFORMATIONS D'UNE BANDE DESSINÉE

▲ Scardanelli et Clapat, *Alcibiade Didascaux et Caius Julius Caesar* (2009).

❶ Lisez cet extrait de planche à plusieurs et à voix haute en distinguant narration (dans les cartouches) et discours direct (dans les phylactères).

❷ César sera assassiné six mois après son dernier triomphe. À partir des vignettes, formulez des hypothèses sur les motifs de ses assassins. Pourquoi César aurait-il représenté un danger pour la République romaine ?

le point sur LA MISSION

Réalisez un schéma en langue latine autour de l'assassinat de Jules César : qui ? où ? quand ? comment ? pourquoi ?

Veritas

Pourquoi la fonction d'imperator (général) a-t-elle pris tant d'importance à la fin de la République ?

▶ **Découvrez maintenant quel chef militaire a été Jules César et dans quel contexte politique il a évolué.**

1 LIRE ET COMPRENDRE UN TEXTE EN LATIN

D'après ses propres textes, Jules César fut un général hors du commun. Ainsi, contre les Nerviens, tribu celte de l'actuelle Belgique, son arrivée changea le cours d'une bataille très mal engagée pour les Romains.

1   Dans les autres cohortes, presque tous les centurions étaient blessés ou tués, et parmi eux le primipile P. Sextius Baculus, homme du plus grand courage, qui, épuisé par de nombreuses et graves blessures, ne pouvait plus se tenir debout ; le reste
5 faiblissait, et aux derniers rangs un certain nombre, se sentant abandonnés, quittaient le combat et cherchaient à se soustraire aux coups [...]. Ce que voyant et comme il ne disposait d'aucun renfort, César scuto¹ ab novissimo² militi detracto – car il ne s'était pas muni du sien – in primam aciem³ processit⁴
10 centurionibusque nominatim appellatis, reliquos cohortatus⁵ milites, signa inferre jussit⁶ [...]. Son arrivée ayant donné de l'espoir aux troupes et leur ayant rendu courage, [...] on réussit à ralentir un peu l'élan de l'ennemi.

■ César (101-44 av. J.-C.), *Guerre des Gaules*, II, 25, traduit par L-A Constans et A. Balland, © Les Belles-Lettres (2002).

▶ **AIDE À LA LECTURE**

1. scutum, i, n. : le bouclier ; **scuto detracto** : après avoir pris le bouclier (ablatif absolu). Cette même construction s'applique à centurionibus appellatis.

2. novissimo : *ici* de l'arrière-garde

3. acies, ei, f. : la ligne (de bataille), le rang

4. procedo, is, ere, processi, processum : s'avancer

5. cohortatus [est] : il exhorta

6. jubeo, es, ere, jussi, jussum : ordonner

Étudier la langue

L'ablatif absolu, p. 298
Les degrés de l'adjectif, p. 280

❶ Retrouvez, dans le texte latin, les cinq actions effectuées par César pour redresser la situation.

❷ Quelle image de César le texte tout entier présente-t-il ?

❸ Qui est l'auteur du texte ? À quelle personne s'exprime-t-il ? En quoi est-ce surprenant ? Quelle pourrait en être la raison ?

2 DÉCHIFFRER UNE PIÈCE DE MONNAIE

Vidéo

Le carnyx gaulois
↗ **Manuel numérique**

▲ Denier de Jules César, trophée avec bouclier gaulois et carnyx, argent (48-47 av. J.-C.).

❶ La figure féminine représentée sur l'avers est une divinité. Décrivez-la pour l'identifier.

▶▶▶ *COUP DE POUCE*

César prétendait être un descendant de cette déesse.

❷ Recherchez l'équipement des guerriers gaulois. Quels éléments, sur le revers de la pièce, permettent d'y voir un trophée célébrant les victoires de César en Gaule ?

❸ Cherchez sur Internet ce qu'est un carnyx.

1 À partir de 105, on admit les *proletarii*[1] dans la légion ; ils s'engagèrent en espérant s'enrichir grâce à la guerre […]. Ces hommes qui devaient l'amélioration de leur sort au général qui leur donnait du butin plus qu'au Sénat qui les payait peu […] furent prêts à suivre leurs généraux
5 dans des guerres civiles de 88 à 30 avant J.-C.

■ Hervé Inglebert (sous la direction de), *Histoire de la civilisation romaine*, Presses Universitaires de France (2005).

1. Hommes du peuple, sans ressources propres, par opposition aux citoyens romains appartenant à des familles fortunées.

1 Quelle évolution le recrutement des légionnaires connaît-il en 105 av. J.-C. ?

2 Quels personnages prennent par conséquent un plus grand poids politique ?

3 Qu'est-ce qu'une « guerre civile » ?

En 133 av. J.-C., devant les inégalités croissantes de la société romaine, les frères Gracques proposèrent des lois afin de faire émerger une classe moyenne de paysans. Mais le projet rencontra de telles résistances que les deux frères furent assassinés.

1 Ensuite leur tentative avortée suscite la constitution d'une tendance politique dans la noblesse, celle des **Populares** qui, grâce aux Gracques, disposent d'un programme précis de
5 revendications (lois agraires[1], frumentaires[2], judiciaires, électorales, etc.). Face aux *Populares*,

les **Optimates**, réunissant les clans sénatoriaux conservateurs, refusent d'être dépossédés de leurs privilèges. À la lutte ethnique et religieuse entre
10 patriciens et plébéiens du Ve siècle, se substitue à la fin de la République l'opposition politique entre *Optimates* et *Populares* à l'intérieur même de la noblesse.

■ Catherine Salles, *L'Antiquité romaine*, © Larousse (2002).

1. Concernent le partage des terres, en particulier celles gagnées sur l'ennemi. **2.** Concernent la distribution de blé à prix réduit aux pauvres.

1 Que désignent les termes Populares et Optimates ?

2 En quoi l'opposition entre deux tendances fragilise-t-elle la République romaine ?

3 Recherchez les noms des chefs de ces deux factions qui s'opposèrent lors de guerres civiles.

4 Auquel des deux partis César s'est-il rallié ?

Félix Auvray (1800-1833), ▶
La Mort de Caïus Sempronius Gracchus,
huile sur toile (Valenciennes,
Musée des Beaux-Arts).

le point sur LA MISSION

Quels aspects de la carrière et de la personnalité de César mettrait en avant un de ses anciens centurions ? Servez-vous-en pour bâtir son portrait.

Paranormalia

Comment César et Pompée sont-ils devenus « meilleurs ennemis » ?

▶ **Pour mieux connaître l'homme politique César, effectuez des recherches sur le triumvirat qu'il forme avec Crassus et Pompée.**

1 **LIRE UNE IMAGE**

▲ Vincent Camuccini, *La Mort de César* (1798), huile sur toile, 112 x 195 cm (Naples, musée Capodimonte).

C'est à la Curie de Pompée que César a été assassiné.

1 Quel est le point le plus lumineux du tableau ? Que met-il en valeur ?

2 Au plan supérieur et dans l'ombre se trouve la statue de Pompée. Prolongez son regard par une droite. Que constatez-vous ?

3 Pompée, par le truchement de sa statue, semble-t-il approuver ou condamner la scène de meurtre qui se déroule à ses pieds ?

2 **DÉDUIRE DES INFORMATIONS DE TEXTES**

Le premier triumvirat débute en 60 av. J.-C. et dure jusqu'en 54 av. J.-C. Il s'agit de l'alliance politique de trois (tres) hommes (viri).

Pompée Situation en 60 av. J.-C.	Crassus Situation en 60 av. J.-C.	César Situation en 60 av. J.-C.
Âge : 46 ans	**Âge** : 55 ans	**Âge** : 40 ans
Richesse : immense	**Richesse** : homme le plus riche de Rome	**Richesse** : très endetté
Renommée militaire : excellente ; trois triomphes à son actif	**Renommée militaire** : bonne	**Renommée militaire** : doit faire ses preuves
Renommée politique : popularité en chute libre ; consul avec Crassus dix ans auparavant	**Renommée politique** : il est craint ; consul avec Pompée dix ans auparavant	**Renommée politique** : est aimé du peuple ; ambitionne de terminer son *cursus honorum* en devenant consul
Signe particulier : se prétend descendant de Venus Victrix	**Signe particulier** : a prêté de fortes sommes d'argent à César	**Signe particulier** : se prétend descendant de Venus Genitrix

1 Avant la formation du triumvirat, Crassus et Pompée étaient rivaux. Pourquoi César avait-il intérêt à les réconcilier ?

2 Pourquoi ni Pompée ni Crassus ne se sont-ils méfiés de César ? Qu'attendaient-ils de lui ?

3 ▸ LIRE ET COMPRENDRE UN TEXTE EN LATIN

1 Mais, en 53 av. J.-C., vaincu par les Parthes, qu'il cherchait à envahir, Crassus fut exécuté par ces derniers qui lui auraient, dit-on, versé de l'or fondu dans la gorge pour le punir de sa cupidité. Post caedem Crassi <Pompeius> Caesarem dimittere exercitum jussit.

5 Or César, alors victorieux de ses campagnes gauloises, désobéit et franchit le fleuve Rubicon avec ses légions en armes. Le sénat chargea Pompée de rétablir l'ordre, ce qui provoqua une guerre civile entre les Pompéiens et les Césariens. C'est dans ce contexte que Pompée perdit la vie :

« in Pharsalia victus ad Ptolomaeum Alexandriae regem confugit. Ejus
10 imperio satellitibus occisus est. [...] Caput [...] Caesari praesentatum est. »
En recevant la tête de Pompée, loin de se réjouir, César dit-on fondit en larmes et la fit incinérer en utilisant des parfums très précieux.

■ Sophie Lerin, citations latines extraites des *Hommes illustres de la ville de Rome*, 77, traduit par P. M. Martin, © Les Belles Lettres (2016).

❶ Qu'a ordonné Pompée à César (premier passage latin) ?

❷ Grâce au texte latin, retrouvez :

a. Dans quelle ville Pompée a essuyé une défaite contre César. Situez-la sur une carte.

b. Où et auprès de qui il a cherché refuge.

c. Comment il est mort.

❸ Quel sens attribuez-vous à la réaction de César ?

4 ▸ LIRE ET COMPRENDRE UNE IMAGE

Caton d'Utique (ville de l'actuelle Tunisie), arrière-petit-fils de Caton l'Ancien, est le dernier grand homme à défendre les partisans de Pompée contre César. Il estime que Pompée représente le Sénat, la légalité républicaine, donc la liberté. À l'annonce de l'arrivée de César à Utique, en 46 av. J.-C., il se suicide d'une manière qui a beaucoup inspiré les peintres du XVIIe siècle.

❶ Que fait Caton de ses deux mains ? Quel sentiment exprime le jeune homme à droite du tableau ?

❷ Lisez le récit de son suicide par Plutarque (→ Info+), puis observez à nouveau l'image. Quel lien pouvez-vous établir ?

Info +
Récit de la mort de Caton par Plutarque
hatier-clic.fr/lat09

▲ Giordano Luca (1632-1705), *La Mort de Caton* (Chambéry, Musée des Beaux-Arts).

D'hier à aujourd'hui

Sans l'aide financière de Crassus, César n'aurait pas pu devenir consul. La vie politique est-elle encore marquée par des alliances entre pouvoir financier et pouvoir politique ?

le point sur LA MISSION

Depuis les enfers, imaginez-vous un Pompée favorable ou défavorable à César ? Ou nuancé dans son jugement ? Quel que soit votre parti-pris, justifiez-le en vous reportant aux documents.

Observator novus

Un jeune homme de dix-neuf ans peut-il changer le cours de l'histoire ?

> ➤ **Pour compléter le portrait de César, cherchez des informations sur sa descendance, à travers le destin de son fils adoptif Octave.**

1 DÉDUIRE DES INFORMATIONS DE TEXTES EN LATIN

Octavii mater Atia appellatur. Atia Julia[1], sorore C. Caesaris, genita est.

➤ **AIDE À LA LECTURE**
1. Atia Julia est au même cas que sorore.

❶ Comment la mère d'Octave s'appelle-t-elle ?

❷ Quels liens familiaux unissent la mère d'Octave à Jules César ?

❸ Quel lien biologique exact existe donc entre Octave et Jules César ?

1 Quadrimus patrem amisit.

Sextum decimum annum agens :

– militaribus donis triumpho Caesaris Africano donatus est (quanquam expers[1] belli propter[2] aetatem) ;

5 – vixdum[3] firmus a gravi morbo, avunculum Caesarem in Hispanias adversus Pompei liberos secutus est.

Post Hispaniarum expeditionem, Octavius in Graeciam missus est, ubi studuit.

Caesare occiso, heredem testamento avunculi se comperit[4].

10 Caesar Caium Octavium etiam in familiam nomenque adoptavit.

> ☐ D'après Suétone, *Vie des douze Césars*, César, LXXXIII et Auguste, IV et VIII.

➤ **AIDE À LA LECTURE**
1. expers : qui ne participe pas à
2. propter : à cause de
3. vixdum : à peine
4. comperire : découvrir

❶ De quel parent Octave a-t-il, très tôt, été orphelin ?

❷ Âgé de seize ans, quelles expériences a-t-il partagées avec Jules César ?

❸ Où était-il au moment du meurtre de César ? Qu'y faisait-il ?

❹ Quand a-t-il appris que Jules César l'avait adopté ? En plus de sa fortune, de quoi Octave hérite-t-il, qui le place sans ambiguïté comme le fils légitime de César ?

2 METTRE EN RELATION DES DOCUMENTS

1 [Jules César] mourut dans sa cinquante-sixième année et fut mis au nombre des dieux, non point seulement par une décision toute formelle des sénateurs, mais suivant la conviction intime 5 du vulgaire. En effet, au cours des premiers jeux que célébrait en son honneur, après son apothéose, Auguste[1], son héritier, une comète, qui apparaissait vers la onzième heure, brilla pendant sept jours consécutifs et l'on crut que c'était l'âme de César 10 admis au ciel : voilà pourquoi on le représente avec une étoile au-dessus de sa tête. On décida de murer la curie où il avait été assassiné, de nommer les Ides de Mars « [Jour] parricide[2] », et d'interdire à tout jamais au sénat de se réunir à cette date.

> ■ Suétone (vers 70-vers 126 ap. J.-C.), *Vie des douze Césars*, César-Auguste, traduit par H. Ailloud, © Les Belles Lettres (2008).

1. Auguste, titre honorifique que lui décerne le Sénat, est le nom que prendra Octave en 27 av. J.-C. **2.** César a reçu le titre de Parens Patriae par la suite, selon Suétone.

❶ Quelle semble être la réaction de la plèbe à l'assasinat de César ?

❷ D'après ce texte, qu'est-ce qu'une « apothéose » ? Et dans le langage courant ?

❸ Quels signes montrent que Jules César est assimilé à un dieu ?

❹ Observez la pièce. Comment Octave tire-t-il profit de l'apothéose de Jules César ?

▲ Monnaie romaine.

3 DÉDUIRE DES INFORMATIONS DE DOCUMENTS

1   Après un temps de défiance et d'affrontement, Octave et Marc-Antoine (ancien lieutenant de César) font alliance pour châtier Brutus, Cassius et leurs alliés.

5   Rejoints par Lépide (ancien maître de cavalerie de César), Octave et Marc-Antoine fondent dès lors le second triumvirat. À la faveur d'une loi, ils mettent en place des proscriptions, comme Sylla en son temps. Il s'agit de confisquer les biens de
10 leurs ennemis sénateurs favorables aux meurtriers de César et de les tuer. Ces derniers sont vaincus à Philippes en 42 av. J.-C, en Macédoine, et se suicident.

    L'alliance avec Lépide se fragilise, mais celle
15 d'Octave et Antoine est reconduite jusqu'en 32 av. J.-C., où Octave rompt définitivement en dénonçant la liaison amoureuse d'Antoine avec Cléopâtre : le général romain serait asservi aux charmes de la reine égyptienne et trahirait les valeurs
20 romaines. Soutenu par le Sénat, Octave l'emporte sur Antoine lors de la bataille navale d'Actium (31 av. .-C.). Suite à cette défaite, Antoine et Cléopâtre se donnent la mort dans un concours de circonstances dramatiques. Octave peut désormais régner seul.

■ Sophie Lerin.

❶ Citez les deux événements de l'histoire romaine qui se répètent lors de cette nouvelle période de crise.

❷ Pourquoi le Sénat soutient-il Octave plutôt que Marc-Antoine ?

❸ Diriez-vous que le peintre a représentés Antoine et Cléopâtre unis dans la mort ?

Animation
↗ Manuel numérique

▲ Alessandro Turchi (1578-1649), *La Mort de Cléopâtre*, huile sur toile, 255 x 267 cm (Paris, musée du Louvre).

le point sur LA MISSION

Relevez tous les moyens employés par Octave pour apparaître comme le seul héritier légitime de Jules César.

➥ **César a marqué de son nom le rapport au pouvoir dans plusieurs langues.**
Un bon éditorialiste se doit d'en être informé. Ces activités vous y aideront.

1 COMPRENDRE L'ORIGINE DES LANGUES EUROPÉENNES

La racine indo-européenne *pot-, « puissant, maître de », a donné naissance à de nombreux mots latins, parmi lesquels le participe présent potens, potentis (de posse < *pot-se), l'adjectif possibilis ou encore le verbe possideo.

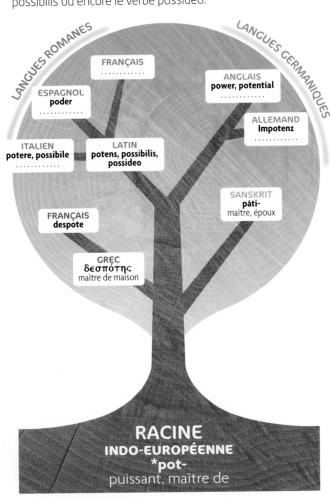

LANGUES ROMANES

LANGUES GERMANIQUES

FRANÇAIS
....

ESPAGNOL
poder
....

ANGLAIS
power, potential
....

ALLEMAND
Impotenz
....

ITALIEN
potere, possibile
....

LATIN
potens, possibilis, possideo
....

SANSKRIT
pâti-
maître, époux

FRANÇAIS
despote

GREC
δεσπότης
maître de maison

RACINE
INDO-EUROPÉENNE
pot-
puissant, maître de

2 EXPLIQUER LE SENS D'UN MOT FRANÇAIS PAR L'HISTOIRE DES MOTS

Notre « potence », qui a servi pendant des siècles à pendre les malfrats, est issue du latin potentia, qui signifie la puissance. Pour autant, elle ne montre pas la puissance de la justice par la peine de mort. En effet, il y a eu au Moyen Âge un glissement vers l'idée de béquille, d'appui, que l'on retrouve dans poteau. Étymologiquement, une potence désigne simplement une construction dans laquelle une poutre en soutient une autre.

De la même manière, si votre pote est un despote… il va falloir en parler, bien sûr, mais saurez-vous expliquer les origines différentes de ces deux mots ?

3 MÉMORISER LES DÉRIVÉS DU NOM CAESAR

a. En allemand, empereur se dit ...., et en russe, les souverains portaient le titre de ....

b. Pline l'Ancien affirme que César est né d'une incision du ventre de sa mère « a caeso matris utero ». D'où, plus tard, le nom attribué à la ....

c. Napoléon III, au XIXᵉ siècle, est devenu empereur avec la faveur du peuple. Les historiens désignent ce type de régime par le nom de ....

d. En revanche, si Philippe Faucon a été .... en 2016 pour son film *Fatima*, sa récompense est un hommage au sculpteur César, et non à Caius Julius.

4 MÉMORISER LES DÉRIVÉS DU NOM IMPERIUM

Contrairement à une opinion répandue, Jules César n'a jamais été empereur. En revanche, il a bien été détenteur de l'imperium (pouvoir de commandement politique, militaire et religieux) et a exercé la fonction d'imperator (général en chef).

Complétez ces phrases par un mot dérivé d'imperium.

a. Dans l'histoire romaine, le régime .... succède au régime républicain.

b. Le principal du collège s'est exprimé d'un ton ....

c. Implanter des colonies en pays étranger est une action ....

d. En conjugaison, le mode .... sert à exprimer un ordre, mais aussi un conseil ou une prière.

5 DIRE ET JOUER UN TEXTE EN LATIN

Imaginez les réponses de Brutus à cette interview fictive en latin. Le début figurera sur votre une. Vous pouvez aussi filmer la scène à la manière d'un reportage télévisé.

– Cognovistine C. Julium Caesarem ?

– ...

– Cur dixit tibi Caesar « Καὶ σὺ τέκνον » ?

– ...

– Quomodo occisus est ?

– ...

– Quid sentivisti Caesare occiso ?

– ...

6 APPRENDRE À TRADUIRE EN GROUPE

Cicéron nous éclaire sur le sort réservé aux généraux vaincus exhibés lors des triomphes.

> 1   Qui triumphant, eoque[1] diutius vivos hostium duces reservant, ut[2] his per triumphum ductis pulcherrimum spectaculum fructumque victoriae populus Romanus percipere possit, tamen cum de
> 5 foro in Capitolium currus flectere incipiunt, illos duci[3] in carcerem jubent, idemque dies et victoribus imperii et victis vitae finem facit.
>
> └ Cicéron, *Discours, Seconde action contre Verrès*, Livre V : « Les supplices ».

Texte lu
 Manuel numérique

Formez des groupes et répondez aux questions.

❶ Les généraux ennemis doivent-ils être vivants ou morts pour le triomphe ?

❷ Quel est le trajet du triomphe ?

❸ Qu'ordonnent les triomphateurs concernant les chefs vaincus ?

❹ Quelle limite le triomphe marque-t-il pour les vainqueurs ? Et pour les vaincus ?

▶ **AIDE À LA TRADUCTION**
1. **eoque** : pour cette raison
2. **ut... possit** : que... puisse
3. **duci** : infinitif passif de **ducere**, mener, emmener

Étudier la langue
L'ablatif absolu, p. 288
Les degrés de l'adjectif, p. 280

VOCABULAIRE

Noms

bracchium, i, n. : le bras
caput, itis, n. : la tête
carcer, eris, m. : la prison
crus, cruris, n. : la jambe
dux, ducis, m. : le chef, le général
finis, is, m. : la fin, le but
graphium, ii, n. : le poinçon
humerus, i, m. : l'épaule
imperium, ii, n. : le commandement, l'ordre
jugulum, i, m. : la gorge
satelles, itis, m. : le garde, le serviteur
sinus, i, m. : le pli
Victoria, ae, f. : la Victoire

victor, oris, m. : le vainqueur
vis, -, f. : la force, la vigueur

Adjectifs

alter, altera, alterum : l'un, l'autre
imus, a, um : le plus bas (superlatif de **inferus**)
victus, a, um : vaincu
sinister, sinistra, sinistrum : gauche

Mots invariables

diutius : plus longtemps
donec + indicatif : jusqu'à ce que

Verbes

apprehendo (adprehendo), is, ere, di, sum : prendre, saisir
dimitto, is, ere, misi, missum : renvoyer
duco, is, ere, duxi, ductum : mener, diriger
jubeo, es, ere, jussi, jussum : ordonner, commander
occido, is, ere, cidi, cisum : tuer
percipio, is, ere, percepi, perceptum : percevoir
trajicio, is, ere, jeci, jectum : traverser
triumpho, as, are, avi, atum : recevoir les honneurs du triomphe, triompher

LA MISSION

Réaliser la une d'un journal

Vous voilà parés pour que chaque équipe présente l'assassinat de César avec des points de vue différents, mais tous étayés.

ÉTAPE 1   IDENTIFIER LES CRITÈRES DE RÉUSSITE

Fixer la ligne directrice de votre journal

- **Choisir** les personnages historiques qui rédigeront la une du journal
- **Prendre position** pour ou contre Jules César
- Inventer un **encart publicitaire** lié à l'identité du journal

Construire la une du journal

- Bâtir le **plan de la page** : répartir textes et images, choisir les polices de caractère et les couleurs
- Proposer des **titres et intertitres en latin**, avec un ablatif absolu minimum
- Insérer une **interview** de Marcus Brutus en latin

Rédiger un éditorial en français

- Rappeler les **faits**
- Adopter un **style** journalistique
- **Analyser les causes** immédiates et les causes plus anciennes de l'assassinat, évoquer les conséquences possibles

---

ÉTAPE 2   S'ORGANISER EN ÉQUIPE

▶ Rassemblez vos connaissances en reprenant vos notes.
▶ Partagez-vous le travail, de la rédaction à la relecture.

PISTE EPI

Comment lire les informations diffusées par les médias ?

www.editions-hatier.fr

BESOIN D'AIDE ?

Vérifiez l'exactitude de vos informations :
- familles politiques des différents personnages historiques ▶ p. 174, 176 et 178
- circonstances rapportées par Suétone ▶ p. 172
- actes de César déplaisant à ses ennemis ▶ p. 176
- actes de César contribuant à sa popularité ▶ p. 174
- vocabulaire du pouvoir ▶ p. 180

15 Auguste, empereur culte

Comment Auguste a-t-il utilisé toutes les ressources de l'image pour asseoir son pouvoir ?

PARCOURS

LA MISSION

L'empereur Auguste vous a commandé une biographie dans laquelle vous devez faire son éloge. Pour cela, vous avez choisi de partir d'une œuvre artistique (statue, fresque, bas-relief, édifice…) réalisée sous son règne.

Formez une équipe qui choisira une œuvre (de ce parcours ou trouvée ailleurs), puis présentez-la sous la forme d'un diaporama illustrant un chapitre de votre biographie.
Prenez des notes tout au long du parcours.

▲ Enrico Marini, *Les Aigles de Rome*, tome 1 (2007).

Connaissances, compétences, culture

Dans ce parcours, vous allez :

■ Lire et comprendre des images variées.

■ Lire et comprendre des textes littéraires.

■ Réaliser un diaporama assemblant des productions diverses.

■ Découvrir les fondements d'un nouveau régime autocratique, le principat établi par Auguste.

■ Maîtriser le lexique moral.

Hic vir, hic est...

Comment Auguste accapare-t-il l'histoire et la mythologie à son profit ?

▸ **Bien qu'Auguste se soit peu illustré sur les champs de bataille, les références aux conflits tant mythologiques qu'historiques ne manquent pas dans les œuvres artistiques qui le mettent en scène. Il vous faut en chercher la raison ; cela peut être une information primordiale pour votre éloge.**

1 LIRE ET COMPRENDRE UN TEXTE EN LATIN

Info +
L'Énéide de Virgile
hatier-clic.fr/lat10

Au chant VI de l'Énéide, le poète Virgile évoque la descente d'Énée aux Enfers où ce héros rencontre l'âme de son père. Celui-ci lui montre les futurs grands hommes de Rome.

1 Hic Caesar et omnis Juli[1]
Progenies[2] magnum caeli ventura sub axem.
Hic vir, hic est, tibi quem promitti[3] saepius audis,
Augustus Caesar, divi genus[4], aurea[5] condet[6]
5 saecula[7] qui rursus Latio regnata per arva[8]
Saturno quondam, super et Garamantas[9] et Indos
proferet[10] imperiu [...].
tu regere[11] imperio populos, Romane, memento[12] ;
hae tibi erunt artes ; pacique imponere morem[13],
10 parcere[14] subjectis et debellare[15] superbos.

└ Virgile (70-19 av. J.-C.), *Énéide*, Livre VI, vers 789-795 et 851-853.

▸ **AIDE À LA LECTURE**

1. Autre nom d'Ascagne, le fils d'Énée
2. **progenies, ei**, f. : la descendance
3. **promitti** : être promis
4. **genus, eris**, n. : le fils, le rejeton
5. **aureus, a, um** : d'or, en or
6. **condo, is, ere, didi, ditum** : établir
7. **saecula** : *a donné* séculaire
8. **arvum, i**, n. : la campagne
9. Les Garamantes sont un peuple nomade de l'Afrique saharienne
10. **profero, fers, ferre, tuli, latum** : étendre
11. **rego, is, ere, rexi, rectum** : *a donné* régir
12. **memento** + inf. : souviens-toi
13. **mos, moris**, m. : la coutume
14. **parco, is, ere, peperci, parsum** + dat. : épargner quelqu'un
15. **debello, as, are, avi, atum** : écraser

Étudier la langue

↳ Le futur de l'indicatif, p. 272

▲ Jean-Baptiste Wicar, *Lecture de l'Énéide de Virgile* (vers 1820), huile sur toile (Tremezzo, Villa Carlotta).

❶ Comment Virgile présente-t-il Auguste au début du texte ? À quelle famille le rattache-t-il ? Pour quelles raisons ?

❷ Quel dieu est nommé au vers 6 ? Que symbolise-t-il pour les Romains ? En quoi son rapprochement avec Auguste est-il important ?

▸▸▸ *COUP DE POUCE*

Pensez aux Saturnales !

❸ Au vers 8, à qui le poète s'adresse-t-il maintenant ? Quelle est la nature de la mission qui lui est confiée ? En quoi cela contribue-t-il à faire l'éloge d'Auguste ?

❹ Identifiez Virgile et Auguste sur le tableau. Quel geste indique l'autorité de l'empereur sur le poète ?

1   La statue d'Auguste trouvée dans la villa de Livie à
Prima Porta, au nord de Rome, constitue une exception[1] :
l'image du *princeps* s'avançant pieds nus, le manteau
enroulé autour des flancs en compagnie d'Éros, posé sur un
5   dauphin, servait à exprimer son retour d'Orient en 19 av. J.-C.,
alors qu'il ramenait avec lui les enseignes militaires reprises aux
Parthes l'année précédente[2]. La cuirasse représentait justement
cet « événement » historique, sous la forme de la restitution d'une
enseigne à un jeune guerrier cuirassé (Mars ?), sous les yeux de
10   deux provinces (Gaule et Espagne), tout en insérant l'épisode dans
un contexte cosmologique, qui soulignait, à travers la figure du *Sol
Oriens* (soleil levant) en haut et les figures de la Terre, d'Apollon et
de Diane en bas, le lien entre le succès diplomatique oriental et le
début d'un nouvel âge d'or.

■ Matteo Cadario, « Habiller et déshabiller Auguste »,
in *Archéothéma. Histoire et Archéologie* n°33, mars-avril 2014.

1. Parmi les représentations de cuirasses sur les statues qui comportent,
le plus souvent, un répertoire standard de motifs symboliques.
2. Enseignes perdues par Crassus lors de la bataille de Carrhes en 53 av. J.-C.
qui aurait fait plus de 20 000 morts du côté romain.

Animation

✈ **Manuel numérique**

Auguste de Prima Porta avec restitution ▶
des parties colorées, marbre (Ier s. ap. J.-C.),
2,07 m de hauteur (Rome, Musées du Vatican).

❶ Comment le sculpteur met-il en valeur
la toute-puissance d'Auguste ?

❷ À qui Auguste semble-t-il s'adresser ?

❸ Quel événement l'artiste a-t-il choisi de représenter
sur la cuirasse ? En quoi cela est-il étonnant ?

❹ Repérez les différents éléments de la cuirasse
nommés dans le texte. Quels détails ont permis
de les identifier ?

❺ Quelle image de l'empereur cette statue veut-elle
finalement donner ?

PISTE EPI   Comment les arts peuvent-ils
être convoqués au service
de la propagande ?

www.editions-hatier.fr

D'hier
à aujourd'hui

Sous le règne d'Auguste, la poésie connaît
un véritable renouveau dû notamment à
l'action de Mécène, un des proches d'Auguste.
Qu'appelle-t-on, de nos jours, un mécénat ?

le point sur LA MISSION

**Rappelez sous quel aspect Auguste
aime à se faire représenter tant
dans les œuvres littéraires
que dans l'image statuaire.**

Divus Augustus

Auguste est-il un dieu ?

> ▶ Il est un autre domaine dont Auguste a bien saisi l'importance : celui de la religion et de la représentation de la divinité. Vous ne devez donc pas le négliger pour faire son éloge.

1 DÉDUIRE DES INFORMATIONS D'UN TEXTE

1   La colline du Palatin, où voisinent depuis 28 av. J.-C. la *domus* du Prince et le sanctuaire d'Apollon Actius, dieu du retour de l'âge d'or, abrite une effigie décrite comme figurant Auguste avec les attributs du dieu : cette œuvre ambiguë, qui insiste à l'évidence sur le gouvernement conjoint du prince et de la divinité,
5 se dresse dans l'une des bibliothèques du complexe monumental, où elle préside régulièrement aux réunions du Sénat. En revanche, en contexte cultuel, Auguste refuse systématiquement dans l'*Urbs* les honneurs qui l'assimilent à un dieu : ainsi, il interdit que sa statue soit érigée dans la *cella* du Panthéon dédié par Agrippa, et se « contente » d'un emplacement dans le *pronaos*.

■ Emmanuelle Rosso, « L'omniprésence statuaire du prince », in *Archéothéma. Histoire et Archéologie* n°33, mars-avril 2014.

① Où Auguste réunit-il souvent le Sénat ? Quelle image de lui-même y a-t-il fait dresser ?

② Quelle distinction semble-t-il toutefois établir dans les représentations qui l'associent à la divinité ?

2 METTRE EN RELATION DES DOCUMENTS

La statue dépassait les trois mètres de hauteur. Présenté dans une semi-nudité, le torse en marbre d'Italie découvert en 1750 et la tête en 1834 furent réassemblés en 1904. Le drap en calcaire, probablement de couleur rouge à l'origine, fut replacé quelques années plus tard.

Statue colossale d'Auguste, marbre (vers 10-12 av. J.-C.), ▶ 3,20 m de hauteur (Arles, musée de l'Arles et de la Provence antique).

1   **M**ais à partir de 29, [Octave] oriente sa politique divine vers Apollon qui va désormais apparaître comme le protecteur du futur Auguste. Quoi qu'il en soit de ce changement d'orientation, c'est l'acceptation de ce surnom d'Auguste qui donne sa dimension surhumaine au nouveau
5 *princeps*. Désormais les artistes pourront lui donner une taille supérieure à celle de ceux qui l'entourent sur des bas-reliefs ; simple manifestation visuelle d'une réalité mystique.

[...] Le terme d'*augustus* implique de puissants rapports avec la divinité.

■ Robert Étienne, *Le Siècle d'Auguste*, © Armand Colin (2014).

① Sous la protection de quel dieu Auguste se place-t-il à partir de 29 av. J.-C. ?

② Comment reconnaît-on un dieu sur un bas-relief ? Pourquoi les artistes peuvent-ils faire de même avec les représentations d'Auguste ?

③ En quoi la statue d'Auguste érigée dans le théâtre d'Arles participe-t-elle de cette politique ?

3   LIRE ET COMPRENDRE UN TEXTE EN LATIN

*Dès les premiers vers des Géorgiques qui célèbrent le retour à la terre,
Virgile s'adresse à l'empereur.*

1   [I]ncertum est urbesne[1] invisere[2], Caesar,
terrarumque velis[3] curam, et te maximus orbis
auctorem frugum tempestatumque[4] potentem[5]
accipiat cingens[6] materna tempora myrto ?

5   an[1] deus immensi venias maris ac tua nautae[7]
numina[8] sola colant, tibi serviat ultima Thule[9],
teque sibi generum[10] Tethys emat omnibus undis [?]

└ Virgile (70-19 av. J.-C.), *Géorgiques*, Livre I, vers 25-31.

❶ Quel avenir le poète semble-t-il prédire à Auguste ?

❷ Présente-t-il cependant cette situation comme une certitude ?
Citez deux procédés d'écriture qui vous le prouvent.

▶ **AIDE À LA LECTURE**

1. **-ne... an** + subj. : si... ou si
2. **inviso, is, ere, invisi** : visiter
3. **velis** : subj. présent de volo
4. **tempestas, atis,** f. : la saison
5. **potens, entis** : maître de
6. **cingo, is, ere, cinxi, cinctum** : entourer
7. **nautae** : *a donné* nautique, astronaute
8. **numen, inis,** n. : la divinité
9. **Thule** : île nordique marquant la limite du monde
10. **gener, generi,** m. : le gendre

Étudier la langue

Le subjonctif présent, p. 276

4   DÉDUIRE DES INFORMATIONS D'UN BIJOU

▲ Gemma Augustea, camée en onyx réalisé par Dioscoride (début du Ier s. ap. J.-C.) (Vienne, Kunsthistorisches Museum).

❶ Où Auguste se situe-t-il ?
Quels indices vous permettent-ils de répondre ?

❷ Quels éléments ou attributs divins lui confèrent-ils l'aspect d'un dieu ?
À quel dieu est-il alors assimilé ?

❸ Quelle divinité est assise à ses côtés ? Comment l'identifiez-vous ?

D'hier
    à aujourd'hui

Que sont les Dieux du stade ? En quoi leur image publique est-elle liée, elle aussi, à une forme de culte religieux ? Recherchez quel footballeur argentin célèbre est à l'origine d'une religion.

 le point sur **LA MISSION**

Faites le point sur l'image divine qu'Auguste renvoie aux Romains et sur les éléments qui permettent de lui donner une légitimité.

O tempora, o mores !

Comment Auguste récupère-t-il, à son profit, le système de valeurs de la République romaine ?

▶ **Garant de la paix universelle, sous la bénédiction des dieux, Auguste se veut également le champion de la restauration des valeurs qui ont fait la grandeur de Rome. Soyez attentif à sa manière de procéder.**

1 **DÉDUIRE DES INFORMATIONS D'UN TEXTE**

1　L'une des innovations les plus significatives et les plus durables [d'Auguste] fut de submerger le monde romain de son portrait : son profil figurait sur les petites monnaies qui garnissaient les poches du peuple ordinaire ; des statues à son image, grandeur nature ou
5　colossales, en marbre ou en bronze, s'élevaient dans les temples ou dominaient les places publiques ; des anneaux, des pierres précieuses ou de l'argenterie de table étaient gravés à son effigie. Une diffusion d'une telle ampleur était sans exemple.

■ Mary Beard, *S.P.Q.R.,* © Perrin (2016).

● Par quels moyens Auguste parvient-il à diffuser, à travers l'Empire et dans toutes les couches de la société, son image et les valeurs qu'il y associe ?

2 **MÉMORISER LE LEXIQUE**

1　Le *mos majorum* (« coutume des ancêtres ») désigne le système des valeurs ancestrales de la Rome antique. Auguste s'attache à restaurer ces valeurs
5　traditionnelles en faisant frapper de nouvelles pièces qui diffusent chacune une vertu afin d'asseoir son titre de *pater patriae* (« père de la patrie »).

❶ Pour chaque vertu romaine ci-dessous, retrouvez son équivalent français.

❷ Déchiffrez sur les deux pièces la vertu représentée et expliquez de quelle manière elle est illustrée.

fides, ei, f.	pietas, atis, f.	spes, spei, f.	modestia, ae, f.	concordia, ae, f.
clementia, ae, f.	virtus, tis, f.	honos, oris, m.	justitia, ae, f.	gravitas, atis, f.
abstinentia, ae, f.	pax, pacis, f.	majestas, atis, f.	gloria, ae, f.	constantia, ae, f.

LIRE UNE INSCRIPTION

En 27 av. J.-C., Auguste reçoit ce clipeus, ou bouclier votif offert pour s'acquitter d'un vœu, pour célébrer ses vertus civiques.

▶ **AIDE À LA LECTURE**

LIGNE 3 : IMP : abréviation de imperatori
LIGNE 4 : clupeus ou clipeus, i, m. : le bouclier ; COS : abréviation de consuli
LIGNES 5 ET 6 : génitif complément de l'expression sous-entendue « en l'honneur de ».
LIGNE 6 : erga + acc. : envers

❶ Déchiffrez puis recopiez l'inscription sur le bouclier d'Arles.

❷ Quelle formule emblématique du pouvoir politique romain retrouvez-vous dans les deux premières lignes ?

❸ Quels titres sont attribués à Auguste (l. 3) ? De qui semble-t-il alors le descendant ?

❹ Quelles vertus civiques ce bouclier reconnaît-il à Auguste ?

▲ Bouclier votif d'Auguste, marbre (26 av. J.-C.) (Arles, Musée Lapidaire d'Art païen).

4 — LIRE ET COMPRENDRE UN TEXTE EN LATIN

1 Habitavit Augustus in aedibus² modicis neque laxitate² neque cultu³ conspicuis⁴, ac per annos amplius quadraginta in eodem cubiculo hieme et aestate⁵ mansit⁶. Supellex⁷ quoque ejus vix privatae elegantiae erat. Idem
5 tamen Romam, quam pro majestate imperii non satis ornatam invenerat, adeo excoluit⁸, ut⁹ jure¹⁰ sit gloriatus¹² marmoream se relinquere, quam lateritiam¹¹ accepisset.[...] Cibi¹² minimi erat atque vulgaris.

└ Abbé Lhomond (1727-1794), *Les Grands Hommes de Rome.*

▶ **AIDE À LA LECTURE**
1. **aedes, ium,** f. pl. : la demeure
2. **laxitas, atis,** f. : l'étendue
3. **cultus, us,** m. : la décoration
4. **conspicuus, a, um** : remarquable
5. **hieme et aestate** : hiver comme été
6. **maneo, es, ere, mansi, mansum** : demeurer
7. **supellex, ectilis,** f. : le mobilier
8. **excolo, is, ere, colui, cultum** : embellir
9. **adeo... ut** : à tel point que
10. **jure** : à juste titre
11. **lateritius, a, um** : de briques
12. **cibus, i,** m. : la nourriture

❶ Quelles attitudes, dans le comportement d'Auguste, font de lui une incarnation vivante du *mos majorum* ?

❷ Retrouvez les vertus qu'elles illustrent.

Étudier la langue

↳ La 3ᵉ déclinaison, p. 252 et 254

D'hier à aujourd'hui

Les pièces de monnaie constituent un moyen de propagande politique efficace. Aujourd'hui, quels sont les objets de la vie quotidienne qui véhiculent les valeurs de la République en France ?

le point sur LA MISSION

Établissez une liste des vertus caractérisant la personne d'Auguste à travers le portrait qu'il donne de lui, afin de les mettre en valeur dans votre éloge.

Marmoream urbem

Comment Auguste inscrit-il son image dans l'aménagement de la ville de Rome ?

Il ne suffit pas à Auguste de vouloir refonder la société romaine, il entend également, tel un nouveau Romulus, rebâtir la cité éternelle afin d'y inscrire sa marque et son nom : cela mérite certainement que votre éloge s'y intéresse.

1 DÉDUIRE DES INFORMATIONS D'UN TEXTE

Pragmatique, Auguste entendait faire de Rome à la fois la capitale de l'empire, avec ce que cela supposait d'infrastructures et de services, et la vitrine du nouveau régime qu'il mettait en place. [...]

En cela, la politique urbaine d'Auguste est marquée par un double
5 mouvement, à la fois conservateur et novateur. Elle touche en même temps la parure monumentale et l'organisation administrative. Il s'agit de faire de Rome le centre rayonnant d'un espace italien et provincial et de répondre aux besoins de ses habitants.

■ Manuel Royo, « Une ville de marbre : la Rome d'Auguste »,
in *Archéothéma. Histoire et Archéologie* n°33, mars-avril 2014.

❶ Pour quelles raisons Auguste se lance-t-il dans une politique de grands travaux à Rome ?

❷ Reportez-vous à la carte p. 45 et repérez les nouveaux bâtiments construits sous son règne. À quelles fonctions sont-ils affectés ?

2 LIRE ET COMPRENDRE UN TEXTE EN LATIN

Les Res Gestae *sont des écrits laissés par Auguste, qui relatent les hautes actions qu'il a entreprises pour Rome. On en a retrouvé plusieurs copies, en grec et en latin, dans tout l'Empire, la plus importante provenant d'Ankara en Turquie.*

1 Capitolium et Pompeium theatrum utrumque opus impensa[1] grandi refeci[2] sine ulla inscriptione nominis mei. [...] Forum Julium et basilicam, quae fuit inter aedem Castoris et aedem Saturni, coepta profligataque[3] opera a patre meo, perfeci[4],
5 et eandem basilicam consumptam incendio ampliato ejus solo sub titulo nominis filiorum meorum incohavi[5] [...].

└ *Hauts faits du divin Auguste*, 20, 1 et 3.

▶ **AIDE À LA LECTURE**
1. **impensa, ae**, f. : la dépense, les frais
2. **reficio, is, ere, feci, fectum** : restaurer
3. **profligo, as, are, avi, atum** : compléter
4. **perficio, is, ere, feci, fectum** : achever
5. **incoho, as, are, avi, atum** : entreprendre

Étudier la langue

Les déclinaisons, p. 248 à 257

❶ À quelle personne Auguste s'exprime-t-il ? Quels sentiments laisse-t-il transparaître ?

❷ À quel domaine ses actions se rattachent-elles ?

❸ Où ce texte a-t-il été découvert ? Que cela nous apprend-il sur la politique de communication menée par l'empereur ?

1 Voici quatre monuments érigés par Auguste :
– l'Ara Pacis (autel de la Paix), espace habituellement consacré à la célébration des victoires militaires ;
– l'Horologium, immense cadran solaire, dont
5 l'ombre devait atteindre, le jour d'anniversaire d'Auguste, l'Ara Pacis ;

– le Mausolée, colossal tombeau de plusieurs étages, de 90 m de diamètre et 45 m de hauteur, d'inspiration hellénistique ;
10 – le temple de Mars Ultor, promis aux dieux lors de la bataille de Philippes, en 42 av. J.-C., en cas de victoire sur les assassins de César.

▲ Procession représentant des membres de la famille d'Auguste, détail de l'Ara Pacis Augustae à Rome, marbre (13-9 av. J.-C.).

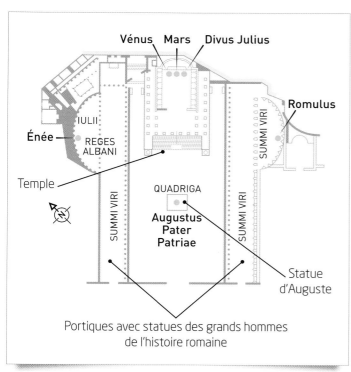

▲ Forum d'Auguste avec le temple de Mars Ultor au fond.

❶ Quand Auguste a-t-il décidé d'édifier le temple de Mars Ultor ?

❷ Quelles statues ce temple abrite-t-il ? Quel nouveau sens apportent-elles à l'édifice ?

❸ Quelles statues trouve-t-on dans les portiques latéraux ?

❹ Où la statue d'Auguste se situe-t-elle par rapport à l'ensemble ?

❺ Quel message Auguste veut-il donc transmettre avec ces constructions ?

le point sur LA MISSION

Faites une liste des constructions et des aménagements opérés par Auguste dans le paysage urbain de Rome et expliquez en quoi elles alimentent la propagande augustéenne.

➡️ **Avant de vanter les mérites de l'empereur dans vos productions, il vous faudra maîtriser le vocabulaire du portrait moral. Ces activités vous y aideront.**

1 COMPRENDRE L'ORIGINE DES LANGUES EUROPÉENNES

La racine indo-européenne *aug-, « accroître », a donné de nombreux dérivés. En latin, elle est à l'origine des termes auctor, oris, m. et auctoritas, atis, f., qui présentent le même champ sémantique : la création, la fondation (d'une ville), l'institution (d'une loi), la garantie ou la possession.

❶ Complétez l'arbre.

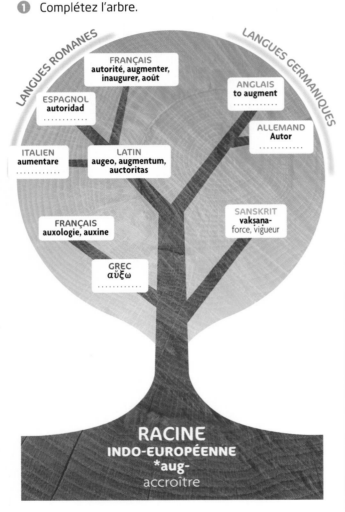

❷ Complétez avec des dérivés français de la racine.

a. L'empereur en prenant le pouvoir doit montrer son .... afin de se faire respecter.

b. Afin d'être aimé du peuple, l'empereur décida d'............... la distribution gratuite de blé.

c. L'inefficacité des remèdes face à sa maladie n'............... rien de bon.

d. L'arrivée au pouvoir d'Auguste permit d'............... un nouveau système politique.

2 MÉMORISER PAR L'ÉTYMOLOGIE

Résolvez ces devinettes pour retrouver les mots français dérivés du latin.

a. Se dit d'un acte qui n'est pas conforme aux *mores* ?

b. Document qui permet de circuler librement en préservant son *salus* ?

c. Se dit d'une personne talentueuse qui fait preuve d'une grande *virtus* ?

d. Carte offerte par un commerçant pour s'assurer la *fides* de son client ?

3 EXPLIQUER LE SENS D'UN MOT FRANÇAIS PAR LE LATIN

Donnez une explication aux expressions françaises suivantes.

a. suivre le chemin de la vertu

b. faire une profession de foi avant une élection

c. devoir son salut à quelqu'un

d. avoir des mœurs simples

e. avoir le sport pour religion

f. commettre un acte de lèse-majesté

4 LATINE LOQUOR

Cherchez le sens des expressions latines proposées et expliquez en quoi elles sont en lien avec la vie d'Auguste.

a. Ad augusta per angusta

b. Festina lente

c. Acta est fabula

d. Donec eris felix, multos numeratis amicos[1]

e. Sat celeriter fieri quicquid fiat satis bene

1. Vers d'Ovide.

5 DIRE ET JOUER UN TEXTE EN LATIN

Attribuez chaque phrase à l'un des personnages.
Reconstituez l'ordre du dialogue et jouez la scène.

a. O Caesar, ego patris mortem ulcisci veni.

b. Quid ergo ? Vitam tibi dedi. Cur occidere me paravisti ?

c. Sed ego, patriae pater, clemens sum. Antea hostis meus fuisti, nunc parricida es. Tu tamen omnium rerum fidem tibi habebo. Te ignosco. Hodie inter nos amicitia incipiat.

d. Gratias ago. Numquam iterum occidere te parabo. Nunc non solum diu te serviam, sed amicissimus fidelissimusque ero.

e. Te sedere et audire volo.

f. Ita sedeo et audio.

g. Sed nihil feci.

h. Tace. Epistulam accepi ; nunc omnia scio.

▲ Gabriel Bouchet (1759-1842), *Auguste et Cinna* ou *La Clémence d'Auguste*, huile sur toile, 95 x 135 cm (Versailles, Châteaux de Versailles et de Trianon).

6 APPRENDRE À TRADUIRE EN GROUPE

Ovide célèbre dans son poème les fêtes religieuses du calendrier romain. Il compose ici un éloge au symbole représenté sur un monument commandé par Auguste pendant son règne.

Texte lu
✈ Manuel numérique

> ₁ Ipsum nos carmen deduxit Pacis ad aram :
>   Haec erit a mensis fine secunda dies.
> Frondibus Actiacis comptos redimita capillos[1],
>   Pax, ades et toto mitis in orbe mane !
> ₅ Dum[2] desint hostes, desit quoque causa triumphi :
>   Tu ducibus bello gloria major[3] eris.
> Sola[4] gerat miles quibus arma coerceat[5] arma [...]
>   Utque domus quae praestat eam cum pace perennet
> Ad pia propensos vota rogate deos !
>
> └ Ovide, *Les Fastes*, I, vers 709-715 et 721-722.

❶ À quel édifice religieux le poète fait-il référence ?

❷ De qui le poète fait-il le portrait ? Quelle figure de style utilise-t-il ?

❸ Relevez le champ lexical de la guerre.

❹ À quoi le poète aspire-t-il ?

❺ Quel mot fait référence au rôle protecteur d'Auguste ?

▶ **AIDE À LA TRADUCTION**
1. frondibus... capillos : couronnée, dans tes cheveux bien coiffés, des lauriers gagnés à Actium
2. dum + subj. : pourvu que
3. bello gloria major : plus grand par la gloire que par la guerre
4. sola : épithète d'un des deux *arma*
5. coerceo, es, ere : réprimer

VOCABULAIRE

Noms

auctoritas, atis, f. : l'autorité morale
concordia, ae, f. : la bonne entente
constantia, ae, f. : la fermeté
fides, ei, f. : la loyauté
honos, oris, m : l'honneur
justitia, ae, f. : la justice
majestas, atis, f. : la dignité

mos, moris, m. : la coutume
pax, pacis, f. : la paix
pietas, atis, f. : la dévotion
princeps, ipis, m. : le premier citoyen
religio, onis, f. : la religion, le lien religieux entre les hommes et les dieux
spes, spei, f. : l'espoir
virtus, utis, f. : la qualité morale

Adjectif

clemens, ntis : clément

Verbes

augeo, es, ere, auxi, auctum : faire accroître, augmenter
ignosco, is, ere, novi, notum : pardonner

Présenter une œuvre de propagande

Par petits groupes, vous allez rendre compte d'une œuvre de propagande mettant en valeur le pouvoir d'Auguste et constituant le chapitre d'une biographie à son éloge, sous la forme d'un diaporama.

ÉTAPE 1   **IDENTIFIER LES CRITÈRES DE RÉUSSITE**

Cherchez une œuvre de propagande existante

Indiquer l'**œuvre choisie** et donner sa date, son lieu et ses circonstances de création

Décrire l'œuvre choisie et intégrer des **images de qualité** (la présentant sous des plans différents)

Préciser l'aspect de sa personne que l'empereur souhaite mettre en avant dans cette œuvre (dimension militaire, religieuse, morale...)

Soigner la mise en forme et la clarté du diaporama

Structurer chaque diapo (titre, illustration, texte...)

Travailler la **lisibilité** (choix de la police et des couleurs)

Limiter les effets à l'intérieur d'une diapo

Respecter le droit de la propriété intellectuelle

Indiquer la **source** des documents

Composer ses propres textes (éviter le copier-coller)

ÉTAPE 2   **S'ORGANISER EN ÉQUIPE**

► Rassemblez vos connaissances en reprenant vos notes.
► Partagez-vous le travail, de la rédaction à la relecture.

BESOIN D'AIDE ?

Vérifiez l'exactitude de vos informations :
- le garant de la paix universelle et conquérant du monde ► p. 184
- Auguste, entre humanité et divinité ► p. 186
- le restaurateur des valeurs morales du mos majorum ► p. 188
- le rebâtisseur de Rome ► p. 190

16 Néron, un tyran ?

Néron a-t-il été noirci par l'Histoire ?

LA MISSION

En ce début de XXIe siècle, des expositions et des essais historiques remettent Néron à l'honneur. Historiens, vous participez à une émission de radio dont le thème est : « L'Histoire a-t-elle traité Néron injustement ? »

➤ Formez un comité de rédaction de trois à cinq personnes (producteur, historiens invités, programmateur musical, réalisateur) pour préparer l'émission.

➤ Suivez le parcours pour bien connaître votre sujet.

▲ *Britannicus*, pièce de Jean Racine, mise en scène de Stéphane Braunschweig, avec Georgia Scalliet dans le rôle de Junie et Laurent Stocker dans le rôle de Néron, Comédie-Française (mai 2016).

Connaissances, compétences, culture

Dans ce parcours, vous allez :

■ Lire et comprendre des images variées.

■ Lire et comprendre des textes littéraires, des inscriptions et des documentaires.

■ Étudier un personnage historique et ses représentations.

■ Argumenter pour défendre un point de vue.

■ Maîtriser le lexique de la morale et des arts.

Claudius, Britannicus, Nero et ceteri

Comment Néron est-il arrivé au pouvoir ?

▶ **Pour commencer, familiarisez-vous avec Néron et sa famille.**

1 **DÉDUIRE DES INFORMATIONS D'UNE GÉNÉALOGIE**

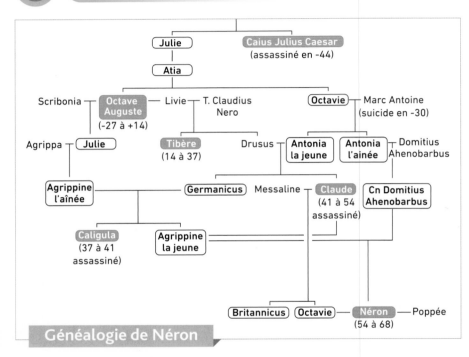

Généalogie de Néron

❶ Qui sont les parents de Néron ?

❷ Combien d'empereurs ou d'hommes d'État sa généalogie comporte-t-elle ?

❸ Quels sont ceux qui sont morts violemment ?

❹ Pour que Néron parvienne au pouvoir, quel héritier doit être éliminé ?

❺ Quels mariages successifs Néron contracte-t-il ?

2 **LIRE ET COMPRENDRE UN TEXTE EN LATIN**

▲ Tête de Néron, marbre
(Iᵉʳ s. ap. J.-C.)
(Londres, British Museum).

1 Statura fuit prope justa, corpore maculoso et fetido, subflavo¹ capillo, vultu² pulchro magis quam venusto, oculis caesis³ et hebetioribus, cervice obesa, ventre projecto,
5 gracillimis cruribus, valitudine prospera ; nam qui luxuriae immoderatissimae esset, ter omnino per quattuordecim annos languit.

└ Suétone (70-128 ap. J.-C.), *Vies des douze Césars*, Néron, 51.

▶ **AIDE À LA LECTURE**

1. **flavus, a, um** : blond
2. **vultus, us,** m. : le visage
3. **caesius, a, um** : bleu-vert

Étudier la langue

Les adjectifs, p. 248, 250 et 254

❶ De quel type de portrait s'agit-il ?

❷ Observez les adjectifs : ce portrait est-il neutre, positif, négatif ?

❸ Comparez le portrait et le buste : sont-ils réalistes ?

❹ Néron est né en 37 ap. J.-C. : à quel âge parvient-il au pouvoir ?

3 **DÉDUIRE DES INFORMATIONS D'UN TEXTE**

Agrippine, l'épouse de Claude, vient d'obtenir que l'empereur adopte son fils Néron.

1   Alors Agrippine, décidée au crime depuis longtemps, prompte à saisir l'occasion et ne manquant pas d'agents, délibéra sur la nature du poison : à l'effet soudain et précipité, il trahirait
5 le crime ; si elle choisissait une substance lente et consomptive, Claude, approchant de l'heure suprême, pourrait deviner le complot et revenir à l'amour de son fils[1] ; il lui fallait une drogue raffinée, qui troublât la raison et différât la mort. On
10 choisit une femme habile à ces pratiques, nommée Locuste, qui avait été condamnée récemment pour empoisonnement et fut rangée longtemps parmi les instruments du règne. Cette femme imagina et prépara un poison, qui fut administré par un des
15 eunuques, Halotus, chargé de servir les mets et de les goûter. Et tous les détails du crime devinrent bientôt si notoires que les historiens de cette époque ont relaté que le poison fut injecté dans un cèpe succulent.

■ Tacite (55-120 ap. J.-C.), *Annales*, Livre XII, 66-67, traduit par P. Wuilleumier, © Les Belles Lettres (2003).

1. Britannicus.

❶ Quel acte Agrippine commet-elle ? Quelles sont ses motivations ?

❷ De quelles complicités s'est-elle assurée ?

❸ Le témoignage de Tacite vous paraît-il fiable ?

❹ Que révèle ce texte sur l'époque de Néron et son entourage ?

 4 **DÉDUIRE DES INFORMATIONS D'UNE IMAGE**

❶ En vous aidant du texte et de l'image de cette vignette de BD, dites quel est l'événement représenté.

❷ Commentez l'angle de prise de vue : comment Néron apparaît-il ? Où le lecteur est-il placé ?

Étudier la langue

↖ L'ablatif absolu, p. 298

Duffaux et Delaby, *Murena*, ▶ Murex et Aurum, liber primus, Dargaud (2009).

le point sur **LA MISSION**

Le producteur lancera l'émission en présentant le sujet et les sources. Il aura préparé une question pour les historiens invités qui dressent le portrait de Néron. Le programmateur pourra choisir un générique musical.

Ventrem feri !

Néron est-il un matricide ?

▶ **Agrippine a porté son fils au pouvoir mais leurs relations se tendent...**

1 · CONFRONTER DES DOCUMENTS

1   Agrippine [...] s'acquittait, au commencement, pour Néron, de tous les devoirs du gouvernement ; ils sortaient ensemble, souvent dans la même litière ; la plupart du temps même, Agrippine était seule portée
5 et Néron marchait à côté d'elle. Elle donnait audience aux ambassadeurs, et elle écrivait aux peuples, à leurs magistrats et à leurs rois.

■ Dion Cassius (155-235 ap. J.-C.), *Histoire romaine*, Livre LXI, 5, traduit du grec par É. Gros (1867).

❶ D'après Dion Cassius, qui exerce réellement le pouvoir ? Quelle anecdote stupéfie le plus l'historien ?

❷ Comment la statue confirme-t-elle la place d'Agrippine ?

▲ Agrippine coiffe son fils Néron d'une couronne de laurier, relief (Turquie, musée d'Aphrodisias).

2 · LIRE ET COMPRENDRE UN TEXTE EN LATIN

Texte lu
➤ Manuel numérique

▶ **AIDE À LA LECTURE**

1. quasi ad convincendum scelus : « pour mettre le crime en évidence »
2. praebuere : fournirent
3. ruo, is, ere, rui, rutum : s'écrouler
4. tectum, i, n. : le toit
5. paries, etis, m. : le mur
6. sequor, eris, sequi, secutus sum : suivre (déponent)
7. visum est + dat. + inf. : il sembla bon à... de...

Étudier la langue
↳ La proposition infinitive, p. 288

❶ Quelles sont les circonstances de l'événement ?

❷ Quels compagnons servent Agrippine ?

❸ Quel est le dispositif du piège ?

❹ En vous aidant des expressions en gras, formulez toutes les preuves du crime prémédité selon Tacite.

En 59, Néron veut épouser Poppée contre l'avis de sa mère. La tension est à son comble...

1   Noctem sideribus inlustrem et placido mari quietam **quasi convincendum ad scelus**[1] dii praebuere[2]. Nec multum erat progressa navis, duobus e numero familiarium Agrippinam
5 comitantibus, [...] cum, **dato signo,** ruere[3] tectum[4] loci, multo plumbo grave ; pressusque Crepereius et statim exanimatus est ; Agrippina et Acerronia eminentibus lecti parietibus[5] ac forte validioribus quam ut oneri cederent protectae sunt. Nec
10 dissolutio navigii sequebatur[6], turbatis omnibus et quod **plerique ignari** etiam **conscios** impediebant. Visum[7] dehinc remigibus unum in latus inclinare atque ita navem submergere.

∟ Tacite (55-120 ap. J.-C.), *Annales*, Livre XIV, 5.

3 DÉDUIRE DES INFORMATIONS D'UN TEXTE

1   Ce qui se passait derrière les portes closes du palais impérial restait généralement secret. En conséquence, si certains faits étaient divulgués, certaines déclarations prononcées en public, pour l'essentiel les théories du complot prospéraient. Il n'en fallait pas beaucoup pour faire d'un naufrage accidentel,
5 dont on réchappait de justesse, une tentative de meurtre manquée (et comment Tacite pouvait-il avoir eu connaissance de la stupide tentative de la servante d'Agrippine[1] ?). Les légendes urbaines, ainsi que nous les appelons, florissaient.

■ Mary Beard, *S.P.Q.R.*, © Perrin (2016).

1. La servante d'Agrippine cria qu'elle était la mère de l'empereur et elle fut tuée. Agrippine parvint à regagner la côte en nageant silencieusement.

❶ Quelle question Mary Beard pose-t-elle à propos du naufrage ?

❷ De quels phénomènes contemporains rapproche-t-elle les événements rapportés par Tacite ?

4 DÉDUIRE DES INFORMATIONS D'UN TEXTE ET D'UNE IMAGE

Agrippine est morte, poignardée par Anicetus. Sénèque prend la parole au Sénat.

Duffaux et Delaby, ▶
Murena, tome 4,
Dargaud (2002).

On afficha ou l'on fit courir beaucoup d'épigrammes en grec et en latin, comme celles-ci :

    Néron, Oreste, Alcméon : matricides.

    Nouvel avis : Néron a tué sa propre mère.

    Qui prétend que Néron n'est pas de la race illustre d'Énée ? L'un a porté son père, l'autre a emporté sa mère.

■ Suétone (70-128 ap. J.-C.), *Vies des douze Césars*, Néron, 39, traduit par H. Ailloud, © Les Belles Lettres (2002).

❶ Quelle version de la mort d'Agrippine Sénèque donne-t-il au Sénat ?

❷ Comment réagissent les sénateurs et le peuple ? Comment expliquez-vous ces différences ?

le point sur LA MISSION

Dans la deuxième partie de l'émission, vous aborderez les relations entre Néron et sa mère. Rédigez les questions et les réponses et choisissez les citations que vous lirez.

16

Magna clades
Néron a-t-il brûlé Rome ?

> ➡ **Parmi les accusations formulées contre Néron, celle d'incendiaire n'est pas la moindre.**

1 LIRE ET COMPRENDRE UN TEXTE EN LATIN

1 Sequitur clades[1], *forte an dolo[2] principis incertum – nam utrumque auctores prodidere –,* sed omnibus quae huic Urbi per violentiam ignium acciderunt gravior atque atrocior. Initium in ea parte circi ortum[3] quae Palatino Caelioque montibus
5 contigua est, ubi per tabernas, quibus id mercimonium[4] inerat quo flamma alitur[5], simul coeptus[6] ignis et statim validus ac vento citus[7], longitudinem circi corripuit. [...]. Impetu pervagato, incendium plana primum, deinde, in edita adsurgens et rursus inferiora populando, anteiit remedia velocitate mali et obnoxia[8]
10 Urbe artis itineribus hucque et illuc flexis atque enormibus vicis, qualis vetus Roma fuit.

De plus, les lamentations des femmes épouvantées, la débilité de l'âge ou l'inexpérience de l'enfance, ceux qui songeaient soit à eux-mêmes soit à autrui, en traînant les faibles ou en les attendant, les uns
15 pour leur retard, les autres pour leur précipitation, bloquaient tout. [...]

Tacite (55-120 ap. J.-C.), *Annales*, Livre XV, 38,
traduit par P. Wuilleumier, © Les Belles Lettres (1990).

▶ **AIDE À LA LECTURE**

1. **clades, is,** f. : le désastre
2. **dolus, i,** m. : la ruse, le coup secret
3. **orior, iris, iri, ortus sum** : naître, se lever
4. **mercimonium, ii,** n. : la marchandise
5. **alo, is, ere, alui, alitum** : nourrir
6. **coeptus** : commençant
7. **citus, a, um** : prompt, rapide
8. **obnoxius, a, um** : exposé au danger

Étudier la langue

Le comparatif et le superlatif, p. 280
La proposition infinitive, p. 288

❶ De quelle nature est le désastre ? Relevez trois noms qui vous l'indiquent.

❷ Pour quelles raisons Tacite parle-t-il de désastre ?

❸ Comment Tacite dramatise-t-il la scène ?

❹ Quelles circonstances expliquent la violence et la durée de l'incendie ?

2 DÉDUIRE DES INFORMATIONS D'UN TEXTE

Lorsque l'incendie éclate, Néron est à Antium. Prévenu, il regagne Rome le 21 juillet, organise la protection des demeures, se mêle à la foule, procède à l'évacuation.

1 La politique de la « part du feu » [...] est évidemment très mal comprise par les Romains. Comment expliquer que, au moment où les flammes dévastent la ville, des hommes osent démolir des
5 immeubles jusque-là préservés des flammes et que parfois même ils y mettent volontairement le feu ? [...] On ne manque pas de noter que, parmi les hommes luttant contre les flammes, il y a les Barbares de la garde impériale et des serviteurs de
10 l'empereur reconnaissables à leur livrée, ceux que Néron a envoyés pour prêter main forte aux vigiles. Les ennemis de l'empereur en profitent pour faire courir le bruit que Néron a ordonné la destruction des immeubles bâtis sur des terrains qu'il convoite
15 pour redessiner Rome.

■ Catherine Salles, *Et Rome brûla*, coll. « L'Histoire
comme un roman », © Larousse 2009

❶ Quelle accusation est portée contre Néron ? Qui la lance ?

❷ En quoi consiste la technique de « la part du feu » ? Comment est-elle utilisée par les propagateurs de la rumeur ?

3 — LIRE UNE PEINTURE

> Néron contemplait cet incendie du haut de la tour de Mécène et charmé, disait-il, « par la beauté des flammes », il chanta la prise de Troie dans son costume de théâtre.
>
> ■ Suétone (70-128 ap. J.-C.), *Vies des douze Césars*, Néron, 38, traduit par H. Ailloud, © Les Belles Lettres (2002).

❶ Identifiez Néron. Comment est-il mis en vedette (couleurs, lumières, composition, regards) ?

❷ Quelle image de Néron ce tableau donne-t-il ?

Animation
➔ Manuel numérique

Howard Pyle, *Néron devant Rome en flammes* (1897), ▶ huile sur toile (Wilmington, Delaware Art Museum).

4 — DÉDUIRE DES INFORMATIONS D'UN TEXTE ET D'UNE FRESQUE

> 1   En conséquence, pour étouffer la rumeur, Néron produisit comme inculpés et livra aux tourments les plus raffinés des gens, détestés pour leurs turpitudes, que la foule appelait « chrétiens ».
> 5 [...] À leur exécution on ajouta des dérisions, en les couvrant de peaux de bêtes pour qu'ils périssent sous la morsure des chiens, ou en les attachant à des croix, pour que, après la chute du jour, utilisés comme des torches nocturnes, ils fussent consumés.
>
> ■ Tacite (55-120 ap. J.-C.), *Annales*, Livre XV, 44, traduit par P. Wuilleumier, © Les Belles Lettres (1990).

❶ Pour quelles raisons les chrétiens sont-ils choisis comme boucs émissaires ?

❷ Quel nouvel aspect de Néron ce texte révèle-t-il ?

❸ Néron est-il facile à reconnaître sur la fresque ? Quels sont les anachronismes du tableau ?

❹ D'après les gestes des quatre personnages, quelle scène est en train de se jouer ?

❺ Le tableau donne-t-il la même impression de violence que le texte ? Justifiez votre réponse.

le point sur LA MISSION

Construisez la troisième partie de votre émission : relatez les faits en vous efforçant de distinguer récit objectif des événements et rumeurs.

▲ Filippino Lippi, *Saint Pierre et Saint Paul devant Néron* (1481-1483 ; détail), fresque (Florence, église Santa Maria del Carmine).

Qualis artifex pereo !

Pourquoi Néron passionne-t-il toujours ?

> ● **Des découvertes récentes ont relancé l'intérêt pour Néron : avant de conclure, examinez les dernières pièces du dossier.**

Vidéo
Salle à manger tournante
de la Domus Aurea
➚ Manuel numérique

1 METTRE EN RELATION DES DOCUMENTS

Après le grand incendie, Néron, qui a perdu son palais, en fait édifier un autre.

1 Pour faire connaître son étendue et sa splendeur, il suffira de dire ce qui suit. Dans son vestibule on avait pu dresser une statue colossale de Néron, haute de cent vingt pieds ; la demeure était si vaste qu'elle renfermait
5 des portiques à trois rangs de colonnes, longs de mille pas, une pièce d'eau semblable à une mer [...] ; dans le reste de l'édifice, tout était couvert de dorures, rehaussé de pierres précieuses et de coquillages à perles ; le plafond des salles à manger était fait de tablettes d'ivoire
10 mobiles et percées de trous, afin que l'on pût répandre d'en haut sur les convives soit des fleurs soit des parfums ; la principale était ronde et tournait continuellement sur elle-même, le jour et la nuit, comme le monde.

■ Suétone (70-128 ap. J.-C.), *Vies des douze Césars*, Néron, 31,
traduit par H. Ailloud, © Les Belles Lettres (2002).

▲ Georges Chedanne (1861-1940), *La Domus Aurea de Néron, salle du Laocoon* (Rouen, Musée des Beaux-Arts).

❶ Quels mots résument le mieux pour vous la « maison » de Néron : luxe, innovation, raffinement, beauté, tape-à-l'œil, démesure, technologie, surcharge, musée ?

❷ À quelle autre demeure de chef d'État moderne ou contemporain ce projet peut-il être comparé ?

2 DÉDUIRE DES INFORMATIONS D'UN TEXTE

❶ En quelle année Néron est-il mort ? Comment ?

❷ Quel événement Mary Beard relate-t-elle ? Quelle conclusion en tire-t-elle ? Quel mot suggère une certaine prudence ?

1 En outre, au cours des vingt années qui suivirent la mort de Néron, survenue en 68, au moins trois faux Néron parurent dans la partie orientale de l'empire, prétendant être l'empereur en personne, toujours en vie malgré les récits rapportant son suicide. Ils furent tous
5 rapidement éliminés, mais la supercherie suggère que, dans certaines régions du monde romain, on se souvenait de Néron avec affection.

■ Mary Beard, *S.P.Q.R.*, © Perrin (2016).

3 LIRE ET COMPRENDRE UN TEXTE EN LATIN

▶ **AIDE À LA LECTURE**
1. **licitum este** : il est permis de
2. **pingo, is ere, pinxi, pictum** : peindre
3. **fingo, is, ere, finxi, fictum** : sculpter

Étudier la langue

La proposition infinitive, p. 288
Les subordonnées introduites par ut,
   p. 302
Le comparatif et le superlatif, p. 280

❶ Quels arts Néron a-t-il pratiqués ?

❷ Néron a-t-il du talent ? Relevez les arguments contradictoires et traduisez les passages en gras.

1 Cantante eo ne necessaria quidem causa excedere theatro licitum est[1]. Aussi, paraît-il, des femmes accouchèrent pendant le spectacle et nombre de personnes, lasses d'écouter et d'applaudir, mais sachant les portes des villes fermées, sautèrent furtivement par-dessus les remparts ou
5 se firent emporter en feignant d'être mortes. [...]
Itaque ad poeticam pronus **carmina libenter ac sine labore composuit nec, ut quidam putant, aliena pro suis edidit. Venere in manus meas pugillares libellique cum quibusdam notissimis versibus ipsius chirographo scriptis**, ut facile
10 appareret non tralatos aut dictante aliquo exceptos, sed plane quasi a cogitante atque generante exaratos ; ita multa et deleta et inducta et superscripta inerant. Habuit et pingendi[2] fingendique[3] non mediocre studium.

L Suétone (70-128 ap. J.-C.), *Vies des douze Césars*, Néron, 23 et 52, traduit par H. Ailloud, © Les Belles Lettres (2002).

4 CONFRONTER DES DOCUMENTS

1 La face noire du personnage semble pour longtemps encore surpasser ses éventuels bienfaits. À sa décharge, son biographe ne l'aimait pas. Racontée par Suétone, sa vie est une succession de meurtres dont on a bien du mal à le croire innocent. De sa mère,
5 Agrippine, à son demi-frère Britannicus, en passant par ses épouses Octavie et Poppée, son maître Sénèque, et un nombre conséquent de sénateurs, tous lui doivent plus ou moins leur trépas.
   Au regard de la réputation de leur client, ses défenseurs ne manquent pas de courage. Selon eux, Néron serait aussi un politique
10 qui s'est opposé à la caste des sénateurs et de la noblesse. Un lettré, un chanteur, un musicien, un athlète ne dédaignant pas se produire sur les scènes. Recherchant un rapport direct avec le peuple, il en était aimé.

▓ *Le Monde*, Philippe Ridet, 11 mars 2011.

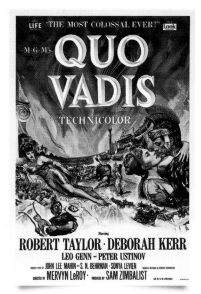

▲ Affiche du film *Quo Vadis*, réalisé par Mervyn LeRoy (1951).

❶ Dressez la liste des arguments des détracteurs de Néron et de ses défenseurs.

❷ À quelle conclusion le journaliste parvient-il ?

❸ D'après l'affiche, en quelle année l'action du film se situe-t-elle ?

Site web
Néron le meurtrier ou Néron le poète ?
hatier-clic.fr/lat11

PISTE EPI
Comment distinguer l'information de la rumeur ?

www.editions-hatier.fr

le point sur **LA MISSION**

Préparez vos arguments pour le débat qui terminera l'émission : « L'Histoire a-t-elle traité Néron injustement ? »

➡ **Pour briller dans les débats, revenir à l'étymologie des mots
et pouvoir citer de mémoire en latin s'imposent !**

1 COMPRENDRE L'ORIGINE DES LANGUES EUROPÉENNES

La racine indo-européenne *bheH$_2$, signifiant « déclarer »,
« exposer », est à l'origine de très nombreux termes, tant
en latin qu'en grec, que nous utilisons tous les jours.

Complétez l'arbre suivant.

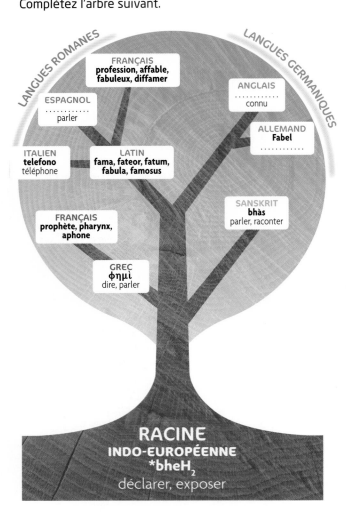

LANGUES ROMANES

LANGUES GERMANIQUES

FRANÇAIS
profession, affable,
fabuleux, diffamer

ANGLAIS
....
connu

ESPAGNOL
....
parler

ALLEMAND
Fabel
....

ITALIEN
telefono
téléphone

LATIN
fama, fateor, fatum,
fabula, famosus

SANSKRIT
bhàs
parler, raconter

FRANÇAIS
prophète, pharynx,
aphone

GREC
φημι
dire, parler

**RACINE
INDO-EUROPÉENNE
*bheH$_2$**
déclarer, exposer

2 APPRENDRE DES MOTS PAR FAMILLE

**Complétez les phrases avec des mots
comportant le radical de la parole.**

a. Son AVC lui a fait perdre la parole, il est
....PHA............ .

b. Ce menteur invente sa vie, il ....FA............ .

c. Votre accusation nuit à ma réputation, elle
est ....FA............ .

d. L'époque réduit l'intimité en demandant à
tous les hommes publics de se ....FE............ à la
télévision.

e. Les candidats aux élections peuvent
afficher leur ....FE............ de foi sur les panneaux
municipaux.

3 COMPRENDRE LES RELATIONS CACHÉES ENTRE LES MOTS

Le mot latin *blasphemare*, issu du grec
(« prononcer des paroles impies ») a donné
en français deux mots : *blâmer* (condamner
moralement) et *blasphémer*. *Blasphémer*, plus
proche de la forme latine, a conservé le sens
religieux. *Blâmer* a évolué avec la langue dans
sa forme et son sens.

**À vous de retrouver l'un des mots de ces
paires de doublets.**

Latin	Mot populaire	Mot proche du latin
catena	une chaîne	(rail) une c............
cadentia	la ch............	(musique) une cadence
medianus	moyen	m............
explicitare	exploiter	exp............
fugere	f............	fuguer

4 MÉMORISER DU LEXIQUE PAR L'ÉTYMOLOGIE

Après avoir lu le vocabulaire p. 205, résolvez ces devinettes.

a. On excuse les blagues du chenapan mais pas
les *crimes* du ....

b. Le lion de la fable sauvé par la souris dut renoncer
à son *orgueil* et perdre de sa ....

c. Celui que son sujet *transporte* peut se montrer ....
en paroles.

d. Il n'a pas *tué son père* et pourtant Néron est .... car
en latin le mot .... n'existe pas encore.

5 LATINE LOQUOR

Reliez chaque citation à un moment de la vie de Néron puis apprenez deux de ces citations.

a. 15 décembre 37, naissance à Antium

b. 13 octobre 54, mort de Claude, empoisonné par des champignons

c. 55, liaison avec Acté, bonne entente avec sa mère

d. 62, mariage avec Poppée

e. 64, Néron se produit sur scène à Naples ; incendie de Rome, construction de la domus aurea

f. 68, soulèvement de Julius Vindex en Gaule lyonnaise ; suicide de Néron

1. Dedit signum « optimam matrem ».

2. Dicebat « se quasi hominem tandem habitare coepisse ».

3. Jactabat « occultae musicae nulle esse respectum ».

4. « Ergo ego », inquit, « nec amicum habeo, nec inimicum ? »

5. « Qualis artifex pereo ! »

6. Negabat « quicquam ex se et Agrippina nisi detestabile et malo publico nasci potuisse ».

7. Boleti deorum cibum sunt.

> *Étudier la langue*
> La proposition infinitive, p. 288

6 APPRENDRE À TRADUIRE EN GROUPE

> ₁ Britannicum non minus aemulatione vocis, quae illi jucundior suppetebat, […] veneno adgressus est. Quod acceptum a quadam Lucusta, […] cum opinione tardius cederet […] mulierem sua manu
> ₅ verberavit arguens pro veneno remedium dedisse. […] Coegitque se coram¹ in cubiculo quam posset velocissimum ac praesentaneum² coquere. Deinde in haedo³ expertus, postquam is quinque horas protraxit, iterum ac saepius recoctum porcello
> ₁₀ objecit ; quo statim exanimato inferri in triclinium darique⁴ cenanti secum Britannico imperavit.
>
> L. Suétone, *Vies des douze Césars*, Néron, 33.

Formez des groupes et répondez aux questions.

① Lisez le texte deux fois en cherchant à identifier les trois personnages et le sujet des verbes.

② Cherchez l'antécédent des pronoms relatifs. Repérez les propositions infinitives, leur sujet à l'accusatif et le verbe de parole dont elles dépendent.

▶ **AIDE À LA TRADUCTION**

1. coram : adverbe ; en sa présence
2. praesentaneus, a, um : à effet immédiat
3. haedus, i, m. : le chevreau
4. inferri et dari : infinitifs passifs

> *Étudier la langue*
> La proposition infinitive, p. 288
> La subordonnée relative, p. 262

VOCABULAIRE

Noms

acerbitas, atis, f. : la cruauté
conjuratio, onis, f. : la conjuration
fama, ae, f. : la renommée, la réputation
gravitas, atis, f. : le sérieux, la rigueur
nex, necis, f. : le meurtre
parricida, ae, m./f. : le meurtrier de sa famille (matricide n'existe pas en latin)
rumor, is, m. : le bruit qui court
scelus, eris, n. : le crime
venenum, i, n. : le poison

Verbes

fingo, is, ere, finxi, fictum : modeler
pingo, is, ere, pinxi, pictum : peindre

Expressions

aliquem accusare de + abl. : accuser quelqu'un de
canere ad lyram : chanter au son de la lyre
licet : il est permis de
traditur : on rapporte que

Adjectifs

impudens, entis : débauché, sans pudeur
insanus, a, um : fou, malsain
obnoxius, a, um + dat. : responsable de
superbus, a, um : orgueilleux
vehemens, entis : violent

Débattre lors d'une émission de radio

Vous connaissez un peu mieux Néron et vous allez partager vos connaissances avec un public plus large.

ÉTAPE 1   **IDENTIFIER LES CRITÈRES DE RÉUSSITE**

Anticiper en comité de rédaction

> **Formuler la problématique** de l'émission sous forme de question

> **Rédiger un conducteur** : plan détaillé, durée des interventions

> Prévoir une **introduction** et des **transitions**, une **conclusion**

Préparer son intervention

> **Le producteur : ordonner** les questions

> **Les invités** : organiser la **documentation**, sélectionner les **citations**

> **Le technicien** : préparer le **matériel** et le tester

S'exprimer oralement

> S'entraîner à parler au micro et à lire de façon **expressive**

> Savoir **improviser** au cours du débat

ÉTAPE 2   **S'ORGANISER EN ÉQUIPE**

▶ Rassemblez vos connaissances en reprenant vos notes.
▶ Partagez-vous le travail et planifiez le nombre de séances de travail.

BESOIN D'AIDE ?

Vérifiez l'exactitude de vos informations :
- grandes étapes de la vie de Néron ▶ p. 196
- points de débat ▶ p. 198 et 200
- sources antiques ▶ p. 196 à 202
- citations de textes en latin et en français ▶ p. 196 à 202

17 Sur la piste des dieux à Pompéi

Quelles sont les croyances et les pratiques religieuses au Iᵉʳ s. ap. J.-C. ?

LA MISSION

Les mauvais présages se multiplient dans la région de Pompéi, en Campanie. L'empereur Vespasien, convaincu d'une offense aux dieux, vous charge d'enquêter sur place.

➤ **Formez une équipe qui lui adressera un rapport écrit sur les pratiques religieuses de la cité campanienne.**

➤ **Prenez des notes tout au long du parcours.**

Bacchus au Vésuve, fresque de la Maison du Centenaire à Pompéi (Iᵉʳ s. ap. J.-C.) (Naples, Musée Archéologique National). ▶

Connaissances, compétences, culture

Dans ce parcours, vous allez :

■ Lire et comprendre des images variées.

■ Lire et comprendre des textes littéraires, des inscriptions et des documentaires.

■ Découvrir la place du sacré chez les Romains.

■ Comprendre la manière dont les Romains vivent le sentiment religieux à travers l'exemple de Pompéi.

■ Maîtriser le lexique de la religion.

In deorum tutela

Quelles sont les divinités vénérées à Pompéi ?

> ▶ **Avant toute chose, pour mener à bien votre enquête, vous devez vous informer sur les divinités vénérées dans la cité de Pompéi.**

1 **LIRE ET COMPRENDRE UN TEXTE EN LATIN**

Texte lu
✈ **Manuel numérique**

1 Hic est pampineis¹ viridis² modo³ Vesbius⁴ umbris,
Presserat⁵ hic madidos⁶ nobilis uva⁷ lacus⁸ :
Haec juga⁹ quam Nysae colles¹⁰ plus Bacchus amavit ;
Hoc nuper¹¹ Satyri monte dedere¹² choros¹³.
5 Haec Veneris sedes¹⁴, Lacedaemone¹⁵ gratior¹⁶ illi ;
Hic locus Herculeo nomine clarus erat.
Cuncta jacent flammis et tristi mersa favilla :
Nec superi vellent hoc licuisse sibi.

∟ Martial (Iᵉʳ s. ap. J.-C.), *Épigrammes*, IV, 44.

❶ Sous la protection de quelles divinités la région de Pompéi est-elle placée d'après Martial ?

❷ Par quel procédé le poète met-il en valeur l'attachement particulier de ces divinités pour cette région ?

❸ En vous appuyant sur les quatre premiers vers, rappelez les domaines de compétences et les attributs du dieu cité au vers 3. Quel élément explique son importance dans la région ?

❹ La dernière divinité citée passe pour être le fondateur de Pompéi. À quelle occasion est-il passé par l'Italie ?

❺ Traduisez les vers 1 à 6.

▶ **AIDE À LA LECTURE**

1. **pampineus, a, um** : couvert de pampre
2. **viridis, e** : vert, verdoyant
3. **modo** : récemment, il y a peu
4. **Vesbius** = Vesuvius
5. **premo, is, ere, pressi, pressum** : *ici* faire déborder
6. **madidus, a, um** : parfumé
7. **uva, ae,** f. : le raisin
8. **lacus, us,** m. : la cuve
9. **jugum, i,** n. : la hauteur
10. **Nysae colles** : les collines de Nysa, lieu où le jeune Dionysos aurait été élevé à l'abri d'Héra
11. **nuper** : tout récemment
12. **dedere** = dederunt
13. **chorus, i,** m. : la danse en chœur
14. **sedes, is,** f. : le siège, la demeure
15. **Lacedaemon, onis,** f. : Lacédémone, autre nom de la cité grecque de Sparte où la déesse possédait plusieurs sanctuaires
16. **gratus, a, um** : agréable

↪ *Étudier la langue*

Le comparatif, p. 280
Le pronom-adjectif démonstratif
hic, haec, hoc, p. 258

2 **DÉDUIRE DES INFORMATIONS DE STATUETTES**

● Identifiez les divinités représentées sur ces statuettes retrouvées à Pompéi. Expliquez le ou les éléments qui vous ont permis de les reconnaître.

1 Pour nous en tenir aux principaux dieux, nous identifions, dès le VIe siècle avant notre ère, une présence grecque avec les temples d'Athéna-Hercule, Dionysos, Aphrodite (Vénus) et Apollon puis une influence romaine avec la triade capitoline, Jupiter-Junon-
5 Minerve, dès le IIe siècle, et enfin une importante présence des dieux égyptiens, avec la triade isiaque, Isis-Sérapis-Anubis. Mais il faut se garder d'oublier que les Anciens établissaient souvent des liens, des correspondances entre ces divinités, et que, sous l'Empire, le culte impérial s'affirme comme la garantie de l'union des peuples et des
10 croyances qui composent l'immense territoire dominé par Rome.

■ Jean-Noël Robert, *Pompéi et la Campanie antique*, © Les Belles Lettres (2015).

Site web
Le culte impérial
hatier-clic.fr/lat12

❶ Quelles influences la vie religieuse à Pompéi a-t-elle connues ?

❷ À quelles périodes de l'histoire de la ville ont-elles eu lieu ?

❸ Quelle particularité de la religion romaine explique leur coexistence ?

❹ Consultez le site web ci-dessus : quel culte vient « unifier » l'ensemble de ces croyances ? Quelles formes ce culte prend-il chez les Romains ?

Plan de Pompéi au Ier s. après J.-C.

Le plan général de la ville a été dressé à partir de 1860 sous la direction de Giuseppe Fiorelli. Il est découpé en neuf régions.

Les différents temples sont ceux :

– de Vénus (1)
– d'Apollon (2)
– de Jupiter, Junon et Minerve (3)
– des Lares (4)
– de l'empereur Vespasien (5)

– d'Isis (6)
– d'Asklépios (nom grec du dieu de la médecine Esculape) et de Jupiter « Meilichios » (« doux comme le miel ») (7)
– de Minerve et d'Hercule (8)
– de la Fortune Auguste (9)

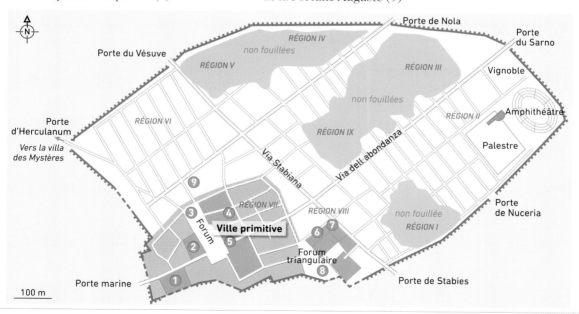

❶ Classez ces différents temples selon les influences religieuses.

❷ Où les temples sont-ils principalement situés à Pompéi ?

❸ Pour quelle raison selon vous ?

le point sur LA MISSION

Répertoriez les divinités dont vous avez trouvé trace d'un culte à Pompéi. Précisez leur origine et la localisation de leurs temples.

Si dis placet

Quels rites religieux les Pompéiens accomplissent-ils ?

> ⏵ **Maintenant que vous connaissez les divinités de la cité, il vous faut vérifier si les habitants leur rendent les cultes qui conviennent.**

1 METTRE EN RELATION DES DOCUMENTS

▲ Laraire aux offrandes, villa de Terzigno (Iᵉʳ s. ap. J.-C.), fresque (fouilles de Pompéi, Antiquarium de Boscoreale).

Animation
🖈 Manuel numérique

1 À Pompéi, comme dans chaque cité de Campanie ou à Rome, le sacré est omniprésent et intervient à chaque instant de l'existence des hommes libres comme des esclaves. Outre
5 les cultes publics célébrés dans les temples, chacun côtoie en permanence toute la palette des divinités qui peuplent l'univers religieux des habitants, en passant devant les autels dressés aux carrefours, devant les statues qui ornent les
10 niches creusées dans les murs des maisons, en pénétrant dans les boutiques ou les tavernes, en visitant le patron ou des amis qui honorent les dieux dans leur atrium, mais d'abord chez eux, dans leur propre demeure devant l'autel familial,
15 le laraire.

■ Jean-Noël Robert, *Pompéi et la Campanie antique*, © Les Belles Lettres (2015).

❶ Quelle est la place du sacré à Pompéi ? Est-ce une particularité de la ville ?

❷ Quelle partie de la population concerne-t-elle ?

❸ Sous quels aspects le sacré se manifeste-t-il ?

❹ Qu'appelle-t-on un laraire ? Qui y honore-t-on ?

❺ Décrivez le laraire. Comment expliquez-vous le nom que lui ont donné les archéologues ?

▶▶▶ *COUP DE POUCE*

Servez-vous des termes suivants : Lares, , libations, Génie, corne d'abondance, serpents agathodaimones (esprits protecteurs), jambon, brochettes.

2 DÉDUIRE DES INFORMATIONS D'UN TEXTE

1 À quoi servait le sacrifice ? C'était en partie une offrande au dieu. Une fois l'animal tué, on partageait sa viande. Une partie était consommée par les participants ; une autre était vendue, mais
5 on en brûlait aussi sur l'autel : le fumet qui s'élevait dans le ciel était un don aux dieux. Ce pouvait être aussi un moyen de s'assurer des bonnes volontés divines. [...] On pouvait en offrir à la suite d'un vœu ou pour apaiser les dieux après un désastre.
10 Il pouvait marquer de grands événements ou des anniversaires : l'accession d'un empereur, l'anniversaire de fondation d'un temple, l'entrée en fonction de nouveaux officiels civiques ou la fête d'un dieu.

■ Mary Beard, *Pompéi. La vie d'une cité romaine*, © Éditions du Seuil (2012) pour la trad. française.

❶ En quoi un sacrifice chez les Romains consiste-t-il ?

❷ À quelle(s) occasion(s) a-t-il lieu ?

3 LIRE ET COMPRENDRE UN TEXTE EN LATIN

Inscription trouvée dans un temple dédié à la Fortune et aux cinq premiers empereurs romains.

M(arcus) Tullius M(arci) f(ilius), d(uum)v(ir)¹ j(ure) d(icundo)² tert(ium), quinq(uennalis)³, augur⁴, tr(ibunus) mil(itum)⁵ a pop(ulo), aedem Fortunae August(ae) solo⁶ et peq(unia)⁷ sua (aedificavit).

L. CIL, X, 820.

▶ **AIDE À LA LECTURE**

1. **duumvir** : titre des deux plus hauts magistrats de Pompéi, élus pour un an
2. **jure dicundo** : avec un pouvoir judiciaire
3. **quinquennal** : magistrat en charge pendant cinq ans des listes électorales
4. **augur, is**, m. : l'augure, prêtre chargé de prendre les auspices
5. Fonction honorifique dans l'armée
6. **solum, i**, n. : le sol, le terrain
7. **pequnia = pecunia, ae**, f. : la richesse, l'argent

1 Comment le citoyen qui a fait élever le temple se nomme-t-il ?

2 Quelles fonctions a-t-il occupées dans la cité ? Qu'y a-t-il de surprenant dans cette liste ?

3 À qui ce temple est-il dédié ? Pour quelle raison selon vous ?

4 MÉMORISER DU VOCABULAIRE

lictor, oris, m.

sacerdos, otis, m.

tibicen, inis, m.

popa, ae, m.

camillus, i, m.

◀ Cérémonie de sacrifice, marbre (ier s. ap. J.-C.) (Pompéi, temple de Vespasien).

Observez le bas-relief.

1 Quel moment du sacrifice est représenté ?

2 Identifiez le plus de personnages : le prêtre à la tête voilée (velato capite) tenant une patère (patera, ae, f.) pour les libations ; les licteurs armés des faisceaux (fasces, ium, m. pl.) ; le joueur de flûte ; le victimaire vêtu du limus et tenant un maillet pour le sacrifice (malleus, i, m.) ; les jeunes desservants portant coupes et cruches.

D'hier
à aujourd'hui

En quoi la religion traditionnelle des Romains diffère-t-elle de la plupart des religions du monde moderne ?

le point sur LA MISSION

Énumérez les différentes façons dont les habitants de Pompéi honorent leurs divinités au sein de la cité.

Dicerem, si dicere liceret

Qu'appelle-t-on une religion à mystères ?

> ▶ **Vous vous intéressez maintenant aux cultes dits « à mystères » qui,
> réservés à des membres recevant une initiation secrète lors de cérémonies
> en l'honneur de divinités comme Bacchus, Isis ou Cybèle, ont, plus d'une fois,
> suscité le scandale à Rome.**

1 — DÉDUIRE DES INFORMATIONS D'UN TEXTE

Dès le début du IIe siècle avant notre ère, il y avait des religions en Italie qui offraient une expérience religieuse d'une nature très différente. Elles comportaient souvent une initiation et une forme d'engagement émotionnel qui n'était pas un élément crucial de la religion traditionnelle. Elles offraient souvent aux initiés la promesse d'une vie après la mort. [...] Des prêtres, parfois des prêtresses, servaient ces autres religions [...] et, à la différence des *augures* et des *pontifices* de Pompéi, menaient une vie spécifiquement religieuse. [...] Loin d'être étrangères au polythéisme romain, elles en faisaient partie, même si elles entretenaient des relations changeantes, parfois délicates, avec les autorités de l'État romain.

■ Mary Beard, *Pompéi. La vie d'une cité romaine*,
© Éditions du Seuil (2012) pour la trad. française.

❶ À quel moment les religions dites « à mystères » sont-elles apparues en Italie ?

❷ Que proposent-elles de nouveau à leurs initiés par rapport à la religion traditionnelle ?

❸ Quelle autre particularité présentent-elles ?

❹ Quelles sont leurs relations avec la religion traditionnelle ?

2 — METTRE EN RELATION DES DOCUMENTS

Téléthusa, une pauvre crétoise enceinte, à qui son mari a ordonné de ne pas garder l'enfant s'il s'agissait d'une fille, est sur le point d'accoucher lorsque la déesse Isis, dont elle est une fidèle, lui apparaît en rêve.

Et déjà la pauvre femme, arrivée à terme, portait avec peine son ventre alourdi, quand, au milieu de la nuit, sous forme de songe, elle vit, ou crut voir, se dresser devant son lit la fille d'Inachus[1], escortée de son cortège sacré. Elle avait sur le front un croissant de lune orné de blonds épis rutilants d'or et un insigne royal[2] ; elle était accompagnée d'Anubis, l'aboyeur, de la sainte Bubastis[3], d'Apis aux couleurs chamarrées, et du dieu qui réprime la voix et du doigt impose le silence[4]. Il y avait aussi des sistres[5], et Osiris, à la quête jamais aboutie, et le serpent étranger, plein de poisons anesthésiants.

 Ovide (43 av. J.-C.-17 ap. J.-C.), *Métamorphoses*, IX, vers 686-694, traduit par A.-M. Boxus et J. Poucet, © Bibliotheca Classica Selecta (2007).

1. Il s'agit de la nymphe Io qui est, ici, assimilée à la déesse Isis.
2. L'insigne royal égyptien est l'uraeus, un cobra à la tête dressée, qui remplit des fonctions de protection.
3. Bubastis, ville de Basse-Égypte, où l'on rendait un culte particulier à la déesse Bastet.
4. Il s'agit d'Horus-Harpocrate, fils d'Isis, représenté sous les traits d'un enfant portant son index droit à la bouche, comme pour inviter au silence.
5. Instrument de musique (sorte de crécelle), caractéristique du culte d'Isis.

1 Recherchez l'histoire de la nymphe Io. À quelle mythologie appartient-elle ? Quel lien entretient-elle avec la déesse Isis ? Quel détail permet de l'identifier sur la fresque ?

2 Dans le texte d'Ovide, quelles divinités escortent la déesse ? De quel pays sont-elles originaires ? Quelles sont leurs fonctions dans leur panthéon d'origine ?

▶▶▶ *COUP DE POUCE*

Aidez-vous du site : https://mythologica.fr/

3 En quoi ces deux documents apportent-ils une preuve du phénomène culturel que l'on nomme syncrétisme, c'est-à-dire la tendance à fusionner différents cultes ou doctrines religieuses ?

▲ Isis accueille Io en Egypte, fresque du Temple d'Isis à Pompéi (Iᵉʳ s. ap. J.-C.) (Naples, Musée Archéologique National).

 3 PRÉSENTER UNE FRESQUE À L'ORAL

Représentation de l'initiation aux mystères dionysiaques par la propriétaire de la maison qui en aurait été une adepte ou bien simple figuration mi-réaliste, mi-allégorique des préparatifs d'un riche mariage, les interprétations des spécialistes diffèrent devant les peintures de la Villa des Mystères.

Silène et Dionysos, fresque de la Villa ▶ des Mystères à Pompéi (vers 70-60 av. J.-C.).

● En consultant le site ci-contre, renseignez-vous sur l'ensemble de la fresque. Sélectionnez l'un des panneaux puis prenez des notes afin de le présenter à l'oral.

Site web
La Villa des Mystères
hatier-clic.fr/lat13

le point sur LA MISSION

Expliquez, à partir de l'exemple d'Isis, ce que l'on appelle une religion à mystères (date d'apparition, origine, caractéristiques, différence par rapport à la religion romaine traditionnelle).

In unum deum

Comment les Romains considèrent-ils le christianisme à ses débuts ?

> ➤ **Avant de clore votre enquête, il vous reste un dernier point à examiner :
> la présence ou non, dans la cité, de chrétiens, ces adeptes d'une religion
> récemment apparue et tant décriée par le défunt empereur Néron.**

1 LIRE UN TABLEAU CHRONOLOGIQUE

Vers 30	Crucifixion de Jésus de Nazareth à Jérusalem
Entre 30 et 70	Développement, à partir de Jérusalem, des premières communautés fondées par des disciples de Jésus, dans de grandes villes (Rome, Éphèse, Antioche, Alexandrie...)
Vers 40	Apparition du nom « chrétien » à Antioche
64	Incendie de Rome et premières persécutions des chrétiens
258	Sous Valérien, édit impérial contre les chrétiens ordonnant l'exécution des prêtres, la confiscation des biens des sénateurs et la condamnation aux travaux forcés pour les fonctionnaires impériaux
303-312	Sous Dioclétien, persécutions les plus violentes contre les chrétiens
313	Sous Constantin, édit de tolérance autorisant le christianisme, religion encore très minoritaire (à peine 10 % de la population)
380	Édit de Théodose faisant du christianisme la seule religion de l'Empire

❶ Où le berceau du christianisme se situe-t-il ?

❷ Qui est à l'origine des premières communautés ?

❸ Où se trouvent-elles principalement ? Situez-les sur la carte figurant au début de votre manuel.

❹ Quel accueil a d'abord été réservé aux chrétiens dans l'Empire ?

❺ À quel moment la situation change-t-elle ? Quel caractère surprenant ce changement présente-t-il ?

2 DÉDUIRE DES INFORMATIONS D'UN TEXTE

Deux amis, l'un chrétien, l'autre païen, cherchent à se convaincre mutuellement du bien-fondé de leur position. Ici, c'est le païen qui parle.

Ne voit-on pas les Romains, sans l'aide de votre dieu, commander et régner, exploiter l'univers entier et vous dicter leur loi ? Mais vous, pendant ce temps, l'esprit en suspens et plein d'inquiétude, vous vous
5 abstenez des plaisirs honnêtes : vous n'allez pas au spectacle, vous n'assistez pas aux processions, les banquets publics ont lieu sans vous ; vous fuyez avec horreur les concours sacrés, les aliments rituellement entamés et le reste des boissons versées
10 sur les autels. Tant vous avez peur des dieux que vous niez ! Vous n'enlacez pas de fleurs votre tête, vous ne rehaussez pas votre corps de parfums ; vous réservez les onguents aux funérailles, vous refusez les couronnes même aux tombeaux, blêmes et
15 tremblants, méritant certes la pitié, mais celle de nos dieux. Ainsi, vous ne ressuscitez pas, malheureux, et en attendant vous ne vivez pas non plus !

■ Minucius Felix (IIᵉ-IIIᵉ s. ap. J.-C.), *Octavius*, XII, 5-6, traduit par J. Beaujeu, © Les Belles Lettres (1964).

❶ Quels sont les reproches adressés aux chrétiens ?

❷ De quelle(s) nature(s) sont-ils (politique, religieuse, sociale...) ?

❸ Pour quelle raison le conflit entre les valeurs romaines traditionnelles et le christianisme semble-t-il insurmontable aux yeux du païen ?

Un des reproches formulés aux chrétiens est d'avoir recours à « des marques et des signes secrets » pour se reconnaître. Parmi eux figure le dessin du poisson.

1   Horum autem Graecorum quinque verborum[1], quae sunt Ἰησοῦς Χρειστὸς Θεοῦ υἱὸς Σωτήρ, quod est latine : Jesus Christus Dei filius salvator[2], si primas litteras
5 jungas[3], erit ἰχθύς, id est piscis, in quo nomine mystice[4] intellegitur[5] Christus, eo quod[6] in hujus[7] mortalitatis abysso[8] velut[9] in aquarum profunditate vivus[10], hoc est sine peccato[11], esse potuerit[12].

└ Saint Augustin (354-430 ap. J.-C.), *La Cité de Dieu*, XVIII, 23.

▶ **AIDE À LA LECTURE**
1. **verbum, i,** n. : le mot
2. **salvator, oris,** m. : *a donné* salvateur, -trice
3. **jungo, is, ere, junxi, junctum** : joindre, unir
4. **mystice** : de façon mystique
5. **intellego, is, ere, intellexi, intellectum** : comprendre, entendre
6. **eo quod** + subj. : pour cette raison que
7. **hujus** : *ici* notre
8. **abyssus, i,** m. : l'abîme
9. **velut** : comme
10. **vivus, a, um** : vivant
11. **peccatum, i,** n. : le péché
12. **potuerit** : subjonctif parfait

Étudier la langue
↳ L'hypothèse, p. 294

▲ Stèle funéraire de Licinia Amias (début du IIIe s. ap. J.-C.), marbre (Rome, musée des Thermes de Dioclétien).

❶ Traduisez le texte jusqu'à « piscis » (l. 1-5). Pour quelle raison les chrétiens utilisent-ils, à l'origine, le symbole du poisson comme signe de ralliement ?

❷ Traduisez la fin du passage. Comment saint Augustin interprète-t-il ce symbole ?

❸ Quel autre symbole accompagne le poisson sur la stèle funéraire ? Que symbolise-t-il selon vous ?

4 ╰─ **DÉDUIRE DES INFORMATIONS D'UN TEXTE**

❶ Que peut-on dire sur la présence des juifs et des chrétiens à Pompéi ? Pour quelle raison ?

❷ Le jeu de mots auquel fait allusion l'auteur est le fameux « carré sator » dont on a retrouvé un exemplaire sur une colonne de la palestre.

a. Recherchez sur le site Wikipedia une image de ce carré et dites quelle en est la particularité.

b. À l'aide du vocabulaire suivant, proposez-en une traduction personnelle : Arepo, onis, m. : Arepo ; opera, ae, f. : le soin, l'attention ; rota, ae, f. : la roue ; sator, oris, m. : le semeur ; teneo, es, ere, tenui, tentum : tenir, diriger.

c. Toujours en vous aidant de l'article de Wikipedia consacré à ce carré, expliquez pourquoi certains spécialistes l'interprètent comme un signe chrétien.

1   Y avait-il des chrétiens à Pompéi ? En 79, ce n'est pas impossible. Mais nous n'avons aucune preuve tangible de leur présence, hormis l'exemple d'un jeu de mots romain ordinaire. C'est l'une de ces phrases habiles, presque dénuées de sens, qui se lisent aussi bien
5 dans un sens que dans l'autre. [...] Il existe des preuves plus solides de la présence de juifs. On n'a exhumé aucune synagogue, mais on a retrouvé au moins une inscription en hébreu, quelques références possibles à la Bible juive, dont la fameuse référence à Sodome et Gomorrhe et quelques noms juifs – sans parler du garum casher.

■ Mary Beard, *Pompéi. La vie d'une cité romaine*, © Éditions du Seuil (2012).

● le point sur **LA MISSION**

Expliquez pour quelles raisons les chrétiens sont entrés en conflit avec les autres Romains et pourquoi il est peu probable de constater qu'il y en ait eu à Pompéi.

▶ **Pour bien rédiger votre rapport, il vous faut être précis dans les termes que vous allez employer. Les activités qui suivent vont vous y aider.**

1 COMPRENDRE L'ORIGINE DES LANGUES EUROPÉENNES

La racine indo-européenne *prek- (demander) est à l'origine de trois verbes latins : precor, aris, ari, atus sum : *prier, supplier* ; posco, is, ere, poposci : *demander, réclamer* et postulo, as, are, avi, atum : *demander, souhaiter*.

Ils ont pour point commun de renvoyer à prex, precis, f. qui désigne à l'origine une demande exclusivement verbale adressée aux dieux en vue d'obtenir ce qu'on attend d'eux.

Complétez l'arbre avec les mots que vous connaissez.

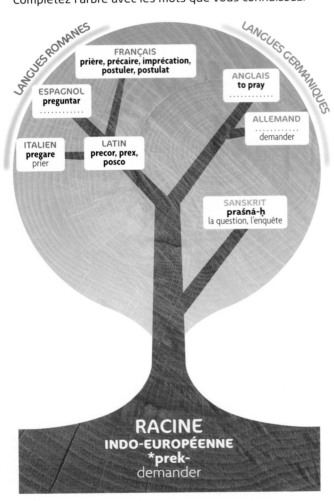

LANGUES ROMANES

LANGUES GERMANIQUES

FRANÇAIS
prière, précaire, imprécation, postuler, postulat

ESPAGNOL
preguntar
....

ANGLAIS
to pray
....

ALLEMAND
demander

ITALIEN
pregare
prier

LATIN
precor, prex, posco

SANSKRIT
praśná-ḥ
la question, l'enquête

**RACINE
INDO-EUROPÉENNE
*prek-**
demander

2 APPRENDRE DES MOTS PAR FAMILLE

Complétez ces phrases avec des mots français dérivés du latin prex.

a. Ne pouvant vaincre son adversaire, le sorcier lança sur lui de terribles .... qui firent frémir toute l'assemblée des mages.

b. C'est après avoir achevé brillamment ses études qu'il décida de .... à la fonction de professeur dans cette prestigieuse université.

c. Le titre de séjour qui lui a été délivré n'étant que temporaire, il se trouve toujours dans une situation bien ....

d. Il a décidé de ne pas céder aux .... de sa famille et d'arrêter ses études.

e. Pour construire sa démonstration, il est parti du .... que tout événement devait avoir une origine.

3 MÉMORISER PAR L'ÉTYMOLOGIE

Résolvez ces devinettes pour retrouver les mots français dérivés du latin.

a. Action de pressentir ce qui va arriver de bien ou de mauvais à la manière d'un *augur*.

b. Mépris, digne d'un *impius*, pour tout ce qui a trait à la religion.

c. Action d'avoir quelque chose en horreur et de s'en éloigner comme d'un mauvais *omen*.

d. Œuvre d'un *profanus* qui souille un lieu ou un objet sacré par un acte criminel.

e. Discours prononcé lors d'un enterrement pour faire l'éloge du défunt et qui nécessite de savoir bien *orare*.

4 EXPLIQUER LE SENS D'UN MOT FRANÇAIS PAR L'ÉTYMOLOGIE

Le terme grec μύστης est un dérivé du verbe μύω qui signifie « fermer ». Il désigne celui qui a été initié à des rites secrets qu'il doit, par conséquent, taire.

Expliquez à partir de cette étymologie le sens des mots français suivants que vous emploierez ensuite chacun dans une phrase : mystère, mystérieux, mystifier, démystifier et mystique.

5   LATINE LOQUOR

Mettez-vous par deux. L'un tient le rôle du grand prêtre d'Isis, l'autre celui de la foule des adeptes.

– Sacerdos : « Hodie mane magnam deam Isidem celebramus. » ; « Aperimus templi fores et, velis candidis reductis, deae venerabilem faciem precamur. » ; « Omnes profani procul amoveant, sed vos qui Isidis sacris mysteriis initiati estis, in sacrarii penetralia intrate. »

– Religiosi : « Ante sacras fores, candido lino tecti, sedemus et, comas resoluti, sollemnissimas supplicationes tibi praefamur. » ; « O elementorum omnium domina, summa numinum, deorum dearumque mater, exaudi nostras preces. » ; « O sancta dea qui semper mari terraque homines protegis, tibi maximas gratias agimus, quoniam faventia omina ad nos mittis. »

▲ Culte d'Isis, fresque provenant d'Herculanum (Iᵉʳ s. ap. J.-C.), 80 x 85 cm (Naples, Musée Archéologique National).

6   APPRENDRE À TRADUIRE

Inscription placée au-dessus de l'entrée du temple d'Isis, reconstruit après un séisme en 62.

> 1   N<umerius> Popidius N<umeri> f<ilius> Celsinus aedem Isidis, terrae motu conlapsam[1], a fundamento[2] p<ecunia> s<ua> restituit[3] ; hunc decuriones[4] ob liberalitatem[5], cum esset
> 5   annorum sexs[6], ordine[7] suo gratis adlegerunt[8].
>
> L. CIL, X, 846.

▶ **AIDE À LA TRADUCTION**
1. collabor, eris, i, lapsus sum : s'écrouler
2. fundamentum, i, n. : le fondement, la base
3. restituo, is, ere, restitui, restitutum : reconstruire, restaurer
4. decurio, onis, m. : le décurion, sénateur dans une ville d'Italie
5. liberalitas, atis, f. : la générosité
6. sexs = sex
7. ordo, inis, m. : l'ordre, le rang
8. adlego, is, ere, legi, lectum : adjoindre, faire entrer

Étudier la langue

L'expression de la concession, p. 296

❶ Quelle expression fait allusion au séisme ? Quels termes évoquent sa puissance ?

❷ Comment la personne qui a financé la reconstruction du temple se nomme-t-elle ?

❸ Quel est son âge ? En quoi est-ce surprenant ? Quel mot montre que cela l'était également pour les Romains ?

❹ Qui est, dans ces conditions, la véritable personne responsable de ces travaux ?

❺ Qu'a-t-il obtenu en retour ?

❻ En quoi cela révèle-t-il l'importance du culte isiaque dans la cité de Pompéi ?

VOCABULAIRE

Noms

augur, uris, m. : l'augure
auspicia, orum, n. pl. : les auspices
cultus, us, m. : le culte des dieux
hostia, ae, f. : la victime (offerte en sacrifice)
lararium, ii, n. : le laraire
libatio, onis, f. : la libation
mysteria, orum, n. pl. : les mystères
numen, inis, n. : la volonté divine
omen, inis, n. : le présage

preces, um, f. pl. : les prières
res divinae, rerum divinarum, f. pl. : le culte, les affaires religieuses, la religion
sacrificium, ii, n. : le sacrifice
supplicatio, onis, f. : l'action de grâces

Adjectifs

dirus, a, um : de mauvais augure
impius, a, um : impie, sacrilège
profanus, a, um : qui n'est pas sacré ; non initié

religiosus, a, um : religieux ; fidèle

Verbes

celebro, as, are, avi, atum : célébrer
immolo, as, are, avi, atum : sacrifier
oro, as, are, avi, atum : prier, supplier ; parler en public
posco, is, ere, poposci : demander
precor, aris, ari, atus sum : prier

LA MISSION

Rédiger un rapport d'enquête

Votre rapport d'enquête doit répondre aux interrogations de l'empereur qui veut savoir si les mauvais présages constatés dans la région de Pompéi ont pour origine les pratiques religieuses et les cultes des habitants. Pour cela, vous devrez tout à la fois faire preuve de clarté, de précision et de discernement.

ÉTAPE 1 — IDENTIFIER LES CRITÈRES DE RÉUSSITE

Présenter un exposé concis et objectif des faits
- Adopter une **démarche scientifique** en restituant les faits à partir de vos observations
- S'abstenir de tout **jugement de valeur**
- Fournir des **exemples précis**

Expliquer la place du sacré
- Nommer les **divinités vénérées** à Pompéi
- Montrer la **multiplicité des systèmes religieux**
- Utiliser un **vocabulaire précis** et technique

Prendre en compte l'interlocuteur
- S'adresser à l'**empereur**
- Apporter une **réponse claire** à la question posée
- Argumenter les **préconisations** et conclusions

ÉTAPE 2 — S'ORGANISER EN ÉQUIPE

▶ Rassemblez vos connaissances en reprenant vos notes.
▶ Partagez-vous le travail, de la rédaction à la relecture.

BESOIN D'AIDE ?

Vérifiez l'exactitude de vos informations :
- nom des divinités vénérées à Pompéi ▶ p. 208
- emplacement des temples ▶ p. 209
- aspects du culte domestique ▶ p. 210
- forme et fonctions du sacrifice public ▶ p. 211
- mystères isiaques et dionysiaques ▶ p. 212
- symboles du christianisme primitif ▶ p. 215

18 ▶ Conquêtes romaines

Comment Rome étend-elle son Empire ?

LA MISSION

Chargé d'un chantier de fouilles, vous trouvez une stèle où est inscrite l'épitaphe d'un soldat vétéran sous l'empereur Trajan. Ce dernier a laissé son carnet de guerre mais le manuscrit est lacunaire et difficile à déchiffrer.

▬▶ Restituez en français ce précieux document pour la prochaine exposition sur les conquêtes de l'Empire romain.
▬▶ Prenez des notes tout au long du parcours.

L'armée romaine en marche, ▶ détail de la colonne Trajane, marbre (IIe s. ap. J.-C.), Rome.

Connaissances, compétences, culture

Dans ce parcours, vous allez :

■ Lire et comprendre des images variées.

■ Lire et comprendre des textes littéraires, des inscriptions et des documentaires.

■ Comprendre le rôle de l'armée dans les conquêtes romaines.

■ Découvrir le parcours d'un empereur : Trajan.

■ Établir un lien entre les œuvres d'art et les victoires romaines.

■ Maîtriser le lexique de l'armée et des combats.

Prima stipendia

Comment devient-on légionnaire ?

▶ **Pour découvrir l'identité de ce soldat vétéran, déchiffrez l'épitaphe funéraire inscrite sur la stèle ci-dessous puis lisez le récit de ses premières expériences dans l'armée.**

1 LIRE ET COMPRENDRE UN TEXTE EN LATIN

1   D(iis) M(anibus)[1] Gai(i) Juli(i) Max(i)mini, emeriti legionis VIII, b(e)neficiarius procuratoris, (h)onesta missione[2] missus, ista(m) memoriam procuravit Similinia Paterna conjux conjugi k(a)rissimo. Max(i)minus (h)ic quiesquit. Ave viator[3]. Vale
5 viator.

▶ **AIDE À LA LECTURE**

1. Manes, ium, m. pl. : les Mânes, esprits bienveillants quand ils sont honorés par les vivants qui peuvent revenir les voir à certains moments de l'année.

2. missio, onis, f. : mise en congé, retraite

3. viator, oris, m. : le voyageur

▲ Autel funéraire de GJ Maximinus (vers 235-238 ap. J.-C.), sculpture en gré (Belgique, province de Luxembourg, Arlon, maison Gérard).

❶ À qui le monument est-il consacré ? Cherchez un datif.

❷ Quels sont ses trois noms (praenomen, nomen, cognomen) ?

❸ Quelle phrase indique qu'il est mort ? Qui honore sa mémoire ?

❹ À quelle légion appartenait-il ? Quels mots latins indiquent son statut de vétéran ?

❺ Traduisez les deux dernières phrases du texte. À qui s'adressent-elles ?

2 DÉDUIRE DES INFORMATIONS D'UN TEXTE

1   Pour pouvoir devenir légionnaire, première condition : être un citoyen romain. Sous l'Empire, [...] on entre dans une légion entre dix-huit et vingt et un ans. Avant d'être admis, le garçon passe devant un conseil de révision, la *probatio*. L'examen est d'abord médical : il faut être vigoureux et mesurer,
5 au minimum, 1,65 mètre. Puis on doit prouver sa bonne maîtrise de la langue latine et sa capacité à lire, écrire et compter. Enfin, on doit apporter les preuves de son statut juridique, les non-citoyens rejoignant les seules troupes auxiliaires. [...] On passe aussi un examen de moralité, car dans la légion n'entrent que des hommes n'ayant subi aucune condamnation.

■ Catherine Salles, *La Vie des Romains au temps des Césars*, © Larousse (2004).

● Faites la liste des conditions que Maximinus a remplies pour devenir légionnaire.

3 ▸ DÉDUIRE DES INFORMATIONS D'UNE IMAGE

● Maximinus a dû apprendre les fonctions de chacun dans l'armée.
À votre tour, associez le numéro de chaque personnage à sa fonction.

a. Le centurion du Iᵉʳ siècle, avec son casque à crinière et sa baguette.

b. Le légionnaire du début du IIᵉ siècle, avec son bouclier bombé pour faire la tortue et sa cuirasse en lamelles d'acier.

c. Le signifer, celui qui porte le signum, avec une peau d'ours sur la tête, et un masque pour les parades. Il porte aussi les trophées conquis par la légion.

d. Le légionnaire de la République, avec sa cotte de mailles, son bouclier ovale et son casque de cuivre.

e. Le fantassin de l'époque d'Auguste, avec sa cotte de mailles et son casque en acier.

▲ Illustrations extraites de l'album *Les Voyages d'Alix, Rome* de Gilles Chaillet et Jacques Martin, Éditions Casterman.

4 ▸ LIRE ET COMPRENDRE UN TEXTE EN LATIN

Texte lu
✈ Manuel numérique

1   Sed adversus omnia profuit tironem[1] sollerter[2] eligere, jus, ut ita dixerim[3], armorum docere, cotidiano exercitio roborare, quaecumque evenire in acie atque proeliis possunt, omnia in campestri mediatione[4] praenoscere, severe in desides[5]
5   vindicare.

L— Végèce (IVᵉ-Vᵉ s. ap. J.-C.), *Épitomé de l'art militaire*, I, 1.

▶ **AIDE À LA LECTURE**
1. **tiro, onis**, m. : la jeune recrue
2. **sollerter** : intelligemment
3. **ut ita dixerim** : si je puis parler ainsi
4. **in campestri mediatione** : sur le terrain d'entraînement
5. **deses, idis** : oisifs, fainéants

❶ Traduisez ce texte latin. Quels enseignements Maximinus a-t-il suivis ?

❷ Comment Végèce explique-t-il la réussite et la puissance de Rome ?

le point sur LA MISSION

Faites la liste de toutes les étapes que Maximinus a suivies pour devenir un bon légionnaire.

Ab barbaris limes tegere !

Quel rôle l'armée joue-t-elle dans les conquêtes ?

▶ **L'Empire est vaste. Maximinus raconte ses longues heures de marche : souvent près de trente kilomètres par jour avec environ quarante kilogrammes sur le dos (armes, nourriture et outils pour bâtir le camp, mais aussi ponts et routes).**

---

1 **MÉMORISER DU VOCABULAIRE**

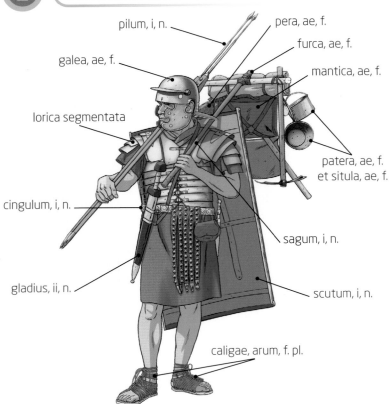

pilum, i, n.
pera, ae, f.
furca, ae, f.
galea, ae, f.
mantica, ae, f.
lorica segmentata
patera, ae, f.
et situla, ae, f.
cingulum, i, n.
sagum, i, n.
gladius, ii, n.
scutum, i, n.
caligae, arum, f. pl.

● Jeune recrue, Maximinus a dû se procurer, en l'achetant, un équipement qui ne lui est pas donné par l'État. Plus le soldat est riche, plus il est protégé.

Associez chaque équipement au mot latin qui lui correspond.

a. pique de bois munie d'une pointe de fer
b. casque surmonté d'une aigrette pour les officiers
c. grand bouclier en bois
d. cuirasse ou cotte de maille
e. glaive ou épée courte
f. sandales cloutées
g. ceinturon
h. seau et plat
i. petit filet
j. bâton de bois ou fourche
k. bagages personnels du soldat romain

---

2 **LIRE ET COMPRENDRE UN TEXTE EN LATIN**

▶ **AIDE À LA LECTURE**

1. **longe lateque** : en long et en large
2. **diffudit** : a pour sujet Trajan
3. **reparo, as, are, avi, atum** : reprendre
4. **Dacia, ae**, f. : la Dacie
5. **Decibalus, i**, m. : Décibale, roi des Daces
6. **subigo, is, ere, egi, actum** : soumettre, triompher
7. **usque ad** : jusqu'à
8. **mare Rubrum** : la mer Rouge
9. **accedo, is, ere, cessi, cessum** : s'avancer
10. **redigo, is, ere, egi, actum** : réduire

1   Romani imperii [...] fines longe lateque[1] diffudit[2] ; urbes trans Rhenum in Germania reparavit[3] ; Daciam[4], Decibalo[5] victo, subegit[6], provincia trans Danubium facta in his agris [...]. Armeniam, quam occupaverant Parthi, recepit [...]
5 usque ad[7] Indiae fines et mare Rubrum[8] accessit[9], atque ibi tres provincias fecit, Armeniam, Assyriam, Mesopotamiam [...]. Arabiam postea in provinciae formam redegit[10].

└ Eutrope (ɪᵛᵉ s. ap. J.-C.), *Abrégé de l'histoire romaine*, VIII, 2-3.

Étudier la langue

▷ L'ablatif absolu, p. 298

● Sous Trajan, Maximinus a vu du pays : l'Empire romain est grand ! Traduisez le texte et faites la liste de tous les pays conquis par l'armée romaine. Aidez-vous de la carte au début de votre manuel.

1   Le général choisit un point surélevé, proche d'un point d'eau et de pâturages. Il prend les auspices pour avoir l'avis des dieux. Sur la limite du camp, les soldats creusent un fossé (fossa, ae, f). La terre
5 est rejetée vers l'intérieur et aplanie pour former un talus avec chemin de ronde (agger, eris, m). Le camp provisoire est entouré de palissade de pieux (vallum, i, n).
    Le camp permanent pour deux légions
10 mesure environ 800 x 550 mètres. Deux allées perpendiculaires aboutissent à quatre portes (porta praetoria, porta decumana, porta principalis sinistra, porta principalis dextra). À peu près au centre du camp, se trouvent les *principia* (quartier
15 des officiers) avec la chapelle des enseignes (ara, ae, f) et le *praetorium* avec le logement du général. On trouve aussi les logements des sous-officiers, des légionnaires et des auxiliaires, les écuries (stabula, ae, f), l'hôpital, les ateliers, une prison.
20   Les soldats sont organisés en chambrées de huit installées dans des tentes de cuir de 30 à 35 m². Les officiers disposent d'une habitation de plusieurs pièces.

■ Francis Dieulafait, *Rome et l'Empire romain*, coll. « Les Encyclopes », © Éditions Milan (2011).

● Chaque soir, après ces longues marches, Maximinus doit encore construire le camp (castra, orum, n. pl.). Dessinez le schéma du camp en vous aidant du texte.

Vidéo
Reconstitution de combats de légionnaires
↗ **Manuel numérique**

Maximinus doit aussi affronter avec courage l'ennemi. Sous les ordres de Trajan, il combat contre les terribles guerriers daces.

1   Le tir des catapultes a ébranlé l'ennemi, c'est le moment d'en profiter ! Les cors et les buccincs[1] sonnent la charge, l'infanterie se porte en avant. Au commandement des centurions, la première ligne – celle des *hastati* : 1 200 hommes – projette *ses pilums* dans
5 les rangs barbares. L'instant d'après, c'est l'empoignade féroce, le corps à corps. Choc des boucliers, escrime rapide, glaives qui poignardent les côtes... Mais les Daces[2] combattent furieusement et bientôt les *hastati* fatiguent. Qu'à cela ne tienne : un ordre bref, et voici que la deuxième ligne – celle des *principi* : 1 200 hommes –
10 traverse leurs rangs pour les relayer. Les *triarii* (600 hommes) au troisième rang prendront la suite et cette alternance se poursuivra jusqu'à épuisement de l'ennemi. Pendant ce temps, les turmes[3] de cavalerie ont tourné l'aile gauche adverse, elles prennent les Daces de flanc. Jugeant la situation d'un coup d'œil, le légat[4] engage les
15 vétérans pour le choc final.

■ Marie-Laure de Fontenay, Sciences & Vie Junior, *Rome*, dossier hors-série 42, octobre 2000.

1. Trompettes romaines. **2.** Les Daces habitaient la Dacie, c'est-à-dire la Roumanie actuelle. **3.** Escadrons. **4.** Titre qui désigne quelqu'un qui est envoyé en mission hors de Rome.

▲ Barbare combattant un légionnaire romain, relief en marbre (IIe s. ap. J.-C.), 84 x 88 cm (Paris, musée du Louvre).

le point sur LA MISSION

Faites la liste de toutes les activités que peut effectuer un légionnaire romain au cours de la journée. Associez à chaque fois les sentiments qu'il peut éprouver.

❶ Faites le schéma de cette scène de bataille.
❷ D'après ce récit, quelles sont les qualités de l'armée romaine ?

18 ▶ Imperator triumphans

Comment célèbre-t-on la victoire ?

▶ **La Dacie vaincue, les troupes de Trajan participent à son entrée triomphale à Rome. Maximinus raconte.**

1 ▸ LIRE UNE PIÈCE DE MONNAIE

AUG

GER

DAC

P(ontifex) M(aximus)
Grand pontife

TR(ibunicia) P(otestate)
Pouvoir de proposer des lois

CO(n) S(ul) V
Consul pour la 5ᵉ fois

P(ater) P(atriae)
Père de la Patrie

NERVAE TRAJANO

CAES

IMP

▲ Sesterce de Trajan, revers, monnaie romaine (IIᵉ s. ap. J.-C.).

❶ Quelles abréviations désignent les titres portés par tous les successeurs d'Auguste ? Complétez ceux qui ne sont pas en entier.

❷ Classez ces titres selon qu'ils désignent les pouvoirs politiques, religieux ou militaires de l'empereur Trajan.

❸ Quelles abréviations désignent les deux peuples vaincus par Trajan ?

2 ▸ DÉDUIRE DES INFORMATIONS D'UN TEXTE

❶ Quels bénéfices Rome tire-t-elle de ses victoires ?

❷ Comment les peuples vaincus sont-ils romanisés ?

❸ Quels sont, d'après Virgile, les devoirs du vainqueur ?

> 1   La guerre de conquête a donc été pour Rome source d'enrichissement à la fois collectif et individuel. Cependant les Romains ne se sont pas désintéressés de l'avenir de leurs conquêtes. Une fois la paix acquise, tout est mis en œuvre pour romaniser les nouveaux habitants de l'Empire,
> 5   pour leur permettre de remettre en œuvre l'économie de leur pays, dont Rome est la principale bénéficiaire. [...] Dans la guerre, le Romain n'oublie jamais quels doivent être ses devoirs de vainqueur, ce que Virgile a résumé dans quelques vers fameux de l'*Énéide* :
>   « Souviens-toi, Romain, que tu dois soumettre les peuples à ton
> 10   pouvoir – ce sera ton talent particulier – organiser la paix, épargner les vaincus et dompter les rebelles. »
>
> ■ Catherine Salles, *L'Antiquité romaine,* © Larousse (2002).

 **LIRE ET COMPRENDRE UN TEXTE EN LATIN**

Ac primum, qui dies ille, quo[1] exspectatus
desideratusque urbem tuam ingressus es[2] !
Jam hoc ipsum, quod ingressus es[3], quam[4]
mirum laetumque ! Nam priores[5] invehi[6] et
5 importari solebant[7], non[8] dico quadrijugo curru,
et albentibus[9] equis, sed umeris[10] hominum,
quod arrogantius erat. *Tu sola corporis
procetitate[11] elatior aliis et excelsior[12], non de
patientia[13]* nostra quemdam triumphum, sed
10 de superbia principum egisti. [...] Te parvuli
noscere, ostentare juvenes, mirari senes [...].
Videres alacrem[14] hinc atque inde populum,
ubique par[15] gaudium paremque clamorem.

└ Pline le Jeune (61-114 ap. J.-C.),
Panégyrique de Trajan, 22.

▶ **AIDE À LA LECTURE**

1. **qui dies ille quo** : quel beau jour que celui où
2. **ingredior, eris, gredi, ingressum sum** + acc. : entrer à pied dans
3. **jam hoc ipsum, quod ingressum es** : cette façon même dont tu es entré
4. **quam** : comme !
5. **priores** : sous-entendu principes
6. **inveho, is, ere, vexi, vectum** : transporter
7. **soleo, es, ere, solitus sum** + inf. : avoir l'habitude de
8. **non (solum)... sed (etiam)** : non seulement... mais aussi
9. **albentibus** : *a donné* albinos
10. **umerus, i**, m. : l'épaule
11. **proceritas, atis**, f. : la haute taille
12. **excelsior** : *a donné* exceller
13. **patientia, ae**, f. : la soumission
14. **alacer, cris, cre** : allègre, enthousiaste
15. **par** : *a donné* parité

⤷ **Étudier la langue**

Les verbes déponents, p. 278
Les mots introducteurs, p. 302

❶ En vous aidant de la case de BD, expliquez
la cérémonie du triomphe. Que célèbre-t-elle ?

❷ Quelle atmosphère règne à Rome ce jour-là ?
Justifiez par les mots ou les expressions du texte.

❸ Comment les généraux défilaient-ils habituellement
devant le peuple ? Retrouvez les expressions latines
qui l'indiquent.

❹ Qu'en pense Pline ? Traduisez la proposition
subordonnée en gras.

❺ Comment Trajan se différencie-t-il de ses
prédécesseurs ? Traduisez l'expression en italique.
Aidez-vous des comparatifs.

❻ Montrez que ce texte de Pline le Jeune est bien
un panégyrique de Trajan.

▶▶▶ *COUP DE POUCE*

Panégyrique provient du mot grec πανήγυρις,εως (ἡ) qui
signifie : assemblée de tout le peuple, réunion pour une
fête solennelle. Au sens actuel, il s'agit d'un discours
public à la louange d'un personnage illustre, d'une nation.

▲ René Goscinny et Albert Uderzo, *Une aventure d'Astérix*, volume 18,
Les Lauriers de César, Éditions Hachette.

D'hier
à aujourd'hui

Quels monuments glorifient aujourd'hui des victoires militaires
dans les villes ou les villages ? Existent-ils des cérémonies
officielles qui pourraient être comparées au triomphe ?

● le point sur **LA MISSION**

**Faites l'éloge de l'imperator
Trajan et citez les devoirs du
vainqueur vis-à-vis du vaincu.**

Ad Trajani gloriam monumenta

Comment les monuments mettent-ils en scène la puissance de l'empereur ?

▶ **Après vingt-six ans de service, Maximinus a enfin obtenu son congé (honesta missio). Comme tout vétéran, il a pu s'installer dans une provincia romaine à Arlon et bénéficie d'une retraite correcte. Il a enfin pu épouser sa chère Similinia et légitimer ses enfants. Parfois, épris de nostalgie, il retourne à Rome admirer les monuments qui lui rappellent ses valeureuses années.**

1 DÉDUIRE DES INFORMATIONS D'UN TEXTE

1 Les Daces sont vaincus ! Au terme de cinq ans de guerre, Marcus Ulpius Trajanus, adopté par Nerva en octobre 97, et proclamé empereur un an plus tard par le Sénat, dispose d'un important butin. La Dacie (en gros, la Roumanie actuelle) apporte à Rome son or et son argent, son fer
5 et son sel. Trajan veut inscrire sa victoire dans l'architecture de la capitale de son Empire [...]. Ne restent vers le Nord, en direction du Champ de Mars, que des terrains difficiles et encombrés. C'est là que sera édifié le plus grand et le plus majestueux de tous les forums impériaux.

■ Notre histoire, n° 207, février 2003, *La Rome des Césars, miroir de la Méditerranée.*

❶ Quelles ressources la conquête de la Dacie procure-t-elle à Rome ?

❷ Quelle prouesse technique la construction du nouveau forum suppose-t-elle ?

2 LIRE ET COMPRENDRE UN TEXTE EN LATIN

❶ Repérez le nominatif et le datif (l. 1) : qui est l'auteur de la dédicace ? Quel en est le destinataire ?

❷ De qui Trajan est-il le fils d'après cette dédicace ?

❸ Quels titres lui sont donnés ? Relevez les abréviations qui l'indiquent et le nombre qui leur est associé.

❹ Quelles conquêtes sont nommées ?

❺ Quel est l'objectif de l'édification de la colonne Trajane ?

1 SENATUS POPULUSQUE ROMANUS / IMP(eratori) CAESARI DIVI NERVAE F(ilio) NERVAE / TRAIANO AUG(usto) GERM(anico) DACICO PONTIF(ici) / MAXIMO TRIB(unicia) POT(estate) XVII IMP(eratori) VI CO(n)S(uli) VI P(atri) P(atriae) / AD DECLARANDUM
5 QUANTAE ALTITUDINIS / MONS ET LOCUS TANT[I S OPER] IBUS SIT EGESTUS

3 DÉDUIRE DES INFORMATIONS D'UN TEXTE

1   La colonne Trajane, un des chefs-d'œuvre de l'art romain, a été érigée vraisemblablement par le célèbre architecte Apollodore de Damas en 113 ap. J.-C. Cette construction (dont le but était de commémorer la conquête de la Dacie) appartenait à un
5 ensemble architectural plus vaste, le forum de Trajan. On pouvait y voir notamment une statue équestre de l'empereur, la basilique Ulpienne, des bibliothèques grecque et latine, un temple et des marchés.

   La colonne Trajane proprement dite est un monument creux
10 qui comporte, à l'intérieur, un escalier en colimaçon, éclairé par quarante-trois étroites fenêtres. D'une hauteur de près de quarante mètres de haut, elle est ornée d'une frise sculptée (avec plus de deux mille cinq cents personnages gravés en bas-relief, peints à l'origine) qui s'élève en spirales d'une hauteur moyenne d'un mètre.
15   Son sommet fut d'abord couronné par un aigle de bronze, puis par une statue de Trajan qui fut remplacée en 1587 par une statue de saint Pierre.

▲ La colonne Trajane, Forum de Trajan, Rome.

1 Relevez tous les monuments construits à la gloire de Trajan.
2 Quelles sont les caractéristiques de la colonne Trajane ?
3 Quelles sculptures se sont succédé à son sommet ? Expliquez ces changements.

Vidéo
La colonne Trajane
↗ **Manuel numérique**

4 DÉDUIRE DES INFORMATIONS D'UN DOCUMENT

◀ Arc de Trajan, site de Timgad, Algérie.

1 Quelle est la fonction de ce monument ? Où se trouve-t-il ? À qui est-il dédié ?
2 Que prouve-t-il ?

le point sur LA MISSION

Situez le forum de Trajan sur un plan de Rome. Placez-y les différents monuments construits à la gloire de Trajan.

PISTE **EPI**

Quelles sont les traces de la Romanisation en Europe ?

www.editions-hatier.fr

ATELIER D'EXPRESSION

➡ **Durant sa vie, Maximinus a parcouru de nombreux pays : il y a appris de nouveaux mots, reçu de nombreux ordres. Pour bien accomplir votre mission, il vous faut les maîtriser. Ces activités vous y aideront.**

1 COMPRENDRE L'ORIGINE DES LANGUES EUROPÉENNES

Le radical indo-européen *deuk- (conduire, mener) est à l'origine du nom dux, cis, m. qui a désigné le guide, puis le berger et enfin le général (l'homme qui conduit les armées). Complétez l'arbre suivant.

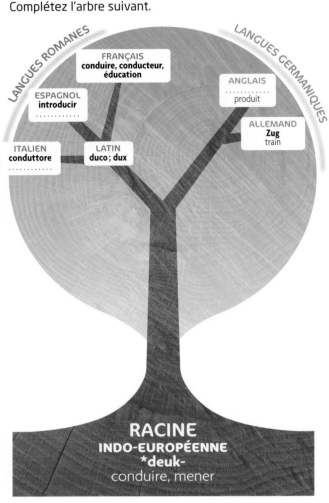

LANGUES ROMANES

LANGUES GERMANIQUES

FRANÇAIS
conduire, conducteur, éducation

ANGLAIS
....
produit

ESPAGNOL
introducir
....

ALLEMAND
Zug
train

ITALIEN
conduttore
....

LATIN
duco ; dux

**RACINE
INDO-EUROPÉENNE
*deuk-**
conduire, mener

2 APPRENDRE LES MOTS PAR FAMILLE

Complétez ces phrases avec des mots français dérivés de la racine indo-européenne.

a. Astérix et Obélix sont d'............ Gaulois.

b. Vénus est la déesse de la ....

c. Pour amener l'eau dans les villes, les Romains ont construit de remarquables ....

d. L'............ des enfants demande beaucoup d'énergie et de psychologie.

e. Le château de Langeais fut le théâtre du mariage de la .... Anne de Bretagne et du roi Charles VIII.

3 EXPLIQUER LE SENS D'UN NOM PROPRE PAR L'ÉTYMOLOGIE

Le mot gloria, ae, f. désigne la renommée dans un sens positif ou négatif. Ce mot est à rapprocher, pour le sens, du verbe clueo, es, ere : avoir la réputation de, être illustre. Il apparaît dans de nombreux noms propres d'hommes ou de femmes illustres. Retrouvez-les.

a. Héros grec connu pour ses travaux, son nom comporte le mot gloire.

b. Brillant homme politique athénien, son nom est associé au siècle d'or de cette cité.

c. Dernière reine d'Égypte, son nom est entré dans la légende au côté de ceux de Jules César et Marc Antoine.

d. Quand vous êtes en danger, vous êtes sous son épée.

4 MÉMORISER DU LEXIQUE PAR L'ÉTYMOLOGIE

Complétez les phrases à l'aide de mots dérivés des mots latins suivants : provincia, ae, f. • colonia, ae, f. • limes, itis, m. • hostis, is, m. • pugna, ae, f.

a. Sédar Senghor, célèbre poète de langue française, est aussi connu pour ses discours qui contribuent à la réflexion sur la période de la ....

b. Dans l'Empire romain, la .... désigne une circonscription administrative que dirige un gouverneur nommé par le Sénat et l'empereur et non un territoire.

c. Les départements .... subissent la même canicule.

d. Les habitants sont .... à l'implantation d'éoliennes près de leur village.

e. Pour réussir, il faut faire preuve de ....

5 DIRE ET JOUER UN TEXTE EN LATIN

Mettez-vous par deux. L'un joue Trajan et l'autre Maximinus.

Alter : « Silentium, legio expedita. », « Utinam in crastinis proeliis fortes ad pericula fueritis ! », « Ne hostes timuerimus ! Paraverimus et signa subsequimini. », « Laxate. »

Alter respondet : « Ave ! », « Utinam in proeliis vixerimus. », « Utinam ne hostes terribiles aspectu nobis fuissent ! », « Imperatore pareamus. »

Étudier la langue

Le souhait et le regret au subjonctif, p. 286

6 APPRENDRE À TRADUIRE EN GROUPE

1   Nulla enim alia re videmus populum Romanum orbem subegisse[1] terrarum nisi armorum exercitio, disciplina castrorum usuque militiae. Quid enim
5 adversus Gallorum multitudinem paucitas Romana valuisset ? Quid adversus Germanorum proceritatem[2] brevitas potuisset audere[3] ? Hispanos quidem non tantum numero sed et
10 viribus corporum nostris praestitisse[4] manifestum est ; Afrorum dolis[5] atque divitiis semper impares[6] fuimus ; Graecorum artibus prudentiaque nos vinci nemo dubitavit.

L. Végèce, *Épitomé de l'art militaire*, I, 1.

Formez des groupes et répondez aux questions.

❶ Traduisez la première phrase en tenant compte de la proposition infinitive.

❷ Quelles qualités assurent la supériorité de l'armée romaine ? Observez les ablatifs.

❸ Quels peuples sont nommés dans la suite du texte ? Quelles qualités Végèce leur attribue-t-il ?

❹ À quel temps et quel mode les verbes des phrases interrogatives sont-ils ? Expliquez leur emploi.

❺ Traduisez la dernière phrase. Que souhaite démontrer Végèce ?

▶ **AIDE À LA TRADUCTION**

1. subigo, is, ere, egi, actum : soumettre
2. proceritas, atis, f. : la haute taille
3. audere : *a donné* audace
4. praesto, as, are, stiti, statum (+ dat.) : l'emporter sur
5. dolus, i, m. : la ruse
6. impar, aris (alicui) : inférieur à

Étudier la langue

La proposition infinitive, p. 288
Le subjonctif, p. 276

VOCABULAIRE

Noms

acies, ei, f. : l'armée en ligne de bataille
castra, orum, n. pl. : le camp
certamen, inis, n. : la bataille, le conflit
clades, is, f. : la défaite
dux, ducis, m. : le commandant
exercitium, ii, n. : l'exercice militaire
impetus, us, m. : l'assaut
imperator, oris, m. : le général en chef
legio, onis, f. : la légion
manus, us, f. : la troupe

pedes, itis, m. : le fantassin
praesidium, ii, n. : la garnison
proelium, ii, n. : le combat
signum, i, n. : l'enseigne de la centurie (c'est aussi le signal du combat)
vallum, i, n. : la palissade

Verbes

certo, as, are, avi, atum : combattre, lutter
dubito, as, are, avi, atum : douter

oppugno, as, are, avi, atum : attaquer, assiéger
valeo, es, ere, valui, itum : être fort, puissant

Mots invariables

adversus + acc. : contre
antequam + ind. ou subj. : avant que
nisi : excepté, si... ne... pas
quot : combien
semper : toujours
utinam + subj. : puisse, fasse que

LA MISSION

Écrire un carnet de guerre

Votre lecture est terminée, il vous reste à retranscrire le carnet de guerre de Maximinus tout en complétant les parties manquantes.

ÉTAPE 1 **IDENTIFIER LES CRITÈRES DE RÉUSSITE**

Respecter les caractéristiques d'écriture d'un carnet de guerre
- Employer la **1re personne**
- Indiquer les **jours** et les **lieux**
- Prendre en compte les **conditions d'écriture**
- Choisir un **support d'écriture**

Reconstituer chronologiquement les étapes du parcours de Maximinus
- Suivre le récit de la **vie d'un légionnaire** sous l'Empire (de l'enrôlement dans l'armée à la retraite)
- Adopter le **point de vue** d'un légionnaire sur les moments historiques de la conquête (combat contre les Daces, triomphe de Trajan, monuments dédiés à la victoire)

Créer de l'émotion
- Mener le récit du point de vue de **Maximinus**
- Employer le lexique des **sentiments** et des **sensations**
- Choisir une **tonalité épique**

ÉTAPE 2 **S'ORGANISER EN ÉQUIPE**

▶ **Rassemblez** vos connaissances en reprenant vos notes.
▶ **Partagez-vous** le travail, de la rédaction à la relecture. Chaque élève du groupe peut se charger d'un chapitre.

BESOIN D'AIDE ?

Vérifiez l'exactitude de vos informations :
- enrôlement du légionnaire ▶ p. 220
- équipement et entraînement du légionnaire ▶ p. 222
- construction d'un camp de légionnaire ▶ p. 223
- parcours d'un légionnaire sous Trajan ▶ p. 222
- portrait de Trajan ▶ p. 226
- récit du combat contre les Daces ▶ p. 223
- triomphe de Trajan et monuments de la victoire ▶ p. 226
- lexique militaire ▶ p. 228

19 Alexandrie, cité phare de la Méditerranée

Quel a été son rôle dans la transmission culturelle ?

LA MISSION

La place de directeur du musée et de la bibliothèque d'Alexandrie vient de se libérer. Voilà une opportunité professionnelle à ne pas manquer !

➤ Formez une équipe qui préparera votre entretien d'embauche.
➤ Prenez des notes tout au long du parcours pour réaliser cette mission.

▲ L. Blengino, T. Bennato, C. Saint-Blancat et M. Rebuffat, *Le Phare d'Alexandrie*, éditions Delcourt (2014).

Connaissances, compétences, culture

Dans ce parcours, vous allez :

■ Lire et comprendre des images variées.

■ Lire et comprendre des textes littéraires et des documentaires.

■ Argumenter à l'oral.

■ Découvrir une ville méditerranéenne cosmopolite.

■ S'initier à l'art des hiéroglyphes.

■ Explorer les connaissances scientifiques des Romains.

■ Maîtriser le lexique des sciences.

Sub Alexandri umbra

Quelles sont les particularités historiques et géographiques de la cité ?

➤ Une bonne connaissance de l'histoire et de la géographie de la ville où se situe le musée est le moins que l'on puisse attendre de son futur directeur !

1 LIRE ET COMPRENDRE UN TEXTE EN LATIN

1   Alexander, ab Hammone rediens, ut Mareotin paludem[1] haud procul insula Pharo sitam venit. Contemplatus loci naturam, primum in ipsa insula statuerat[2] urbem novam condere[3] ; inde, ut
5 apparuit magnae sedis[4] insulam haud capacem[5] esse, elegit[6] urbi locum, ubi nunc est Alexandria, appellationem trahens[7] ex nomine auctoris[8]. Complexus[9] quidquid soli est[10] inter paludem ac mare, octoginta stadiorum[11] muris ambitum[12]
10 destinat[13]. [...] Ex finitimis urbibus[14] commigrare[15] Alexandriam jussis, novam urbem magna multitudine implevit.

└ Quinte-Curce (Iᵉʳ s. ap. J.-C.),
Histoire d'Alexandre le Grand, IV, 8.

▶ **AIDE À LA LECTURE**

1. **Mareotin paludem** : le lac Maréotis ou Mariout est un lac salé de 250 km², situé à l'extrémité ouest du delta du Nil.
2. **statuo, is, ere, statui, statutum** : décider
3. **condo, is, ere, condidi, conditum** : fonder
4. **sedes, is,** f. : l'emplacement
5. **capacem** : *a donné* capacité
6. **elegit** : *a donné* élection
7. **traho, is, ere, traxi, tractum** : tirer
8. **auctor, is,** m. : le fondateur
9. **complector, eris, i, complexus sum** : embrasser, entourer
10. **quidquid soli est** : « tout ce qu'il y a d'espace »
11. **octoginta stadiorum** : 80 stades (1 stade = 185 m)
12. **ambitus, us,** m. : le pourtour, la circonférence
13. **destino, as, are, avi, atum** : fixer
14. **ex finitimis urbibus** : des habitants des villes voisines
15. **commigrare** : *a donné* migration

Étudier la langue
L'expression de la cause, p. 290

▲ Monnaie de Ptolémée, tête d'Alexandre le Grand portant les cornes d'Ammon et coiffé d'une peau d' éléphant, l'égide nouée autour du cou, argent (310-305 av. J.-C.).

❶ D'où la ville d'Alexandrie tire-t-elle son nom ? Relevez et traduisez la proposition qui vous l'indique.

❷ Où se situe-t-elle ?

❸ Quel site son fondateur avait-il initialement choisi ? Pour quelle raison, selon vous ?

❹ Pourquoi a-t-il dû changer d'emplacement ?

❺ Relevez la taille du pourtour des murailles de la ville. Convertissez-la en kilomètres. Que pouvez-vous en déduire sur l'étendue de la ville ?

❻ Comment a-t-elle été peuplée ?

① Que peut-on dire du plan des rues ?

② Quels éléments de la carte montrent l'origine grecque de cette ville ? et son côté égyptien ?

③ Observez les différents quartiers : comment qualifier la population ?

④ Attribuez sa fonction à chaque monument : politique, religieuse, économique, culturelle, sportive.

⑤ Comment le problème crucial de l'alimentation en eau de la ville a-t-il été résolu ?

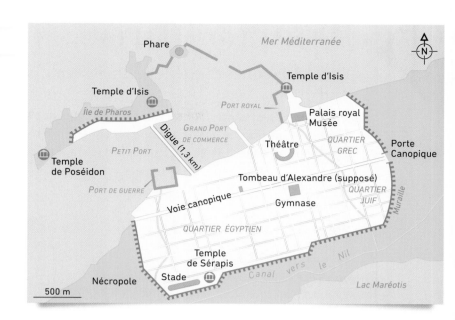

3 **METTRE EN RELATION DES DOCUMENTS**

Dans l'état actuel de notre étude, on restitue une tour de près de 110 m de haut avec son socle. Sur sa face nord, tournée vers la pleine mer, s'ouvrait la porte monumentale de style hellénique. Elle donnait sur la terrasse décorée de quatre statues colossales (environ 6 m de haut) et se fermait sur un espace intérieur comprenant le couple colossal (environ 10 m de haut) représentant un roi lagide[1] en Pharaon et sa reine en Isis. Au sud, on accédait au bâtiment par une rampe sur arcades, visible sur les monnaies romaines.

■ Isabelle Hairy in *Alexandrie grecque, romaine, égyptienne*, Dossiers d'archéologie, n°374, mars / avril 2016, D. R.

1. Lagide : de la dynastie des Ptolémées.

① Quelle était la hauteur du phare d'Alexandrie ?

② De combien de niveaux était-il composé ? Quelles étaient leurs formes ?

③ En quoi sa construction reflète-t-elle la réunion de deux cultures ?

④ Quelles étaient les fonctions de ce phare, à votre avis ?

▲ Jean-Claude Golvin, Reconstitution du phare d'Alexandrie, aquarelle (Arles, musée départemental Arles Antique).

D'hier
à aujourd'hui

Le phare d'Alexandrie figure parmi les sept merveilles du monde antique. Trouvez les six autres puis recherchez la liste des sept merveilles du monde moderne établie par l'American Society of Civil Engineers.

 le point sur **LA MISSION**

Faites la liste des particularités historiques et géographiques de la ville d'Alexandrie.

Aperto libro

Quelles langues et quelles cultures sont présentes à Alexandrie ?

Postuler à une fonction aussi importante dans une ville cosmopolite implique que vous soyez en mesure de comprendre non seulement les langues de ses habitants mais aussi leurs différentes cultures.

1 LIRE UN TEXTE EN GREC

La première des langues d'Alexandrie est celle de ses fondateurs : le grec.

▲ Achille tuant Penthésilée, reine des Amazones (vers 530 av. J.-C.), amphore à figures noires (Londres, British Museum).

1 Μῆνιν ἄειδε, θεά, Πηληιάδεω ᾿Αχιλῆος
οὐλομένην, ἣ μυρί᾽ ᾿Αχαιοῖς ἄλγε᾽ ἔθηκεν
πολλὰς δ᾽ ἰφθίμους ψυχὰς ῎Αιδι προίαψεν
ἡρώων, αὐτοὺς δὲ ἑλώρια τεῦχε κύνεσσιν
5 οἰωνοῖσί τε πᾶσι - Διὸς δ᾽ ἐτελείετο βουλή -
ἐξ οὗ δὴ τὰ πρῶτα διαστήτην ἐρίσαντε
᾿Ατρείδης τε, ἄναξ ἀνδρῶν, καὶ δῖος ᾿Αχιλλεύς.

❶ Lisez ce passage à voix haute (voir l'alphabet p. 17).

❷ Observez le nom propre figurant à la fin du premier et du dernier vers. Déduisez-en le nom de l'œuvre dont ces vers sont tirés.

❸ Rappelez le sujet exact de cette épopée. Quelle autre œuvre attribuée au même auteur raconte le difficile retour de son héros jusque chez lui après vingt ans d'absence ?

2 DÉDUIRE DES INFORMATIONS D'UN TEXTE

1 La première véritable traduction de la Bible[1] a été élaborée par étapes, à partir du milieu du IIIe siècle avant notre ère, à Alexandrie. Dans cette mégapole, la diaspora[2] juive était solidement installée, elle bénéficiait d'un statut qui lui accordait des droits spécifiques : sa langue était reconnue, et elle entretenait de
5 bonnes relations avec un milieu intellectuel particulièrement brillant à cette époque. Cette entreprise pouvait certes répondre à une demande de juifs qui avaient peu ou prou oublié l'hébreu. Mais il semble aussi que le fondateur de la célèbre bibliothèque de la ville, Démétrios de Phalère, ait souhaité enrichir son fonds avec une traduction des « Lois des juifs » dont il avait entendu dire
10 grand bien.

■ Pierre Monat, *Histoire profane de la Bible,* © Perrin (2013).

1. En grec. **2.** Ce terme désigne ici les membres de la communauté juive qui ont quitté la Judée et la Samarie pour s'installer à Alexandrie.

❶ Quel ouvrage fondamental des juifs a-t-on traduit à Alexandrie ?

❷ Pour quelle(s) raison(s) ?

❸ Quel était le statut des juifs dans cette ville ?

Le système hiéroglyphique utilise de nombreux signes qui permettent notamment de noter des sons. L'habitude a été prise, depuis Champollion, de les transposer dans notre alphabet, ce que l'on appelle translittération. Certains signes ont la valeur d'une seule lettre, d'autres de deux et d'autres encore de trois. Voici les plus fréquents parmi ceux qui correspondent à une lettre.

Signe	Son	Représentation
	a court	vautour égyptien
	â / ê	avant-bras
	b	jambe
	d	main
	dj puis d	cobra
	f	vipère à cornes
	gu	support de jarre
	h aspiré	plan de maison
	h aspiré	tissu tressé ou mèche
	i	roseau fleuri
	k	corbeille avec anse
	r puis l	lion
	m	chouette effraie

Signe	Son	Représentation
	n	filet d'eau
	p	natte en vannerie
	q	pente de colline
	r	bouche
	kh	corbeille vue de haut comme la jota espagnole
	s	étoffe pliée
	sh	bassin, étang
	ch	ventre d'un animal comme le « ich » allemand
	t	pain
	tj puis t	corde à deux œillets
	ou	poussin de caille
	y	deux roseaux fleuris
	z puis s	verrou en bois

■ D'après Renaud de Spens, *Leçons pour apprendre les hiéroglyphes égyptiens*, © Les Belles Lettres (2016).

❶ Déchiffrez le cartouche, puis essayez de retrouver le nom grec inscrit. Indice : il a fondé la ville !

❷ Écrivez votre prénom en hiéroglyphes.
Pour les sons o ou u, utilisez ou ; pour v, utilisez b ou ou.
Soignez la disposition de vos hiéroglyphes dans le cartouche.

le point sur LA MISSION

Quelles sont les langues et les écritures utilisées à Alexandrie ?

Εὕρηκα !

Quelles connaissances les savants d'Alexandrie ont-ils apportées ?

▶ **Afin de vous démarquer de vos concurrents et vous montrer l'égal des directeurs qui vous ont précédé à la tête du musée, prouvez que vous possédez toutes les connaissances et compétences scientifiques requises pour ce poste.**

1 DÉDUIRE DES INFORMATIONS D'UN TEXTE

1 Dès la création du musée, son fondateur, Démétrios de Phalère, fait venir à Alexandrie de nombreux savants illustres parmi lesquels le médecin Érasistrate, un des premiers à s'intéresser 5 à l'anatomie et à découvrir la circulation du sang dans le corps humain ; le mathématicien Euclide, inventeur de la notion de démonstration et auteur des *Éléments*, qui réunissent l'ensemble des connaissances géométriques de son époque et qui 10 gouverneront la géométrie jusqu'au XIXᵉ siècle ; ou encore l'astronome Aristarque de Samos qui, le premier, mesure la distance de la Terre à la Lune et émet l'hypothèse que la Lune tourne autour de la Terre et la Terre autour du Soleil. Grâce à l'appui du 15 roi Ptolémée Sôter et de ses successeurs, des copies d'œuvres touchant à tous les domaines du savoir, quel qu'il soit, sont envoyées et les savants venus de toute la Méditerranée y bénéficient de conditions de travail et de recherches idéales.

■ Gilles Duhil.

❶ Dans quels domaines particuliers les savants du musée se sont-ils illustrés ?

❷ En quoi leurs travaux sont-ils importants ?

❸ Qu'est-ce qui fait d'Alexandrie une étape fondamentale dans la transmission de la culture antique et une capitale culturelle sans égal ?

2 METTRE EN RELATION DES DOCUMENTS

Site web
Histoire
de la cartographie
hatier-clic.fr/lat14

▲ Reconstitution de la carte de Claude Ptolémée (vers 85-165 ap. J.-C.) à partir de sa *Géographie* (XVᵉ siècle) (Venise, Bibliothèque Marciana).

S'appuyant notamment sur les travaux d'Ératosthène, qui dirigea le musée quatre siècles plus tôt et qui dressa une première carte du monde à partir des récits des navigateurs de son époque, le géographe Claude Ptolémée compose, à Alexandrie, un ouvrage en huit livres, intitulé la *Géographie*, qui non seulement expose la méthode utilisée pour dessiner une carte de l'ensemble de la terre habitée, mais également présente, sous la forme d'un catalogue, les positions de plus de huit mille lieux exprimées en degrés de longitude et de latitude.

■ Gilles Duhil.

❶ À quelle époque Claude Ptolémée a-t-il vécu ? Quelles informations nous apportent son nom ?

❷ Quels éléments sont représentés sur sa carte ?

❸ Pour quelles raisons cette carte comporte-t-elle un « quadrillage » ?

❹ En consultant le site p. 236, comparez cette représentation à celles, antérieures, d'Anaximandre ou d'Ératosthène.

 PRÉSENTER UN DOCUMENT À L'ORAL

Héritier d'Archimède et de Ctésibios d'Alexandrie, Héron d'Alexandrie (Iᵉʳ s. de notre ère) est un mathématicien et ingénieur resté notamment célèbre pour ses travaux en mécanique, mettant en jeu la pression de l'air, de la vapeur ou de l'eau, comme pour l'éolipyle (sorte de turbine à vapeur qui tourne lorsqu'on porte l'eau à ébullition).

■ Gilles Duhil.

● Renseignez-vous sur les inventions de Héron, en consultant le site du Musée des technologies des Grecs de l'Antiquité. Sélectionnez l'une d'elles puis prenez des notes afin de la présenter à l'oral.

Site web
Les inventions de Héron d'Alexandrie
hatier-clic.fr/lat15

▲ Un éolipyle.

 LIRE ET COMPRENDRE UN TEXTE EN LATIN

Texte lu
✈ Manuel numérique

Habeo sagum[1] habentem in longitudine cubitos[2] C, et in latitudine LXXX. Volo exinde per portiones sagulos[3] facere, ita ut unaquaeque[4] portio habeat in longitudine cubitos V, et in latitudine cubitos IIII.

Dis-moi, je te prie, ô sage, combien de manteaux peuvent par conséquent être fabriqués.

└ Alcuin (730-804), *Propositions pour aiguiser l'esprit des jeunes*, IX.

▶ **AIDE À LA LECTURE**
1. **sagum, i**, n. : la couverture
2. **cubitus, i**, m. : la coudée (44,46 cm)
3. **sagulum, i**, n. : le manteau
4. **unaquaeque** : chaque

Étudier la langue

L'expression de la conséquence, p. 293

● Lisez, traduisez puis résolvez ce problème mathématique écrit par Alcuin de York, à l'époque de Charlemagne, pour vérifier que vous possédez un bon esprit d'analyse.

 PISTE EPI

L'automate : avenir ou menace pour l'homme ?

www.editions-hatier.fr

le point sur LA MISSION

Récapitulez les différents domaines dans lesquels les savants d'Alexandrie se sont illustrés ainsi que quelques-unes des grandes découvertes qu'ils ont réalisées et transmises aux Romains.

19

In librorum arcanas
À quoi ressemblent les livres de la bibliothèque d'Alexandrie ?

▶ **Pour mener à bien votre mission, il est un dernier domaine dans lequel vous devez exceller : celui des livres, qu'il s'agisse de leur fabrication ou de leur conservation au sein d'une des plus grandes bibliothèques de l'Antiquité.**

1 DÉDUIRE DES INFORMATIONS D'UNE IMAGE

▲ Photogramme du film *Agora* réalisé par Alejandro Amenabar (2010).

❶ Sous quelle forme les livres de la bibliothèque d'Alexandrie se présentent-ils ?

❷ Où et comment sont-ils rangés ?

❸ Recherchez l'étymologie du mot « bibliothèque ».

2 METTRE EN RELATION DES DOCUMENTS

1 Praeparatur ex eo charta diviso acu in praetenues, sed quam latissimas philyras. [...] Texitur omnis madente tabula Nili aqua. Turbidum liquoris glutinum praebet. In rectum
5 primo supina tabulae schida adlinitur longitudine papyri quae potuit esse, resegminibus utrimque amputatis, traversa postea crates peragit. Premitur ergo praelis, et siccantur sole plagulae atque inter se junguntur, proximarum semper
10 bonitatis deminutione ad deterrimas. [...] Postea malleo tenuatur et glutino percurritur, iterumque constricta erugatur atque extenditur malleo.

└ Pline l'Ancien (23-79 ap. J.-C.), *Histoire naturelle*, XIII, 23-26, 74, 77 et 82, traduit par A. Ernout, © Les Belles Lettres (1956).

1 Pour fabriquer le papier, on sépare, à l'aiguille, les fibres du papyrus en bandelettes très minces et aussi larges que possible. [...] Tout papyrus se tisse sur une table humectée d'eau du Nil dont le limon fait l'effet
5 de colle. On y étend d'abord verticalement les bandes dans toute leur longueur, on rogne celles qui dépassent à chaque bout, puis on étend par-dessus une couche de bandes transversales croisées. On met le tout sous presse, on étale les feuilles au soleil pour les sécher,
10 puis on les joint entre elles suivant les qualités en commençant par les meilleures pour finir par les plus mauvaises. [...] Après l'encollage, on amincit le papier au maillet et on l'encolle de nouveau, puis on le remet sous presse pour l'aplanir, et on l'étend une nouvelle
15 fois au maillet.

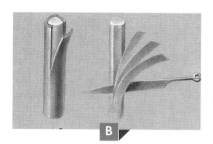
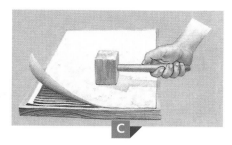

▲ Illustrations extraites des *Cahiers de Sciences & Vie*, « Alexandrie, le dernier miracle grec », n°76, août 2003.

❶ Quelle est la nature du support utilisé pour fabriquer le papyrus ?

❷ En vous aidant du texte, dites quelles sont les différentes étapes de la fabrication d'un papyrus.

❸ Remettez dans l'ordre et légendez les illustrations ci-dessus.

❸ DÉDUIRE DES INFORMATIONS D'UN TEXTE

1 Depuis qu'Eumène, fils d'Attale[1], était monté sur le trône, la chasse aux livres avait commencé, avec des méthodes plus semblables à celles que les Ptolémées employaient depuis à peu près un siècle. La rivalité entre les deux centres[2] eut des
5 conséquences néfastes. Des bandes de faussaires entrèrent en scène : ils offraient des rouleaux de faux textes anciens rafistolés, parfois même de bonnes contrefaçons, que l'on hésitait à refuser (lorsque le faux n'était pas immédiatement évident), de crainte que la bibliothèque rivale n'en profite.
10 [...]
Le conflit se durcit quand l'Égypte interrompit l'exportation de papyrus. C'était une manière expéditive, quoiqu'inélégante, de mettre à genoux la bibliothèque rivale en la privant du matériel d'écriture le plus courant et le plus commode. À Pergame on réagit en perfectionnant la technique, d'origine orientale, du traitement des peaux
15 (pour cela dite « pergamênai » = parchemins), une matière destinée à prévaloir [...].

■ Luciano Canfora, *La Véritable Histoire de la bibliothèque d'Alexandrie*, © Desjonquères (1988).

1. Roi de Pergame et allié indéfectible des Romains en Asie Mineure (actuelle Turquie).
2. Celui d'Alexandrie et celui de Pergame.

▲ La Bibliotheca Alexandrina, actuelle bibliothèque d'Alexandrie.

❶ Quelle autre bibliothèque rivalise avec celle d'Alexandrie ?

❷ Quelle est la conséquence de cette rivalité ?

❸ Comment les Alexandrins essaient-ils de l'emporter ?

❹ Quelle en est, cette fois-ci, la conséquence ?

D'hier à aujourd'hui

En octobre 2002, à Alexandrie, a été inaugurée la Bibliotheca Alexandrina. Renseignez-vous : quel lien entretient-elle avec son illustre ancêtre, le musée de l'Antiquité ?

le point sur LA MISSION

Quels inconvénients présente le papyrus comme support d'écriture pour transmettre des textes longs ?

ATELIER D'EXPRESSION

➤ **Pour l'emporter sur vos concurrents, il convient que vous fassiez preuve, à l'oral, d'une grande maîtrise et d'une grande rigueur dans l'emploi du vocabulaire technique et scientifique. Ces activités vous y aideront.**

① APPRENDRE DES MOTS PAR FAMILLE

La racine indo-européenne *med- renvoie, à l'origine, à la notion de « mesure », prise au sens de modération. Elle a ensuite évolué vers les sens de « gouverner », « penser », « soigner » et « mesurer ».

❶ Complétez l'arbre.

❷ Complétez ces phrases avec un des dérivés français de la racine.

a. Par bien des aspects, les recherches des savants d'Alexandrie annoncent les sciences ....

b. Pline l'Ancien est le seul auteur à nous renseigner sur le .... de fabrication des papyrus.

c. Bien que le papyrus soit fabriqué à partir d'une plante, son prix était loin d'être ....

d. Les savants du musée passaient de longues heures à .... sur des problèmes ardus.

② MÉMORISER PAR L'ÉTYMOLOGIE

Résolvez ces devinettes pour retrouver les mots français dérivés du latin.

a. Se dit d'un acte contraire à la *ratio*.

b. Courbe formée par un satellite artificiel lancé dans l'espace et qui tourne autour de *l'orbis*.

c. Action qui consiste à donner son *opinio* sur un sujet ou à approuver *l'opinio* de quelqu'un d'autre.

d. Capacité hors du commun d'une personne qui a la *scientia* parfaite dans tous les domaines de la connaissance.

e. Expression signifiant qu'un problème est impossible à résoudre ou qu'un projet est irréalisable, et mettant en jeu un cercle qui n'est pas très *quadratus*.

③ COMPRENDRE LES FORMULES LATINES MODERNES

❶ Redonnez à chaque université américaine la traduction correspondant à sa devise actuelle : « Forces, compétences, coutumes » • « La lumière et la vérité » • « L'esprit et la main » • « Persister et exceller » • « Que le savoir se développe, afin que la vie s'enrichisse ».

Université de Chicago	Crescat scientia, vita excolatur
Université de l'État de Floride	Vires, artes, mores
MIT (Massachusetts Institute of Technology)	Mens et Manus
Université de New York	Perstare et praestare
Université de Yale	Lux et veritas

❷ Inventez votre propre devise à partir des exemples précédents.

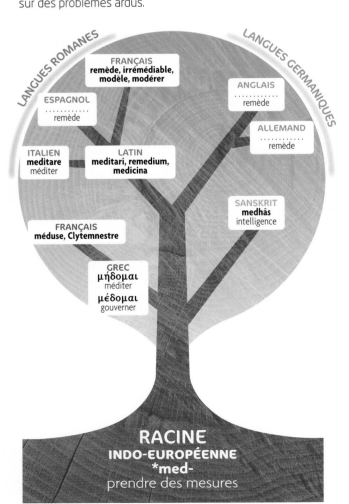

LANGUES ROMANES

LANGUES GERMANIQUES

FRANÇAIS
remède, irrémédiable, modèle, modérer

ANGLAIS
....
remède

ESPAGNOL
....
remède

ALLEMAND
....
remède

ITALIEN
meditare
méditer

LATIN
meditari, remedium, medicina

FRANÇAIS
méduse, Clytemnestre

SANSKRIT
medhās
intelligence

GREC
μήδομαι
méditer
μέδομαι
gouverner

RACINE INDO-EUROPÉENNE *med-
prendre des mesures

4 **DIRE ET JOUER UN TEXTE EN LATIN**

Attribuez chacune des phrases soit au professeur, soit à un de ses élèves. Puis, essayez de les remettre dans le bon ordre, avant de jouer la scène.

a. Ita, Aristarchus Samius est. Nec eo tamen adsentior.

b. Ita, recte computavit. Sed, ut Aristoteles demonstravit, terra non movet !

c. Magister, dic nobis quibus theoriis corporum caelestium motus explicetur.

d. Magister, nonne quidam astrologus cogitat terram circa solem movere ?

e. Quare, magister ? Nonne idem astrologus recte computavit qualem intervallum terra ab luna absit ?

f. Videte : terra in medio systemate solari est et sol circa eam movet.

▲ Raffaello Santi dit Raphaël, *L'École d'Athènes* (1508-1511 ; détail), fresque (Rome, Musées du Vatican).

5 **APPRENDRE À TRADUIRE**

Dans cet extrait, Cicéron traite de la nature du monde et s'interroge sur la place de la terre dans l'univers.

> 1 Corpora nostra non novimus, qui sint situs[1] partium, quam vim[2] quaeque pars habeat ignoramus. Itaque medici ipsi, quorum intererat[3] ea nosse[4], aperuerunt ut viderentur [...]. Sed ecquid[5] nos eodem modo rerum naturas[6]
> 5 persecare[7], aperire, dividere possumus, ut videamus terra penitusne[8] defixa sit[9] et quasi[10] radicibus[11] suis haereat[12] an media[13] pendeat[14] ?
>
> └ Cicéron, *Les Académiques*, Livre II, 39, 122.

▶ **AIDE À LA TRADUCTION**

1. situs, us, m. : la position
2. vis, -, f. : ici la fonction
3. interest + gén. : il importe à quelqu'un de
4. nosse = novisse
5. ecquid : est-ce que, en quelque manière
6. rerum naturas : les substances de l'univers
7. perseco, as, are, avi, atum : disséquer
8. penitus : profondément ; ne... an : si... ou si
9. defigo, is, ere, defixi, defixum : fixer
10. quasi : pour ainsi dire
11. radix, icis, f. : la racine
12. haereo, es, ere, haesi, haesum : être attaché
13. medius, a, um : qui est au milieu
14. pendeo, es, ere, pependi, - : être suspendu

Formez des groupes et répondez aux questions.

❶ À quelle personne le narrateur s'exprime-t-il ? Justifiez votre réponse. Pour quelle raison, selon vous, procède-t-il ainsi ?

❷ Que souligne le verbe qui introduit les propositions interrogatives indirectes lignes 1-2 ? Quel autre verbe de la phrase produit le même effet ?

❸ Avec quel domaine scientifique Cicéron établit-il un rapprochement ? Relevez-en le champ lexical.

Étudier la langue

L'expression du but, p. 293

❹ La question qui clôt l'extrait est une question dite rhétorique. Expliquez pourquoi.

❺ Reformulez l'argument de Cicéron concernant les limites de la connaissance humaine puis traduisez le texte.

VOCABULAIRE

Noms

astrologus, i, m. : l'astronome
causa, ae, f. : la cause, le principe
geographus, i, m. : le géographe
mathematicus, i, m. : le mathématicien
mechanicus, i, m. : l'ingénieur
medicus, i, m. : le médecin
opinio, onis, f. : l'idée, l'opinion
orbis, is, m. : le cercle
physicus, i, m. : le physicien

ratio, onis, f. : la raison ; le calcul
scientia, ae, f. : la science, le savoir

Adjectif

quadratus, a, um : carré

Verbes

adsentior, iris, iri, sensus sum : être du même avis

cogito, as, are, avi, atum : penser
disputo, as, are, avi, atum : examiner
experior, iris, iri, expertus sum : expérimenter, mettre à l'épreuve
explico, as, are, avi, atum : dérouler ; expliquer
probo, as, are, avi, atum : vérifier
quaero, is, ere, sivi, situm : rechercher, enquêter

LA MISSION ● Réussir un entretien d'embauche

Il est maintenant temps de vous préparer à votre entretien d'embauche pour le poste de directeur du musée et de la bibliothèque d'Alexandrie. Pour cela, vous devrez tout à la fois montrer votre motivation et faire preuve de vos aptitudes professionnelles.

ÉTAPE 1 ▸ IDENTIFIER LES CRITÈRES DE RÉUSSITE

Montrer ses qualités personnelles et sa motivation

- Montrer sa **connaissance de la ville** d'Alexandrie et de son musée
- **Présenter** avec enthousiasme **un projet** d'avenir pour la bibliothèque, mettant en avant un esprit d'initiative

Faire la preuve de ses aptitudes professionnelles

- **Prouver ses connaissances** dans les domaines scientifiques à l'aide d'exemples précis
- Montrer sa **connaissance du marché du papyrus** (forces et faiblesses) ainsi que de la concurrence
- **Maîtriser les écritures** utilisées dans la ville d'Alexandrie
- Employer un **vocabulaire** technique et scientifique approprié

Faire bonne impression

- Soigner la **communication non verbale** (utilisation des mains, positionnement du corps...)
- **Argumenter** en expliquant en quoi son profil est le meilleur et le plus adapté au poste

---

ÉTAPE 2 ▸ S'ORGANISER EN ÉQUIPE

▸ Rassemblez vos connaissances en reprenant vos notes.
▸ Partagez-vous le travail : choix d'une devise, présentation d'un automate d'Héron d'Alexandrie, rédaction d'un argumentaire pour être recruté...

BESOIN D'AIDE ?

Vérifiez l'exactitude de vos informations :
- la ville d'Alexandrie et son histoire ▸ p. 232
- écriture des hiéroglyphes ▸ activité 3 p. 235
- vocabulaire scientifique ▸ lexique p. 241
- noms des grands savants ▸ p. 236
- marché des papyrus ▸ p. 238
- choix d'une devise ▸ activité 3 p. 240
- automates d'Héron ▸ activité 3 p. 237

PISTE **EPI**

Que sont les métiers de la culture et en quoi constituent-ils un secteur d'avenir ?

www.editions-hatier.fr

Grammaire

Cas et fonctions

Le système des déclinaisons

Méthode

Le système des conjugaisons

Syntaxe

Annexes

1 Le latin, une langue à déclinaisons

J'observe et je retiens

Magistrum discipuli salutant. Romanas litteras discere voluimus.

Les élèves saluent leur maître : « Nous voulons apprendre la langue latine. »

• Comptez les mots de la phrase latine et ceux de la traduction française : quelle langue est la plus économe ?
Pourquoi ? Quelle autre différence observez-vous ?

Novos discipulos graecus institutor salutat. L'instituteur grec salue ses nouveaux élèves.
Novi discipuli graecum magistrum salutant. Les nouveaux élèves saluent l'instituteur grec.

• Quelle différence observez-vous entre les deux phrases ?
Comment cette différence de sens se marque-t-elle en français et en latin ?

▶ En latin, **ni l'article ni le pronom sujet** ne s'expriment.
Souvent, **le verbe est à la fin** de la proposition ou de la phrase.

▶ Le changement de **terminaison** indique la **fonction**. L'ensemble des terminaisons se nomme une **déclinaison**.

▶ Le latin possède **cinq déclinaisons**. Il existe **trois genres** : le **masculin**, le **féminin** et le **neutre**.

▶ Ils se **déclinent** : adjectifs, noms, pronoms.

▶ Ils se **conjuguent** : verbes.

▶ Ils sont **invariables** : prépositions, conjonctions, adverbes.

Cas latins	Fonctions	Exemples	
Nominatif	sujet, attribut du sujet	**Julia** est **filia**.	Julia est une **fille**.
Vocatif	apostrophe	**Julia**, huc veni !	Julia, viens ici !
Accusatif	COD	Mater **filiam** vocat.	La mère appelle **sa fille**.
Génitif	complément du nom	**Juliae** mater eam vocat.	La mère de Julia l'appelle.
Datif	COI	Mater **filiae** osculum dat.	La mère donne un baiser **à sa fille**.
Ablatif	complément circonstanciel	Mater ambulat cum **filia**.	La mère se promène avec **sa fille**.

Je vérifie ma compréhension

1 Quelles traces de déclinaison observez-vous dans ces phrases françaises ?

1. Le maître appelle les enfants. **2.** J'aime bricoler.
3. Mon père me guide. **4.** À moi, il confie le marteau.

2 Indiquez pour chaque mot s'il est invariable ;
s'il se décline ; s'il se conjugue.

1. altus, a, um : haut
2. magister, magistri, m. : le maître
3. scribo, is, ere : écrire
4. nunc : maintenant
5 ille, illa, illum : ce, cette ; celui-ci, celle-ci

3 Faites correspondre cas et fonction.

a. génitif **b.** ablatif **c.** nominatif **d.** accusatif **e.** datif
f. vocatif
1. sujet **2.** COD **3.** attribut du sujet **4.** CC **5.** compl. du nom **6.** COI **7.** apostrophe

Je manipule

4 Analysez la fonction en français et indique quel cas serait employé en latin.

1. « Bonjour, monsieur le professeur, que votre journée soit bonne. À partir d'aujourd'hui, je veux étudier.
2. Les élèves des écoles primaires n'ont pas de table, ils écrivent sur leurs genoux. L'enfant réclame ses tablettes et les confie à son pédagogue.

5 Observez ces formes de 2e déclinaison : identifiez le radical et les terminaisons en procédant par comparaison.

dominus • domine • dominum • domini • domino • dominorum

6 Séparez le radical de la désinence en procédant par comparaison.

puellam/puellarum • ingentem/ingentibus • consuli/consule • magistro/magistris

7 Ces mots appartiennent aux 5 déclinaisons. Identifiez la désinence commune pour chaque cas.

Cas	1re décl.	2e décl.	3e décl.	4e décl.	5e décl.
Acc. sg.	deam	deum	consulem	manum	rem
Abl. sg.	dea	deo	consule	manu	re
Gén. pl.	dearum	deorum	consulum	manuum	rerum
Abl. pl.	deis	deis	consulibus	manibus	rebus

● J'apprends à traduire

8 Pour chaque phrase latine, repérez les éléments demandés pour compléter la traduction. Procédez par comparaison de phrase en phrase.

1. Puer amico tabulas porrigit.
Repérez le verbe et l'accusatif : L'enfant confie ses... à son ami.

2. Puer tabulas magistro dat.
Repérez le verbe, l'accusatif, le datif, le nominatif : L'... donne... à...

3. Puer magistri libros dat amico.
Repérez le verbe, l'accusatif, le datif, le nominatif, le génitif : L'... /.... / ... de... à...

9 Associez chaque phrase à sa traduction.

Puella rosas magistro dat.　　　Le maître d'école de la jeune fille donne des roses.
Magistri puella rosas amat.　　　La jeune fille offre des roses au maître d'école.
Puellae magister dat rosas.　　　La fille du maître d'école aime les roses.

10 Traduisez, seul(e) ou en groupe. **EN GROUPE**

NUMA POMPILIUS, ROMANORUM REX SECUNDUS
1. Succedit Romulo Numa Pompilius vir magna justitia et religione[1].
2. Aram Vestae consecrat.
3. Ignem in ara perpetuo alendum[2] virginibus dat.
4. Jovis[3] sacerdotem creat.

1. **justitia et religione** : ablatif de qualité. Traduire de + nom ou par un adjectif
2. **alendum** : devant être nourri (à nourrir)
3. **Jovis** : Jupiter

▶ **AIDE À LA TRADUCTION**
• Repérez les verbes. Attention, ils ne sont pas tous à la fin !
• Nominatif. Pourquoi ce texte n'en comporte-t-il qu'un ?
• Génitif. Cherchez le nom qu'ils complètent. En cas de doute, gardez les deux hypothèses.
• Cherchez les accusatifs et commencez à traduire : Sujet – Verbe – COD – COI.
• Ajoutez les compléments circonstanciels.
• Il vous reste à améliorer l'expression (ordre, choix des mots).

VOCABULAIRE

Verbes
alo, is, ere, alui, alitum : nourrir
amo, as, are, avi, atum : aimer
do, das, dare, dedi, datum : donner

Adjectifs
magnus, a, um : grand
sacer, sacra, sacrum : sacré

Noms
amicus, i, m. : l'ami
ara, ae, f. : l'autel
ignis, is, m. : le feu
liber, libri, m. : le livre
magister, magistri, m. : le maître d'école
puella, ae, f. : la (jeune) fille
rex, regis, m. : le roi

rosa, ae, f. : la rose
sacerdos, otis, m. : le prêtre
urbs, urbis, f. : la ville

Préposition
in + abl. : sur, dans

2 L'emploi des cas (synthèse)

J'observe et je retiens

Certains cas ont d'autres significations que leur emploi principal.

Principales fonctions de l'**accusatif**		
COD	Amo patr**em**.	J'aime **mon père**.
Attribut du COD	Populus Ciceronem consul**em** eligit.	Le peuple a élu Cicéron comme consul.
Sujet dans une proposition infinitive	Scio vit**am** esse brevem.	Je sais que **la vie** est courte.
CC étendue, durée	Dec**em** ann**os** natus sum.	J'ai **dix ans**.
CC but, lieu où l'on va	Eo Rom**am**.	Je vais **à Rome**.

Principales fonctions du **génitif**		
Complément du nom	Liber Petr**i**	Le livre **de Pierre**.
Complément du superlatif	Doctissimus puer**orum**.	Le plus savant **des enfants**.
Complément d'adjectif	Avidus glori**ae**.	Avide **de gloire**.
CC qualité	Vir magn**ae** prudenti**ae**.	Un homme **d'une grande prudence**.
Complément de verbe	Memento m**ei**. Condamnare hominem capit**is**/v**is**.	Souviens-toi **de moi**. Condamner qqn à (**châtiment**) pour (**motif**).

Principales fonctions du **datif**		
COI	Do rosam amic**o**.	Je donne une rose **à mon ami**.
Le complèment de possession	Nomen **mihi** est.	Je m'appelle (= Le nom... est **à moi**.)
Le double datif (pour qui ? / dans quel but ?)	Venire auxili**o** alicui.	Venir **au secours** de quelqu'un.

Principales fonctions de l'**ablatif**		
CC qualité	Puer capilli**s** flavi**s**.	L'enfant **aux cheveux blonds**.
CC prix, matière	Vas **ex** aur**o** factum est.	Le vase a été fait **en or**.
CC cause, moyen, manière	Fam**e** interiit.	Il est mort **de faim**.
CC temps	Ab (+ abl.) Poster**o** di**e**.	Depuis... Le jour d'après
CC lieu – d'où l'on sort – lieu où l'on est	Theseus **ex** labyrinth**o** exit. Theseus **in** labyrinth**o** est.	Thésée sort **du labyrinthe**. Thésée est **dans le labyrinthe**.
CC origine	Nobil**i** gener**e** natus.	Né **de bonne famille**.
Ablatif absolu	Part**ibus** fact**is**.	**Les parts étant faites**.

Je vérifie ma compréhension

1 À quel cas correspondent ces emplois ?

1. lieu où l'on va
2. durée
3. lieu où l'on est
4. but
5. attribut du sujet
6. cause
7. lieu d'où l'on vient
8. complément d'agent
9. attribut du COD
10. CC de qualité

Je manipule

2 Avec quel cas les verbes de ces phrases sont-ils construits ?

1. **Sol lucet omnibus.** Le soleil brille pour tous.
2. **Amico suo auxiliatur.** Il aide son ami.
3. **Nulla re caret.** Il ne manque de rien.
4. **Tibi gratulor.** Je te remercie.
5. **Magister libris utitur.** Le maître se sert de livres.
6. **Obliviscere inimicorum.** Oublie tes ennemis.

3 Quel est le sens du complément de temps ? Date ou durée ?

1. Philosophus aliquot horas loquitur.
2. Septem menses post mortem uxorem flevit.
3. Die sequenti reddit.

4 Comment est exprimée la cause dans ces phrases ?

1. Per violentiam ignis Roma deleta est.
2. Prope metu, servus tremulat.
3. Per metum incolae vigilabant.
4. Ob pigritia, pensum non fecit.

J'apprends à traduire EN GROUPE

5 Traduisez seul ou en équipe.

> Petit¹ a Baulis mater Caerellia Baias, occidit crimine mersa².

1. **peto, is, ere, ivi, itum** : chercher à atteindre
2. **mergo, is, ere, mersi, mersum** : submerger, engloutir (fluctuat nec mergitur)

▶ **AIDE À LA TRADUCTION**

• Repérez les deux verbes. De qui parle le texte ?
• Observez les cas et déterminez le lieu de départ et le lieu d'arrivée.

In Circo Maximo venationis pugna populo dabatur. Ejus rei, Romae cum forte essem, spectator fui. Leo corporis vastitudine terrificoque fremitu et sonoro, comisque cervicum fluctuantibus, animos oculosque omnium in sese convertebat. Introductus erat inter complures ceteros ad pugnam bestiarum servus ; ei servo Androclus nomen fuit. Hunc ille leo ubi vidit procul, repente quasi admirans stetit atque placide, ad hominem accedit. Tum caudam more atque ritu adulantium canum clementer movet. Hominis se corpori adjungit cruraque ejus et manus, prope jam exanimati metu, lingua leniter demulcet. Homo Androclus amissum animum recuperat, paulatim oculos ad contuendum leonem refert. Tum quasi mutua recognitione facta laetos et gratulabundos videres hominem et leonem.

☐ D'après Aulu-Gelle, *Nuits attiques*, V, XIV.

▶ **AIDE À LA TRADUCTION**

• Repérez les verbes, en distinguant les verbes à l'indicatif (verbes principaux). Identifiez la personne : si le verbe est à la 3ᵉ pers., cherchez un éventuel sujet. Attention au temps : un parfait passif est en 2 morceaux.
• S'il y a plusieurs verbes, cherchez le mot subordonnant (cum, ut, quasi, ubi) et servez-vous de la ponctuation pour identifier la subordonnée.
• En vous appuyant sur votre connaissance des prépositions, identifiez les CC.

• En vous appuyant sur votre connaissance des déclinaisons, identifiez les compléments (accusatif).
• Repérez les génitifs et rattachez-les au nom qu'ils complètent (avant ou après).
• En vous appuyant sur vos connaissances syntaxiques, achevez la construction de la phrase.
• En vous appuyant sur vos connaissances lexicales et sur les mots faciles à comprendre, faites une hypothèse de traduction.
• Cherchez les mots inconnus dans le *Gaffiot* en ligne.

3 La 1ʳᵉ déclinaison
Les adjectifs de la 1ʳᵉ classe (féminin)

J'observe et je retiens

▶ On reconnaît les noms de la 1ʳᵉ déclinaison à leur **génitif singulier en** -ae.

▶ Ils sont presque tous **féminins**.

▶ Ils ont un nominatif singulier en **-a** (**dea, ae**, f. : la déesse).

▶ Les **adjectifs de la 1ʳᵉ classe** s'accordent en **genre**, en **nombre** et en **cas** avec le nom auquel ils se rapportent. Ils se déclinent sur **dea** lorsqu'ils sont au **féminin** (**bonus, a, um** : bon).

Cas	Singulier	Pluriel
Nominatif	bona dea	bonae deae
Vocatif	bona dea	bonae deae
Accusatif	bonam deam	bonas deas
Génitif	bonae deae	bonarum dearum
Datif	bonae deae	bonis deis
Ablatif	bona dea	bonis deis

● Je vérifie ma compréhension

1 Traduisez et déclinez.

1. magna silva
2. terra incognita
3. immensa ira

2 À quel cas ces noms de la 1ʳᵉ déclinaison sont-ils ?

1. Juno **regina dearum** est.
2. **Vineae coronam** in capite habet Bacchus.
3. In universis **terris** Jupiter regnat.
4. **Caerimoniis nuptiarum** Juno praesidet.

3 Associez chaque forme de terra à son cas.

Formes : terris • terra • terrarum • terras • terrae
Cas : génitif singulier • accusatif pluriel • génitif pluriel • datif pluriel • ablatif singulier

4 Parmi ces noms, lesquels appartiennent à la 1ʳᵉ déclinaison ?

1. aspis, aspidis, f.
2. boa, ae, f.
3. formica, ae, f.
4. ursus, i, m.
5. cycnus, i, m.
6. falco, onis, m.
7. rana, ae, f.
8. aquila, ae, f.

● Je manipule

5 Transposez au pluriel les mots en gras.

1. Diana in **silva** ambulat.
2. **Coronam puellae** dat.
3. **Deae statuam** colunt.

6 Transposez au singulier les mots en gras.

1. **Incognitas terras** spectant.
2. **Aquilae** in caelo volant.
3. In **mediis vineis** ambulat.

7 Recopiez ces noms latins, entourez la terminaison de la 1ʳᵉ déclinaison et précisez le cas.

1. nuptiis 2. caerimoniam 3. coronarum
4. statuas 5. terrae 6. ira

8 Mettez les noms suivants au cas demandé.

1. silva → ablatif pluriel
2. vinea → génitif singulier
3. dea → accusatif pluriel

9 Quelle est la bonne traduction ?

Coronam deae statuae dat.
☐ Il offre des couronnes à la statue des déesses.
☐ Il offre une couronne à la statue de la déesse.
☐ Il offre une couronne aux statues de la déesse.

● J'apprends à traduire EN GROUPE

10 Traduisez seul(e) ou en équipe.

> Cassiope[1] filiae suae Andromedae[2] formam Nereidibus[3]
> anteposuit[4]. Ob id[5] Neptunus expostulavit[6]
> ut Andromeda Cephei[7] filia ceto[8] objiceretur[9].
> [...] Perseus[10] cum Andromeda in patriam redit[11].
>
> ☐ Hygin, *Fables*, LXIV.

1. **Cassiope, es**, f. : Cassiopée, épouse de Céphée
2. **Andromeda, ae**, f. : Andromède
3. **Nereides, um**, f. pl. : les Néréides
4. **antepono, is, ere, posui, positum** + dat. : placer devant, au-dessus de
5. **ob id** : à cause de cela
6. **expostulo, as, are, avi, atum ut** + subj. : réclamer, exiger que
7. **Cepheus, i**, m. : Céphée, roi d'Éthiopie
8. **cetus, i**, m. : le monstre marin ; datif singulier
9. **objiceretur** : que... fût offerte
10. **Perseus, ei**, m. : Persée
11. **redeo, is, ire, ivi, itum** : revenir

▶ AIDE À LA TRADUCTION

- Repérez, dans chaque phrase, le verbe et son sujet au nominatif.
- Dans la première phrase, recherchez un mot à l'accusatif, un mot au datif et un groupe nominal au génitif. Donnez leur fonction en français puis traduisez.
- Dans la proposition subordonnée de la deuxième phrase, identifiez le mot sur lequel porte le groupe nominal Cephei filia, puis traduisez.
- Complétez la traduction de la dernière phrase en ajoutant les compléments circonstanciels.
- Traduisez l'ensemble du texte puis recherchez les événements de ce célèbre épisode mythologique passés sous silence.

> Cum[1] Medea[2], Æetae[3] filia, ex Jasone jam filios[4]
> procreasset[5] summaque[6] concordia viverent[7],
> obiciebatur[8] **ei hominem[9] tam[10] fortem ac formosum[11]
> ac nobilem uxorem[12] advenam[13] atque veneficam[14]
> habere**. Huic Creon[15] filiam suam dedit uxorem. Cum
> Medea vidit se tanta contumelia[16] esse affectam[17],
> coronam ex venenis fecit auream.
>
> ☐ D'après Hygin, *Fables*, XXV.

1. **cum** + subj. : alors que
2. **Medea, ae**, f. : Médée
3. **Æeta, ae**, m. : Æétès, roi de Colchide
4. **filius, ii**, m. : le fils
5. **procreasset** : avait engendré
6. **summus, a, um** : excellent, parfait
7. **viverent** : ils vivaient
8. **obiciebatur ei** + prop. inf. : on fit valoir à Jason que
9. **homo, inis**, m. : l'homme
10. **tam** : aussi
11. **formosus, a, um** : beau
12. **uxor, oris**, f. : l'épouse
13. **advena, ae**, f. : l'étrangère
14. **venefica, ae**, f. : la sorcière
15. **Creon, ontis**, m. : Créon
16. **contumelia, ae**, f. : l'affront, l'outrage, l'humiliation
17. **affectus, a, um** + abl. : qui fait l'objet de

▶ AIDE À LA TRADUCTION

- Repérez les verbes conjugués et leur sujet au nominatif lorsqu'il est exprimé.
- Dans la proposition infinitive en gras, identifiez le sujet, le COD et l'attribut du COD.
- Associez chaque nom à l'adjectif qui lui correspond : tenez compte des cas et des accords.
- Analysez les cas de chaque groupe nominal ainsi constitué.
- Traduisez, pour chaque phrase, d'abord le sujet et le verbe, puis les compléments.

VOCABULAIRE

Noms

aquila, ae, f. : l'aigle
caerimonia, ae, f. : la cérémonie
corona, ae, f. : la couronne
dea, ae, f. : la déesse
fabula, ae, f. : l'histoire
filia, ae, f. : la fille
forma, ae, f. : la beauté
ira, ae, f. : la colère

nuptiae, arum, f. pl. : les noces, le mariage
patria, ae, f. : la patrie
poeta, ae, m. : le poète
silva, ae, f. : la forêt
statua, ae, f. : la statue
terra, ae, f. : la terre
vinea, ae, f. : la vigne

Adjectifs

immensus, a, um : démesuré
incognitus, a, um : inconnu
medius, a, um : qui est au milieu
superfluus, a, um : inutile

Verbe

volo, as, are, avi, atum : voler

4 La 2ᵉ déclinaison – Les adjectifs de la 1ʳᵉ classe (masculin et neutre)

J'observe et je retiens

▶ On reconnaît les noms de la 2ᵉ déclinaison à leur **génitif singulier en -i**.

▶ Ils sont presque tous **masculins** ou **neutres**.

▶ La plupart des **noms masculins** ont leur nominatif singulier en **-us** (**servus, i,** m. : l'esclave).

▶ Quelques-uns ont leur nominatif singulier en **-er** (**puer, pueri,** m. : l'enfant) ou en **-ir** (**vir, viri,** m. : l'homme).

▶ Les **noms neutres** ont leur nominatif singulier en **-um** (**monstrum, i,** n. : le monstre).

▶ Les **adjectifs de la 1ʳᵉ classe** (**saevus, a, um** : cruel) s'accordent en **genre**, en **nombre** et en **cas** avec le nom auquel ils se rapportent. Ils se déclinent sur **servus** (au masculin) et sur **monstrum** (au neutre).

Cas	Singulier	Pluriel	Singulier	Pluriel
Nominatif	bonus servus	boni servi	saevum monstrum	saeva monstra
Vocatif	bone serve	boni servi	saevum monstrum	saeva monstra
Accusatif	bonum servum	bonos servos	saevum monstrum	saeva monstra
Génitif	boni servi	bonorum servorum	saevi monstri	saevorum monstrorum
Datif	bono servo	bonis servis	saevo monstro	saevis monstris
Ablatif	bono servo	bonis servis	saevo monstro	saevis monstris

Je vérifie ma compréhension

1 Traduisez et déclinez.

1. magnus dominus, i, m.
2. saevus lupus, i, m.
3. pulcher puer, pueri, m.
4. pulchrum templum, i, n.

2 À quels cas ces noms de la 2ᵉ déclinaison sont-ils ?

1. **Domini** filium videt.
2. **In hortum amicus** venit.
3. Instituit sacros **ludos**.
4. Aeneas **saeva monstra** necat.

3 Associez chaque forme de amicus, i, m. à son cas.

Formes : amici • amicis • amico • amice • amicos
Cas : vocatif singulier • datif pluriel • ablatif singulier • accusatif pluriel • nominatif pluriel

4 Identifiez la terminaison de la 2ᵉ déclinaison des noms, précisez les cas possibles puis associez-les aux adjectifs qui correspondent.

Noms : deis • eque • imperiis • verba • pueros • monstrorum • populo • oraculis
Adjectifs : bonis • latis • libero • magnis • multa • parve • pulchros • saevorum

Je manipule

5 Transposez au pluriel les mots en gras.

1. **Jucundus deus** in Olympo est. 2. Lupus **parvum agnum** vorat. 3. Populus **clari viri** famam laudat. 4. Terra **saevum monstrum** genuit.

6 Remplacez les noms de la 1ʳᵉ déclinaison par ceux entre parenthèses.

1. Laetae ancillae (servus) pulchrae puellae (puer) aquam dant.
2. Puella dominae suae (dominus) epistulam dat.
3. Clara dea (deus) auream sagittam (laurus) deo dat.
4. Jucundae dominae (dominus) filias (filius) vocant.

7 Quelle est la bonne traduction ?

Orpheus saeva monstra lyra delectat.
☐ La lyre d'Orphée charme les monstres cruels.
☐ Orphée charme les monstres cruels avec sa lyre.
☐ Les monstres cruels sont charmés par la lyre d'Orphée.

8 Analysez puis traduisez en latin les mots en gras.

1. On reconnaît **l'horrible Cerbère** à ses trois têtes.
2. **Un manteau crasseux** pend aux épaules de Charon.
3. Énée est **aux champs Élysées** et voit **les plaines tranquilles**.
4. Le spectacle **de monstres cruels** effraie Énée.

J'apprends à traduire `EN GROUPE`

9 Traduisez seul(e) ou en équipe.

In medio[1] ingens[2] **ulmus**[3] altos **ramos**[4] annosaque[5]
bracchia[6] pandit[7].
Vana[8] **Somnia**[9] sub[10] omnibus[11] **foliis** haerent[12].
Multaque praeterea[13] **monstra** sunt.
Saevi **Centauri** in foribus[14] stabulant[15] Scyllaeque
et Centumgeminus[16] **Briareus** ac belua[17] Lernae[18]
horrendum[19] stridens[20], flammisque armata **Chimaera**,
horrendae **Gorgones** Harpyiaeque et forma[21] tricorporis
umbrae.

☐ D'après Virgile, *Énéide*, VI, vers 282-289.

1. **medium, ii**, n. : le milieu, le centre
2. **ingens, entis** : immense, énorme
3. **ulmus, i**, f. : l'orme
4. **ramus, i**, m. : le rameau, la branche
5. **annosus, a, um** : chargé d'ans
6. **bracchium, ii**, n. : le bras
7. **pando, is, ere, pandi, passum** : étendre, tendre, ouvrir
8. **vanus, a, um** : vide, creux, vain, sans consistance
9. **somnium, ii**, n. : le rêve, le songe
10. **sub** + abl. : sous
11. **omnis, e** : tout
12. **haereo, es, ere, haesi, haesum** : être attaché
13. **praeterea** : en outre
14. **foris, is**, f. : la porte
15. **stabulo, as, are, -** : séjourner
16. **centumgeminus, a, um** : centuple
17. **belua, ae**, f. : le gros animal
18. **Lerna, ae**, f. : Lerne
19. **horrendus, a, um** : horrible, terrible, terrifiant
20. **strideo, es, ere, -** : siffler, grésiller
21. **forma, ae**, f. : la forme, la beauté

▶ **AIDE À LA TRADUCTION**

• Repérez dans chaque phrase :
– le sujet (nominatif) ;
– le COD (accusatif) ;
– le complément circonstanciel (aidez-vous de la préposition).
• Associez à chaque nom en gras son adjectif.
• Traduisez.

Juppiter quodam die[1] ad Lycaonis tyranni domum venit.
Sed clarus[2] Lycaon non pius[3] est et deo humanum cibum[4]
dat. Iratus[5] deus in eum flammam luminosam misit[6].
Territus Lycaon fugit. In densos villos[7] vestes[8] abeunt,
lacerti[9] **in longa crura**[10] : lupus est et tamen servat[11]
antiquae formae vestigia[12].

☐ D'après Ovide, *Métamorphoses*, Livre I.

1. **quodam die** : un jour
2. **clarus, a, um** : célèbre
3. **pius, a, um** : pieux
4. **cibus, i**, m. : la nourriture
5. **iratus, a, um** : en colère
6. **mitto, is, ere, misi, missum** : envoyer
7. **villus, i**, m. : le poil
8. **vestis, is**, f. : le vêtement
9. **lacertus, i**, m. : le bras
10. **crus, cruris**, n. : la jambe
11. **servo, as, are, avi, atum** : conserver
12. **vestigium, ii**, n. : la trace

▶ **AIDE À LA TRADUCTION**

• Repérez les verbes et leur sujet au nominatif.
• Associez chaque nom à l'adjectif qui lui correspond : tenez compte
des cas et des accords.
• Analysez les cas de chaque groupe nominal ainsi constitué.
• Traduisez d'abord le sujet et le verbe puis les compléments.
• Attention, dans l'expression en gras, il faut sous-entendre le verbe absent.

`VOCABULAIRE`

Noms

amicus, i, m. : l'ami
dominus, i, m. : le maître
equus, i, m. : le cheval
filius, ii, m. : le fils
hortus, i, m. : le jardin
imperium, ii, n. : l'empire
ludus, i, m. : le jeu
oraculum, i, n. : l'oracle
populus, i, m. : le peuple

puer, pueri, m. : l'enfant
servus, i, m. : l'esclave
templum, i, n. : le temple
verbum, i, n. : la parole
vir, viri, m. : l'homme

Adjectifs

bonus, a, um : bon, bonne
clarus, a, um : célèbre
horrendus, a, um : horrible

jucundus, a, um : agréable
latus, a, um : haut, large
liber, era, erum : libre
magnus, a, um : grand
multi, ae, a : nombreux
parvus, a, um : petit
pulcher, chra, chrum : beau
saevus, a, um : cruel

5 La 3ᵉ déclinaison (masculin et féminin) Les adjectifs de la 2ᵉ classe (masc./fém.)

J'observe et je retiens

▶ On reconnaît les noms de la 3ᵉ déclinaison à leur **génitif singulier en -is**.
Mais leur nominatif singulier est très variable.

▶ Les **noms masculins et féminins** se déclinent de la même façon.

▶ À la 3ᵉ déclinaison, vous devez distinguer :
– les noms **parisyllabiques** (même nombre de syllabes au nominatif et au génitif singulier),
dont le génitif pluriel est en **-ium** (**civis, civis**, m. : le citoyen) ;
– les noms **imparisyllabiques** (génitif avec une syllabe de plus que le nominatif),
dont le génitif pluriel est en **-um** (**consul, consulis**, m. : le consul).

▶ Les **adjectifs de la 2ᵉ classe** (**fortis, is** : courageux ; **vetus, eris** : vieux) se déclinent sur ce modèle.

Cas	Parisyllabiques		Imparisyllabiques	
	Singulier	Pluriel	Singulier	Pluriel
Nominatif	fortis civis	fortes cives	vetus consul	veteres consules
Vocatif	fortis civis	fortes cives	vetus consul	veteres consules
Accusatif	fortem civem	fortes cives	veterem consulem	veteres consules
Génitif	fortis civis	fortium civium	veteris consulis	veterum consulum
Datif	forti civi	fortibus civibus	veteri consuli	veteribus consulibus
Ablatif	forti cive	fortibus civibus	vetere consule	veteribus consulibus

Exceptions
• **Noms de la 3ᵉ déclinaison**
– noms dont le **radical** se termine par **deux consonnes** (**urbs, urbis**, f. : la ville) → **comme civis**
– noms de **parenté** (**pater, tris**, m. : le père ; **mater, tris**, f. : la mère) → **comme consul**
• **Adjectifs de la 2ᵉ classe**
– adjectifs **parisyllabiques** → ablatif singulier en **-i**
– adjectifs en **-ns, -ntis** participes présents } → **comme fortis**
sauf **abl. sg.** en **-e** (pour une personne) / en **-i** (pour une chose)

● Je vérifie ma compréhension

1 Déclinez les noms.

1. auctor, is, m.
2. fons, ntis, m.
3. conjux, jugis, f.
4. senex, is, m.

2 Traduisez en vous aidant du vocabulaire, puis déclinez.

1. toutes les villes
2. une mère heureuse
3. un homme pauvre

3 À l'aide du vocabulaire, trouvez l'intrus.

1. arborum • ministrorum • florum • hospitum
2. hospiti • conjugi • viri • uxori • parenti
3. flore • felice • matre • urbe • serve
4. urbium • montium • civium • triclinium • florium

● Je manipule

4 Formez des groupes nominaux (adjectif + nom) en tenant compte du cas et du genre.

Adjectifs : iners • audacium • illustris • divitem • pulchro • difficiles
Noms : consulis • flore • equus • amores • dominum • virorum

5 Associez à chaque nom l'adjectif qui lui convient, accordez-le, puis traduisez.

Noms : gloriarum • hospites • militem • canibus
Adjectifs : audax, acis • facilis, e • ferox, ocis • dives, vitis

252

6 Accordez chaque adjectif entre parenthèses avec le nom qu'il complète, puis traduisez-les.

1. Saepe (vetus) homines tamen (dives) sunt.
2. (Brevis) tempore (pauper) ministri ad (felix) hospites (ingens) arte (levis) cenam parare potuerunt.

● J'apprends à traduire   EN GROUPE

7 Traduisez.

> **1.** Omnis gens insignem audacis militis artem laudat.
> **2.** Ministratores ferocium hospitum consilia timent.
> **3.** Audax dominus illustri convivae ingentem vitem ostendit et cum amico suo dulcem vinum bibere cupit.

▶ **AIDE À LA TRADUCTION**
• Repérez les différents groupes nominaux selon leur cas et leur fonction.
• Identifiez leur déclinaison à l'aide du vocabulaire.

8 Traduisez seul(e) ou en équipe.

> *Jupiter et Hermès ont pris une apparence humaine. Méconnaissables, ils demandent l'hospitalité chez deux pauvres vieillards, Philémon et Baucis, qui les accueillent avec honneur.*
>
> Accubuerunt[1] dei. [...]
> Parva mora[2] est, epulasque foci[3] calentes[4] miserunt,
> nec longae rursus[5] referuntur vina senectae[6]
> dantque locum mensis paulum seducta[7] secundis :
> hic nux[8], hic mixta est rugosis carica[9] palmis[10]
> prunaque et in patulis[11] redolentia mala[12] canistris[13].
> Candidus in medio favus[14] est. Super omnia vultus
> Accesserunt[15] boni nec iners pauperque voluntas.
>
> ☐ D'après Ovide, *Métamorphoses*, VIII, vers 660-678.

1. **accubo, as, are, ui, itum** : être étendu
2. **mora, ae,** f. : le délai
3. **focus, i,** m. : le foyer
4. **caleo, es, ere, ui, iturus** : être chaud
5. **rursus** : à nouveau
6. **senecta, ae,** f. : la vieillesse
7. **seduco, is, ere, duxi, ductum** : emporter à l'écart
8. **nux, nucis,** f. : la noix
9. **carica, ae,** f. : la figue
10. **palma, ae,** f. : la datte
11. **patulus, a, um** : évasé
12. **malum, i,** n. : la pomme
13. **canistra, orum,** n. : la corbeille
14. **favus, i,** m. : le rayon au miel
15. **accedo, is, ere, cessi, cessum** : ajouter

▶ **AIDE À LA TRADUCTION**
• Identifiez les verbes conjugués puis analysez-les.
• Identifiez leur sujet en repérant les groupes nominaux selon leur cas et leur fonction : faites attention à l'ordre des mots en poésie, qui est différent de celui de la prose.

VOCABULAIRE

Noms

ars, artis, f. : la technique, le métier
canis, is, m. : le chien
conjux, ugis, f. : l'épouse
flos, oris, m. : la fleur
gens, ntis, f. : le peuple, la nation
hospes, itis, m. : l'invité, l'hôte
mater, tris, f. : la mère
parens, ntis, m./f. : le parent
minister, tri, m. : le serviteur
pater, tris, m. : le père

senex, senis, m. : le vieillard
urbs, urbis, f. : la ville
uxor, oris, f. : la femme
vir, viri, m. : l'homme, le mari
vitis, is, f : la vigne

Verbe

cubo, as, are, ui, itum : être couché

Adjectifs

dives, vitis : riche
dulcis, e : doux
felix, icis : heureux
iners, ertis : fade, inactif
insignis, e : remarquable
levis, e : léger
pauper, is : pauvre
redolens, tis : parfumé
velox, ocis : rapide
vetus, eris : vieux

6 La 3ᵉ déclinaison (neutre)
Les adjectifs de la 2ᵉ classe (neutre)

J'observe et je retiens

▶ Comme pour les noms masculins et féminins les **noms neutres** de la 3ᵉ déclinaison ont un **génitif singulier en -is**.

▶ On distingue les **parisyllabiques** (**mare, is,** n. : la mer) et les **imparisyllabiques** (**corpus, oris,** n. : le corps).

▶ Les **adjectifs neutres de la 2ᵉ classe** suivent le **même modèle** (**omne, is** : tout ; **vetus, eris** : vieux). Voir Annexes page 305.

Cas	Parisyllabiques		Imparisyllabiques	
	Singulier	**Pluriel**	**Singulier**	**Pluriel**
Nominatif	mare omne	maria omnia	corpus vetus	corpora vetera
Vocatif	mare omne	maria omnia	corpus vetus	corpora vetera
Accusatif	mare omne	maria omnia	corpus vetus	corpora vetera
Génitif	maris omnis	marium omnium	corporis veteris	corporum veterum
Datif	mari omni	maribus omnibus	corpori veteri	corporibus veteribus
Ablatif	mari omni	maribus omnibus	corpore vetere	corporibus veteribus

Exceptions

• **Noms de la 3ᵉ déclinaison**
 – **animal, alis,** n. : l'animal se décline **comme mare.**
 – **os, ossis,** n. : l'os a un génitif pluriel en **-ium**.

• **Adjectifs de la 2ᵉ classe**
 – Quelques adjectifs ont un nominatif en **-ax, -ix, -ox** (**felix, licis** : heureux) et se déclinent comme **omne**.
 – adjectifs en **-ns, -ntis** ⎫ → **comme omne** sauf **abl. sg.** en **-e** (pour une personne) /
 participes présents ⎭ en **-i** (pour une chose)

● Je vérifie ma compréhension

1 Relevez les noms de la 3ᵉ déclinaison et indiquez le modèle de déclinaison qu'ils suivent.

1. caput, itis, n. **2.** virgo, inis, f. **3.** obsequium, ii, n. **4.** majores, um, m. pl. **5.** castra, orum, n. pl. **6.** facinus, oris, n.

2 Relevez les adjectifs qualificatifs de la 2ᵉ classe et indiquez le modèle de déclinaison qu'ils suivent.

1. mortalis, e **2.** similis, e **3.** curulis, e **4.** publicus, a, um **5.** muliebris, e

3 Vrai ou faux ? Justifiez votre réponse.

1. Les noms neutres de la 3ᵉ déclinaison ont leur génitif singulier en -i.
2. Les adjectifs de la 2ᵉ classe ont leur génitif singulier en -is, quel que soit leur genre.
3. Un adjectif se terminant par -a qualifie forcément un nom féminin.
4. animalem est l'accusatif singulier d'animal, alis, n.

5. capiti peut être l'ablatif singulier de caput, itis, n.
6. capitum n'existe pas.
7. prudenti ne peut être que le datif singulier de l'adjectif prudens, -ntis.

● Je manipule

4 Déclinez :

a. decus, oris, n. : l'honneur **b.** cubile, is, n. : le lit

5 Traduisez en latin puis déclinez :

1. un honneur public **2.** un vieux lit

6 Analysez puis traduisez les mots soulignés.

1. La matrone a recouvert sa <u>tête</u> <u>de femme</u> d'un voile.
2. Voici une couronne pour ta <u>tête</u> <u>mortelle</u>.
3. Elle était si maigre que l'on voyait la marque de ses <u>vieux os</u>.
4. Diane aimait courir avec les <u>animaux</u> sauvages, <u>semblables</u> à elle.
5. La <u>tromperie</u> était <u>publique</u>.

7 Ajoutez au nom souligné l'adjectif qualificatif entre parenthèses, correctement accordé et décliné.

1. Juro per civitatis nostri <u>decus</u> ! (sacer, sacra, sacrum)
2. Juro per <u>civitatis</u> nostri decus ! (felix, icis)
3. Decet <u>animalium</u> morbos curare. (vetus, eris)
4. Nihil metuo extra <u>facinora</u>. (atrox, cis)
5. Metuunt <u>morbos</u>. (muliebris, e)

J'apprends à traduire EN GROUPE

8 Traduisez seul(e) ou en équipe.

Des femmes serial-killer ?

Pour vous aider, le texte a été prédécoupé en « boule de neige ».

– Cum[1] primores[2] civitatis similibus morbis [...] morerentur[3]...
– Cum priores civitatis similibus morbis [...] morerentur, ancilla [...]
ad Q. Fabium Maximum aedilem curulem[4] professa est[5]...
– Cum priores civitatis similibus morbis [...] morerentur, ancilla [...]
ad Q. Fabium Maximum aedilem curulem indicaturam se[6] causam
publicae pestis professa est [...].
Tum patefactum[7] muliebri fraude civitatem premi[8], matronasque
ea venena coquere...

☐ Tite-Live, *Histoire romaine*, VIII, 18, 8.

1. **cum** + subj. : comme
2. **primores** : les plus importants, de 1er rang
3. **morerentur** : mouraient
4. **aedilem curulem** : édile curule
5. **professa est** : déclara publiquement
6. **se indicaturam** : qu'elle indiquerait
7. **patefactum [est]** : on découvrit
8. **premi** : *ici*, était victime

Une femme infidèle ?

Pour passer avec Alcmène une longue nuit d'amour, Jupiter a emprunté les traits de son époux Amphitryon. Mais voilà que le mari revient de guerre, et un quiproquo s'installe ; Amphitryon accuse Alcmène de l'avoir trompé.

Alcmène : Istuc[1] facinus, quod tu insimulas[2], nostro generi non decet. [...]
Per supremi regis regnum juro et matrem familias
Junonem, quam me vereri[3] et metuere est par[4] maxime,
Ut mihi extra unum te[5] mortalis nemo[6] corpus corpore
Contigit, quo me impudicam faceret[7].

☐ Plaute, *Amphitryon*, v. 820 et v. 831-834.

1. **istuc** = istud
2. **insimulo, as, are, avi, atum** : accuser
3. **vereor, eris, eri, itus sum** : révérer, éprouver une crainte repectueuse
4. **par est** : il convient
5. **unum te** : toi seul
6. **nemo, inis, m** : personne
7. **quo me faceret** : pour me rendre

▶ **AIDE À LA TRADUCTION**

• Alcmène se défend face à Amphitryon. Relevez, analysez et traduisez les marques de 1re personne (pronoms et verbes conjugués) puis de 2e personne. Traduisez le 1er vers.
• Juro indique qu'Alcmène prend les dieux à témoin. Lesquels ? Les compléments à l'accusatif introduits par per vous l'indiquent.
• Junonem est complété par une proposition subordonnée relative.

• Juro enclenche aussi la proposition complétive introduite par ut. Délimitez-la, cherchez son verbe conjugué, son sujet puis ses compléments.
• La dernière proposition, introduite par quo, indique un but éventuel.

VOCABULAIRE

Noms

animal, is, n. : l'animal
civitas, atis, f. : la cité
cubile, is, n. : le lit
decus, oris, n. : l'honneur
facinus, oris, n. : le crime
fraus, fraudis, f : fraude, tromperie
genus, eris, n. : l'ascendance, l'origine
morbus, i, m. : la maladie

Verbes

contingo, is, ere, tigi, tactum : toucher
decet : il convient
juro, as, are, avi, atum : jurer
metuo, is, ere, ui, utum : craindre

Mots invariables

extra + acc. : hormis, sauf

maxime : surtout
tum : alors

Adjectifs

mortalis, e : mortel
muliebris, e : de femme
similis, e : semblable, pareil

7 La 4ᵉ déclinaison – La 5ᵉ déclinaison

J'observe et je retiens

▶ On reconnaît les noms de la 4ᵉ déclinaison à leur **génitif singulier en -us** : **manus, us,** f. : la main ;
cornu, us, n. : la corne ; **domus, us,** f. : la maison.

Cas	Singulier	Pluriel	Singulier	Pluriel	Singulier	Pluriel
Nominatif	manus	manus	cornu	cornua	domus	domus
Vocatif	manus	manus	cornu	cornua	domus	domus
Accusatif	manum	manus	cornu	cornua	domum	domus/os
Génitif	manus	manuum	cornus	cornuum	domus	domuum/orum
Datif	manui	manibus	cornui	cornibus	domui/o	domibus
Ablatif	manu	manibus	cornu	cornibus	domo/u	domibus

Remarques

• Tous les noms sont **masculins** sauf **manus, us** et **domus, us** qui sont féminins.
Il existe aussi quelques noms **neutres cornu, us**.
• **Domus** est irrégulier : sa déclinaison mélange les formes de 2ᵉ déclinaison et de 4ᵉ déclinaison.

▶ On reconnaît les noms de la 5ᵉ déclinaison à leur **génitif singulier en -ei** : **dies, ei,** m./f. : le jour.

Cas	Singulier	Pluriel
Nominatif	dies	dies
Vocatif	dies	dies
Accusatif	diem	dies
Génitif	diei	dierum
Datif	diei	diebus
Ablatif	die	diebus

Remarques

• Tous s'emploient uniquement au singulier, sauf **res** et **dies** qui ont aussi un pluriel.
• **Res** accompagné d'un adjectif prend des sens différents : **res publica** : l'État, la vie politique ;
res novae : le changement, la révolution.
• Seul est masculin **meridies, ei** : midi. **Dies, ei** peut être masculin ou féminin.

● Je vérifie ma compréhension

1 Déclinez le mot exercitus, us, m. : l'armée.

a. Retrouvez le radical du mot en enlevant la désinence.

b. Ajoutez à ce radical toutes les désinences.

2 Classez les noms de l'encadré Vocabulaire selon leur déclinaison.

3 À l'aide du vocabulaire, trouvez l'intrus.

1. vultum • jussum • atrium • metum
2. spes • eques • fides • species
3. piscem • avem • auctorem • aciem
4. casum • bellum • cenabulum • libertum

● Je manipule

4 Mettez ces noms aux cas indiqués.

1. fructus (acc. pl.) **2.** domus (gén. pl.) **3.** spes (abl. sing.)
4. reditus (dat. sing.) **5.** versus (acc. sing.) **6.** facies (dat. pl.) **7.** canities (dat. sing.) **8.** acies (acc. sing.) **9.** spes (gen. pl.) **10.** res (voc. pl.)

5 Analysez les formes suivantes.

1. manu **2.** rebus **3.** cantui **4.** meridiei **5.** versuum
6. requiem **7.** faciebus **8.** acie **9.** genua **10.** impetibus

6 Traduisez, puis déclinez les groupes nominaux suivants comme indiqué.

1. une grande armée (sing.) **2.** une longue journée (sing.)
3. de misérables demeures (pl.) **4.** de mauvais vers (pl.)

7 Traduisez les phrases.

1. Pueri poetarum (versus) legunt.

2. In pacem cives (spes) ponunt.

3. Imperator in victoriam (exercitus) ducit.

4. A consulibus qui (cursus) praesunt signum (manus) datur.

5. Hostes romanarum copiarum (impetus) timent.

8 **a.** Relevez les noms dans les phrases suivantes, en indiquant leur déclinaison et leur cas.

b. Transformez ces phrases au singulier.

c. Traduisez les phrases obtenues.

1. Cives Romani servorum exercitus impetusque timent.

2. Exercitibus Romanis victoriae spes erant.

3. Exercitus Romani per diem noctemque ambulaverunt et in hostes impetus fecerunt.

 ■ Complétez les phrases en mettant le nom proposé entre parenthèses au cas qui convient.

■ Précisez s'il s'agit de la 4ᵉ ou de la 5ᵉ déclinaison.

 ■ Cherchez le génitif des noms dans le *Petit dictionnaire* pour retrouver leur déclinaison.

■ Identifiez le radical du nom, puis ajoutez les terminaisons du pluriel qui conviennent.

 J'apprends à traduire EN GROUPE

9 Traduisez seul(e) ou en groupe.

À Rome, lors de la fête en l'honneur de Saturne, esclaves et maîtres inversent les rôles.

> Romani instituerunt diem festu : non solum cum servis **domini** vesci[1], sed etiam **honores illis** *in* domo gerere, jus dicere permiserunt. Tum domus pusilla res publica fuit.
>
> ☐ D'après Sénèque, *Lettres à Lucilius*, 5, 47.

1. vescor, sceris, sci, - : se nourrir

▶ **AIDE À LA TRADUCTION POUR LES DEUX TEXTES**

• Relevez les noms appartenant à la 4ᵉ et à la 5ᵉ déclinaison en précisant leur cas et leur fonction.

• Indiquez le cas et la fonction des mots en gras.

• Associez à chaque préposition en italique le nom qu'elle introduit selon le cas attendu.

• Expliquez, dans le texte de Tite-Live, le sens de erat dans le premier texte.

> Consul *de* religione senatum consuluit. Ita Decembri **mense**, *ad* **Saturni** aedem[1], **Romae** erat **sacrificium**. Deinde magistratus lectisternium[2] et convivium[3] publicum imperaverunt[4]. Ita *per* urbem Romani **Saturnalia diem** ac **noctem** clamabant, **populus**que illum diem festum in perpetuum[5] habuit ac servavit.
>
> ☐ D'après Tite-Live, *Histoire romaine*, XXII, 1.

1. aedes, ium, f. : le temple
2. lectisternium, ii, n. : le lectisterne, repas offert aux dieux
3. convivium, ii, n. : le banquet
4. impero, as, are, avi, atum : ordonner, commander
5. in perpetuum : pour toujours.

Noms

acies, ei, f. : l'armée en ligne de bataille

canities, ei, f. : la blancheur

cantus, us, m. : le chant

casus, us, m. : l'événement, le hasard

cursus, us, m. : la course

exercitus, us, f. : l'armée

facies, ei, f. : l'aspect, l'apparence

fructus, us, m. : le produit ; le fruit

genu, us, n. : le genou

impetus, us, m. : l'assaut

metus, us, f. : la crainte

reditus, us, m. : le retour

requies, ei, f. : la tranquillité, le calme

species, ei, f. : l'apparence, l'image

spes, ei, f. : l'espoir

versus, us, m. : le vers

vultus, us, m. : l'expression du visage, le visage

Les pronoms personnels et les adjectifs possessifs
Les pronoms-adjectifs démonstratifs

J'observe et je retiens

LES PRONOMS PERSONNELS

▶ Ils **se déclinent** (voir page 307).

▶ Le **pronom personnel sujet** ne s'emploie que pour **insister** : **Obsecro ego vos !** Moi, je vous en conjure !

▶ **À la 3ᵉ personne**, **se** renvoie au sujet. Dans les autres cas, on emploie **is, ea, id** (voir page 260) : **Se quaerit.** Il se plaint. **Eum quaero.** Je le plains.

▶ La préposition **cum** se soude avec l'ablatif : **mecum**, avec moi.

LES ADJECTIFS POSSESSIFS

▶ Ils **se déclinent** sur le modèle des **adjectifs de la 1ʳᵉ classe** (voir page 305).

▶ Ils **s'accordent en genre, en nombre et en cas** avec le nom auquel ils se rapportent.

▶ **À la 3ᵉ personne**, l'adjectif possessif ne s'utilise que si le possesseur est **sujet** de la proposition.
Filia matrem suam amat. La fille aime sa mère.

meus, a, um : mon, ma, mes   **noster, nostra, nostrum** : notre, nos
tuus, a, um : ton, ta, tes   **vester, verstra, verstrum** : votre, vos
suus, a, um : son, sa

LES PRONOMS-ADJECTIFS DÉMONSTRATIFS

▶ Le latin emploie **trois pronoms démonstratifs** qui renvoient **aux trois personnes** (déclinaison page 306).

	hic, haec, hoc	**iste, ista, istud**	**ille, illa, illud**
Sens propre	Ce qui est près de moi Hoc tempore : à notre époque	Ce qui est près de toi Isto tempore : à votre époque	Ce qui est loin Illo tempore : au temps de nos ancêtres
Sens figuré		Marque de mépris Hic homo : cet individu	Marque de louange Imperator ille : ce fameux général

● *Je vérifie ma compréhension*

1 Quelle est la bonne traduction ?

Superbi se laudant, omnes homines eos vituperant.
☐ Les gens orgueilleux les compliment, mais les autres hommes les méprisent.
☐ Les orgueilleux se vantent mais tous les hommes les méprisent.

2 Analysez ces formes d'adjectifs possessifs (plusieurs réponses possibles).

1. nostri **2.** tuarum **3.** mea **4.** vestrorum
5. meis **6.** tuum **7.** nostris **8.** vestra

3 Identifiez le cas de ces pronoms personnels.

1. mihi **2.** te **3.** nos **4.** sui **5.** nobiscum **6.** ego

● *Je manipule*

4 Complétez ces phrases en accordant l'adjectif possessif (cas, genre, nombre) avec le nom.

1. Recepi palmam (meus, a, um) ab Caesare.
2. (Tuus, a, um) equos ducis.
3. In Circo Maximo cum liberis (vester, vestra, vestrum) equis (meus, a, um) favete !

5 Associez chaque démonstratif au nom qui convient. Justifiez votre choix.

1. ille **2.** hujus **3.** hanc **4.** his **5.** istum **6.** haec
a. furem **b.** ferocitatis **c.** certaminibus **d.** pericula
e. umbram **f.** imperator

1. Cum Caesar in Galliam venit, omnes civitates in factiones divisae erant duas. Alterius factionis principes erant Haedui, alterius Sequani. **Hi**, cum per **se** minus valerent, Germanos **sibi** adiunxerunt.

2. M. Petronius, legionis centurio, a multitudine oppressus ac **sibi** desperans, multis iam vulneribus acceptis, manipularibus **suis**, qui **illum** secuti erant : « Quoniam », inquit, « **me vobiscum** servare non possum, **vestrae** certe vitae prospiciam. »

J'apprends à traduire EN GROUPE

7 Traduisez, seul(e) ou en groupe.

Munera qui tibi dat locupleti¹, Gaure, senique²,
si sapis et sentis, hoc tibi ait « Morere. »³

Nil⁴ tibi legavit Fabius, Bithynice, cui tu
annua, si memini⁵, milia sena dabas.
Plus nulli dedit ille : queri⁶, Bithynice, noli :
annua legavit milia sena⁷ tibi.

☐ Martial, *Épigrammes*, VIII, 27 et IX, 10.

1. **locuples, etis** : riche
2. **senex, senis** : vieux
3. **morere** : impératif de **morior**
4. **nil = nihil** : rien
5. **memini, isse** (parfait) + acc. : se souvenir de
6. **queror, queri, questus sum** : se plaindre
7. **milia sena** : 6 000 sesterces

▶ **AIDE À LA TRADUCTION**
• Quel sont les interlocuteurs de Martial ? Quels pronoms les représentent ?
• Attention à la traduction de tu.
• À qui renvoie le pronom ille ?

Quo¹ usque tandem abutere², Catilina, patientia nostra ? Quamdiu¹ etiam furor iste tuus nos eludet ? Nihil ne¹ te nihil urbis vigiliae³, nihil timor populi, nihil hic munitissimus⁴ locus, nihil horum ora moverunt ? Patere tua consilia **non sentis**, constrictam⁵ iam horum omnium scientia teneri coniurationem tuam **non vides** ? O tempora, o mores⁶ ! Senatus haec intellegit. Consul videt ; hic tamen vivit. Vivit ? Immo vero etiam in senatum venit, notat et designat oculis ad caedem⁷ unumquemque⁸ nostrum. <u>Nos</u> autem fortes viri satisfacere rei publicae videmur, si <u>istius</u> furorem ac tela⁹ vitemus.

D'après Cicéron, *Catilinaires*, I, 1.

1. **ne, quo, quamdiu** : mots interrogatifs
2. **abutere** (= **abuteris**) + abl. (futur) : abuser de
3. **vigilia, ae**, f. : le garde de nuit
4. **munitus, a, um** : fortifié
5. **constrictus, a, um** : immobilisé, maîtrisé
6. **mores, um**, m. pl. : les mœurs
7. **caedes, is**, f. : le meurtre
8. **unusquisque** : chacun
9. **telum, i**, n. : l'arme offensive

▶ **AIDE À LA TRADUCTION**
• À qui s'adresse Cicéron dans chaque paragraphe ? Repérez les pronoms qui désignent ses interlocuteurs, et les pronoms qui représentent Cicéron et les Sénateurs.
• Identifiez le sujet et le verbe des propositions infinitives dépendant des verbes en gras.
• Attention à la traduction des pronoms soulignés.

VOCABULAIRE

Noms

boni, orum, m. pl. : les hommes de bien
conjuratio, onis, f. : la conjuration
os, oris, n. : la bouche, visage
rus, ruris, n. : la campagne

Verbes

cerno, is, ere, crevi, cretum : décider
lego, as, are, avi, atum : léguer
morior, iris, iri, mortuus sum : mourir
queror, eris, eri, questus sum : se plaindre

scio, is, ire, ivi, itum : savoir
vivo, is, ere, vixi, victum : vivre

Adverbes

fortiter : courageusement
nihil (indéclinable) : rien

9 Is, ea, id et ses emplois

J'observe et je retiens

EMPLOI

▶ **Is, ea, id** s'emploie comme **pronom** ou **adjectif de rappel** pour désigner quelqu'un ou quelque chose dont on a parlé. Il permet d'éviter une répétition.

Servi praemium saepe non habent. At eo praemio prosequimur eos qui strenue atque industrie se gerunt. Les esclaves n'ont pas souvent de récompense. Mais, j'honore de cette récompense ceux qui se comportent avec vivacité et avec habilité.

TRADUCTION

▶ **Is, ea, id** se traduit selon le contexte par :
– un **article défini** ou un **pronom-adjectif démonstratif**. Il peut ainsi servir d'**antécédent** à un pronom relatif ;
– un **pronom personnel** de la 3ᵉ personne ;
– un **adjectif possessif** lorsqu'il est au **génitif** (pour éviter d'employer : *de celui-ci, de celle-là, de ceux-là...*).
> **Attention :**
> – **eo** peut être un **adverbe** = là, y (avec mouvement) ou un **verbe** = je vais ;
> – **ea** peut être un **adverbe** = par cet endroit, par là.

▶ Le pronom-adjectif **is** sert à former **ipse** (**is + pse**), même, moi-même, toi-même, lui-même, en personne et **idem** (**is + dem**) qui marque l'identité, la ressemblance, le/la même.
Idem suit la déclinaison de **is, ea, id** à laquelle on ajoute **-dem** : **idem, eumdem, ejusdem, eidem, eodem,** etc.
Voir Annexes page 306.

Je vérifie ma compréhension

1 Choisissez la bonne forme.

1. Eis / Ei / Is dominus magnanimus erat.
Ejus / Eorum / Ei servi strenue laboraverunt.
At rursus saevus erat eis / eos / eae qui industrie ei / eum / eo non curabant.
2. Dominus liberos amat.
Itaque eos / eis / eorum optimos magistros dat.

2 Complétez chaque groupe par la forme d'is, ea, id qui convient.

1. bonam ornatricem
2. magnos pileos
3. saevis patronis
4. fidelium clientium

3 Indiquez le cas et le nombre de ces expressions.

1. magistri ipsi
2. eodem villico
3. ipsius basternarii
4. eidem manumissioni
5. ejusdem ornatricis
6. ipsae familiae

Je manipule

4 Mettez ces groupes au génitif et au datif singulier.

1. eae familiae **2.** ipse vilicus **3.** iidem paedagogi
4. id subligar **5.** eisdem ornatricibus **6.** ipsi domini

5 Traduisez ces groupes nominaux au cas demandé.

1. les mêmes esclaves (génitif)
2. le maître lui-même (datif)
3. cet intendant (accusatif)
4. la famille-même (ablatif)
5. le même bonnet (nominatif)

6 Complétez ces phrases par la forme du pronom-adjectif qui convient (ejus, eorum, earum, eo).

1. Cornelia et Julia multas ancillas habent. Ancillas .... vidimus.
2. Libertus patroni praenomen nomenque accipit, sed .... cognomen servi nomen est.
3. Servi pileos tenent : pilei .... parvi sunt.
4. Servus domini verba audivit, sed .... non paruit.
5. Domino multae statuae sunt : .... statuae pulchrae sunt.

7 **a.** Choisissez la forme correcte dans chaque phrase. Justifiez votre choix.

b. Traduisez.

1. Dominus ipse / ipsi / ipso equum curat.
Nam servi ipse / ipsi / ipsos non id / is / eum faciunt.

2. Putasne servos ipsius / ipsi / ipsos homines non esse ?

3. Dominus is / eis / eam pecuniam dedit et ii / is / ipse beati sunt.

4. Romae divites patroni eadem / eumdem / idem / panem et eumdem / idem / eadem / vinum clientibus dant.

5. Pater filiam suam amat ; ei / ea / eo gemmas dedit et eae / ea / is amicis dicit eorum / earum / ejus patres non tam bonos esse.

8 Complétez ces phrases avec is, ea, id au cas voulu, puis traduisez.

1. Claudius amicus est : ...... aestimo et ...... epistulas mitto.

2. ...... qui pericula et bella non timent fortes homines sunt.

3. Caesar legionis imperator fuit : scimus ...... multos libros fecisse.

4. ...... ancillae industrie dominae ...... capillos ornant.

 ■ Repérez les verbes afin de délimiter les différentes propositions et de retrouver la forme attendue du pronom-adjectif.

J'apprends à traduire EN GROUPE

9 Traduisez seul(e) ou en groupe.

Pater familias[1], **ubi** ad villam venit, **ubi** larem[2] familiarem salutavit, fundum[3] eodem die, si potest, circumire[4] debet ; si non eo die potest, at postridie[5] ire debet. **Ubi** cognovit[6], **quomodo** fundus cultus[7] sit, postridie ejus diei vilicum vocare debet, ei rogat[8] **quid** operis[9] factum sit, **quid** restet. **Ubi** ea cognovit, rationem inire[10] oportet operarum, dierum, **si** ei opus non apparet[11]. *Dicit* vilicus sedulo[12] se fecisse, servos non valuisse[13], tempestates malas fuisse, servos aufugisse[14], opus publicum effecisse. **Ubi** eas aliasque causas multas dixerit, ad rationem operum operarumque vilicum revoca[15].

☐ D'après Caton, *Sur l'agriculture.*

1. **pater familias** : le père de famille, le maître de maison
2. **lar, laris,** m. : le dieu Lare, protecteur du foyer
3. **fundus, i,** m. : le domaine, la propriété
4. **circumire** : faire le tour
5. **postridie** : le lendemain
6. **cognosco, is, ere, novi, nitum** : examiner, apprendre
7. **colo, is, ere, colui, cultum** : cultiver
8. **rogo, as, are, avi, atum** : demander
9. **opera, ae,** f. : l'activité, le travail
10. **rationem ineo, is, ire, ivi, itum** + gén. : faire le compte de
11. **appareo, es, ere, ui, itum** : être clair, manifeste
12. **sedulo** : avec application
13. **valeo, es, ere, ui, itum** : être en bonne santé
14. **aufugio, is, ere, fugi, -** : s'enfuir
15. **revoco, as, are, avi, atum ad** + acc. : ramener à

▶ **AIDE À LA TRADUCTION**

- Délimitez les différentes propositions. Pour cela, identifiez les propositions subordonnées circonstancielles et interrogatives indirectes du texte : les conjonctions de subordination sont en gras.
- Relevez les propositions infinitives introduites par le verbe de parole en italique.
- Recherchez les pronoms-adjectifs : indiquez leur cas, leur nature, leur nombre et leur fonction.

VOCABULAIRE

Noms

basternarius, ii, m. : le muletier
cliens, entis, m. : le client
magister, tri, m. : le maître d'école
manumissio, onis, f. : l'affranchissement
officium, ii, n. : le devoir
opus, eris, n. : le travail
ornatrix, icis, f. : la coiffeuse

paedagogus, i, m. : le pédagogue, l'esclave qui accompagne l'enfant à l'école
panis, is, m. : le pain
patronus, i, m. : le patron
pecunia, ae, f. : l'argent
pileus, i, m. : le bonnet
subligar, is, n. : le tablier
vilicus, i, m. : l'intendant, le régisseur
vinum, i, n. : le vin

Adjectifs

dives, itis : riche
fidelis, e : loyal, honnête, fidèle

Verbes

curo, as, are, avi, atum : soigner, prendre soin de
pareo, es, ere, ui, itum : obéir

10 Les pronoms relatifs
La proposition subordonnée relative

J'observe et je retiens

▶ En latin comme en français, on reconnaît la proposition relative grâce au **pronom relatif** qui l'introduit.

▶ En latin, le pronom relatif **se décline**. Sa forme dépend :
– du **genre** et du **nombre** du nom qu'il représente (son antécédent) ;
– de la **fonction** qu'il occupe dans la subordonnée relative.

Tigrem quem gladiator ferit videmus.
Nous voyons le tigre **que** le gladiateur tue.
COD du verbe tuer
Accusatif masculin singulier

Gladiatores qui pugnant spectamus.
Nous regardons les gladiateurs **qui** combattent.
Sujet du verbe combattre
Nominatif masculin pluriel

Cas	Singulier			Pluriel		
	Masculin	**Féminin**	**Neutre**	**Masculin**	**Féminin**	**Neutre**
Nominatif	qui	quae	quod	qui	quae	quae
Accusatif	quem	quam	quod	quos	quas	quae
Génitif	cujus	cujus	cujus	quorum	quarum	quorum
Datif	cui	cui	cui	quibus	quibus	quibus
Ablatif	quo	qua	quo	quibus	quibus	quibus

Remarques
• Le pronom relatif se décline comme l'adjectif interrogatif (voir Annexes page 307).
• Le pronom interrogatif aussi, excepté au masculin singulier : **quis** remplace **qui** au **nominatif**, et au neutre singulier : **quid** remplace **quod** aux **nominatif** et **accusatif**.

● Je vérifie ma compréhension

1 **a.** Repérez les propositions relatives.
b. Identifiez la fonction du pronom relatif.
c. Indiquez leur antécédent.

Les marchands revendaient à Rome les produits qui avaient été achetés dans de lointains pays d'Asie : des parfums, des épices dont les saveurs se retrouvaient dans la cuisine, de la soie qui était fabriquée par les Sères, peuple à qui on a donné le nom de Chinois. Les animaux féroces que les Romains voyaient au Colisée venaient aussi d'Orient.

2 Indiquez le cas, le genre et le nombre de ces formes du pronom relatif. Attention ! Il y a parfois plusieurs réponses possibles.

1. quem
2. quod
3. cujus
4. cui
5. quorum
6. quibus
7. quae
8. qua

● Je manipule

3 Choisissez l'antécédent qui convient. Attention au genre, au nombre et au cas du relatif.

Antécédents : mulieres • epistulas • homines • equi • puella

1. .... quorum (génitif masculin pluriel) divitiae magnae sunt invidiam timent.
2. .... quae in horto ambulat, domini filia est.
3. .... quae venerunt pulchrae sunt.
4. .... quorum Rex dominus est, rapidi sunt.
5. .... quas scripsisti lego.

4 Choisissez la forme correcte.

1. Thraex quibus / qui / quem cum retiario pugnare debebat gladium suum cepit.
2. Tum retiarius in thraecem quem / cui / quo populus non laudat rete jacit.
3. Turba qui / quae / qua eum necare volebat clamabat.
4. Tum Caesar turbae qua / quae / quam victorem clamat sententiam expectavit.
5. Deinde gladiatoris mortem quem / quam / quas populus expetiverat jussit.

5 **a.** Identifiez le genre et le nombre de l'antécédent en gras.

b. Analysez le cas du pronom relatif voulu par sa fonction dans la subordonnée.

c. Choisissez la forme correcte du pronom relatif.

1. Magna est **villa** in .... estis.

2. **Hortus** .... spectamus egregius est.

3. **Equos** .... velocitas magna est videmus.

4. **Puella** .... domini filius amat pulchra est.

● J'apprends à traduire EN GROUPE

6 Traduisez seul(e) ou en équipe.

> 1. Omnia certaminum genera quae imperator dabat spectatores delectabant.
>
> 2. Currus quos celeres equi trahebant aurigae ducebant.
>
> 3. Athletas quorum corpora validissima erant mulieres laudabant.
>
> 4. Post ludos victores ad Caesarem qui eis coronam dabat procebant.

▶ **AIDE À LA TRADUCTION**

Dans chaque phrase :
• Repérez les pronoms relatifs et délimitez les propositions subordonnées relatives.
• Identifiez le cas et la fonction du pronom relatif dans la relative, puis trouvez son antécédent.
• Traduisez en commençant par le verbe et le sujet de la proposition principale.

Quo ubi[1] ventum est et sedibus[2] quibus potuerunt locati sunt, fervebant[3] omnia inmanissimis[4] voluptatibus[5]. [...]

Alypius ferme d'abord les yeux, puis, vaincu par la curiosité, regarde le spectacle.

Ut enim vidit illum sanguinem, inmanitatem simul ebibit et non se avertit, sed fixit aspectum[6] et hauriebat[7] furias et nesciebat[8] et delectabatur scelere[9] certaminis[10] et cruenta voluptate inebriabatur[11]. Et non erat jam ille, qui venerat, sed unus de turba, ad quam venerat, et verus eorum socius[12], a quibus adductus[13] erat. Quid plura ? Spectavit, clamavit, exarsit[14], abstulit insaniam[15].

☐ Saint Augustin, *Confessions*, Livre VI, 13.

1. **quo ubi** : quand
2. **sedes, is,** f. : le siège
3. **ferverant** : *a donné* effervescence
4. **immanis, is, e** : sauvage
5. **voluptas, atis,** f. : le plaisir
6. **aspectus, us,** m. : le regard
7. **haurio, is, ire, hausi, haustum** : puiser
8. **nescio = non scio**
9. **scelus** : *a donné* scélérat
10. **certamen, inis,** n. : le combat
11. **inebriabatur** : *a donné* ébriété
12. **socius, ii,** m. : le compagnon
13. **adducetur = duco, is, ere, duxi, ductum**
14. **exardesco, is, ere, arsi, arsum** : s'enflammer
15. **insania, ae,** f. : la folie

▶ **AIDE À LA TRADUCTION**

Dans chaque phrase :
• Repérez les verbes conjugués et leur sujet.
• Identifiez les pronoms relatifs et délimitez la proposition que chacun introduit.
• Trouvez l'antécédent de chaque pronom relatif, identifiez son cas et sa fonction dans la relative.

• Identifiez ensuite les propositions principales. Les propositions subordonnées de temps sont en gras.
• Dans ces propositions, repérez les conjonctions de coordination.
• Traduisez en commençant par les principales et insérez la relative lorsque vous rencontrez son antécédent.

VOCABULAIRE

Noms

auriga, ae, m. : l'aurige
certamen, inis, n. : le combat
consilium, ii, n. : la décision
currus, us, m. : le char
invidia, ae, f. : la jalousie
mulier, eris, f. : la femme
opus, eris, n. : l'aide
turba, ae, f. : la foule

Adjectif

egregius, a, um : remarquable

Verbes

delecto, as, are, avi, atum : charmer
expeto, is, ere, ii (ivi), itum : souhaiter, réclamer
exspecto, as, are, avi, atum : attendre

jacio, is, ere, jeci, jactum : jeter
placeo, es, ere, ui, itum + dat. : plaire
praebeo, es, ere, ui, itum : offrir
procedo, is, ere, cessi, cessum : avancer
rogo, as, are, avi, atum : demander

Mots invariables

enim : en effet
ut : dès que

L'utilisation du dictionnaire

J'observe et je retiens

▶ **Avant de chercher** un mot dans le dictionnaire, assurez-vous :
– qu'il ne s'agit pas d'un mot que l'**étymologie** vous permet de comprendre facilement ;
– qu'il ne s'agit pas d'un mot dont la **formation** (préfixe, suffixe) permet de comprendre facilement le sens.
Par exemple, **jacio** signifie jeter, donc **ejicio** doit signifier jeter hors de (préfixe **ex-**)

TROUVER L'ENTRÉE DU DICTIONNAIRE

▶ Pour tous les **mots variables** (noms, adjectifs, pronoms, verbes), la forme présente dans le texte ne correspond généralement pas exactement à l'entrée du dictionnaire.

> **1. Hypothèse**
> J'analyse le mot = Je fais des hypothèses sur sa nature

C'est un verbe

2. Recherche : je trouve le radical en enlevant suffixes et terminaisons.
→ Je forme la **1re pers. du présent**.
mitt~~ebatur~~ ▶ radical **mitt-** ▶ entrée : **mitto**

Difficulté : mot formé sur le radical du parfait/du supin.
→ je trouve l'entrée dont le radical du parfait/supin correspond.
mis~~erunt~~ ▶ parfait : **misi**
▶ entrée : **mitto, is, ere, misi, missum**

Ce n'est pas un verbe

2. Recherche : je trouve le **nominatif sg.** en remplaçant la terminaison.
anim~~orum~~ ▶ radical **anim-** ▶ entrée : **animus**

Difficulté : mots dont le radical est légèrement différent au nominatif.
→ je trouve l'entrée dont le radical du génitif correspond.
carmin~~a~~ ▶ radical **carmin-**
▶ entrée : **carmen, carminis**, n.

> **3. Vérification**
> Dans tous les cas, je vérifie que la forme du texte correspond bien au tableau de déclinaison ou de conjugaison de l'entrée sélectionnée. Si ce n'est pas le cas, **je reviens à l'étape 1**.

NE PAS SE CONTENTER DU PREMIER SENS

▶ Le **premier sens** donné par le dictionnaire **n'est pas forcément celui qui convient**. Vous devez donc toujours parcourir les différents sens du mot dans le dictionnaire, et choisir **en fonction du contexte**.

● Je vérifie ma compréhension

1 Isolez la terminaison.

1. milites **2.** facias **3.** silvis **4.** consulum
5. omnibus **6.** servorum **7.** dedistis **8.** pontis
9. salutem **10.** crura

2 Isolez la terminaison.
S'agit-il de noms ou de verbes ?

1. puellarum
2. itineribus
3. feceras
4. numeros
5. bibunt
6. numina
7. aurum
8. imperatore

3 Associez chacune des formes à la bonne entrée du dictionnaire.

1. imperabas : imperatum, i, n. ; imperator, oris, m. ; imperitus, a, um ; impero, as, are, avi, atum.
2. januas : janeus, i, m. ; janua, ae, f. ; Januarius, a, um ; Janus, i, m.
3. piscibus : piscarius, a, um ; piscicapus, i, m. ; piscina, ae, f. ; piscis, is, m. ; piscor, aris, ari, atus sum.

4 En utilisant un dictionnaire, retrouvez l'entrée correspondant aux mots suivants. Vérifiez en déclinant ou en conjuguant au bon temps l'entrée choisie.

1. sellarum • fora • curabamus
2. vixit • viceram • militum • tempora • dederatis

Je manipule

5 Vérifiez le genre des noms en gras puis traduisez en ajoutant les adjectifs de la 1ʳᵉ classe proposés aux noms qui conviennent.

1. Sunt **urbes** et **rura** in Italia. (laeta - pulchrae)
2. **Consulis** et **uxoris vestes** in cubiculo posuerunt **servi**. (boni - candidas - clarae)

6 Traduisez les phrases suivantes en veillant à utiliser le bon sens des mots en gras.

1. Relatum est Ciceronis caput ad Antonium et jussu ejus inter duas **manus** in rostris positum est.

2. Caesar parvam **manum** versus Lugdunum misit.
3. Multi homines urbem Romam **colunt**.
4. Post mortem aut fortes aut claros aut potentes viros **colere** precari venerarique solemus ut deos immortales.
5. Cincinnatus trans Tiberim parvum agrum **colebat**.
6. Dux **signum** proelii militibus dedit.
7. In atrio marmorea **signa** externorum artificum erant.

J'apprends à traduire ⬤ EN GROUPE

7 Traduisez, seul(e) ou en groupe.

> **Les Enfers, selon Ovide.**
> **Mille** capax aditus¹ et apertas undique **portas**
> **Urbs** habet ; [...]
> **Errant exsangues** sine **corpore** et **ossibus umbrae**
> **Pars**que **forum** celebrant, **pars** imi tecta **tyranni**,
> **Pars** aliquas **artes**, **antiquae imitamina vitae**,
> **Exercent**, aliam **partem** sua **poena coercet**².
>
> ☐ Ovide, *Métamorphoses*, livre IV, v. 439-446.

1. Pensez à vérifier la déclinaison de ce nom pour identifier son cas.
2. **coerceo, es, ere, cui, citum** : *a donné* coercition

▶ **AIDE À LA TRADUCTION**
• Attention, l'ordre des mots en poésie est plus libre qu'en prose.
• Les mots en gras peuvent être compris sans recours au dictionnaire.

> **Les Bretons, selon César**
> Ex his omnibus longe¹ sunt humanissimi qui Cantium incolunt, quae regio² est maritima omnis, neque multum³ a Gallica differunt consuetudine. Interiores plerique frumenta non serunt, sed lacte et carne vivunt pellibusque sunt vestiti. Omnes vero se Britanni vitro inficiunt, quod caeruleum efficit colorem, atque hoc⁴ horridiores sunt in pugna aspectu ; capillo sunt promisso atque omni parte corporis rasa praeter caput et labrum superius.
>
> ☐ César, *Guerre des Gaules*, V, 14.

1. **longe** : de loin
2. **quae regio** : région qui
3. **multum** : beaucoup
4. **hoc** : ici, ainsi

▶ **AIDE À LA TRADUCTION**
• N'oubliez pas que de nombreux mots peuvent être traduits sans dictionnaire !
• Quelle entrée du dictionnaire et quel sens choisirez-vous pour serunt, qui suit frumenta ?

VOCABULAIRE

Noms

ager, agri, m. : le champ
artifex, icis, m. : l'artiste
caput, itis, n. : la tête
dux, ducis, m. : le chef
proelium, ii, n. : le combat

Mots invariables

sed : mais
vero (en 2ᵉ position) : or, mais, quant à

Adjectifs

candidus, a, um : blanc
clarus, a, um : célèbre
externus, a, um : étranger
fortis, e : courageux
laetus, a, um : joyeux, riant
parvus, a, um : petit
potens, tis : puissant
plerique, pleraeque, pleraque : la plupart

pulcher, chra, chrum : beau

Verbes

fero, fers, ferre, tuli, latum : porter, apporter, supporter
mitto, is, ere, misi, missum : envoyer
pono, is, ere, posui, positum : placer
precor, aris, ari, atus sum : prier
soleo, es, ere, solitus sum : avoir l'habitude de

J'observe et je retiens

▶ Dans le dictionnaire, un verbe latin est toujours présenté avec ses **temps primitifs** : ce sont les **cinq formes de base** qui permettent de déterminer la conjugaison à laquelle il appartient : **amo, as, are, avi, atum**.

amo	amas	amare	amavi	amatum
j'aime	tu aimes	aimer	j'ai aimé / j'aimai	pour aimer
1ʳᵉ pers. sing.	2ᵉ pers. sing.		1ʳᵉ pers. sing.	
présent de l'indicatif	présent de l'indicatif	infinitif présent	parfait de l'indicatif	supin

▶ Les **trois premières formes** des temps primitifs permettent de repérer le **radical du présent**, avec lequel on peut former :
- les temps simples de l'indicatif (présent, imparfait, futur simple) ;
- les temps simples du subjonctif (présent et imparfait) ;
- les temps de l'impératif (présent et futur) ;
- l'infinitif présent.

▶ Ce **radical du présent** se présente sous **cinq formes différentes** qui permettent de classer les verbes latins en **quatre conjugaisons** (la troisième étant double).
Pour identifier le groupe auquel se rattache un verbe, **il faut donc observer les trois premières formes des temps primitifs**.

1ʳᵉ conjugaison	2ᵉ conjugaison	3ᵉ conjugaison	3ᵉ conjugaison (mixte)	4ᵉ conjugaison
Radical en -a (ama-)	Radical en -e (debe-)	Radical en consonne (dic-)	Radical en -i bref (capi-)	Radical en -i long (audi-)
amo	debeo	dico	capio	audio
amas	debes	dicis	capis	audis
amare	debere	dicere	capere	audire

▶ Pour former la plupart des temps latins, il suffit d'appliquer la **règle** suivante :
radical + voyelle de liaison (si nécessaire) + suffixe (si nécessaire) + terminaisons

▶ Les **terminaisons** indiquent les personnes et remplacent le pronom personnel.
Pour conjuguer le verbe, on ajoute au radical du verbe les terminaisons suivantes :

	je	tu	il, elle	nous	vous	ils, elles
Forme active	-o ou -m	-s	-t	-mus	-tis	-nt
Forme passive	-r	-ris	-tur	-mur	-mini	-ntur

Je vérifie ma compréhension

1 Pour analyser le verbe dire :

a. Recherchez dans le vocabulaire ses formes primitives.

b. Donnez son radical du présent et justifiez votre réponse.

c. Indiquez la conjugaison à laquelle il se rattache.

2 Classez les formes verbales selon qu'elles sont conjuguées à l'actif ou au passif.

1. valetis **2.** veniunt **3.** spectamur **4.** scit
5. mittebamini **6.** jubebitur **7.** currimus **8.** audiar

Je manipule

3 À l'aide du Vocabulaire, trouvez le verbe intrus dans chaque liste et donnez ses temps primitifs.

1. ambulat • manes • valent • jubetis
2. studetis • agimus • currit • dicunt
3. mittis • capimus • capio • interficis
4. sciunt • venire • audit • ambulant

4 Donnez la 1ʳᵉ personne du singulier des formes verbales suivantes.

1. dicitis **2.** tenemus **3.** putant **4.** veniunt

5 Complétez ce tableau.

Infinitifs	Temps primitifs et traduction	Type de conjugaison	Radical	1re pers. sg.	3e pers. sg.	3e pers. pl.
dicere						
habere						
venire						

J'apprends à traduire **EN GROUPE**

6 Traduisez seul(e) ou en équipe.

In terra, Ceres filiam non videt. Timet et vocat :
« Proserpinam ! » Pluto puellam animadvertit[1], statim
eam rapit et uxorem ducit[2]. Sub terram eam ducit. At
deae ira magna est et a Jove filiam suam postulat. Ille
Cererem audit sed non in fratrem ingratus esse vult[3] ?
Quid statuit ?

1. **animadvertit** : il remarque
2. **uxorem ducit** : il prend pour femme
3. **vult** : vouloir à la 3e pers. du sg.

Pour amadouer le chien des enfers, vous devez faire un gâteau
en suivant cette recette.

Flan aux roses

Accipis rosas et **exfolias**[1]. Album[2] **tollis**[3]. **Mittis** in
mortarium[4]. **Suffundis**[5] liquamen[6]. **Fricas**[7]. Postea[8]
mittis ciatum unus semis[9] liquaminis et **colas**[10] sucum
per colum[11]. **Accipis** cerebella[12] IV. **Enervas**[13] et **teris**[14]
scripulos VIII piperis[15]. **Suffundis** ex suco. **Fricas**. Postea
ova[16] VIII **frangis**[17]. Postea patinam[18] **perungis**[19] et eam
imponis cineri[20] calido. Et sic **mittis** impensam supra
scriptam. Cum coacta fuerit in termospodio[21], **aspargis**[22]
super piperis pulverem[23] et **infers**.

☐ D'après Apicius, *Art culinaire*, Livre IV, II, 9.

1. **exfolio, as, are, avi, atum** : effeuiller
2. **album, i**, n. : le blanc
3. **tollo, is, ere, sustuli, sublatum** : enlever
4. **mortarium, ii**, n. : le mortier, le vase à piler
5. **suffundo, is, ere, fudi, fusum** : verser, baigner
6. **liquamen, inis**, n. : le garum
7. **frico, as, are, cui, catum** : frotter
8. **postea** : ensuite
9. **ciatum unum semis** : une mesure et demie
10. **colo, as, are, avi, atum** : passer, filtrer
11. **colum, i**, n. : le tamis
12. **cerebella, ae**, f. : la petite cervelle
13. **enervo, as, are, avi, atum** : retirer les nerfs
14. **tero, is, ere, trivi, tritum** : broyer
15. **piper, eris**, n. : le poivre
16. **ovum, i**, n. : l'œuf
17. **frango, is, ere, fregi, fractum** : casser
18. **patina, ae**, f. : *ici*, flan
19. **perungo, is, ere, unxi, unctum** : enduire
20. **cinis, eris**, m./f. : la cendre
21. **termospodium, ii**, n. : les cendres chaudes
22. **aspargo, is, ere, spersi, spersum** : saupoudrer
23. **pulvus, eris**, n. : la poussière.

▶ **AIDE À LA TRADUCTION**

- Classez les verbes en gras selon leur modèle de conjugaison, identifiez leur personne.
- Associez à chaque verbe le COD (accusatif) qui l'accompagne.
- Ajoutez les compléments circonstanciels.
- Traduisez la recette.

Verbes

ago, is, ere, egi, actum : faire, mener
ambulo, as, are, avi, atum : se promener
amo, as, are, avi, atum : aimer
audio, is, ire, ivi, itum : entendre
capio, is, ere, cepi, captum : prendre
curro, is, ere, cucurri, cursum : courir
debeo, es, ere, bui, bitum : devoir

dico, is, ere, dixi, dictum : dire
interficio, is ere, feci, fectum : tuer
jubeo, es, ere, jussi, jussum : ordonner
maneo, es, ere, mansi, mansum : rester
mitto, is, ere, misi, missum : envoyer
moneo, es, ere, ui, itum : avertir

scio, is, ire, ivi, itum : savoir
specto, as, are, avi, atum : regarder
studeo, es, ere, dui, – : étudier
timeo, es, ere, ui, – : craindre
valeo, es, ere, ui, itum : bien se porter
venio, is, ire, veni, ventum : venir

13 Le présent de l'indicatif

J'observe et je retiens

▶ Pour conjuguer un verbe au **présent**, vous devez :
  – connaître son **radical du présent** ou infectum (voir page 266) ;
  – ajouter à ce radical les **terminaisons personnelles** actives ou passives (voir page 266).
    Attention, pour les 3ᵉ, 3ᵉ mixte et 4ᵉ conjugaisons, on ajoute une **voyelle de liaison**.

INDICATIF PRÉSENT ACTIF

1ʳᵉ conjugaison	2ᵉ conjugaison	3ᵉ conjugaison	3ᵉ conjugaison mixte	4ᵉ conjugaison	sum
amo, as, are : aimer	debeo, es, ere : devoir	dico, is, ere : dire	capio, is, ere : prendre	audio, is, ire : entendre	sum, es, esse : être
amo	debeo	dico	capio	audio	sum
amas	debes	dicis	capis	audis	es
amat	debet	dicit	capit	audit	est
amamus	debemus	dicimus	capimus	audimus	sumus
amatis	debetis	dicitis	capitis	auditis	estis
amant	debent	dicunt	capiunt	audiunt	sunt

INDICATIF PRÉSENT PASSIF

1ʳᵉ conjugaison	2ᵉ conjugaison	3ᵉ conjugaison	3ᵉ conjugaison mixte	4ᵉ conjugaison
amari : être aimé	deberi : être dû	dici : être dit	capi : être pris	audiri : être entendu
amor	debeor	dicor	capior	audior
amaris	deberis	diceris	caperis	audiris
amatur	debetur	dicitur	capitur	auditur
amamur	debemur	dicimur	capimur	audimur
amamini	debemini	dicimini	capimini	audimini
amantur	debentur	dicuntur	capiuntur	audiuntur

Je vérifie ma compréhension

1 Observez les temps primitifs et donnez le radical de ces verbes.

1. habeo, es, ere **2.** dimitto, is, ere **3.** venio, is, ire.

a. Conjuguez-les au présent actif en ajoutant au radical la terminaison qui convient.

b. Conjuguez-les au présent passif.

2 Même exercice.

1. lego, is, ere
2. do, as, are
3. moveo, es, ere
4. reperio, is, ire

3 À l'aide du Vocabulaire, trouvez le verbe intrus dans chaque liste et donnez ses temps primitifs.

1. habitat • possides • habent • debetis • docemus
2. docetis • legimus • scribitis • quaerit • dimittunt
3. colunt • dimittis • quaerimus • rapitis • cresco
4. auditur • venit • reperiunt • audiunt • dant

Je manipule

4 Mettez ces verbes au pluriel en conservant la personne.

1. dicis   **3.** colo   **5.** videt
2. scribit   **4.** spectas **6.** lego

5 a. Traduisez ces formes verbales.

b. Transposez-les au passif.

1. ornatis **2.** facit **3.** videtis **4.** dant **5.** moveo
6. habetis **7.** scribunt **8.** habito **9.** rapis **10.** quaerit
11. possident

6 Quelle est la bonne traduction ? Justifiez votre choix.

Dominae ancillas in culina video.

☐ La maîtresse de maison voit les servantes dans la cuisine.
☐ Les servantes voient la maîtresse de maison dans la cuisine.
☐ Je vois les servantes de la maîtresse de maison dans la cuisine.

7 Traduisez en latin.

1. Mon amie et moi regardons la fontaine du jardin.
2. Dans l'atrium, les murs sont ornés avec des roses.
3. Ambiarix habite la maison depuis de nombreuses années.

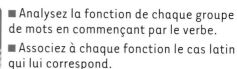

MÉTHODE
■ Analysez la fonction de chaque groupe de mots en commençant par le verbe.
■ Associez à chaque fonction le cas latin qui lui correspond.
■ Traduisez.

● J'apprends à traduire EN GROUPE

8 Traduisez seul(e) ou en équipe.

C'est le dieu Lar, protecteur de la maison chargé de veiller au bien-être de ses habitants, qui s'exprime.

Ego Lar sum familiaris[1] ex hac familia[2]
[...] Hanc domum[3]
Jam multos annos[4] est cum[5] possideo et colo
Patri avoque jam hujus[6] qui nunc hic[7] habet [...]
Huic[8] filia[9] una est ; ea[10] mihi[11] cottidie[12]
Aut ture aut vino aut aliqui[13] semper[14] supplicat[15].

☐ Plaute, *La Marmite*, prologue.

1. **familiaris** : familial
2. **ex hac familia** : de cette famille
3. **hanc** : cette ; **domus, us**, f. : la maison
4. **jam multos annos** : [depuis] de nombreuses années déjà
5. **cum** : *ici*, que
6. **patri avoque jam hujus** : au profit du père et même de l'aïeul de celui
7. **nunc hic** : maintenant
8. **huic** : à celui-ci (désigne l'actuel propriétaire de la maison)
9. **filia, ae**, f. : la fille
10. **ea** : celle-ci
11. **mihi** : à moi
12. **cottidie** : chaque jour
13. **aut ture aut vino aut aliqui** : avec de l'encens, du vin ou autre chose
14. **semper** : toujours
15. **supplico, as, are, avi, atum** : prier

▶**AIDE À LA TRADUCTION**

• Repérez et analysez chacun des verbes du texte.
• Attention au groupe nominal hanc domum : il sert de complément à deux verbes situés plus loin dans la phrase.
• Le verbe latin esse peut se traduire de trois manières différentes (elles sont toutes représentées dans cet extrait !) : **être** ; **avoir** (esse + datif) ; **il y a**.

Une maison à Athènes, hantée par un fantôme, a du mal à trouver preneur, jusqu'à l'arrivée du philosophe Athénodore.

Cum[1] ei in urbe diutius[2] manendum sit[3], domum quaerit ; legit titulum[4], auditoque pretio[5], cum vitium[6] suspicetur[7], percunctatus[8] omnia docetur ; eo magis[9] domum conducit[10]. Nocte facta[11], suos[12] dimittit [...].
Initio[13], silentium noctis ; deinde[14] vincula[15] moventur, crescit fragor[16], proximus fit[17]. Philosophus in scribendo[18] occupatus tandem[19] respicit[20] videtque effigiem[21] [...].

☐ D'après Pline le Jeune, *Lettres*, VII, 27.

1. **cum** + subj. : comme
2. **diutius** : longtemps
3. **ei... manendum sit** : il doit rester
4. **titulus, i**, m. : l'affiche
5. **auditoque pretio** : et informé du prix
6. **vitium, ii**, n. : un vice (caché)
7. **suspicetur** : est soupçonné
8. **percunctatus** : ayant posé des questions
9. **eo magis** : d'autant plus volontiers
10. **conduco, is, ere, duxi, ductum** : louer
11. **nocte facta** : à la nuit tombée
12. **suos** : ses serviteurs
13. **initium, ii**, n. : le début
14. **deinde** : ensuite
15. **vinculum, i**, n. : la chaîne
16. **fragor, oris**, m. : le fracas, le bruit
17. **proximus fit** : devient tout proche
18. **in scribendo** : à écrire
19. **tandem** : enfin
20. **respicio, is, ere, spexi, spectum** : regarder
21. **effigiem** : l'apparition

▶**AIDE À LA TRADUCTION**

• Repérez et analysez chacun des verbes du texte.
• Identifiez les sujets s'ils sont exprimés.

VOCABULAIRE

Verbes

accipio, is, ere, accepi, acceptum : recevoir
colo, is, ere, colui, cultum : habiter
cresco, is, ere, crevi, cretum : grandir
dimitto, is, ere, misi, missum : renvoyer
do, as, are, dedi, datum : donner
doceo, es, ere, cui, ctum : apprendre
facio, is, ere, feci, factum : faire

habeo, es, ere, ui, itum : avoir
habito, as, are, avi, atum : habiter
lego, is, ere, legi, lectum : lire
moveo, es, ere, movi, motum : bouger
orno, as, are, avi, atum : orner
possideo, es, ere, sedi, sessum : posséder, occuper
quaero, is, ere, quaesivi, quaesitum : chercher

rapio, is, ere, rapui, raptum : voler
reperio, is, ire, reperi, repertum : enlever
sto, as, are, steti, statum : se tenir debout
venio, is, ire, veni, ventum : venir
video, es, ere, vidi, visum : voir

14 Les temps du récit

J'observe et je retiens

▶ Dans les **récits**, **trois temps** sont le plus souvent employés :
– l'**imparfait** et le **plus-que-parfait**. Ils se traduisent par les temps correspondants en français ;
– le **parfait**. Selon le contexte, il faudra le traduire par le passé simple, le passé composé ou le passé antérieur.

▶ Les temps du récit se forment ainsi :

	Imparfait		Parfait		Plus-que-parfait	
	Actif	**Passif**	**Actif**	**Passif**	**Actif**	**Passif**
	radical du **présent** + (e) ba + terminaison		radical du **parfait** + terminaison	radical du **supin** + terminaison + sum	radical du **parfait** + era + terminaison	radical du **supin** + terminaison + eram
1ʳᵉ conj.	ama**bam**	ama**bar**	amavi	amatus **sum**	ama**veram**	amatus **eram**
2ᵉ conj.	debe**bas**	debe**baris**	debu**isti**	debita **es**	debu**eras**	debita **eras**
3ᵉ conj.	dice**bat**	dice**batur**	dix**it**	dictum **est**	dix**erat**	dictum **erat**
3ᵉ mixte	capie**bamus**	capie**bamur**	cep**imus**	capti **sumus**	cep**eramus**	capti **eramus**
4ᵉ conj.	audie**batis**	audie**bamini**	audiv**istis**	auditae **estis**	audiv**eratis**	auditae **eratis**
	ama**bant** ils aimaient	ama**bantur** ils étaient aimés	ama**verunt** ils aimèrent	amata **sunt** ils furent aimés	ama**verant** ils avaient aimé	amata **erant** ils avaient été aimés

● Je vérifie ma compréhension

1 Conjuguez selon les indications données.

1. Imparfait actif : do • respondeo • condo • facio • cupio
2. Temps du récit, forme active : exspecto • metuo
3. Temps du récit, forme passive : addo • invenio

2 Traduisez.

1. amisit • cupiverunt • fecisti • respondistis • dedi
2. exspectabamus • amiserat • condiderunt • sedebas • dederatis
3. additum est • laudabant • facta erant • laudata es • laudabantur

3 Transposez les formes verbales suivantes à la même personne du singulier ou du pluriel.

1. sedebas • dedistis • faciebat • feceramus • inveni
2. conditae sunt • laudatus es • additum est • inventae sunt • exspectabamini

4 À quel temps ces verbes sont-ils conjugués ?

1. cogitabant • existimaveram • audiebatis • sedisti • narraverunt
2. nuntiavi • didicerat • amati sunt • visae erant • condebatur

● Je manipule

5 Cherchez l'intrus dans les listes suivantes. Justifiez votre choix.

1. fugit • silvam • monebas • steterunt • tacebam
2. spectabas • omittebant • audiebantur • inveniunt • ambulabatis
3. acceperat • veneramus • laudatus eram • dabatis • adjecerant
4. damus • dederam • dedistis • datum est • dabas

6 Complétez les phrases suivantes avec un verbe pris dans le vocabulaire, puis traduisez.
Attention, il peut y avoir plusieurs solutions.

1. Romulus rex Romam ....
2. Postquam Romulus urbem .... , fratrem Remum ....
3. Multos aves quoque Remus in caelo ....
4. Romani saepe urbis conditorem ....
5. Libros tuos domi ....
6. Brutus Caesarem in curia diu ....
7. Caius ab hoste ....
8. Caesaris corpus in curia ....

J'apprends à traduire EN GROUPE

7 Traduisez seul(e) ou en groupe.

Ad rivum[1] eundem[2] lupus et agnus venerant,
siti[3] compulsi[4] ; superior stabat[5] lupus,
longeque[6] inferior agnus. [...]
« Quare, inquit, turbulentam fecisti mihi
aquam bibenti ? » Laniger contra timens[7] :
« Qui[8] possum, quaeso, facere quod quereris[9], lupe ?
A te decurrit ad meos haustus[10] liquor. » [...]
« Ante hos sex menses male, ait, dixisti mihi. »
Respondit agnus : « Equidem[11] natus[12] non eram.
- Pater hercle[13] tuus, ille inquit, male dixit mihi » ;
atque ita correptum[14] lacerat[15], injusta nece[16].

☐ Phèdre, *Fables*, I, 1.

1. **rivus, i,** m. : la rivière
2. **eundem** : le même, la même
3. **sitis, is,** f. : la soif
4. **compello, is, ere, puli, pulsum** : pousser
5. **sto, as, are, steti, statum** : se tenir immobile
6. **longe** : loin
7. **timeo, es, ere, timui, –** : craindre
8. **qui** : comment
9. **queror, reris, ri, questus sum** : se plaindre
10. **haustus, us,** m. : l'action de boire, la gorgée
11. **equidem** : quant à moi
12. **nascor, sceris, sci, natus sum** : naître
13. **hercle** : par Hercule !
14. **corripio, is, ere, repi, reptum** : saisir
15. **lacero, as, are, avi, atum** : mettre en pièces
16. **nex, necis,** f. : le meurtre, l'exécution

▶**AIDE À LA TRADUCTION**

• Connaissez-vous la fable écrite par La Fontaine sur le même sujet ? Vous pourrez vous en aider pour traduire.
• Repérez les trois voix dans cette fable, celle du narrateur et celles des deux personnages.
• Repérez les verbes des vers 1, 2, 4, 8, 9 et 10, analysez-les et identifiez leur sujet.
• Traduisez, en fonction de votre niveau, les sept premiers vers ou l'ensemble de la fable.

Anco[1] regnante, Lucius Tarquinius urbe Tarquiniis
profectus[2], cum conjuge et fortunis omnibus Romam
commigravit. [...] Ei advenienti aquila[3] pileum[4] sustulit,
et super carpentum[5], ubi Tarquinius sedebat, cum magno
clangore[6] volitans, rursus[7] capiti apte[8] reposuit ; inde[9]
sublimis abiit. Tanaquil conjux auguriorum perita[10]
regnum ei portendi[11] intellexit : itaque virum complexa[12]
jussit eum alta sperare. Has spes cogitationesque
secum[13] portantes, urbem ingressi sunt[14].

Abbé Lhomond, *Les Grands Hommes de Rome*.

1. **Ancus Marcius** : quatrième roi de Rome
2. **proficiscor, sceris, sci, fectus sum** : partir
3. **aquila, ae,** f. : un aigle
4. **pileus, i,** m. : le bonnet
5. **carpentum, i,** n. : le chariot
6. **clangor, oris,** m. : le cri
7. **rursus** : à nouveau
8. **apte** : correctement
9. **inde** : puis
10. **peritus, a, um** : expert
11. **portendo, is, ere, tendi, tentum** : présager
12. **complector, eris, plecti, plexus sum** : embrasser
13. **secum** : avec eux
14. **ingredior, eris, gredi, gressus sum** : entrer dans

▶**AIDE À LA TRADUCTION**

• Identifiez les verbes conjugués et analysez-les.
• Faites des hypothèses sur leur sujet, à l'aide des terminaisons.
• profectus et complexa sont des participes parfaits. Ils se déclinent comme les adjectifs de la 1re classe. Regnante, advenienti, volitans et portantes sont des participes présents. Ils se déclinent comme des adjectifs de la 2e classe.

VOCABULAIRE

Noms

avis, is, f. : l'oiseau
caelum, i, n. : le ciel
corpus, oris, n. : le corps
hostis, is, m. : l'ennemi
liber, libri, m. : le livre
rex, regis, m. : le roi
urbs, urbis, f. : la ville

Verbes

addo, is, ere, didi, ditum : ajouter
amitto, is, ere, misi, missum : perdre
condo, is, ere, didi, ditum : fonder
cupio, is, ere, ivi, itum : désirer
do, das, dare, dedi, datum : donner
exspecto, as, are, avi, atum : attendre
facio, is, ere, feci, factum : faire
interficio, is, ere, feci, fectum : tuer
invenio, is, ire, veni, ventum : trouver

laudo, as, are, avi, atum : louer, faire l'éloge
metuo, is, ere, tui, tutum : craindre
sedeo, es, ere, sedi, sessum : être assis

Mots invariables

diu : longtemps
postquam : après que
quoque : aussi
saepe : souvent

15 Le futur

J'observe et je retiens

LE FUTUR SIMPLE

▶ Pour conjuguer un verbe au **futur simple**, vous devez :
– connaître son **radical du présent** (ou infectum) ;
– ajouter au radical un **suffixe** et des **terminaisons actives** ou **passives**.

1re / 2e conjugaison amare / debere						3e / 3e mixte / 4e conjugaison dicere / capere / audire			
Actif			**Passif**					**Actif**	**Passif**
ama-	-b-	-o	ama-	-b-	-or	dic-	-a-	-m	-r
ama-	-bi-	-s	ama-	-be-	-ris	dic-	-e-	-s	-ris
ama-		-t	ama-	-bi-	-tur	dic-		-t	-tur
ama-		-mus	ama-		-mur	dic-		-mus	-mur
ama-		-tis	ama-		-mini	dic-		-tis	-mini
ama-	-bu-	-nt	ama-	-bu-	-ntur	dic-		-nt	-ntur

LE FUTUR ANTÉRIEUR

▶ Pour conjuguer un verbe au **futur antérieur actif** vous devez :
– connaître son **radical du parfait** (ou perfectum) ;
– ajouter les **terminaisons** : -ero, -eris, -erit, -erimus, -eritis, -erint.

▶ Voir tableaux des conjugaisons pages 308 à 318.

Je vérifie ma compréhension

1 Conjuguez au futur simple actif et passif.

a. À partir du Vocabulaire, retrouvez le radical de ces verbes au futur, puis identifiez leur type de conjugaison.

b. Ajoutez la terminaison qui convient en fonction de leur type de conjugaison.

1. jubeo
2. invenio
3. fingo
4. existimo

2 Formez la 1re personne du singulier et du pluriel au futur antérieur actif, puis passif.

1. impero
2. placeo
3. insido
4. cano

3 À l'aide du Vocabulaire, retrouvez l'intrus parmi ces formes.

1. deleris • placeris • moveris • insideris • videris
2. sentiemur • imperamur • insidimur • invenimur • videmur
3. amatae erunt • moverunt • amaverit • moniti erimus • movero

Je manipule

4 Mettez les verbes de la série A au pluriel, puis ceux de la série B au singulier.

A : ductus ero • dices • faciet • fecero • redibis
B : tenebunt • inventa erunt • finxerimus • servabitis • insidentur

5 Traduisez les formes suivantes, puis mettez-les au futur simple et au futur antérieur en conservant la personne.

1. cessant
2. jubebatis
3. ducimus
4. servabat
5. liberant
6. videbas

6 Trouvez la bonne traduction. Justifiez votre réponse.

Auguste aura bientôt libéré Rome de ses ennemis.

☐ Mox Augustus Romam hostibus liberabit.
☐ Mox Augustus Romam hostibus liberavit.
☐ Mox Augustus Romam hostibus liberaverit.

7 Traduisez les verbes suivants en latin.

1. Tu chanteras
2. Ils commanderont
3. Vous aurez pensé
4. Nous aurons conservé
5. Il se sera installé
6. Ils cesseront

8 Mettez les verbes au présent entre parenthèses à la forme qui convient, puis traduisez les phrases obtenues.

1. Cum patriam (reliquis), novam urbem condere (debes).
2. Cum (perit), Romani Augusti statuam (colunt).
3. Mox magistri Virgilii carmina pueros (docent).

MÉTHODE
■ Analysez la phrase en délimitant chaque proposition.
■ Identifiez le sens et la fonction des propositions introduites par cum.
■ Identifiez la fonction des accusatifs après les avoir relevés.

● J'apprends à traduire EN GROUPE

9 Traduisez seul(e) ou en groupe.

Anchise présente à son fils Énée, descendu aux enfers, sa descendance future dont dépend l'avenir de Rome.

Nosco crines[1] incanaque[2] menta[3]
Regis Romani primam qui legibus urbem
Fundabit. [...] Cui deinde subibit[4] otia[5]
qui rumpet patriae residesque[6] movebit
Tullus in arma viros.

  □ Virgile, *Énéide*, Livre VI, vers 809-815 et 832-835.

1. crinis, is, m. : les cheveux
2. incanus, a, um : blanc
3. mentum, i, n. : le menton
4. subeo, is, ire, ivi, itum : succéder
5. otium, ii, n. : le repos, la vie paisible
6. reses, idis : inactif, oisif

▶**AIDE À LA TRADUCTION**
• Identifiez les verbes conjugués, puis délimitez les propositions.
• Analysez les verbes, puis identifiez leur sujet.
• Faites attention à l'ordre des mots en poésie, qui est différent de celui de la prose.

L'époque d'Auguste est décrite par les poètes comme un nouvel âge d'or. C'est à travers un dialogue chanté que le personnage de Mélibée dans les Bucoliques *de Virgile chante les joies de la vie champêtre.*

Fortunate[1] senex, ergo tua rura[2] manebunt
et tibi magna satis erunt. [...]
Non insueta[3] graves temptabunt[4] pabula[5] fetas[6].
Fortunate senex, hic inter flumina nota[7]
et fontes[8] sacros frigus[9] captabis opacum ;
hinc[10] sub alta rupe[11] canet frondator[12] ad auras[13],
nec tamen interea raucae[14], tua cura, palumbes
nec gemere aeria cessabit turtur[15] ab ulmo[16].

  □ D'après Virgile, *Bucoliques*, I, vers 50-58.

1. fortunatus, a, um : heureux
2. rus, ruris, n. : la campagne
3. insuetus, a, um : inconnu
4. tempto, as, are, avi, atum : mettre à l'épreuve
5. pabulum, i, n. : le paturâge
6. graves fetas : les femelles pleines, engrossées
7. notus, a, um : connu
8. fons, fontis, m. : la source
9. frigus, oris, n. : froid
10. hic... hinc : ici... là
11. rupes, is, f. : la roche
12. frondator, is, m. : l'émondeur
13. aura, ae, f. : l'air
14. raucus, a, um : au son rauque
15. turtur, uris, f. : la tourterelle
16. ulmus, i, f. : l'orme

▶**AIDE À LA TRADUCTION**
• Identifiez les verbes conjugués, puis délimitez les propositions.
• Analysez les verbes, puis identifiez leur sujet.
• Faites attention à l'ordre des mots en poésie, qui est différent de celui de la prose.

VOCABULAIRE

Verbes

cano, is, ere, cecini, cantum : chanter
cesso, as, are, avi, atum : cesser
deleo, es, ere, delevi, deletum : détruire
duco, is, ere, duxi, ductum : conduire
existimo, as, are, avi, atum : penser, estimer

fingo, is, ere, finxi, fictum : fabriquer
impero, as, are, avi, atum : commander
insido, is, ere, insedi, insessum : s'installer, s'asseoir sur
invenio, is, ire, veni, ventum : trouver, inventer
jubeo, es, ere, jussi, jussum : ordonner

libero, as, are, avi, atum : libérer
maneo, es, ere, mansi, mansum : rester
moveo, es, ere, movi, motum : bouger, écarter
placeo, es, ere, cui, citum : plaire à
servo, as, are, avi, atum : conserver

16 Sum et ses composés

J'observe et je retiens

La conjugaison du verbe sum, es, esse, fui, – : être

Radical du présent : (e)s-			Radical du parfait : fu-		
Présent	**Imparfait**	**Futur**	**Parfait**	**Plus-que-parfait**	**Futur antérieur**
sum	eram	ero	fui	fueram	fuero
es	eras	eris	fuisti	fueras	fueris
est	erat	erit	fuit	fuerat	fuerit
sumus	eramus	erimus	fuimus	fueramus	fuerimus
estis	eratis	eritis	fuistis	fueratis	fueritis
sunt	erant	erunt	fuerunt	fuerant	fuerint

Remarque

Sum a **plusieurs emplois particuliers** : **est** ou **sunt**, souvent en début de phrase, se traduiront par il y a.
Est + datif marque l'appartenance : **Est mihi liber.** J'ai un livre.

Les composés possum, potes, posse, potui : pouvoir et prosum, prodes, prodesse, profui, – : je suis utile à (+ datif)

▶ Pour **possum**, aux temps formés sur le radical du présent, **pos-**, employé devant une consonne, devient **pot-** devant une voyelle : **possumus, possunt**, mais **potes, potest, poteram, potero**...

▶ Pour **prosum**, le préfixe **pro-**, employé devant une consonne, devient **prod-** devant une voyelle : **prosum, prosunt, profui**, mais **prodest, prodestis, proderam**...

Les autres composés de sum

▶ **absum** : je suis absent, je suis loin de ; **adsum** : je suis présent, j'assiste à ; **desum** : je manque, je fais défaut à ; **insum** : je suis dans ; **intersum** : je participe à ; **obsum** : je nuis, je fais obstacle à ; **praesum** : je suis à la tête de, je commande ; **supersum** : je subsiste, je survis à.

Remarque : tous ces verbes sont suivis du **datif**, sauf **absum**, suivi de **ab** + **ablatif**.

Je vérifie ma compréhension

1 Conjuguez le verbe adsum à tous les temps de l'indicatif.

2 Traduisez en français les formes suivantes.
1. eratis • fuerunt • sum • fuerimus • fueras • eritis • erant • estis • fuit • erunt
2. deerant • praefuistis • abero • defuerat • ades • praeerimus • supereritis • oberat • insunt • potuimus

3 Traduisez en latin.
1. vous étiez • nous fûmes • je serai • tu avais été • il est • il était • j'ai été • ils seront • nous aurons été • ils étaient
2. nous commandons • tu nuisais • vous serez absents • tu avais été absent • j'étais dans
3. vous pourrez • il a pu • nous pouvons • vous pouviez • ils auront pu • je serai utile • ils sont utiles • tu étais utile • j'avais été utile • tu es utile

Je manipule

4 Traduisez les phrases suivantes.

1. Sunt pisces in mare.
Sunt decem discipuli apud magistrum.
Amplissimae divitiae amico meo sunt.
Amico praenomen est Caius.
Hortus domino est.
Numa secundus Romanorum rex fuit.
Urbis maritimae vitia vitare potuit Romulus.
Spurius Tarpeius praeerat Romanae arci.
Numa non minus civitati profuit quam Romulus.

2. Inest amoris macula huic homini in pectore (Plaute).
Secuti sumus classem Dolabellae, cui L. Figulus praeerat (Cicéron).
Cavarillus post defectionem Litavicci pedestribus copiis praefuerat (César).
Vix duo tresve mihi de tot superestis amici (Ovide).

5 Traduisez seul(e) ou en groupe.

Voici le récit du déluge provoqué par Zeus pour punir les hommes,
tel qu'il est raconté par Ovide dans les Métamorphoses.

Jamque mare et tellus[1] nullum discrimen[2] habebant ;
omnia pontus[3] erat ; deerant quoque litora ponto.
Occupat hic collem ; cumba[4] sedet alter adunca[5]
et ducit remos[6] illic[7] ubi nuper arabat.
Ille supra segetes[8] aut mersae[9] culmina villae
navigat, hic summa piscem deprendit in ulmo[10]. [...]
Nat lupus inter oves, fulvos vehit unda leones,
unda vehit tigres ; nec vires[11] fulminis[12] apro[13],
crura[14] nec ablato prosunt velocia cervo.

☐ Ovide, *Métamorphoses*, I, vers 291-306.

1. **tellus, uris,** f. : la terre (poétique)
2. **discrimen, inis,** n. : la différence
3. **pontus, i,** m. : la mer (poétique)
4. **cumba, ae,** f. : la barque, l'esquif
5. **aduncus, a, um** : courbé
6. **remus, i,** m. : la rame
7. **illic** : là
8. **seges, etis,** f. : l'épi
9. **mergo, is, ere, mersi, mersum** : plonger
10. **ulmus, i,** f. : l'orme
11. **vires, virium,** f. pl. : les forces
12. **fulmen, inis,** n. : la foudre
13. **aper, apri,** m. : le sanglier
14. **crus, cruris,** n. : la jambe

▶**AIDE À LA TRADUCTION**
• Repérez les verbes conjugués, analysez-les et cherchez leur sujet.
• Il s'agit d'un texte poétique : l'ordre des mots est donc plus libre qu'en prose. Retrouvez à quel nom
se rapportent les adjectifs et participes adunca, mersae, summa, fulvos, ablato et velocia.

Fuit Cato ut senator egregius, ita[1] bonus pater : [...] ubi
aliquid[2] intelligere potuit puer, eum pater ipse in litteris
instituit, licet[3] idoneum[4] et eruditum domi servum
haberet. Nolebat[5] enim servum filio maledicere[6], vel aurem
vellicare[7], si tardior in discendo[8] esset ; neque etiam
filium tanti beneficii, hoc est[9] doctrinae, debitorem esse
servo. Ipse itaque ejus ludi magister, ipse legum doctor[10],
ipse lanista fuit. Conscripsit manu sua, grandibus litteris
historias, ut[11] etiam in paterna domo ante oculos proposita
haberet veterum[12] instituta[13] et exempla.

☐ Abbé Lhomond, *Des hommes illustres.*

1. **ut... ita** : de même que... de même
2. **aliquid** : quelque chose
3. **licet** : bien que
4. **idoneus, a, um** : compétent
5. **nolo, non vis, nolle, nolui, -** : ne pas vouloir
6. **maledico, is, ere, dixi, dictum** : tenir de mauvais propos
7. **vellico, as, are, avi, atum** : tirer, pincer
8. **in discendo** : pour apprendre
9. **hoc est** : c'est-à-dire
10. **doceo, es, ere, ui, doctum** : enseigner
11. **ut** : pour
12. **vetus, eris** : vieux, ancien (*ici*, substantivé : les Anciens)
13. **instituta, orum,** n. pl. : les institutions

▶**AIDE À LA TRADUCTION**
Le verbe nolere, **ne pas vouloir que...** se construit avec une proposition infinitive en latin. Retrouvez les
deux propositions qui dépendent de ce verbe dans le texte : leur verbe est à l'infinitif et leur sujet à l'accusatif.

VOCABULAIRE

Noms

arx, arcis, f. : la citadelle
copiae, arum, f. pl. : les troupes
divitiae, arum, f. pl. : les richesses
fons, fontis, m. : la source, la fontaine
hortus, i, m. : le jardin
juventus, us, m. : la jeunesse
lucus, i, m. : le bois sacré, le bois (poétique)
macula, ae, f. : la tache
pectus, oris, n. : la poitrine
piscis, is, m. : le poisson

Adjectif

omnis, e : tout, tous

Verbes

disco, is, ere, didici, discitum : apprendre
intellego, is, ere, legi, lectum : comprendre
sequor, queris, qui, secutus sum : suivre

Mots invariables

enim (en deuxième position) : en effet
etiam : aussi, même
itaque : c'est pourquoi
praeterea : en plus, en outre
tot : tant
vix : à peine

J'observe et je retiens

▶ Les **emplois** du subjonctif sont **plus étendus en latin qu'en français** (voir les fiches 21, 22, 25 et 26).

▶ Le subjonctif marque non des faits réels (indicatif) mais des **faits uniquement envisagés** par celui qui parle.

▶ Le subjonctif latin compte **quatre temps**.

LE SUBJONCTIF PRÉSENT

▶ Le subjonctif présent se forme sur le radical de l'indicatif présent.

▶ Seule change **la voyelle finale** (voir les tableaux des conjugaisons pages 308 à 318).
On retrouve les terminaisons habituelles : **-m**, **-s**, **-t**, **-mus**, **-tis**, **-nt**.

	1re conj.	2e conj.	3e conj.	3e conj. mixte	4e conj.	sum et composés
Voyelle de l'indicatif présent	amo, **a**s	deb**e**o	dico	capio	audio	sum
Voyelle du subjonctif présent	-E-	-A-				-I-
	am**e**m	debe**a**m	dic**a**m	capi**a**m	audi**a**m	s**i**m

LE SUBJONCTIF IMPARFAIT, PARFAIT ET PLUS-QUE-PARFAIT

▶ Les autres temps du subjonctif ont une **formation identique pour tous les verbes**.

▶ Retenez les formules suivantes :

Temps	Formule	Exemple
Imparfait	**infinitif présent** + terminaisons habituelles	amarem, amares, amaret, amaremus, amaretis, amarent
Parfait	**radical du parfait + suffixe -ERI-** + terminaisons habituelles	amav**eri**m, amav**eri**s, amav**eri**t, amav**eri**mus, amav**eri**tis, amav**eri**nt
Plus-que-parfait	**radical du parfait + suffixe -ISSE-** + terminaisons habituelles	amav**isse**m, amav**isse**s, amav**isse**t, amav**isse**mus, amav**isse**tis, amav**isse**nt

Je vérifie ma compréhension

1 Par deux, chacun votre tour, proposez un verbe du Vocabulaire et demandez à l'autre de le conjuguer à l'un des temps du subjonctif. Le premier qui se trompe a perdu !

2 Analysez les formes verbales suivantes : réécrivez-les en utilisant le code couleur de la leçon, puis donnez leur mode, leur temps et leur personne.

1. cogitaretis 2. habeant 3. occiderim 4. ludas
5. pugnavissetis 6. auderet 7. coegissem 8. narrent
9. ceciderit 10. adjiceremus 11. luderent 12. cadatis
13. omiseris 14. vidissem

3 Indicatif ou subjonctif présent ?

1. imperetis 2. pugnant 3. cadant 4. audeamus
5. cogimus 6. omittam 7. ludatis 8. narret 9. caret
10. habeat 11. accipimus 12. videat 13. pugnes

Je manipule

4 Transposez ces formes verbales au subjonctif (même temps, même personne).

1. tenemus   3. narrat   5. vidi
2. adjiciebas   4. pugnaveratis

5 Analysez les verbes des propositions introduites par cum, puis proposez la bonne traduction.

Rappel : cum peut avoir plusieurs sens :
cum + ind. : lorsque
cum + subj. présent : puisque
cum + subj. imparfait ou plus-que-parfait : alors que ou comme

1. Cum apud amicos esset, viri improbi eum occidere temptaverunt.
2. Hannibal, cum Romanos pugnare coegit, hostium copias vicit.
3. Cum hostes virtute non careant, cum eis pugnare non audemus.

6 Traduisez, seul(e) ou en groupe.

L'histoire de Cadmos, fondateur de Thèbes

Cadmus cum erraret, Delphos devenit ; ibi responsum accepit, ut[1] a pastoribus bovem emeret[2] qui lunae signum in latere haberet, eumque ante se ageret ; ubi[3] decubuisset[4], ibi fatum esse eum[5] oppidum condere et ibi regnare.

Cadmus [...] cum imperata perfecisset [...], ad fontem Castalium venit, quem draco Martis filius custodiebat[6]. Qui cum socios[7] Cadmi interfecisset a Cadmo lapide est interfectus, dentesque ejus Minerva monstrante sparsit et aravit, unde Spartoe sunt enati. Qui inter se pugnarunt. Ex quibus quinque superfuerunt.

☐ Hygin, *Fables.* CLXXVIII, 4-6.

1. **ut** : *développe* responsum
2. **emo, is, ere, emi, emptum** : acheter
3. **ubi** : là où
4. **decumbo, is, ere, cubui, –** : se coucher
5. **fatum esse eum** : il devait
6. **custodio, is, ire, i(v)i, itum** : garder, surveiller
7. **socius, i,** m. : le compagnon

▶ **AIDE À LA TRADUCTION**
• Relevez les verbes conjugués à l'indicatif, trouvez leur sujet et traduisez-les pour connaître l'essentiel de l'action.
• Retrouvez les sept verbes au subjonctif et analysez-les. Quelle conjonction introduit chacun d'eux ?

Un assassin sans scrupules

Cum esset gravida[1] Auria, fratris uxor, et jam appropinquare partus[2] videretur, mulierem veneno interfecit ut[3] una[4] cum illa illud quod erat ex fratre conceptum necaretur[5]. Post fratrem adgressus est[6] [...]. Ita mulierem ne partu ejus ab hereditate fraterna excluderetur necavit ; fratris autem liberos prius vita privavit quam[7] illi hanc a natura propriam lucem accipere potuerunt ; ut omnes intellegerent nihil ei clausum[8], nihil sanctum esse posse a cujus audacia fratris liberos ne materni quidem[9] corporis custodia[10] tegere[11] potuisset.

☐ Cicéron, *Discours pour Cluentus*, 31.

1. **gravida** : enceinte
2. **partus, us,** m. : l'accouchement
3. **ut** : pour, pour que
4. **una** : en même temps
5. **neco, as, are, avi, atum** : assassiner
6. **adgredior, deris, di, gressus sum** + acc. : s'attaquer à
7. **prius... quam...** : avant que
8. **clausus, a, um** : fermé
9. **ne... quidem...** : ne... pas même, même pas
10. **custodia, ae,** f. : la garde, la protection
11. **tego, is, ere, texi, tectum** : recouvrir, protéger (**ab** + abl. : de qqch)

▶ **AIDE À LA TRADUCTION**
• Identifiez et traduisez les propositions dont les verbes sont à l'indicatif.
• Qui sont les personnages ? Quelles sont leurs relations ?
• Utilisez les propositions au subjonctif pour connaître les motivations de l'assassin.

VOCABULAIRE

Noms

liberi, orum, m. pl. : les enfants
mulier, eris, f. : la femme
uxor, oris, f. : l'épouse

Mots invariables

autem : or, mais, quant à
cum + subj. impft/p. q. p. : alors que, comme
ita : ainsi
nam : en effet

Verbes

accipio, is, ere, cepi, ceptum : recevoir
adjicio, is, ere, jeci, jectum : ajouter
audeo, es, ere, ausus sum : oser
cado, is, ere, cecidi, casum : tomber
careo, es, ere, ui, – + abl. : être privé de, manquer de, être sans
cogito, as, are, avi, atum : penser
cogo, is, ere, coegi, coactum : forcer
existimo, as, are, avi, atum : estimer
habeo, es, ere, ui, itum : avoir
impero, as, are, avi, atum : commander

ludo, is, ere, lusi, lusum : jouer
narro, as, are, avi, atum : raconter
occido, is, ere, cidi, cisum : tuer
omitto, is, ere, misi, missum : laisser de côté, oublier
pugno, as, are, avi, atum : combattre
sentio, is, ire, sensi, sensum : juger, être d'avis que
teneo, es, ere, tenui, tentum : tenir
video, es, ere, vidi, visum : voir

18 Les verbes irréguliers

J'observe et je retiens

▶ Certains verbes latins présentent des **irrégularités de formation**. Elles portent sur le **radical**, principalement aux temps de l'**infectum**.

▶ **eo** et ses composés : **eo, is, ire, i(v)i, itum** : aller

Temps/Mode	Indicatif	Subjonctif	Impératif
Présent	eo	eam	
	is	eas	i
	it	eat	
	imus	eamus	
	itis	eatis	ite
	eunt	eant	

▶ **fero, fers, ferre, tuli, latum** : porter, emporter, supporter

Temps/Mode	Indicatif	Subjonctif	Impératif
Présent	fero	*Régulier* : feram	
	fers		fer
	fert		
	ferimus		
	fertis		ferte
	ferunt		

▶ **volo, vis, velle, volui** : vouloir

▶ **nolo, non vis, nolle, nolui** : ne pas vouloir, refuser

▶ **malo, mavis, malle, malui** : préférer

Temps/Mode	Indicatif			Subjonctif		
Présent	volo	nolo	malo	velim	nolim	malim
	vis	non vis	mavis	velis	nolis	malis
	vult	non vult	mavult	velit	nolit	malit
	volumus	nolumus	malumus	velimus	nolimus	malimus
	vultis	non vultis	mavultis	velitis	nolitis	malitis
	volunt	nolunt	malunt	velint	nolint	malint

Remarque

Seul **nolo** a un impératif présent : **noli/nolite**. Suivi d'un verbe à l'infinitif, il exprime une **interdiction** : **Nolite ad theatrum ire** : N'allez pas au théâtre.

▶ **fio, fis, fieri, factus sum** : devenir, être fait

Fio sert de passif à **facio** : je fais. C'est pourquoi il porte la marque de la **forme active à l'infectum** (sauf à l'infinitif), mais de la **forme passive au perfectum**.

▶ Voir conjugaisons page 319.

Je manipule

1 **a.** Indiquez le temps, le mode et la personne de ces formes verbales.

b. Traduisez-les.

1. fiat 2. nolimus 3. nolumus 4. ferebatis
5. fert 6. exit 7. exeat 8. ibis 9. eo 10. facti sunt

2 Transposez ces formes verbales à la personne qui suit dans l'ordre des **conjugaisons**.

Exemple : vis → vult

1. volo	3. redeo	5. ibatis	7. is
2. fero	4. ferimus	6. exitis	8. fis

3 Chacune de ces formes verbales est au présent de l'indicatif. Transposez-la au présent du subjonctif.

Exemple : vis → velis

1. fero
2. mavis
3. fit
4. nolunt
5. eo
6. redimus
7. peritis
8. fert

4 Traduisez les phrases suivantes en vous reportant aux textes du parcours 11 si besoin.

1. Vernasiae Cycladis conjux periit.
2. Megadorus loquacem mulierem ferre non vult.
3. Diana virgo maritum noluit.
4. Nolite pugnare parentibus, puellae.
5. Majores in manu virorum feminas esse volebant.

● J'apprends à traduire EN GROUPE

5 Traduisez seul(e) ou en équipe.

> *Ménechme reproche à sa femme de chercher à le contrôler.*
>
> Nam quotiens foras[1] ire volo, me retines, revocas, rogitas[2]
> quo ego eam, quam rem agam[3], quid negoti geram[4],
> quid petam, quid feram, quid foris egerim,
> Portitorem[5] domum duxi !
>
> ☐ Plaute, *Les Ménechmes*, v. 114-117.

1. **foras** : dehors
2. **rogito, as, are, avi, atum** : demander avec insistance
3. **rem agere** : faire
4. **negotium gerere** : régler une affaire
5. **portitor, oris**, m. : le portier

▶**AIDE À LA TRADUCTION**

• Les verbes conjugués le sont à deux personnes grammaticales : lesquelles ? Aidez-vous des terminaisons et de la situation de communication.
• Avez-vous repéré les quatres verbes irréguliers ?

• Rogitas enclenche une série de propositions interrogatives indirectes. Ceci explique la marque du subjonctif latin sur les verbes.
• Analysez duxi. D'après son mode, dépend-il lui aussi de rogitas ?

> *Juvénal se moque de l'amour de Sertorius pour Bibula : il ne durera que le temps de sa beauté...*
>
> Cur desiderio Bibulae Sertorius ardet ?
> — Si verum excutias, facies, non uxor amatur.
> Tres rugae[1] subeant et se cutis arida laxet,
> fiant obscuri dentes oculique minores :
> « Collige sarcinulas[2] », dicet libertus, « et exi !
> Jam gravis es nobis, et saepe emungeris[3].
> Exi ocius[4] et propera, sicco venit altera[5] naso. »
>
> ☐ Juvénal, *Satires*, VI, v. 142-148.

1. **ruga, ae**, f. : la ride
2. **sarcinula, ae**, f. : les petites affaires
3. **emungor, eris, gi, nctus sum** : se moucher
4. **ocius** : plus vite
5. **alterus, a, um** : un(e) autre

▶**AIDE À LA TRADUCTION**

• Il y a trois voix dans ce texte. Lesquelles ? Délimitez-les.
• Relevez les verbes dans les propos tenus par chacune des trois voix.
• Aidez-vous de la conjugaison des verbes irréguliers pour trouver les différents modes employés.
• amatur = est aimé(e). Traduisez soigneusement facies, non uxor amatur car c'est la clé du texte.

• Quand il est exprimé, relevez le sujet de chaque verbe. Traduisez les groupes sujet-verbe ainsi obtenus.
• Rédigez votre traduction en ajoutant les compléments. Ne perdez pas de vue que ce texte est une satire : Juvénal veut faire rire ou sourire le lecteur, un brin de cruauté n'est pas exclu !

19 Les degrés de l'adjectif qualificatif

J'observe et je retiens

▶ En latin comme en français, les adjectifs peuvent être employés à différents degrés :
le **positif**, le **comparatif** et le **superlatif**.

▶ Tous **se déclinent** et **s'accordent** en cas, genre et nombre avec le nom qu'ils qualifient.

	Comparatif de supériorité	Superlatif de supériorité
Formation	radical + **-ior, -ior, -ius** (G. -ior**is**) clarus, a, um : célèbre → clar**ior**, clar**ior**, clar**ius** : plus célèbre	radical + **-issimus, a, um** → clar**issimus**, **a**, **um** : le plus célèbre, très célèbre
Se décline comme...	adjectifs de la 2ᵉ classe	adjectifs de la 1ʳᵉ classe
Complément	– à l'ablatif seul : Caesar clar**ior** est Horati**o**. César est plus célèbre qu'Horace. – introduit par **quam** au même cas que le comparé : Caesar clar**ior** est **quam** Horatius.	– au génitif seul : Caesar clar**issimus** Roman**orum** est. César est le plus célèbre des Romains. – introduit par **e(x)** + abl. : Caesar clar**issimus** **e** Roman**is** est.
Exceptions		– adjectifs en **-er** : radical + **-errimus, a, um** pulcher, chra, chrum : beau → pulch**errimus**, **a**, **um** : le plus beau – adjectifs en **-ilis** : radical + **-illimus, a, um** facilis, e : facile → fac**illimus**, **a**, **um**

▶ **Irréguliers**

Positif	Comparatif	Superlatif
bonus, a, um : bon	melior, ius (G. ioris) : meilleur	optimus, a, um : le meilleur, très bon
malus, a, um : mauvais	pejor, us (G. oris) : pire, plus mauvais	pessimus, a, um : le pire, très mauvais
magnus, a, um : grand	major, us (G. oris) : plus grand	maximus, a, um : le plus grand, très grand
parvus, a, um : petit	minor, us (G. oris) : plus petit	minimus, a, um : le plus petit, très petit
propinquus, a, um : proche	propior, ius (G. ioris) : plus proche	proximus, a, um : le plus proche, très proche
multi, ae, a : nombreux	plures, a (G. um) : plus nombreux	plurimi, ae, a : les plus nombreux, très nombreux

Remarques :
- comparatif d'infériorité : **minus** + positif + **quam...** : moins... que
- comparatif d'égalité : **tam** + positif + **quam...** : aussi... que
- superlatif d'infériorité : **minime** + positif : le moins

● Je vérifie ma compréhension

1 Déclinez ces adjectifs.

1. saevus, a, um → comparatif, masculin, sg. ;
　　　　　　　 superlatif, neutre, pl.
2. similis, e → comparatif, féminin, pl. ;
　　　　　　　 superlatif, neutre, sg.

2 a. Mettez l'adjectif au comparatif et déclinez.
b. Mettez l'adjectif au superlatif et déclinez.

1. bonus consul
2. propinqua urbs
3. dulce verbum

● Je manipule

3 Complétez les phrases par l'un des adjectifs suivants et traduisez. amicissimi • divitissimo • fortiorem • plures • pulcherrimum • similiores

1. Crasso, homini..., ... servi sunt quam Publio amico.
2. Numquam virum patre meo... vidi. **3.** Auget maxime laetitiam meam... hominis inopinata praesentia.
4. Barbari hostes sunt beluis... quam hominibus.

4 Terminez ces phrases latines à l'aide d'un complément du comparatif ou du superlatif.

1. Horatius fortior... erat. **2.** Majus... templum fecit Augustus. **3.** Vidi hominem majorem... .

● J'apprends à traduire **EN GROUPE**

5 Traduisez, seul(e) ou en groupe.

> **Explication d'un phénomène naturel**
> Cometae minuunt[1] augentque lumen suum
> quemadmodum[2] alia sidera, quae clariora cum
> descendunt, sunt majoraque, quia ex loco propiore
> visuntur, minora cum redeunt et obscuriora, quia
> abducunt se longius[3].
>
> ☐ D'après Sénèque, *Questions naturelles*, VII, 17, 3.

1. **minuo, is, ere, ui, utum** : diminuer
2. **quemadmodum** : comme
3. **longius** : plus loin

▶**AIDE À LA TRADUCTION**
• Repérez les cinq adjectifs au comparatif : quels noms qualifient-ils ?
• Isolez les subordonnées par des crochets : attention, elles peuvent être imbriquées !

> Viri magni nostri majores non sine causa praeponebant[1]
> rusticos Romanos urbanis. Ut[2] ruri[3] enim qui in villa
> vivunt ignaviores[4] quam qui in agro versantur[5] in aliquo
> opere[6] faciendo, sic[2] qui in oppido sederent quam qui
> rura[3] colerent desidiosiores[7] putabant. Itaque annum
> ita diviserunt ut[8] nonis[9] modo[10] diebus urbanas res
> usurparent[11], reliquis septem ut rura[3] colerent. Quod dum
> servaverunt institutum[12], utrumque[13] sunt consecuti[14]
> ut et cultura agros fecundissimos haberent et ipsi
> valetudine[15] firmiores[16] essent, ac ne[17] Graecorum urbana
> desiderarent gymnasia.
>
> ☐ Varron, *Économie rurale*, II, 1.

1. **praepono, is, ere, posui, positum** : préférer
2. **ut... sic...** : de même que... de même...
3. **rus, ruris**, n. : la campagne (**ruri** : à la campagne)
4. **ignavus, a, um** : mous
5. **versantur** : passent leurs journées
6. **opus, eris**, n. : le travail
7. **desidiosus, a, um** : paresseux
8. **ita... ut...** : de manière à ce que
9. **nonus, a, um** : neuvième
10. **modo** : seulement
11. **usurpo, as, are, avi, atum** : pratiquer
12. **quod institutum** : et cette coutume
13. **uterque, utraque, utrumque** : l'un et l'autre
14. **consequor, sequeris, sequi, secutus sum** : *a donné* conséquence
15. **valetudo, inis**, f. : la santé
16. **firmus, a, um** : solide
17. **ac ne** : et que... ne... pas

▶**AIDE À LA TRADUCTION**
• Quels sont les deux modes de vie qui sont opposés ici ?
• Lequel a la préférence de l'auteur ? Quels sont ses avantages ?
Repérez les comparatifs pour répondre.

VOCABULAIRE

Mots invariables

itaque : c'est pourquoi
non solum... sed etiam... :
non seulement..., mais aussi...
numquam : ne jamais
quia : parce que

Noms

carmen, inis, n. : le poème
lingua, ae, f. : la langue
rus, ruris, n. : la campagne
sidus, eris, n. : l'étoile

Adjectifs

beatus, a, um : heureux
brevis, e : court, bref
certus, a, um : certain
dives, divitis : riche
dulcis, e : doux
felix, icis : heureux
firmus, a, um : solide, fort
fortis, e : courageux
gravis, e : sérieux ; lourd
jucundus, a, um : agréable
laetus, a, um : joyeux
levis, e : léger
nobilis, e : connu, noble

Verbes

augeo, es, ere, auxi, auctum :
augmenter
colo, is, ere, colui, cultum : cultiver,
honorer
curo, as, are, avi, atum (+ acc.) : soigner,
s'occuper de
puto, as, are, avi, atum : penser
relinquo, is, ere, liqui, lictum : laisser,
abandonner

20 Le passif – Les verbes déponents

J'observe et je retiens

RAPPEL

▶ En français comme en latin, un verbe est à la **voix passive** quand son sujet grammatical **subit** l'action au lieu de la **faire**.

Ballion bat les esclaves. → voix active   **Les esclaves sont battus par Ballion.** → voix passive

▶ En latin, ce sont les **terminaisons** du verbe qui indiquent la voix.

AUX TEMPS DE L'INFECTUM

▶ **Formation** : radical + -(o)r, -ris, -tur, -mur, -mini, -ntur
Voir les tableaux des conjugaisons pages 308 à 317.

AUX TEMPS DU PERFECTUM

▶ **Formation** : participe parfait passif + **esse**.
amavi : j'ai aimé (voix active) → **amatus sum** : j'ai été aimé (voix passive)
amaverant : ils avaient aimé (voix active) → **amati erant** : ils avaient été aimés (voix passive)
Voir les tableaux des conjugaisons pages 308 à 317.

LE COMPLÉMENT D'AGENT

▶ En latin, il est exprimé par :
– **a(b) + ablatif** si c'est un **être animé** (personne réelle ou imaginaire, animal, collectif) ;
– l'**ablatif seul** si c'est une **chose**.
Euclion est trompé <u>par un esclave</u>. → **Euclio <u>a servo</u> decipitur.**
Euclion est trompé <u>par la ruse d'un esclave</u>. → **Euclio <u>servi dolo</u> decipitur.**

LES VERBES DÉPONENTS

▶ Ils ont des **terminaisons de forme passive** tout en ayant un **sens actif** :
imitor, imitaris, imitari, imitatus sum : imiter

● *Je vérifie ma compréhension*

1 Vrai ou faux ? Justifiez votre réponse.

1. (Ils) sont venus est un verbe à la voix passive.
2. Un verbe latin qui se termine par -tur est forcément à la voix passive.
3. Verbum dictum est a deo se traduit par :
Une parole est dite par le dieu.

2 Trouvez le point commun des formes verbales des listes suivantes, et chassez l'intrus.

1. amabuntur • capientur • audientur • debebitur
2. dicitur • dictum est • capiebatur • capietur
3. capiar • audiar • debebor • dicebar

3 Relevez et traduisez le complément d'agent du verbe à la voix passive.

1. Misera Staphyla ab Euclione sene verberatur.
2. A publico Plauti comoediae palliatae maxime plausae sunt.

● *Je manipule*

4 Traduisez, puis transposez ces verbes à la voix passive en gardant la même personne, le même temps et le mode indicatif.

1. dicis	**5.** audiet
2. capiebant	**6.** amabas
3. debemus	**7.** amabunt
4. debebimus	**8.** dicebatis

5 Traduisez en utilisant les verbes déponents.

1. nous imitions	**5.** ils utilisent
2. elle a imité	**6.** elles souffraient
3. je craignais	**7.** ils souffrirent
4. il utilisera	**8.** elle avait craint

J'apprends à traduire EN GROUPE

6 Traduisez seul(e) ou en équipe.

> *Mégadore approche Euclion dans l'espoir qu'il accepte de lui donner sa fille en mariage.*
>
> MEG. : Dic mihi, quali me arbitrare[1] genere prognatum ?
> EUC. :   Bono.
> MEG. : Quid fide ?
> EUC. :   Bona.
> MEG. :   Quid factis ?
> EUC. :   Neque malis neque improbis. [...]
> MEG. : Certe edepol[2] equidem te civem sine mala omni malitia
>   Semper sum arbitratus, et nunc arbitror.
>
> ☐ Plaute, *La Marmite*, v. 212-216.

1. **arbitrare** = arbitraris
2. **edepol** : par Pollux

▶ **AIDE À LA TRADUCTION**

• Ligne 1, le verbe de pensée arbitrare enclenche une proposition infinitive. Repérez son sujet à l'accusatif. Son verbe, esse, est sous-entendu. Dans quel autre passage du texte retrouvez-vous cette construction ?

• quali et quid sont des pronoms interrogatifs. Ils régissent ici des ablatifs de relation. On peut les traduire en français par **à propos de...**, ou **concernant**. Repérez ces ablatifs grâce aux terminaisons.

> *L'argument de l'*Aulularia (La Marmite) *de Plaute a été composé en acrostiche. Pour vous aider à le traduire, les noms, pronoms et participes parfaits passifs se rapportant à Euclion ont été imprimés de la même couleur, ainsi que ceux se rapportant à Lyconide.*
>
> **A**ulam repertam auri plenam Euclio
> **V**i summa servat miseris adfectus modis.
> **L**yconides istius vitiat[1] filiam.
> **V**olt[2] hanc Megadorus indotatam ducere[3],
> **L**ubensque[4] ut faciat dat coquos cum obsonio[5].
> **A**uro formidat Euclio, abstrudit foris[6].
> **R**e omni inspecta compressoris[7] servolus
> **I**d surpit[8] ; illic[9] Euclioni rem refert.
> **A**b eo donatur auro, uxore et filio.
>
> ☐ Plaute, *La Marmite*, « Argumentum ».

1. **vitio, as, are, avi, atum** : violer
2. **volt** = vult
3. **hanc ducere** : la prendre pour femme
4. **lubens** = libens
5. **obsonium, ii**, n. : les victuailles
6. **foris** = foras
7. **compressor, oris**, m. : le violeur
8. **surpit** : il dérobe secrètement
9. **illic** = ille

▶ **AIDE À LA TRADUCTION**

• Repérez les noms propres, reliez-les à la liste des personnages (voir page 160).
• Au vers 5, ut lubens faciat exprime le but.
• Re omni inspecta est un complément circonstanciel (ablatif absolu). Attention au participe parfait passif !

VOCABULAIRE

Noms

coquus, i, m. : le cuisinier
vis, is, f. : la force

Adjectifs

libens, tis : d'accord, de son plein gré
plenus, a, um : plein
prognatus, a, um : issu de, descendant de
summus, a, um : le plus haut, le plus fort

Verbes

abstrudo, is, ere, trudi, trusum : cacher
adficio, is, ere, feci, fectum : affecter, tourmenter
arbitror, aris, ari, atus sum : penser
formido, as, are, avi, atum : craindre
patior, eris, i, passus sum : souffrir
reperio, is, ire, peri, pertum : trouver
servo, as, are, avi, atum : garder intact, surveiller

utor, eris, uti, usus sum : utiliser
vereor, eris, eri, itus sum : craindre

Mots invariables

certe : assurément
equidem : pour ma part
nunc : maintenant
semper : toujours

21 L'expression de l'ordre et de la défense

J'observe et je retiens

▶ En latin, l'ordre et la défense **ne s'expriment pas de la même façon** à la deuxième personne et aux autres personnes.

	Expression de l'ordre	Expression de la défense
2e personne du sg. **2e personne du pl.**	**Impératif** Veni ! Viens ! Scribite ! Écrivez !	**Noli/Nolite + infinitif présent** Noli venire ! Ne viens pas ! Nolite scribere ! N'écrivez pas !
		Ne + subjonctif parfait Ne veneris ! Ne viens pas ! Ne scripseritis ! N'écrivez pas !
1re et 3e personnes du pl.	**Subjonctif présent** Scribamus ! Écrivons ! Veniat ! Qu'il vienne !	**Ne + subjonctif présent** Ne scribamus ! N'écrivons pas ! Ne veniat ! Qu'il ne vienne pas !

L'IMPÉRATIF

▶ **Formation** : radical pour la 2e pers. du sg.

radical + **-te** pour la 2e pers. du pl.

Infinitif	amare	debere	currere	capere	audire	esse
2e pers. du sg.	ama	debe	curre	cape	audi	es
2e pers. du pl.	amate	debete	currite	capite	audite	este

Remarque : quatre verbes ont une forme irrégulière à la 2e pers. du sg. : • **dic** : dis ! • **fac** : fais ! • **duc** : conduis ! • **fer** : porte !

LE SUBJONCTIF

▶ Voir page 276

Je vérifie ma compréhension

1 Formez les impératifs de tous les verbes du Vocabulaire.

2 Transformez les ordres en défenses, et vice-versa.

1. frange **2.** nuntia **3.** ostende **4.** i **5.** vivite **6.** moveamus **7.** stemus **8.** vocent **9.** nolite tacere **10.** nolite movere

3 Traduisez les expressions suivantes (il y a parfois plusieurs possibilités).

1. apprends **2.** bougez **3.** appelle **4.** n'appelle pas **5.** tais-toi **6.** va **7.** ne bougeons pas **8.** ne nous taisons pas **9.** qu'il bouge **10.** appelons

4 Transposez les ordres de l'exercice **3** en défense, et vice-versa.

5 Exprimez de deux manières la défense correspondant à ces ordres.

1. discite **2.** voca **3.** move **4.** frangite

Je manipule

6 Associez plusieurs mots afin de former un maximum de phrases correctes, que vous traduirez.

ne • nolite
cave • fer • tacete • voca • nuntiaveritis
frangere • ostendere
amorem • canem • patris • puellae • pueris
• senes • statuam • victoriam

7 Retrouvez la traduction latine des verbes suivants. Notez-la, avec tous les temps primitifs.

1. rendre **2.** s'asseoir **3.** écouter **4.** venir **5.** sortir (d'un lieu) **6.** toucher **7.** donner **8.** se battre **9.** rester **10.** répondre **11.** conduire **12.** fuir **13.** commencer **14.** tuer **15.** tirer **16.** jeter

8 À tour de rôle, donnez un ordre à un ou plusieurs camarades, ou formulez une défense.
Vous pouvez vous servir du Vocabulaire, des verbes latins trouvés à l'exercice **7**, mais aussi du *Petit dictionnaire* pour varier vos phrases. Soyez créatifs, et pensez à ajouter des compléments !

J'apprends à traduire EN GROUPE

9 Traduisez, seul(e) ou en groupe.

Vivamus, mea Lesbia, atque amemus,
rumoresque senum severiorum
omnes unius aestimemus assis¹.
Soles occidere² et redire possunt ;
nobis cum semel³ occidit brevis lux,
nox est perpetua una dormienda.
Da mi⁴ basia⁵ mille, deinde centum,
dein⁶ mille altera, dein secunda centum,
deinde usque⁷ altera mille, deinde centum.
Dein, cum milia multa fecerimus,
conturbabimus⁸ illa, ne⁹ sciamus,
aut ne quis malus¹⁰ invidere¹¹ possit,
cum tantum sciat¹² esse basiorum.

☐ Catulle, *Poésies*, 5.

1. **unius assis** : génitif de prix
2. **occido, is, ere, cidi, casum** : tomber, succomber
3. **semel** : une fois
4. **mi = mihi**
5. **basium, ii,** n. : le baiser
6. **dein = deinde** : ensuite
7. **usque** : sans interruption
8. **conturbo, as, are, avi, atum** : mélanger, brouiller
9. **ne** : pour que... ne... pas
10. **ne quis malus** : pour que qqn de mal intentionné
11. **invideo, es, ere, vidi, visum** : jeter le mauvais œil
12. **cum sciat** : *ici*, en sachant

▶ **AIDE À LA TRADUCTION**

- À qui s'adresse le poète ? Quel est le champ lexical dominant ?
- Repérez les quatre ordres formulés par le poète. Quel est le mode employé pour chacun ?

L'orateur Cicéron appelle les juges à se montrer dignes de ce que Rome a de meilleur...

Quare imitemur¹ nostros Brutos, Camillos, Ahalas,
Decios, Curios, Fabricios, Maximos, Scipiones, Lentulos,
Aemilios, innumerabiles alios qui hanc rem publicam
stabiliverunt² ; quos equidem³ in deorum immortalium
coetu⁴ ac numero repono. Amemus patriam, pareamus⁵
senatui, consulamus⁶ bonis⁷ ; praesentis fructus
neglegamus, posteritatis gloriae serviamus⁸ ; id esse
optumum putemus quod erit rectissimum ; speremus
quae volumus, sed quod acciderit⁹ feramus. Cogitemus
denique corpus virorum fortium magnorumque hominum
esse mortale, animi vero motus¹⁰ et virtutis gloriam
sempiternam¹¹.

☐ Cicéron, *Discours pour Sestius*, 142.

1. **imitor, aris, ari, atus sum** : imiter
2. **stabilio, is, ire, ivi, itum** : affermir
3. **equidem** : pour ma part
4. **coetus, us,** m. : la réunion, la troupe
5. **pareo, es, ere, ui, itum** : obéir
6. **consulo, is, ere, sului, sultum** + dat. : s'occuper de
7. **bonis** : les bons citoyens
8. **servio, is, ire, ii, itum** : être esclave de, être soumis à
9. **accido, is, ere, cidi** : arriver (événements négatifs)
10. **motus, us,** m. : le mouvement
11. **sempiternus, a, um // semper**

▶ **AIDE À LA TRADUCTION**

- Isolez cinq propositions subordonnées relatives.
- Différenciez les verbes selon le mode auquel ils sont employés (indicatif/subjonctif).
- Isolez deux propositions infinitives et analysez-les (verbe introducteur, sujet et verbe de l'infinitive).

VOCABULAIRE

Noms

lux, lucis, f. : la lumière
nox, noctis, f. : la nuit
senex, is, m. : le vieillard
sol, solis, m. : le soleil

Verbes

caveo, es, ere, cavi, cautum + acc. : prendre garde à qqch

disco, is, ere, didici, discitum : apprendre (comme élève)
eo, is, ire, i(v)i, itum : aller
frango, is, ere, fregi, fractum : briser
moveo, es, ere, movi, motum : bouger
nuntio, as, are, avi, atum : annoncer
ostendo, is, ere, tendi, tentum : montrer
pono, is, ere, sui, situm : poser, placer
spero, as, are, avi, atum : espérer

sto, as, are, steti, statum : se tenir debout, être immobile
taceo, es, ere, tacui, tacitum : se taire
vivo, is, ere, vixi, victum : vivre
voco, as, are, avi, atum : appeler

Mots invariables

atque : et
quare : c'est pourquoi
semper : toujours

J'observe et je retiens

▶ Dans une **proposition indépendante**, précédé de **utinam** : que, pourvu que, le **subjonctif** exprime :
– au présent, un **souhait** : **Utinam felix sim.** Pourvu que je sois heureux. *(un jour)*
– à l'imparfait, un **regret dans le présent** : **Utinam felix essem !** Ah ! si j'étais heureux ! *(maintenant, au moment où je le dis)*

– au plus-que-parfait, un **regret dans le passé** : **Utinam felix fuissem !** Ah ! si j'avais été heureux ! *(hier)*

Remarques :
• On utilise la négation **ne** pour la **forme négative** :
Utinam ne miser sim ! Puissé-je ne pas être malheureux ! *(un jour)*
• Dans une proposition **indépendante interrogative**, le **subjonctif** exprime le **doute** :
– au présent : **Quid faciam ?** Que puis-je faire ?
– à l'imparfait : **Quid facerem ?** Que pouvais-je faire ?

Je vérifie ma compréhension

1 Analysez le verbe au subjonctif actif. Indiquez si la phrase exprime le doute, le souhait ou le regret.

1. Utinam lacrimae meae misericordiam tuam moveant.
2. Utinam ne captivi e castris fugissent.
3. In tanta calamitate quid faciamus ?
4. Utinam tam stulta verba ne fecisses.
5. Utinam amici semper mihi adsint.

2 Quel temps du subjonctif faudrait-il choisir pour traduire ces phrases en latin ? Justifiez votre réponse.

1. Puisse la vie t'être agréable.
2. Que dire devant tant de sottises ?
3. Ah ! si seulement j'avais suivi l'avis des oracles !
4. Ah ! si seulement les dieux favorisaient l'armée de Trajan.
5. Que mes compagnons ne meurent pas dans le combat contre les Daces !

Je manipule

3 Traduisez les verbes en gras selon que la phrase exprime le doute, le souhait ou le regret.

1. Si seulement **j'avais reçu** cette lettre à temps !
2. Pourvu que le soleil **ne soit pas** trop chaud !
3. Que **faire** devant le massacre ?
4. Puisses-tu m'**aimer** toujours !
5. Ah ! si nous **avions pensé** à l'inviter ce soir-là !
6. Pourvu que l'ennemi **ne détruise pas** la ville !
7. Puissions nous **détruire** Carthage !
8. Pourvu qu'il m'**aide**.

4 Quelle est la bonne traduction ?

Bello confecto, utinam milites in civitatem suam redeant.
☐ Pourvu que les soldats reviennent dans leur cité après la guerre !
☐ Ah ! si seulement les soldats étaient revenus dans leur cité après la guerre !
☐ Que les soldats ne rentrent pas dans leur cité après la guerre !

5 a. Choisissez la forme du verbe qui convient.
b. Traduisez.

1. Utinam milites ne hostes (timeant/timant/timent).
2. Utinam comites nostri ne captivi (sint/essent/sunt).
3. Quid (diceret/dicat/dicet) cum captivi omnem spem amisissent ?
4. Utinam in pace (vivamus/vixissemus/viverent).

6 Traduisez.

1. Puisses-tu négliger les injustices !
2. Si seulement ce chef avait liberé ses soldats de toute crainte !
3. Pourvu que les dieux nous apportent leur aide.
4. Que les livres ne soient pas jetés dans les flammes !
5. Ah ! si le consul n'avait pas pris la décision de combattre !

7 Traduisez.

1. Utinam ne dei mihi irati sint !
2. Utinam ne templa homines spolient.
3. Quid hodie faciamus ?

J'apprends à traduire **EN GROUPE**

8 Traduisez, seul(e) ou en équipe.

Atalante, jeune fille très belle et très rapide à la course, ne souhaite pas se marier car un oracle lui a prédit qu'elle se transformerait en animal. Pour éloigner ses prétendants, elle annonce qu'elle n'épousera que l'homme capable de la battre à la course. Sa victoire condamne ses prétendants à mort, jusqu'au jour où Hippomène survient...

« Occidet[1] hic igitur, **voluit quia vivere mecum**,
indignamque necem[2] pretium[3] patietur amoris ?
Non erit invidiae[4] victoria nostra ferendae.
Sed non culpa mea est ! Utinam desistere[5] velles,
aut, **quoniam es demens**[6], utinam velocior[7] esses ! [...]
Miser Hippomene, nollem tibi visa fuissem !
vivere dignus eras. **Quodsi felicior essem**,
nec mihi conjugium fata[8] **inopportuna**[9] **negarent**,
unus eras, **cum quo sociare**[10] **cubilia**[11] **vellem**. »

☐ Ovide, Métamorphoses, X, « Atalante et Hippomène ».

1. **occido, is, ere, cidi, casum** : mourir (il s'agit ici d'Hippomène)
2. **nex, cis**, f. : la mort violente
3. **pretium, ii**, n. : le prix, la valeur
4. **invidia, ae**, f. : la jalousie
5. **desisto, is, ere, stiti, stitum** : renoncer à
6. **demo, is, ere, dempsi, demptum** : ôter, enlever
7. **velox, ocis** : rapide
8. **fatum, i**, n. : la prédiction, le destin
9. **inopportunus, a, um** : qui ne convient pas, contraire
10. **socio, as, are, avi, atum** : faire partager, mettre en commun, unir
11. **cubile, is**, n. : le lit, la couche

▶ **AIDE À LA TRADUCTION**

• À partir du vers 4, Atalante s'adresse en pensée à Hippomène.
• Des vers 4 à 6, déterminez la valeur du subjonctif.
• Vers 8 : nec = et non.
• Repérez le subordonnant dans les expressions en gras ; identifiez le type de subordonnée.
• Traduisez en commençant par les principales.

Narcisse est changé en fleur

Iste ego sum : sensi, nec me mea fallit[1] imago
Uror[2] amore mei : flammas moveoque feroque.
Quid faciam ? Roger anne rogem ? Quid deinde rogabo ?
Quod cupio mecum est : inopem[3] me copia[4] fecit.
O utinam a nostro secedere[5] corpore possem !
Votum[6] in amante novum, vellem, quod[7] amamus, abesset.
Jamque dolor vires[8] adimit[9], nec tempora[10] vitae
Longa meae superant, primoque exstinguor[11] in aevo[12].

☐ Ovide, Les Métamorphoses, III.

1. **fallo, is, ere, fefelli, falsum** : tromper
2. **uro, is, ere, ussi, ustum** : brûler
3. **inops, opis** : pauvre
4. **copia, ae**, f. : la richesse
5. **secedo, is, ere, cessi, cessum** : s'éloigner, se séparer de
6. **votum, i**, n. : le vœu
7. **quod** : ce que
8. **vires, ium**, f. pl. : les forces
9. **adimo, is, ere, emi, emptum** : enlever, ôter
10. **tempus, oris**, n. : le moment, le temps
11. **exstinguo, is, ere, stinxi, stinctum** : éteindre
12. **aevum, i**, n. : l'époque, la durée, l'âge

VOCABULAIRE

Noms

clades, is, f. : la défaite
classis, is, f. : la flotte
comes, itis, m. : le compagnon
injustitia, ae, f. : l'injustice
lacrima, ae, f. : la larme
spes, ei, f. : l'espoir
timor, oris, m. : la crainte

Verbes

adjuvo, as, are, juvi, jutum : aider
deleo, es, ere, evi, etum : détruire
moveo, es, ere, movi, motum : provoquer, émouvoir
neglego, is, ere, lexi, lectum : négliger, ne pas faire cas de
patior, teris, ti, passus sum : supporter, souffrir

rogo, as, are, avi, atum : demander
traho, is, ere, traxi, tractum : traîner

Mots invariables

anne ou **an** : est-ce que
at (conj.) : mais
nec (adv.) : et... ne... pas
ut (conj. + subj.) : pour que

23 La proposition infinitive

J'observe et je retiens

▶ Là où le français emploie une subordonnée conjonctive introduite par *que* (verbes de parole, de jugement), le latin emploie une **proposition infinitive COD**. Le **sujet** de l'infinitive est à l'**accusatif**.

« Imperator sum », inquit.	« Imperator est », inquit.
Dicit **se** esse imperatorem.	Dicit **eum** esse imperatorem.
Il dit être l'empereur. Il dit qu'il est l'empereur.	Il dit qu'il (celui-là) est l'empereur.
→ **se** (réfléchi) et le sujet de **dicit** sont la même personne.	→ **eum** et le sujet de **dicit** sont deux personnes différentes.

L'EMPLOI DES TEMPS

▶ Les actions de la principale et de l'infinitive se déroulent au **même moment** → **infinitif présent** :
Narrabatur Neronem Britannico invidere. On racontait **que Néron enviait Britannicus.**

▶ L'action de l'infinitive est **antérieure** à celle de la principale → **infinitif parfait** :
Nuntiatur Neronem Britannicum necavisse. Le bruit court **que Néron a tué Britannicus.**

▶ L'action de l'infinitive est **à venir** → **infinitif futur** :
Dicit se futurum esse imperatorem. Il dit **qu'il sera empereur.**

FORMATION DE L'INFINITIF

	Voix active	Voix passive
Infinitif **présent**	radical du **présent** + -re amare, debere, dicere, capere, audire esse	radical du **présent** +-ri ou -i amari, deberi, dici, capi, audiri
Infinitif **parfait**	radical du **parfait** + -isse amavisse, debuisse, dixisse, capisse, audivisse fuisse	participe **parfait** + esse amatum esse, debitum esse, dictum esse, captum esse, auditum esse
Infinitif **futur**	radical de **supin** + -urum, -uram, -urum + esse amaturum, am, um esse	radical de **supin** + -urum,-uram,-urum + iri amaturum, am, um iri

Je vérifie ma compréhension

1 Recopiez ces phrases : encadrez le verbe principal, soulignez le verbe de l'infinitive en rouge, son sujet en vert. Précisez la voix et le temps de l'infinitif.

1. Dico ducem militum virtutem laudavisse.
2. Scio vitam esse brevem.
3. Reum Publium fore a Milone puto. (Cicéron)
4. Delphinos venerios esse et amasios non modo historiae veteres sed recentes quoque memoriae declarant. (Aulu-Gelle)

2 Quelles phrases comportent des propositions infinitives ?

1. Jussit matrem occidi.
2. Quam vellem nescire litteras !
3. Exercitationis autem finis esse debet sudor. (Celse)
4. Novam domum ornare coepi.

5. Libros tuos conserva et noli desperare eos me meos facere posse. (Cicéron)
6. Reges Syriae, regis Antiochi filios pueros, scitis Romae nuper fuisse. (Cicéron)

Je manipule

3 Donnez l'infinitif présent actif et l'infinitif présent passif de ces verbes.

1. duco, is, ...
2. narro, as, ...
3. audio, is, ...
4. moneo, es, ...

4 Donnez l'infinitif parfait et l'infinitif futur actif de ces verbes.

1. ago, is, ere, egi, actum
2. capio, is, ere, cepi, captum
3. venio, is, ire, veni, ventum
4. relinquo, is ere, reliqui, relictum

5 Complétez ces phrases avec le verbe qui correspond à la traduction.

1. Auctor Historiae Graecae gravissimus Thucydides Lacedaemonios summos bellatores, non cornuum tubarumve signis, sed tibiarum modulis in proeliis ..... refert. (Aulu-Gelle)
Thucydide rapporte que les Spartiates se servaient de .....
uti/usos esse

2. Cato putabat Romanos honores .....
Caton pensait que les Romains aimaient .....
amare/amavisse/amaturos esse.

6 Transformez ces phrases en propositions infinitives dépendant du verbe traditur.

1. M. Cato erat vehemens orator.
2. Spartacus servos ad mare ducit.
3. Galli mox Romam obsidebunt.
4. Verres jussit hominem vehementer verbari.

7 Ces phrases sont-elles bien traduites ? En cas d'erreur, rectifiez.

1. Dicit hominem liberos interficere non dubitare.
L'homme dit qu'il n'a pas hésité à tuer ses enfants.
2. Dominus servum suum scribere nescire sensit.
Le maître se rendit compte que son esclave ne savait pas écrire.
3. Livius putat Catonem fortem militem fuisse.
Tite-Live pense que Caton est un soldat courageux à la guerre.

8 Traduisez ces phrases en distinguant infinitif actif et infinitif passif.

1. Audivi malam tempestatem domum tuam non delevisse ; credo te amari a Jove !
2. Patres negant se plebem opprimere ; contra plebs dicit se injuste accusata esse a consule.
3. In Pompeiorum urbe legi in muro canditatum ab mulionibus rogari.

J'apprends à traduire EN GROUPE

9 Traduisez, seul(e) ou en groupe.

Quicumque[1] turpi[2] fraude semel[3] innotuit[4],
Etiam si verum dicit, amittit fidem.
Hoc adtestatur brevis Æsopi fabula.
Lupus arguebat vulpem[5] furti[6] crimine ;
Negabat illa se esse culpæ proximam.
Tunc judex inter illos sedit simius.
Uterque causam cum perorassent suam,
Dixisse fertur[7] simius sententiam :
Tu non videris[8] perdidisse quos petis ;
Te credo subripuisse quod pulchre negas.

□ Phèdre, *Fables*, I, 10.

1. quicumque : quiconque
2. turpis, e : honteux
3. semel (adv.) : une (seule) fois
4. innotesco, is, ere, innotui : se faire connaître (par qqch : **aliqua re**)
5. vulpes, is, f. : le renard
6. furtum, i, n. : le vol
7. fertur : on rapporte que
8. videor, eris, eri, visus sum : sembler

▶ **AIDE À LA TRADUCTION**
• Observez les temps verbaux et identifiez la morale et l'histoire.
• Repérez les verbes d'opinion et de parole et identifiez qui parle à chaque fois.
Repérez les infinitifs et cherchez leur sujet à l'accusatif si ce sont des propositions infinitives.

VOCABULAIRE

Verbes de parole

dico, is, ere, dixi, dictum : dire
juro, as, are, avi, atum : jurer
narro, as, are, avi, atum : raconter
nego, as, are, avi, atum : ne pas dire
nuntio, as, are, avi, atum : annoncer
scribo, is, ere, scripsi, scriptum : écrire
trado, is, ere, didi, ditum : rapporter

Verbes de jugement

arbitror, aris, ari, atus sum : estimer
credo, is, ere, didi, ditum : croire
existimo, as, are, avi, atum : juger
intellego, is, ere, lexi, lectum : comprendre
puto, as, are, avi, atum : penser

Verbes de connaissance

accipio, is, ere, cepi, ceptum : apprendre
audio, is, ere, ivi, itum : entendre dire
nescio, is, ire, i(v)i, itum : ne pas savoir
scio, is, ere, i(v)i, itum : savoir
video, es, ere, vidi, visum : constater

24 # L'expression du temps et de la cause

J'observe et je retiens

L'EXPRESSION DU TEMPS

▶ Un complément circonstanciel de temps (CCT) répond aux questions :
quando ? : quand ? **quamdiu ?** : combien de temps ? **ex quo tempore ?** : depuis quand ?

Sans conjonction

▶ Lorsqu'un CCT marque un **moment précis** dans le temps, on rencontre :
– l'**ablatif seul** : **prima luce** : à l'aube
– des **prépositions** suivies de l'**ablatif** ou de l'**accusatif** :
  • **a(b) + abl.** : **ab initio belli** : depuis le début de la guerre
  • **ante + acc.** : **ante bellum** : avant la guerre
  • **post + acc.** : **post bellum** : après la guerre

▶ Lorsqu'un CCT exprime une **durée**, on rencontre :
  • l'**accusatif seul** : **multos annos pugnavi** : j'ai combattu de nombreuses années
  • **per + acc.** : **per multos annos** : pendant de nombreuses années

▶ L'**ablatif absolu** (voir page 298) peut exprimer les deux (moment précis et durée).
Romulo regnante : pendant le règne de Romulus
Caesare occiso : après l'assassinat de César

Avec conjonction

▶ La plupart des conjonctions temporelles sont suivies d'un verbe à l'**indicatif** :
  • **ut, ubi, cum + ind.** : quand, lorsque
  • **antequam + ind.** : avant que
  • **postquam + ind.** : après que
  • **dum, donec + ind.** : pendant que

▶ Certaines de ces conjonctions temporelles peuvent être suivies d'un verbe au **subjonctif**.
Elles indiquent alors qu'une nuance de **cause**, d'**opposition** ou de **but** vient s'ajouter au CCT :
  • **cum + subj.** : comme, alors que
  • **dum + subj.** : pourvu que, afin que

Je manipule

1 Traduisez les CCT en gras.

1. Le jour de sa mort, l'épouse de César tenta de le dissuader de se rendre à la Curie.
2. Elle avait fait un rêve de mauvais augure **pendant qu'elle dormait**.
3. Après la mort de César, une comète apparut dans le ciel.
4. Depuis ce jour, le peuple croit que l'âme de César a été reçue parmi les dieux.
5. Une fois César assassiné, on ouvrit son testament qui désignait Octave comme héritier.

2 Relevez les CCT introduits par une conjonction et indiquez le mode du verbe de ce CCT.

1. Haec dum inter eos aguntur, Domitius navibus Massiliam pervenit [...]. (Jules César, *La Guerre civile*)
2. Pompeium primum rogare sententiam coepit, cum Crassum soleret essetque consuetudo. (Suétone, *Vie des Douze Césars*)
3. Sed cum hostis in proximo esset, coercebat. (Suétone, *Vie des Douze Césars*)

3 Transformez les ablatifs absolus en CCT introduits par une conjonction.

1. Quo cognito, Caesar cum equitibus DCCC in castra pervenit.
2. Cognito hostium adventu, naves ex portu educunt.
3. Ponte facto, Caesar copias instruit.

J'observe et je retiens

L'EXPRESSION DE LA CAUSE

▶ Un complément circonstanciel de cause (CCC) répond aux questions
cur ? : pourquoi ? ou **quam ob rem** : pour quelle raison ?

Avec ablatif sans préposition

▶ L'**ablatif absolu** (voir page 298) mêle très souvent nuances causale et temporelle :
Cognita Pompei profectione, vulgo ex tectis significabant. (César, *La Guerre civile*)
Ayant appris le départ de Pompée/À la nouvelle du départ de Pompée, ils faisaient des signes au peuple depuis les toits.

▶ L'**ablatif seul** : **Pompei profectione** : à cause du départ de Pompée

Avec préposition

▶ **propter** ou **ob** + **acc.** : à cause de
propter Pompei profectionem : à cause du départ de Pompée

Avec conjonction

▶ de **coordination** : **nam** ou **enim** + **ind.** : car, en effet
Vulgo ex tectis significabant. Nam Pompei profectionem cognoverant.
Ils faisaient des signes au peuple depuis les toits **car** ils étaient au courant du départ de Pompée.

▶ de **subordination** :
• **quod** ou **quia** + **ind**. : parce que
• **quoniam** + **ind**. : puisque
Vulgo ex tectis significabant, quod Pompei profectionem cognoverant.
Ils faisaient des signes au peuple depuis les toits, **parce que**...
• **cum** + **subj.** : comme (temps + causalité)
• **quod, quia** ou **quoniam** + **subj.** : sous prétexte que
Cum Pompei profectionem cognovissent, vulgo ex tectis significabant.
Comme ils étaient au courant du départ de Pompée, ...

● Je manipule

1 Soulignez les CCC dans les phrases latines puis reformulez-les en utilisant la tournure demandée.

1. Milites propter virtutem in honore erant.
Les soldats étaient appréciés pour leur valeur.
→ Reformulez avec une conjonction de coordination.

2. His rebus factis, Caesar legiones reduci jussit.
Ces choses ayant été faites, César ordonna que les légions se retirent.
→ Reformulez avec une conjonction de subordination (cause constatée).

3. Pompeiani, quoniam is mons erat sine aqua, Larisam uersus se recipere coeperunt.
Comme il n'y avait pas d'eau sur ce mont, les Pompéiens commencèrent à se retirer du côté de Larisa.
→ Reformulez avec une conjonction de coordination.

2 Transformez les deux phrases simples en une phrase complexe (principale + subordonnée conjonctive de cause). Utilisez des pronoms pour éviter les répétitions.

1. Pompeius Caesarem legiones dimittere jussit.
Pompeius Caesarem timeret.

2. Bellum civile accidit.
Caesar Rubiconem transiliverat.

3. Rex Alexandriae Pompeium prodidit.
Pompeius a regis satellitibus occisus est.

4. Caesar flevit.
Pompeius Magnus sine honore mortuus est.

J'apprends à traduire EN GROUPE

■ Traduisez, seul(e) ou en groupe.

Lancé à la poursuite de Pompée, César arrive à Alexandrie.
Il s'établit dans le quartier du Phare pour faire face au ministre Achillas
qui a levé une armée contre lui.

Pharos[1] est in insula turris magna altitudine, mirificis operibus
extructa ; quae nomen ab insula cepit. Haec insula, objecta Alexandriae,
portum efficit. [...] Eis autem invitis, a quibus Pharos tenetur, non potest
esse propter angustias navibus introitus in portum. Hoc tum veritus[2]
Caesar, hostibus in pugna occupatis, militibus expositis[3], Pharon[1]
prehendit atque ibi praesidium posuit.

□ Jules César, *La Guerre civile*, III, CXII.

1. **Pharos, Pharon** : nominatif et accusatif grecs
2. **veritus** : craignant
3. **exponere milites** : débarquer des soldats

▶ **AIDE À LA TRADUCTION**
- Qu'est-ce que le Phare ? D'où tient-il son nom ? Où est-il situé par rapport à Alexandrie ?
- Quel avantage stratégique le Phare offre-t-il ?
- La dernière phrase contient deux ablatifs absolus différents. Repérez-les et commencez par traduire sans eux.

(suite du texte précédent)

Quibus est rebus effectum, uti[1] tuto frumentum auxiliaque navibus
ad eum subportari[2] possent. Dimisit[3] enim circum omnes propinquas
provincias atque inde auxilia evocavit[4]. [...] Caesar loca maxime
necessaria complexus[5] noctu praemuniit. [...] Has munitiones
insequentibus auxit diebus [...]. Pothinus [nutricius pueri et procurator
regni in parte Caesaris[6]], cum ad Achillan nuntios mitteret, [...] a
Caesare est interfectus.

□ Jules César, *La Guerre civile*, III, CXII.

1. **uti = ut** : *ici*, exprime le but
2. **subporto, as, are, avi, atum** : apporter
3. **dimisit** : il envoya des hommes
4. **evoco, as, are, avi, atum** : faire venir
5. **complexus** : ayant entouré
6. **nutricius pueri et procurator regni in parte Caesaris** : gouverneur du jeune roi et régent du royaume dans la partie occupée par César

▶ **AIDE À LA TRADUCTION**
- Les travaux de fortification autour du Phare ont-ils un but uniquement défensif ?
- Dans la dernière phrase, identifiez le mode qui suit la conjonction cum pour traduire la bonne nuance.
Qu'arrive-t-il à Pothin suite à sa malheureuse initiative ?

VOCABULAIRE

Noms

altitudo, inis, f. : la hauteur
auxilium, ii, n. : l'aide, le renfort
frumentum, i, n. : le blé
introitus, us, m. : l'entrée
munitio, onis, f. : la fortification, le rempart
opus, eris, n. : l'ouvrage
praesidium, ii, n. : la garnison
principatus, us, m. : le commandement
turris, is, f. : la tour

Adjectifs

invitus, a, um : contre son gré
mirificus, a, um : extraordinaire

Verbes

augeo, es, ere, auxi, auctum : augmenter
consuesco, is, ere, suevi, suetum : prendre l'habitude de
decedo, is, ere, cessi, cessum : s'en aller, faire fausse route
efficio, is, ere, feci, fectum : achever

objicio, is, ere, jeci, jectum : placer devant
pono, is, ere, posui, positum : poser, installer
praemunio, is, ire, i(v)i, itum : fortifier, protéger

Mots invariables

inde : de là
paulum : un peu
tuto : en sécurité
una : ensemble, de concert

L'expression du but et de la conséquence

J'observe et je retiens

L'EXPRESSION DU BUT

Le latin exprime le but avec ou sans conjonction.

Sans conjonction

▶ **nom au génitif** + **gratia/causa** : **Exempli causa.** Pour prendre un exemple.

▶ **supin + verbe de mouvement** : **Eo lusum.** Je viens pour jouer.

Avec conjonction

Le but s'exprime au **subjonctif**.

▶ **subordonnée introduite par** **ut** (pour que, afin que) ou **ne** (pour que ne... pas, de peur que) **+ subj.** :
Audi ut discas. Écoute pour que tu apprennes. = Écoute pour apprendre.
Hoc fecit, ne poenas daret. Il a agi ainsi pour qu'on ne lui donne pas une punition.
= Il a agi ainsi pour ne pas être puni.

Remarques :
• Attention à la **concordance des temps** :
– principale à l'**ind. présent** → subordonnée au **subj. présent**
– principale à l'**ind. imparfait/parfait** → subordonnée au **subj. imparfait**
• La conjonction **ut** devient **quo** devant un **comparatif** :
Tace quo melius discas. Tais-toi pour que tu apprennes mieux. = Tais-toi pour mieux apprendre.

▶ **subordonnée relative + subj.** :
Misit legatos qui pacem peterent. Il a envoyé des ambassadeurs pour qu'ils demandent la paix.
= Il a envoyé des ambassadeurs pour demander la paix.

● Je vérifie ma compréhension

1 Vrai ou faux ? Corrigez si besoin.

1. Une forme de supin exprime le but quel que soit le verbe avec lequel elle est construite.
2. Un pronom relatif introduisant un verbe à l'indicatif peut se traduire par « pour ».
3. Dans une proposition subordonnée de but comportant un comparatif, la conjonction ut est remplacée par quo.
4. On peut employer n'importe quel temps dans une subordonnée de but, quel que soit le temps de la principale.
5. Il n'est pas possible en latin d'exprimer le but à l'aide d'un groupe nominal.

2 Analysez les tournures qui expriment le but.

1. Veni vobiscum lectum.
2. Esse oportet ut vivas, non vivere ut edas.
3. Omnium hominum causa jus institutum est.
4. Discipuli laborant et libros legunt quo doctiores fiant.
5. Spectatum veniunt, veniunt ut ipsae spectentur.

● Je manipule

3 Repérez les subordonnées de but et indiquez si la concordance des temps se fait au présent ou au passé.

1. Hanc epistulam nobis scribit ut veniamus.
2. Athenis exiverunt, retia ferentes, vestitu agresti, quo minore suspicione facerent iter.
3. Cruor in fossam confusus est, ut inde manes elicerent.

4 Traduisez.

1. Veni histriones visum ! Mirabiles sunt !
2. Discipuli bene laborabant ut magister eos laudaret.
3. Amici veniunt, qui me interrogent quid agas.
4. In Africam fugerunt ne hostes eos occiderent.
5. Cur non mitto, Pontiliane, libellos ? Ne mihi tu mittas, Pontiliane, tuos.
6. Epistulam nobis mittetis ut adventum vestrum nuntietis.

J'observe et je retiens

L'EXPRESSION DE LA CONSÉQUENCE

La conséquence s'exprime en latin essentiellement à l'aide de conjonctions.

Avec conjonction de coordination

▶ **adverbes** : **ergo** (donc), **igitur** (par conséquent), **itaque** (c'est pourquoi)...
Cogito, ergo sum. (Descartes) Je pense, donc je suis.

Avec conjonction de subordination

▶ **subordonnée introduite par ut** (de sorte que) ou **ut non** (de telle sorte que... ne... pas) **+ subj.**
Elle est généralement **annoncée** dans la proposition principale **par un mot dit « corrélatif »** (un adverbe ou un adjectif).

Adverbe	Adjectif
tam (+ adj. ou adv.) : si, tellement	**talis** : tel
ita : tellement, à tel point	**tantus** : si grand
sic : tellement, à tel point	**tot** (invariable) : si nombreux
eo : à tel point	
adeo : à tel point	
tantum : à tel point	

Remarques :
• Le pronom de rappel **is, ea, id** peut également servir de corrélatif, avec le sens de **tel**.
• Attention à la **concordance des temps** :
– principale à l'**ind. présent** → subordonnée au **subj. présent**
– principale à l'**ind. imparfait/parfait** → subordonnée au **subj. imparfait** si la conséquence est **possible** :
Puer ita cecidit ut crus frangeret. L'enfant a fait une chute telle qu'il pouvait se casser la jambe.
– principale à l'**ind. imparfait/parfait** → subordonnée au **subj. présent** ou **parfait** si la conséquence est **réelle** :
Puer ita cecidit ut crus fregerit. L'enfant a fait une chute telle qu'il s'est cassé la jambe.

▶ **subordonnée relative + subj.** :
Vir quem omnes admirantur. (indicatif) L'homme que tous admirent.
Vir quem omnes admirentur. (subjonctif) → conséquence Un homme tel que tous peuvent l'admirer.

● *Je vérifie ma compréhension*

1 Vrai ou faux ? Corrigez si besoin.

1. On emploie toujours l'indicatif dans une proposition subordonnée consécutive.
2. N'importe quel mot peut servir de corrélatif à une consécutive.
3. Lorsque la consécutive comporte une négation, elle est introduite par **ne**.

2 Quelles phrases contiennent une subordonnée de conséquence ?

1. Discipuli tam fessi sunt ut ambulare non possint.
2. Ut valete ?
3. Magister discipulis suadet ut legant.
4. Ad officium medici pertinet ut celeriter curet.

● *Je manipule*

3 **a.** Quelles phrases sont construites avec le subjonctif ?
b. Quelles nuances circonstancielles expriment-elles ?

1. Fortunatus es qui amaris.
2. Venerat ipse qui primus gratiam diceret.
3. Epistulae quas mihi scripsisti clarissimae sunt.
4. Sunt qui dicant deos non esse.

4 Traduisez.

1. Sunt qui dicant me pulchriorem Apolline esse.
2. Adeone me imperitum esse existimas ut ista esse credam ?
3. Montes tanti erant ut caelum attingere viderentur.
4. Erat non tam superbus ut omnes contemneret.

■ Traduisez, seul(e) ou en équipe.

Avocat renommé, Quintilien a ouvert une école de rhétorique
où il fait profiter ses élèves de son expérience.

Certe[1] sunt semperque fuerunt non parum[2] multi
qui satis perite[3], quae essent probationibus[4] utilia[5],
reperirent. Quos[6] equidem[7] non contemno, sed hactenus[8]
utiles credo ne quid[9] per[10] eos judici sit ignotum, atque
(ut dicam quod sentio) dignos[11] a quibus causam[12]
diserti[13] docerentur. Qui vero judicem rapere[14] et in quem
vellet habitum[15] animi posset perducere[16] [...] rarus fuit.

◻ Quintilien, *Institution oratoire*, VI, II, 3.

1. **certe** : assurément
2. **parum** : trop peu
3. **perite** : avec habileté
4. **probatio, onis,** f. : l'argumentation
5. **utilis, e** + dat. : utile (à)
6. **quos** = et eos
7. **equidem** : sans doute (ironique ici)
8. **hactenus** + adj. ... ne + subj. : tout juste (+ adj.) à ce que... ne... pas
9. **quid** = aliquid : quelque chose
10. **per** + acc. : grâce à
11. **dignus qui** + subj. : digne de ; apte, bon à
12. **causa, ae,** f. : l'affaire, le procès
13. **disertus, i,** m. : l'avocat de talent
14. **rapio, is, ere, rapui, raptum** : *ici*, entraîner (avec soi)
15. **habitus, us,** m. : la disposition d'esprit
16. **perduco, is, ere, duxi, ductum** : conduire

▶ **AIDE À LA TRADUCTION**

• Quelle construction grammaticale reconnaissez-vous au début du texte ? De quelle capacité les personnes évoquées semblent-elles pourvues ?
• Quels éléments de la première phrase montrent qu'il ne s'agit pas là, pour l'auteur, d'un véritable talent ?

• Relevez la proposition relative de la deuxième phrase. Quel en est l'antécédent ? À quel mode le verbe y est-il conjugué ? Pour quelle raison ?
• Quelle autre catégorie de personnes Quintilien introduit-il dans son discours ? En quoi consiste le talent des avocats ?

Neque enim quisquam[1] est tam aversus[2] a Musis, qui
non mandari[3] versibus aeternum suorum laborum facile
praeconium[4] patiatur. [...] Quam multos scriptores[5] rerum
suarum magnus ille Alexander secum habuisse dicitur !
Atque is tamen, cum in Sigeo ad Achillis tumulum[6]
astitisset[7] : « O fortunate » inquit « adulescens[8], qui
tuae virtutis Homerum praeconem inveneris ! » Et vere[9].
Nam nisi Ilias[10] illa exstitisset[11], idem tumulus, qui corpus
ejus contexerat[12], nomen etiam obruisset[13].

◻ Cicéron, *Pour le poète Archias*, IX et X.

1. **neque... quisquam** = nemo
2. **averto, is, ere, versi, versum** : détourner, repousser
3. **mando, as, are, avi, atum** : confier
4. **praeconium, ii,** n. : l'éloge
5. **scriptor, oris,** m. : l'écrivain
6. **tumulus, i,** m. : le tombeau
7. **adsto, as, are, stiti** : se tenir auprès de
8. **adulescens, entis,** m. : le jeune homme
9. **et vere** : et il avait raison
10. **Ilias, adis,** f. : l'*Iliade*
11. **exsto, as, are, exstiti** : exister
12. **contego, is, ere, texi, tectum** : recouvrir
13. **obruo, is, ere, rui, rutum** : ensevelir

▶ **AIDE À LA TRADUCTION**

• Lisez la première phrase. Quelle est la thèse défendue par Cicéron ? Appuyez-vous sur le champ lexical dominant.
• Sous quelle forme la conséquence est-elle exprimée ?
• Quels personnages historiques et mythologiques interviennent dans la suite du texte ? Dans quelle partie de l'argumentation se trouve-t-on alors ?

• Qui prend la parole dans le discours direct ? À qui s'adresse-t-il ? Quel est le sentiment exprimé ?
• Qui s'exprime dans les deux dernières phrases ? Dans quelle partie de l'argumentation est-on alors ?

VOCABULAIRE

Noms

adventus, us, m. : l'arrivée
histrio, onis, m. : le comédien
judex, icis, m. : le juge
libellus, i, m. : le petit livre

Adjectifs

fessus, a, um : fatigué
fortunatus, a, um : bienheureux

ignotus, a, um : ignoré
imperitus, a, um : inexpérimenté

Verbes

admiror, aris, ari, atus sum : admirer
attingo, is, ere, tigi, tactum : toucher
contemno, is, ere, tempsi, temptum : mépriser
doceo, es, ere, docui, doctum : instruire

nuntio, as, are, avi, atum : annoncer
reperio, is, ire, re(p)peri, repertum : découvrir
suadeo, es, ere, suasi, suasum : conseiller
taceo, es, ere, tacui, tacitum : taire, se taire

26 L'expression de l'hypothèse et de la concession

J'observe et je retiens

L'EXPRESSION DE L'HYPOTHÈSE

▶ L'hypothèse s'exprime à l'aide d'une **proposition subordonnée** de condition introduite par **si** ou **nisi** : si... ; si... ne... pas, à moins que.

▶ Elle peut être suivie :
– de l'**indicatif** pour exprimer un **fait** considéré comme **réel** ;
– du **subjonctif** pour exprimer une **hypothèse** ou un **fait contraire à la réalité**.

▶ **Au subjonctif**, on distingue trois valeurs **selon le temps** du verbe :

Subjonctif présent	Subjonctif imparfait	Subjonctif plus-que-parfait
Action réalisable (potentiel)	Action irréalisable dans le présent (irréel du présent)	Action irréalisable dans le passé (irréel du passé)
Si cras **venias**, laetus **sim**. Si tu venais demain, je serais heureux.	Si **venires**, laetus **essem**. Si tu venais (maintenant), je serais heureux (sous entendu : mais tu ne viens pas).	Si **venisses**, laetus **fuissem**. Si tu étais venu (autrefois), j'aurais été heureux.

Attention : Contrairement au français, le **mode** et le **temps**, en latin, sont généralement **les mêmes** dans la **subordonnée** et la **principale**.

L'EXPRESSION DE LA CONCESSION

▶ La concession s'exprime à l'aide d'une **proposition subordonnée concessive** introduite par :
– **quamquam** + indicatif : bien que, **etsi** + indicatif : même si ;
– **cum** + subjonctif : bien que, quoique, alors que.

Je vérifie ma compréhension

1 Dites si ces propositions subordonnées expriment un potentiel, un irréel du présent ou un irréel du passé.

1. Si dives fuissem, felix fuissem.
2. Si nunc viveret, verba ejus audiretis.
3. Si meus dominus cras me hoc jubeat, pareamus.
4. Nisi Carthago victa esset, nos servi fuissemus.

2 Associez à ces subordonnées la principale qui convient.

Si amicus meus accusetur •   • omnia scires.
Si doctus esses •   • eum defendam.
Mecum si venisses •   • nisi consul fuissem ?
Quid facere potuissem •   • pulchra monumenta videret.
Si Romam veniret •   • in foro ambulavissemus.

Je manipule

3 Traduisez puis transposez au potentiel, à l'irréel du présent et à l'irréel du passé.

1. Si tu m'écoutes, je me réjouirai.
2. Si tu méprises les richesses, tu seras heureux.
3. Si tu veux, je t'écrirai.
4. Si tu es vainqueur, tu auras la palme.
5. Si tu as des amis, tu seras heureux.
6. S'il m'obéit, tout ira bien.

4 En vous aidant de la traduction, conjuguez les verbes entre parenthèses au temps qui convient.

1. Si dei (esse), benefici in homines (esse).
Si les dieux existaient, ils seraient bien disposés envers les hommes.
2. Si nunc ea (videre), lacrimas non (tenere).
Si tu voyais cela maintenant, tu ne retiendrais pas tes larmes.

5 Traduisez ces phrases.

1. Etsi iratus erat dominus, tamen ancillas non puniri jussit.
2. Quamquam abest a culpa, accusatur.
3. Cum Socrates e carcere fugere posset, tamen mori maluit.
4. Etsi callidus erat, tamen deceptus est.

6 Quelle est la bonne traduction ? Justifiez votre choix.

Si homines orationem tuam audirent, sapientes fierent.

☐ Si les hommes avaient écouté ton discours, ils seraient devenus sages.
☐ Si les hommes écoutaient ton discours, ils deviendraient sages.

J'apprends à traduire — EN GROUPE

7 En vous aidant de la traduction, traduisez mot à mot le texte latin en caractères gras.

Serpit enim nescio quo modo per omnium vitas amicitia nec ullam aetatis degendae rationem patitur esse expertem sui. [...]
Atque hoc maxime judicaretur, si quid tale posset contingere, ut aliquis nos deus ex hac hominum frequentia tolleret et in solitudine uspiam collocaret atque [...] hominis omnino aspiciendi potestatem eriperet. Quis tam esset ferreus qui eam vitam ferre posset cuique non auferret fructum voluptatum omnium solitudo ?
Verum ergo illud est, quod a Tarentino Archyta, ut opinor, dici solitum nostros senes commemorare audivi [...] : **« Si quis in caelum ascendisset naturamque mundi et pulchritudinem siderum perspexisset, insuavem illam admirationem ei fore[1], quae jucundissima fuisset, si aliquem cui narraret habuisset. »**

☐ Cicéron, *De l'amitié*, XXIII, 87-88.

1. **fore** : infinitif futur de **sum**

Car l'amitié se glisse, je ne sais comment, dans toutes les existences et ne permet jamais qu'une vie ne s'organise sans elle. [...] On en jugerait fort bien s'il pouvait se faire qu'un dieu nous arrachât à la société et nous plaçât dans quelque solitude, puis, tout en nous fournissant là tout ce qu'exige la nature, en abondance et à foison, nous privât entièrement de la possibilité de voir un être humain : qui serait assez insensible pour supporter pareille existence et empêcher la solitude de lui enlever la jouissance de tous les plaisirs ? C'est donc une vérité que disait, je crois, Archytas de Tarente, quand il répétait, comme me l'ont appris les vieillards de notre époque [...] : « Si quelqu'un était monté jusqu'au ciel, s'il avait contemplé l'univers entier et la beauté des astres, il n'aurait trouvé aucun plaisir à admirer ce spectacle et il ne s'en serait réjoui pleinement que s'il avait eu quelqu'un à qui parler. »

■ Traduit par François Combès, © Les Belles Lettres, 1996.

▶ **INITIATION AU COMMENTAIRE**

• Quelle thèse est défendue par Cicéron ?
• Repérez les formes hypothétiques dans le texte.
• Analysez le temps et le mode des verbes de ces phrases. Dites si elles expriment une action réalisable, un potentiel, un irréel du présent ou du passé ?
• Quel rôle ces hypothèses jouent-elles dans l'argumentation de Cicéron ?

VOCABULAIRE

Noms

oratio, onis, f. : le discours
voluptas, atis, f. : le plaisir

Verbes

aspicio, is, ere, spexi, spectum : regarder, voir
colloco, as, are, avi, atum : placer
contemno, is, ere, tempsi, temptum : mépriser

contingo, is, ere, tigi, tactum + dat. : échoir à, arriver
eripio, is, ere, ripui, reptum : arracher
fero, fers, ferre, tuli, latum : porter, supporter
gaudeo, es, ere, gavisus sum : se réjouir
pareo, es, ere, ui, itum + dat. : obéir à
tollo, is, ere, sustuli, sublatum : enlever

Adjectifs

dives, itis : riche
ferreus, a, um : de fer, insensible
insuavis, e : qui n'est pas doux, désagréable
molestus, a, um : pénible, désagréable

Mots invariables

uspiam : en quelque lieu, quelque part

J'observe et je retiens

▶ Composé au minimum d'un **participe** (présent ou parfait) et d'un **nom** ou d'un **pronom** à l'ablatif, **l'ablatif absolu est toujours un complément circonstanciel d'un verbe.**
Caesare imperante : sous le commandement de César
Caesare occiso : une fois César assassiné

▶ Le verbe **être** n'ayant **pas de participe** en latin, il est sous-entendu :
Cicerone consule : Cicéron <étant> consul = sous le consulat de Cicéron

LA FORMATION DES PARTICIPES

▶ Le **participe présent** est reconnaissable à sa terminaison en **-ns, -ntis**.
Il se décline comme l'adjectif de la 2ᵉ classe **sapiens, sapientis**.

▶ Le **participe parfait** s'obtient en remplaçant le **-um** final du supin par **-us, -a, -um**.
Il se décline comme les adjectifs de la 1ʳᵉ classe **bonus, a, um**.

	1ʳᵉ conjugaison amo, as, are, avi, atum	2ᵉ conjugaison debeo, es, ere, bui, bitum	3ᵉ conjugaison dico, is, ere, dixi, dictum	3ᵉ conjugaison mixte capio, is, ere, cepi, captum	4ᵉ conjugaison audio, is, ire, i(v)i, itum
Participe présent	amans, -ntis	debens, -ntis	dicens, -ntis	capiens, -ntis	audiens, -ntis
Participe parfait	amatus, a, um	debitus, a, um	dictus, a, um	captus, a, um	auditus, a, um

Je vérifie ma compréhension

1 Vrai ou faux ?

1. L'ablatif absolu est un cas supplémentaire.
2. Un groupe à l'ablatif absolu peut contenir plus de mots que « nom + participe ».
3. Les participes composant un ablatif absolu peuvent être au présent ou au passé.
4. **amantem** pourrait faire partie d'un groupe à l'ablatif absolu.
5. L'ablatif absolu est parfois le sujet de la phrase.

2 Ces groupes de mots peuvent-ils constituer des ablatifs absolus ? Pourquoi ?

1. eo cognito **2.** centurionibus nominatim appellatis
3. quid novi **4.** qua re cognita

3 Laquelle de ces traductions est impossible ? Pourquoi ?

Adventu Caesaris cognito...
☐ À cause de la nouvelle de l'arrivée de César...
☐ Dès que l'on apprit l'arrivée de César...
☐ César ayant connu l'arrivée...
☐ Une fois l'arrivée de César connue...
☐ Alors que la nouvelle de l'arrivée de César s'était répandue...

Je manipule

4 Transposez au pluriel ces ablatifs absolus.

1. Cognita militum voluntate... **2.** Qua re cognita...
3. Qua nova re oblata... **4.** Praesidio in monte disposito... **5.** Milite audiente...

5 Traduisez en latin ces propositions en utilisant un ablatif absolu.

1. Comme César aimait Cléopâtre...
2. Alors que Cléopâtre aimait César...
3. Alors que Cléopâtre était aimée de César...
4. Dès que l'intention de César fut entendue...
5. Comme les soldats étaient favorables à César...

6 Observez bien la liste de verbes.

a. Formez les participes présents de ces verbes, en français puis en latin.
b. Formez les participes passés de ces mêmes verbes, en français puis en latin.
c. Donnez leur ablatif singulier et leur ablatif pluriel.

1. favoriser : faveo, es, ere, favi, fautum
2. réparer : reficio, is, ere, refeci, refectum
3. armer : armo, as, are, avi, atum
4. craindre : metuo, is, ere, metui, metutum

J'apprends à traduire **EN GROUPE**

7 Traduisez, seul(e) ou en groupe.

> *César a franchi le Rubicon et son armée poursuit celle des Pompéiens.*
> *Or, Pompée a organisé la fuite de ses propres troupes d'Italie*
> *depuis le port de Brindes.*
>
> Brundisini, Pompeianorum militum injuriis atque ipsius
> Pompei contumeliis permoti, Caesaris rebus favebant. Itaque,
> cognita Pompei profectione, concursantibus[1] illis[2] atque in
> ea re occupatis, vulgo ex tectis significabant. Per quos re
> cognita, Caesar scalas parari militesque armari jubet. [...]
> Milites, positis scalis, muros ascendunt [...].
>
> ☐ César, *La Guerre civile*, I, XXVIII.

1. **concurso, as, are, avi, atum** : courir de tous côtés
2. **illis** désigne les Pompéiens

▶ **AIDE À LA TRADUCTION**

- Les Brindisiens sont-ils favorables ou défavorables à César ?
- Repérez les deux ablatifs absolus de la 2e phrase, vous trouverez ainsi plus facilement la proposition principale.

- Quos désigne les habitants de Brindes. Traduisez **per** par **grâce à**.

> *Caton soutient Pompée. Il se prépare donc à affronter*
> *les Césariens.*
>
> Cato in Sicilia navis[1] longas veteres reficiebat, novas
> civitatibus imperabat. Haec magno studio agebat. [...]
> Quibus rebus paene perfectis, adventu Curionis cognito,
> queritur[2] in contione[3] sese projectum[4] ac proditum[5]
> a Cn. Pompeio qui omnibus rebus imparatissimis[6] non
> necessarium bellum suscepisset[7] et ab se reliquisque[8] in
> senatu interrogatus omnia sibi esse ad bellum apta et parata
> confirmavisset. Haec in contione questus ex provincia fugit.
>
> ☐ César, *La Guerre civile*, I, XXX.

1. **navis = naves**
2. **queror, quereris, queri, questus sum** : se plaindre
3. **in contione** : en réunion publique
4. **projectus, a, um** : abandonné
5. **proditus, a, um** : trahi
6. **imparatus, a, um** : sans préparation, improvisé
7. **suscepisset** (subj. p.q.p.) : il avait entrepris
8. **reliquisque** : désigne les autres sénateurs

▶ **AIDE À LA TRADUCTION**

- Dans la 1re phrase, analysez bien l'adjectif qualificatif **novas** pour trouver le nom auquel il se rapporte.
- Quibus = Et his.

- Curion est un partisan de César.
- Queritur enclenche une proposition infinitive dont **sese** est le sujet.

VOCABULAIRE

Mots invariables

itaque : c'est pourquoi
paene : à peine

Noms

adventus, us, m. : l'arrivée
contumelia, ae, f. : l'outrage, l'affront
injuria, ae, f. : l'insulte
miles, itis, m. : le soldat

mons, montis, m. : le mont, la montagne
navis, is, f. : le navire, le vaisseau
praesidium, ii, n. : le poste, la garnison
profectio, onis, f. : le départ
scala, ae, f. : l'échelle
voluntas, atis, f. : la volonté, l'intention
vulgus, i, n. : la foule, le peuple

Verbes

ascendo, is, ere, ascendi, ascensum :
monter, gravir
cognosco, is, ere, gnovi, gnitum :
apprendre à connaître
faveo, es, ere, favi, fautum + dat. :
être favorable à
permoveo, es, ere, movi, motum :
émouvoir, toucher
reficio, is, ere, feci, fectum : réparer

28 BILAN Les mots interrogatifs

J'observe et je retiens

PARTICULES ET ADVERBES

Particules			
-ne	Est-ce que ? Vidistine dominum ? As-tu vu le maître ?	**Num ?** **Nonne ?**	Est-ce que ? → réponse non Est-ce que... ne pas ? → réponse oui
Adverbes			
Lieu	Ubi ? Où ? → lieu où l'on est Quo ? Où ? → lieu où l'on va Unde ? D'où ? → lieu d'où l'on vient Qua ? Par où ? → lieu où l'on passe	**Cause**	Cur ? Quid ? Pourquoi ?
Temps	Quamdiu ? Combien de temps ? Quando ? Quand ?	**Manière**	Quomodo ? Ut ? Comment ?
Quantité	Quot ? Quantum ? Combien ?	**Prix**	Quanti (génitif) constat / constant ? Combien coûte / coûtent ?

LES PRONOMS-ADJECTIFS INTERROGATIFS

▶ Les pronoms-adjectifs interrogatifs **se déclinent** aux trois genres : **quis, quae, quid ?** : qui, que, quoi, lequel ?

	masculin singulier	féminin singulier	neutre singulier
Nominatif	quis (adj. **qui** : quel)	quae	quid (adj. **quod**)
Accusatif	quem	quam	quid (adj. **quod**)
Génitif	cujus	cujus	cujus
Datif	cui	cui	cui
Ablatif	quo	qua	quo
	masculin pluriel	**féminin pluriel**	**neutre pluriel**
Nominatif	qui	quae	quae
Accusatif	quos	quas	quae
Génitif	quorum	quarum	quorum
Datif	quibus	quibus	quibus
Ablatif	quibus	quibus	quibus

▶ **Répondre oui** : on reprend le **verbe** de la question ou on emploie **aio** (je dis cela) ou bien les adverbes **ita** (c'est ainsi) et **quidem** (assurément).

▶ **Répondre non** : on reprend le **verbe** précédé de **non** ou bien les adverbes **minime** (pas du tout) et **non ita**.

● Je vérifie ma compréhension

1 Quelle particule interrogative latine utiliseriez-vous au début de ces questions ?

1. Les Carthaginois sont-ils nos amis ? **2.** Avez-vous vu mon esclave ? **3.** Ne t'es-tu pas enrhumé ? **4.** Me prends-tu pour un lâche ? **5.** Viens-tu aux thermes avec nous ?

2 Répondez par oui ou non.

1. Vivisne Romae ? **2.** Amasne libros legere ? **3.** Suntne tibi fratres et sorores ? **4.** Esne natus duodecim annos ?

3 Quel adverbe latin utiliseriez-vous pour poser ces questions ?

1. Quand êtes-vous rentrés de Rome ? **2.** Pourquoi êtes-vous restés si longtemps absents ? **3.** D'où venez-vous si tard ? **4.** Combien de temps serez-vous absents de Rome ? **5.** Comment avez-vous voyagé ?

4 Traduisez en latin le mot interrogatif. Attention au cas et au genre.

1. Que dois-je faire ? **2.** À qui parlais-tu ? **3.** À quelle heure viens-tu ? **4.** Quels esclaves vous accompagnent en voyage ? **5.** Quels amis invites-tu pour dîner ? **6.** Quel chemin prends-tu ?

J'observe et je retiens

▶ Le latin exprime les circonstances par des **groupes nominaux** (voir page 246), des **adverbes**, des **participes** (en apposition ou en ablatif absolu), mais surtout des **propositions subordonnées**.

Circonstance	Conjonction et mode	Exemple
But	**ut/ne** + subj.	Audite magistri verba ut discatis. Écoutez les paroles du professeur pour apprendre.
Cause	**quoniam, ut** + ind. **quod, quia** + ind. ou subj. **cum** + subj.	Quoniam id cupis, maneo. Puisque tu le désires, je reste. Cum id cupias, maneo. Puisque tu le désires, je reste.
Comparaison	**ut, sicut, velut** + ind.	Ut sementem facies, ita metes. Comme tu sèmeras, tu moissonneras.
Concession	**quamquam, etsi** + ind. **cum, quamvis** + subj.	Quamquam abest a culpa, accusatur. Bien qu'il soit innocent, il est accusé. Quamvis callidus sis, tamen deceptus es. Si rusé que tu sois, tu t'es cependant laissé prendre.
Conséquence	**(tam/ita...) ut/ut non** + subj.	Tam prudens est ut decepi non possit. Il est si avisé qu'on ne peut le tromper.
Hypothèse	**si, nisi** + ind. ou subj.	Si sunt dii, sunt boni. Si les dieux existent, ils sont bons. Si venias, laetus sim. Si tu venais, je serais content.
Temps	**ut, ubi, postquam, antequam** + ind. **cum** + ind. ou subj. **dum, donec** + ind. ou subj.	Haec ubi dixit, abiit. Quand il eut dit cela, il partit. Exspecta dum redeam. Attends jusqu'à ce que je revienne.

● J'apprends à traduire ⬛ EN GROUPE

⬛ Traduisez, seul(e) ou en équipe.

L'empereur Tibère, qui vit retiré à Capri, tente, peu avant sa mort, de regagner Rome. Mais son état l'oblige à rebrousser chemin.

Ac ne quam[1] suspicionem infirmitatis daret, castrensibus[2] ludis non tantum interfuit, sed etiam missum in harenam aprum[3] jaculis desuper petit ; [...] ut exaestuarat[4], afflatus[5] aura in graviorem recidit[6] morbum. Sustentavit[7] tamen aliquamdiu, quamvis Misenum usque devectus nihil ex ordine[8] cotidiano praetermitteret[9], ne convivia quidem aut ceteras voluptates partim intemperantia[10] partim dissimulatione.

☐ Suétone, *Vie des douze Césars*, « Tibère », LXXII.

1. **quam = aliquam** (« quelque »)
2. **castrensis, e** : militaire
3. **aper, apri,** m. : le sanglier
4. **exaestuo, as, are, avi, atum** : *ici*, trop s'échauffer
5. **afflo, as, are, avi, atum** + acc. : souffler sur qqch/qqn
6. **recido, is, ere, cidi, casum** : retomber
7. **sustento, as, are, avi, atum** : résister
8. **ordo, inis,** m. : *ici*, l'emploi du temps
9. **praetermitto, is, ere, misi, missum** : retrancher
10. **intemperantia, ae,** f. : l'intempérance, l'excès

▶**AIDE À LA TRADUCTION**

• D'après la première phrase, quelles actions l'empereur Tibère accomplit-il ? Quelle proposition subordonnée explique la raison de son comportement ? Quelle en est la conséquence ? Quelle autre subordonnée en donne la cause ?

• Dans la deuxième phrase, quel constat surprenant le narrateur fait-il sur l'état de santé de Tibère ? Relevez la subordonnée. Qu'exprime-t-elle ? En quoi souligne-t-elle la surprise du narrateur ?

30 BILAN Les mots introducteurs CUM et UT

J'observe et je retiens

▶ Pour bien traduire **ut** et **cum**, il faut être attentif au groupe de mots qu'ils introduisent.

CUM

	Sens	Exemple
Cum (préposition) + GN **à l'ablatif**	avec	Cum amic**o** cenabam. Je dînais avec un ami.
Cum (conjonction) + proposition subordonnée **à l'indicatif**	quand, lorsque	Cum Caesar in Galliam **venit**, factiones erant. Quand César vint en Gaule, il y avait des factions.
Cum (conjonction) + proposition subordonnée **au subjonctif**	comme, alors que	Cum Athenae **florerent**... Alors qu'Athènes était florissante.
	puisque	Cum id **cupias**, maneo. Puisque tu le désires, je reste.
	bien que	Cum **absit** a culpa, accusatur. Bien qu'il soit innocent, il est accusé.

UT

	Sens	Exemple
Ut (adverbe) + **interrogative** (directe ou indirecte)	comment	Ut vales ? Comment te portes-tu ?
Ut (conjonction) + proposition subordonnée **à l'indicatif**	comme	Est ut **dicis**. C'est comme tu le dis.
	lorsque, quand	Ut haec **dixit**, abiit. Quand il eut dit cela, il partit.
	vu que, comme	Ut **erat** copiosus, convivia liberaliter dedit. Comme il était riche, il donna généreusement des festins.
Ut (conjonction) + proposition subordonnée **au subjonctif**	que	Opto ut **venias**. Je souhaite que tu viennes.
	pour que	Audi ut **discas**. Écoute pour apprendre.
	si bien que, de sorte que	Tam doctus est ut errare non **possit**. Il est si savant qu'il ne peut pas se tromper.

Je vérifie ma compréhension

1 Complétez la phrase In forum eo cum... à l'aide des mots suivants (attention au cas).

Julia, ae, f. ; amicus, i, m. ; canis, is, m. ; servi, orum, m. ; consules, um, m. ; clarus orator, oris, m. ; fortes cives, ium, m. ; mater, tris, f. mea ; potens dominus, i, m.

2 Dans les phrases suivantes, cum est-il préposition ou conjonction de subordination ?
Comment le traduirez-vous ?

1. Cum abesses, malus servus numquam laboravit.
2. Romani cum multis hostibus pugnaverunt.
3. Cum in foro ambulavit, marmorea templa vidit.
4. Populi Romani comitiis liberatus est, cum sua manu sororem interfecisset.

3 Associez les éléments suivants pour former des phrases que vous traduirez. Dans chaque cas, vous préciserez la valeur de ut.

1. Romani Caesarem post mortem coluerunt...
2. Claudia ita pulchra fuit...
3. Nero matrem necavit...

a. ... ut solus tandem regnare posset.
b. ... ut deum.
c. ... ut omnes juvenes eam amarent.

● Je manipule

4 Finissez ces phrases.

1. Illum servum diligebat ut...
2. Heri cum...
3. Titus Marcum vocavit ut...
4. Tum me timor cepit cum...

5 Complétez les groupes de mots pour former des phrases cohérentes.

1. Cum exercitum in Asiam duceret...
2. Cum magister abest...
3. Cum in silva errarent...
4. Cum Jasone...

● J'apprends à traduire EN GROUPE

6 Traduisez, seul(e) ou en groupe.

Comment se débarrasser d'une rivale ?

Jovis cum Semele voluit concumbere ; quod[1] Juno cum resciit, specie immutata in Beroen nutricem[2] ad eam venit, et persuasit ut peteret ab Jove ut eodem modo ad se quomodo[3] ad Junonem veniret, « ut intellegas, inquit, quae sit voluptas[4] cum deo concumbere. » Itaque Semele petiit ab Jove ut ita veniret ad se. Qua[5] re impetrata[6], Jovis cum fulmine et tonitribus venit et Semele conflagravit. Ex utero ejus Liber est natus, quem Mercurius ab igne ereptum Nyso dedit educandum, et Graece Dionysus est appellatus.

☐ Hygin, *Fables*, CLXXIX.

1. **quod : id vero**
2. **nutrix, icis,** f. : *a donné* nutrition
3. **eodem modo... quomodo...** : de la même manière que
4. **quae sit voluptas** : quel plaisir il y a
5. **qua** = et ea
6. **impetro, as, are, avi, atum** : obtenir

▶ **AIDE À LA TRADUCTION**

• Relevez les trois occurrences de *cum* et faites des hypothèses sur le sens de chacune.
• Lequel des quatre *ut* exprime le but ?

« Mens sana in corpore sano ! »

Stulta[1] est enim, mi Lucili, et minime conveniens litterato viro occupatio exercendi lacertos[2] et dilatandi cervicem ac latera[3] firmandi : cum tibi feliciter sagina[4] cesserit[5] et tori[6] creverint, nec vires[7] umquam opimi[8] bovis nec pondus aequabis. [...] Sunt exercitationes et faciles et breves, quae corpus et sine mora[9] lassent et tempori parcant[10] [...] : cursus et cum aliquo pondere manus motae et saltus vel ille, qui corpus in altum levat, vel ille, qui in longum mittit, vel ille, ut ita dicam, saliaris[11] aut, ut contumeliosius[12] dicam, fullonius[13] [...].

☐ Sénèque, *Lettres à Lucilius*, II, 15.

1. **stultus, a, um** : idiot
2. **lacertus, i,** m. : les muscles (des bras)
3. **latus, eris,** n. : *a donné* latéral
4. **sagina, ae,** f. : le régime (des sportifs)
5. **feliciter cesserit** : aura profité
6. **torus, i,** m. : le muscle
7. **vires, um,** f. pl. : les forces
8. **opimus, a, um** : gras
9. **sine mora** : sans faire perdre trop de temps
10. **parco, is, ere, peperci, parsum** + dat. : épargner
11. **saliaris, e** : des prêtres saliens, qui levaient alternativement les deux pieds tout en portant et en battant des boucliers
12. **contumeliosius** : plus vulgairement
13. **fullonius, a, um** : du foulon

VOCABULAIRE

Noms

exercitus, us, m. : l'armée
ignis, is, m. : le feu
pondus, eris, n. : le poids
species, ei, f. : l'apparence
timor, oris, m. : la peur
uxor, oris, f. : l'épouse

Adjectifs

pulcher, chra, chrum : beau

Verbes

cresco, is, ere, crevi, cretum : croître
diligo, is, ere, lexi, lectum : aimer
eripio, is, ere, ripui, reptum : arracher
intellego, is, ere, legi, lectum : comprendre
neco, as, are, avi, atum : tuer
peto, is, ere, ii, itum : demander
scio, is, ire, ivi, itum : savoir

Mots invariables

aut : ou
heri : hier
ita : ainsi
itaque : c'est pourquoi
nec... nec... : ni... ni...
numquam : ne... jamais
tandem : enfin
vel : ou

Tableaux des **déclinaisons**

▶ **La 1ʳᵉ déclinaison**

dea, ae, f. : *la déesse*		
cas	singulier	pluriel
nom.	dea	deae
voc.	dea	deae
acc.	deam	deas
gén.	deae	dearum
dat.	deae	deis
abl.	dea	deis

cas	fonctions
nominatif	sujet ou attribut du sujet
vocatif	apostrophe
accusatif	C.O.D.
génitif	complément du nom
datif	C.O.I. / C.O.S.
ablatif	compléments circonstanciels

▶ **La 2ᵉ déclinaison**

ludus, i, m. : *le jeu*		
cas	singulier	pluriel
nom.	ludus	ludi
voc.	lude	ludi
acc.	ludum	ludos
gén.	ludi	ludorum
dat.	ludo	ludis
abl.	ludo	ludis

puer, pueri, m. : *l'enfant*	
singulier	pluriel
puer	pueri
puer	pueri
puerum	pueros
pueri	puerorum
puero	pueris
puero	pueris

monstrum, i, n. : *le monstre*	
singulier	pluriel
monstrum	monstra
monstrum	monstra
monstrum	monstra
monstri	monstrorum
monstro	monstris
monstro	monstris

▶ **La 3ᵉ déclinaison**

dux, ducis, m. : *le chef*		
cas	singulier	pluriel
nom.	dux	duces
voc.	dux	duces
acc.	ducem	duces
gén.	ducis	ducum
dat.	duci	ducibus
abl.	duce	ducibus

corpus, oris, n. : *le corps*	
singulier	pluriel
corpus	corpora
corpus	corpora
corpus	corpora
corporis	corporum
corpori	corporibus
corpore	corporibus

civis, is, m. : *le citoyen*		
cas	singulier	pluriel
nom.	civis	cives
voc.	civis	cives
acc.	civem	cives
gén.	civis	civium
dat.	civi	civibus
abl.	cive	civibus

mare, is, n. : *la mer*	
singulier	pluriel
mare	maria
mare	maria
mare	maria
maris	marium
mari	maribus
mari	maribus

▶ **La 4ᵉ déclinaison**

manus, us, f. : *la main*		
cas	singulier	pluriel
nom.	manus	manus
voc.	manus	manus
acc.	manum	manus
gén.	manus	manuum
dat.	manui	manibus
abl.	manu	manibus

genu, us, n. : *le genou*	
singulier	pluriel
genu	genua
genu	genua
genu	genua
genus	genuum
genui	genibus
genu	genibus

▶ **La 5ᵉ déclinaison**

dies, ei, m. ou f. : *le jour*		
cas	singulier	pluriel
nom.	dies	dies
voc.	dies	dies
acc.	diem	dies
gén.	diei	dierum
dat.	diei	diebus
abl.	die	diebus

▶ **Les adjectifs qualificatifs de la 1ʳᵉ classe**

cas	bonus, a, um : *bon*					
	singulier			pluriel		
	masculin	féminin	neutre	masculin	féminin	neutre
nom.	bonus	bona	bonum	boni	bonae	bona
voc.	bone	bona	bonum	boni	bonae	bona
acc.	bonum	bonam	bonum	bonos	bonas	bona
gén.	boni	bonae	boni	bonorum	bonarum	bonorum
dat.	bono	bonae	bono	bonis	bonis	bonis
abl.	bono	bona	bono	bonis	bonis	bonis

▶ **Les adjectifs qualificatifs de la 2ᵉ classe**

cas	fortis, e : *courageux*			
	singulier		pluriel	
	masc./fem.	neutre	masc./fem.	neutre
nom.	fortis	forte	fortes	fortia
voc.	fortis	forte	fortes	fortia
acc.	fortem	forte	fortes	fortia
gén.	fortis	fortis	fortium	fortium
dat.	forti	forti	fortibus	fortibus
abl.	forti	forti	fortibus	fortibus

cas	sapiens, entis : *sage*			
	singulier		pluriel	
	masc./fem.	neutre	masc./fem.	neutre
nom.	sapiens	sapiens	sapientes	sapientia
voc.	sapiens	sapiens	sapientes	sapientia
acc.	sapientem	sapiens	sapientes	sapientia
gén.	sapientis	sapientis	sapientium	sapientium
dat.	sapienti	sapienti	sapientibus	sapientibus
abl.	sapienti / sapiente	sapienti	sapientibus	sapientibus

cas	vetus, eris : *vieux*			
	singulier		pluriel	
	masc./fem.	neutre	masc./fem.	neutre
nom.	vetus	vetus	veteres	vetera
voc.	vetus	vetus	veteres	vetera
acc.	veterem	vetus	veteres	vetera
gén.	veteris	veteris	veterum	veterum
dat.	veteri	veteri	veteribus	veteribus
abl.	vetere	vetere	veteribus	veteribus

cas	doctior, ius (G. ioris) : *plus savant*			
	singulier		pluriel	
	masc./fem.	neutre	masc./fem.	neutre
nom.	doctior	doctius	doctiores	doctiora
voc.	doctior	doctius	doctiores	doctiora
acc.	doctiorem	doctius	doctiores	doctiora
gén.	doctioris	doctioris	doctiorum	doctiorum
dat.	doctiori	doctiori	doctioribus	doctioribus
abl.	doctiore	doctiore	doctioribus	doctioribus

► Les pronoms-adjectifs démonstratifs

is, ea, id : *ce, cette, celui-ci, celle-ci, cela*						
cas	singulier			pluriel		
	masculin	féminin	neutre	masculin	féminin	neutre
nom.	is	ea	id	ei / ii	eae	ea
acc.	eum	eam	id	eos	eas	ea
gén.	ejus	ejus	ejus	eorum	earum	eorum
dat.	ei	ei	ei	eis / iis	eis / iis	eis / iis
abl.	eo	ea	eo	eis / iis	eis / iis	eis / iis

hic, haec, hoc : *ce, cette, celui-ci, celle-ci, cela*						
cas	singulier			pluriel		
	masculin	féminin	neutre	masculin	féminin	neutre
nom.	hic	haec	hoc	hi	hae	haec
acc.	hunc	hanc	hoc	hos	has	haec
gén.	hujus	hujus	hujus	horum	harum	horum
dat.	huic	huic	huic	his	his	his
abl.	hoc	hac	hoc	his	his	his

iste, ista, istud : *ce, cette, celui-là, celle-là, cela*						
cas	singulier			pluriel		
	masculin	féminin	neutre	masculin	féminin	neutre
nom.	iste	ista	istud	isti	istae	ista
acc.	istum	istam	istud	istos	istas	ista
gén.	istius	istius	istius	istorum	istarum	istorum
dat.	isti	isti	isti	istis	istis	istis
abl.	isto	ista	isto	istis	istis	istis

ille, illa, illud : *ce, cette, celui-ci, celle-ci, cela*						
cas	singulier			pluriel		
	masculin	féminin	neutre	masculin	féminin	neutre
nom.	ille	illa	illud	illi	illae	illa
acc.	illum	illam	illud	illos	illas	illa
gén.	illius	illius	illius	illorum	illarum	illorum
dat.	illi	illi	illi	illis	illis	illis
abl.	illo	illa	illo	illis	illis	illis

ipse, ipsa, ipsum : *même, moi-même…*						
cas	singulier			pluriel		
	masculin	féminin	neutre	masculin	féminin	neutre
nom.	ipse	ipsa	ipsum	ipsi	ipsae	ipsa
acc.	ipsum	ipsam	ipsum	ipsos	ipsas	ipsa
gén.	ipsius	ipsius	ipsius	ipsorum	ipsarum	ipsorum
dat.	ipsi	ipsi	ipsi	ipsis	ipsis	ipsis
abl.	ipso	ipsa	ipso	ipsis	ipsis	ipsis

idem, eadem, idem : *même, le même…*						
cas	singulier			pluriel		
	masculin	féminin	neutre	masculin	féminin	neutre
nom.	idem	eadem	idem	eidem / iidem	eaedem	eadem
acc.	eumdem	eamdem	idem	eosdem	easdem	eadem
gén.	ejusdem	ejusdem	ejusdem	eorumdem	earumdem	eorumdem
dat.	eidem	eidem	eidem	eisdem / iisdem	eisdem / iisdem	eisdem / iisdem
abl.	eodem	eadem	eodem	eisdem / iisdem	eisdem / iisdem	eisdem / iisdem

▶ **Les pronoms personnels**

cas	1re personne		2e personne		3e personne (réfléchi)	
	singulier	pluriel	singulier	pluriel	singulier	pluriel
nom.	ego	nos	tu	vos	-	-
acc.	me	nos	te	vos	se	se
gén.	mei	nostrum / nostri	tui	vestrum / vestri	sui	sui
dat.	mihi	nobis	tibi	vobis	sibi	sibi
abl.	me	nobis	te	vobis	se	se

▶ **Les pronoms relatifs**

cas	qui, quae, quod : *qui*					
	singulier			pluriel		
	masculin	féminin	neutre	masculin	féminin	neutre
nom.	qui	quae	quod	qui	quae	quae
acc.	quem	quam	quod	quos	quas	quae
gén.	cujus	cujus	cujus	quorum	quarum	quorum
dat.	cui	cui	cui	quibus	quibus	quibus
abl.	quo	qua	quo	quibus	quibus	quibus

▶ **Les pronoms-adjectifs interrogatifs**

cas	quis, quae, quid : *qui ? que ? quoi ?*					
	singulier			pluriel		
	masculin	féminin	neutre	masculin	féminin	neutre
nom.	pron. quis / adj. qui	quae	pron. quid / adj. quod	qui	quae	quae
acc.	quem	quam	pron. quid / adj. quod	quos	quas	quae
gén.	cujus	cujus	cujus	quorum	quarum	quorum
dat.	cui	cui	cui	quibus	quibus	quibus
abl.	quo	qua	quo	quibus	quibus	quibus

▶ **Les pronoms-adjectifs indéfinis**

cas	alius, alia, aliud : *autre*					
	singulier			pluriel		
	masculin	féminin	neutre	masculin	féminin	neutre
nom.	alius	alia	aliud	alii	aliae	alia
acc.	alium	aliam	aliud	alios	alias	alia
gén.	alius	alius	alius	aliorum	aliarum	aliorum
dat.	alii	alii	alii	aliis	aliis	aliis
abl.	alio	alia	alio	aliis	aliis	aliis

cas	nemo : *personne*
nom.	nemo
acc.	neminem
gén.	nullius
dat.	nemini
abl.	nullo

cas	nihil : *rien*
nom.	nihil
acc.	nihil / nullam rem
gén.	nullius rei
dat.	nulli rei
abl.	nulla re

Tableaux des **conjugaisons**

▶ La première conjugaison > amo, as, are, avi, atum : *aimer*

ACTIF

		indicatif	impératif	subjonctif	participe	infinitif
infectum	présent	amo amas amat amamus amatis amant	ama amate	amem ames amet amemus ametis ament	amans, amantis	amare
	imparfait	amabam amabas amabat amabamus amabatis amabant		amarem amares amaret amaremus amaretis amarent		
	futur	amabo amabis amabit amabimus amabitis amabunt			amaturus, a, um	amaturum, am, um esse
perfectum	parfait	amavi amavisti amavit amavimus amavistis amaverunt		amaverim amaveris amaverit amaverimus amaveritis amaverint		amavisse
	plus-que-parfait	amaveram amaveras amaverat amaveramus amaveratis amaverant		amavissem amavisses amavisset amavissemus amavissetis amavissent		
	futur antérieur	amavero amaveris amaverit amaverimus amaveritis amaverint				

▶ amor, aris, ari, atus sum : *être aimé*

PASSIF

		indicatif	subjonctif	participe	infinitif
infectum	présent	amor amaris amatur amamur amamini amantur	amer ameris ametur amemur amemini amentur		amari
	imparfait	amabar amabaris amabatur amabamur amabamini amabantur	amarer amareris amaretur amaremur amaremini amarentur		
	futur	amabor amaberis amabitur amabimur amabimini amabuntur			
perfectum	parfait	amatus, a, um sum amatus, a, um es amatus, a, um est amati, ae, a sumus amati, ae, a estis amati, ae, a sunt	amatus, a, um sim amatus, a, um sis amatus, a, um sit amati, ae, a simus amati, ae, a sitis amati, ae, a sint	amatus, a, um	amatum, am, um esse
	plus-que-parfait	amatus, a, um eram amatus, a, um eras amatus, a, um erat amati, ae, a eramus amati, ae, a eratis amati, ae, a erant	amatus, a, um essem amatus, a, um esses amatus, a, um esset amati, ae, a essemus amati, ae, a essetis amati, ae, a essent		
	futur antérieur	amatus, a, um ero amatus, a, um eris amatus, a, um erit amati, ae, a erimus amati, ae, a eritis amati, ae, a erunt			

▶ **La deuxième conjugaison > debeo, es, ere, debui, debitum :** *devoir*

ACTIF

		indicatif	impératif	subjonctif	participe	infinitif
infectum	**présent**	debeo debes debet debemus debetis debent	debe debete	debeam debeas debeat debeamus debeatis debeant	debens, debentis	debere
	imparfait	debebam debebas debebat debebamus debebatis debebant		deberem deberes deberet deberemus deberetis deberent		
	futur	debebo debebis debebit debebimus debebitis debebunt			debiturus, a, um	debiturum, am, um esse
perfectum	**parfait**	debui debuisti debuit debuimus debuistis debuerunt		debuerim debueris debuerit debuerimus debueritis debuerint		debuisse
	plus-que-parfait	debueram debueras debuerat debueramus debueratis debuerant		debuissem debuisses debuisset debuissemus debuissetis debuissent		
	futur antérieur	debuero debueris debuerit debuerimus debueritis debuerint				

▶ **debeor, eris, eri, etus sum** : *être dû*

PASSIF

		indicatif	subjonctif	participe	infinitif
infectum	présent	debeor deberis debetur debemur debemini debentur	debear debearis debeatur debeamur debeamini debeantur		deberi
	imparfait	debebar debebaris debebatur debebamur debebamini debebantur	deberer debereris deberetur deberemur deberemini deberentur		
	futur	debebor debeberis debebitur debebimur debebimini debebuntur			

		indicatif	subjonctif	participe	infinitif
perfectum	parfait	debitus, a, um sum debitus, a, um es debitus, a, um est debiti, ae, a sumus debiti, ae, a estis debiti, ae, a sunt	debitus, a, um sim debitus, a, um sis debitus, a, um sit debiti, ae, a simus debiti, ae, a sitis debiti, ae, a sint	debitus, a, um	debitum, am, um esse
	plus-que-parfait	debitus, a, um eram debitus, a, um eras debitus, a, um erat debiti, ae, a eramus debiti, ae, a eratis debiti, ae, a erant	debitus, a, um essem debitus, a, um esses debitus, a, um esset debiti, ae, a essemus debiti, ae, a essetis debiti, ae, a essent		
	futur antérieur	debitus, a, um ero debitus, a, um eris debitus, a, um erit debiti, ae, a erimus debiti, ae, a eritis debiti, ae, a erunt			

► La troisième conjugaison > dico, is, ere, dixi, dictum : *dire*

ACTIF

		indicatif	impératif	subjonctif	participe	infinitif
infectum	présent	dico dicis dicit dicimus dicitis dicunt	dic dicite	dicam dicas dicat dicamus dicatis dicant	dicens, dicentis	dicere
	imparfait	dicebam dicebas dicebat dicebamus dicebatis dicebant		dicerem diceres diceret diceremus diceretis dicerent		
	futur	dicam dices dicet dicemus dicetis dicent			dicturus, a, um	dicturum, am, um esse
perfectum	parfait	dixi dixisti dixit diximus dixistis dixerunt		dixerim dixeris dixerit dixerimus dixeritis dixerint		dixisse
	plus-que-parfait	dixeram dixeras dixerat dixeramus dixeratis dixerant		dixissem dixisses dixisset dixissemus dixissetis dixissent		
	futur antérieur	dixero dixeris dixerit dixerimus dixeritis dixerint				

▶ **dicor, eris, dici, dictus sum :** *être dit*

PASSIF

		indicatif	subjonctif	participe	infinitif
infectum	**présent**	dicor diceris dicitur dicimur dicimini dicuntur	dicar dicaris dicatur dicamur dicamini dicantur		dici
	imparfait	dicebar dicebaris dicebatur dicebamur dicebamini dicebantur	dicerer dicereris diceretur diceremur diceremini dicerentur		
	futur	dicar diceris dicetur dicemur dicemini dicentur			
perfectum	**parfait**	dictus, a, um sum dictus, a, um es dictus, a, um est dicti, ae, a sumus dicti, ae, a estis dicti, ae, a sunt	dictus, a, um sim dictus, a, um sis dictus, a, um sit dicti, ae, a simus dicti, ae, a sitis dicti, ae, a sint	dictus, a, um	dictum, am, um esse
	plus-que-parfait	dictus, a, um eram dictus, a, um eras dictus, a, um erat dicti, ae, a eramus dicti, ae, a eratis dicti, ae, a erant	dictus, a, um essem dictus, a, um esses dictus, a, um esset dicti, ae, a essemus dicti, ae, a essetis dicti, ae, a essent		
	futur antérieur	dictus, a, um ero dictus, a, um eris dictus, a, um erit dicti, ae, a erimus dicti, ae, a eritis dicti, ae, a erunt			

ACTIF

		indicatif	impératif	subjonctif	participe	infinitif
infectum	**présent**	capio capis capit capimus capitis capiunt	cape capite	capiam capias capiat capiamus capiatis capiant	capiens, capientis	capere
	imparfait	capiebam capiebas capiebat capiebamus capiebatis capiebant		caperem caperes caperet caperemus caperetis caperent		
	futur	capiam capies capiet capiemus capietis capient			capturus, a, um	capturum, am, um esse

		indicatif	impératif	subjonctif	participe	infinitif
perfectum	**parfait**	cepi cepisti cepit cepimus cepistis ceperunt		ceperim ceperis ceperit ceperimus ceperitis ceperint		cepisse
	plus-que-parfait	ceperam ceperas ceperat ceperamus ceperatis ceperant		cepissem cepisses cepisset cepissemus cepissetis cepissent		
	futur antérieur	cepero ceperis ceperit ceperimus ceperitis ceperint				

▶ capior, eris, capi, captus sum : *être pris*

PASSIF

		indicatif	subjonctif	participe	infinitif
infectum	présent	capior caperis capitur capimur capimini capiuntur	capiar capiaris capiatur capiamur capiamini capiantur		capi
	imparfait	capiebar capiebaris capiebatur capiebamur capiebamini capiebantur	caperer capereris caperetur caperemur caperemini caperentur		
	futur	capiar capieris capietur capiemur capiemini capientur			
perfectum	parfait	captus, a, um sum captus, a, um es captus, a, um est capti, ae, a sumus capti, ae, a estis capti, ae, a sunt	captus, a, um sim captus, a, um sis captus, a, um sit capti, ae, a simus capti, ae, a sitis capti, ae, a sint	captus, a, um	captum, am, um esse
	plus-que-parfait	captus, a, um eram captus, a, um eras captus, a, um erat capti, ae, a eramus capti, ae, a eratis capti, ae, a erant	captus, a, um essem captus, a, um esses captus, a, um esset capti, ae, a essemus capti, ae, a essetis capti, ae, a essent		
	futur antérieur	captus, a, um ero captus, a, um eris captus, a, um erit capti, ae, a erimus capti, ae, a eritis capti, ae, a erunt			

ACTIF

		indicatif	impératif	subjonctif	participe	infinitif
infectum	**présent**	audio audis audit audimus auditis audiunt	audi audite	audiam audias audiat audiamus audiatis audiant	audiens, audientis	audire
	imparfait	audiebam audiebas audiebat audiebamus audiebatis audiebant		audirem audires audiret audiremus audiretis audirent		
	futur	audiam audies audiet audiemus audietis audient			auditurus, a, um	auditurum, am, um esse
perfectum	**parfait**	audivi audivisti audivit audivimus audivistis audiverunt		audiverim audiveris audiverit audiverimus audiveritis audiverint		audivisse
	plus-que-parfait	audiveram audiveras audiverat audiveramus audiveratis audiverant		audivissem audivisses audivisset audivissemus audivissetis audivissent		
	futur antérieur	audivero audiveris audiverit audiverimus audiveritis audiverint				

▶ audior, iris, iri, itus sum : *être entendu*

PASSIF

		indicatif	subjonctif	participe	infinitif
infectum	présent	audior audiris auditur audimur audimini audiuntur	audiar audiaris audiatur audiamur audiamini audiantur		audiri
	imparfait	audiebar audiebaris audiebatur audiebamur audiebamini audiebantur	audirer audireris audiretur audiremur audiremini audirentur		
	futur	audiar audieris audietur audiemur audiemini audientur			
perfectum	parfait	auditus, a, um sum auditus, a, um es auditus, a, um est auditi, ae, a sumus auditi, ae, a estis auditi, ae, a sunt	auditus, a, um sim auditus, a, um sis auditus, a, um sit auditi, ae, a simus auditi, ae, a sitis auditi, ae, a sint	auditus, a, um	auditum, am, um esse
	plus-que-parfait	auditus, a, um eram auditus, a, um eras auditus, a, um erat auditi, ae, a eramus auditi, ae, a eratis auditi, ae, a erant	auditus, a, um essem auditus, a, um esses auditus, a, um esset auditi, ae, a essemus auditi, ae, a essetis auditi, ae, a essent		
	futur antérieur	auditus, a, um ero auditus, a, um eris auditus, a, um erit auditi, ae, a erimus auditi, ae, a eritis auditi, ae, a erunt			

▶ Le verbe sum, es, esse, fui : *être*

		indicatif	impératif	subjonctif
infectum	**prés.**	sum		sim
		es	es	sis
		est		sit
		sumus		simus
		estis	este	sitis
		sunt		sint
	imp.	eram		essem
		eras		esses
		erat		esset
		eramus		essemus
		eratis		essetis
		erant		essent
	fut.	ero		
		eris		
		erit		
		erimus		
		eritis		
		erunt		

		indicatif	subjonctif
perfectum	**parf.**	fui	fuerim
		fuisti	fueris
		fuit	fuerit
		fuimus	fuerimus
		fuistis	fueritis
		fuerunt	fuerint
	p.q.p.	fueram	fuissem
		fueras	fuisses
		fuerat	fuisset
		fueramus	fuissemus
		fueratis	fuissetis
		fuerant	fuissent
	fut. ant.	fuero	
		fueris	
		fuerit	
		fuerimus	
		fueritis	
		fuerint	

▶ Le verbe possum, potes, posse, potui : *pouvoir*

		indicatif	impératif	subjonctif
infectum	**prés.**	possum		possim
		potes		possis
		potest		possit
		possumus		possimus
		potestis		possitis
		possunt		possint
	imp.	poteram		possem
		poteras		posses
		poterat		posset
		poteramus		possemus
		poteratis		possetis
		poterant		possent
	fut.	potero		
		poteris		
		poterit		
		poterimus		
		poteritis		
		poterunt		

		indicatif	subjonctif
perfectum	**parf.**	potui	potuerim
		potuisti	potueris
		potuit	potuerit
		potuimus	potuerimus
		potuistis	potueritis
		potuerunt	potuerint
	p.q.p.	potueram	potuissem
		potueras	potuisses
		potuerat	potuisset
		potueramus	potuissemus
		potueratis	potuissetis
		potuerant	potuissent
	fut. ant.	potuero	
		potueris	
		potuerit	
		potuerimus	
		potueritis	
		potuerint	

Les verbes irréguliers

• Le verbe fero, fers, ferre, tuli, latum : *porter*

indicatif présent	impératif présent
fero	
fers	fer
fert	
ferimus	
fertis	ferte
ferunt	

indicatif imparfait	ferebam, ferebas...
indicatif futur	feram, feres...
indicatif parfait	tuli, tulisti...
subjonctif présent	feram, feras...
subjonctif imparfait	ferrem, ferres...
participe présent	ferens, ferentis

• Le verbe eo, is, ire, i(v)i, itum : *aller*

indicatif présent	impératif présent
eo	
is	i
it	
imus	
itis	ite
eunt	

indicatif imparfait	ibam, ibas...
indicatif futur	ibo, ibis...
indicatif parfait	i(v)i, i(v)isti...
subjonctif présent	eam, eas...
subjonctif imparfait	irem, ires...
participe présent	iens, euntis

• Les verbes volo, vis, velle, volui : *vouloir* ; nolo, non vis, nolle, nolui : *ne pas vouloir* ; malo, mavis, malle, malui : *préférer*

indicatif présent			subjonctif présent		
volo	nolo	malo	velim	nolim	malim
vis	non vis	mavis	velis	nolis	malis
vult	non vult	mavult	velit	nolit	malit
volumus	nolumus	malumus	velimus	nolimus	malimus
vultis	non vultis	mavultis	velitis	nolitis	malitis
volunt	nolunt	malunt	velint	nolint	malint

indicatif imparfait	volebam, volebas...
indicatif futur	volam, voles...
indicatif parfait	volui, voluisti...
subjonctif imparfait	vellem, velles...

• Le verbe fio, fis, fieri, factus sum : *devenir*

indicatif présent		
présent	imparfait	futur
fio	fiebam	fiam
fis	fiebas	fies
fit	fiebat	fiet
fimus	fiebamus	fiemus
fitis	fiebatis	fietis
fiunt	fiebant	fient

subjonctif présent	fiam, fias...
subjonctif imparfait	fierem, fieres...

Table des illustrations

IMPRIM'VERT®

N° d'imprimeur : 12415 - Dépôt légal : 02701-5/03 - Septembre 2018
Achevé d'imprimer en France par Pollina